Messalina

HONOR CARGILL-MARTIN

MESSALINA

De eigenzinnigste vrouw van Rome

Uitgeverij Omniboek

Eerste druk, juni 2024
Tweede druk, november 2024

Uitgeverij Omniboek
Postbus 13288, 3507 LG Utrecht
www.omniboek.nl

Oorspronkelijk verschenen onder de titel *Messalina* bij Head of Zeus
Vertaling Ruud van de Plassche
Omslagontwerp Jan de Boer
Vormgeving binnenwerk Studio Mol
Omslagbeeld *De orgieën van Messalina* 1867-1868, door Federico Faruffini.
Privécollectie. Foto © NPL - DeA Picture Library / Bridgeman Images
ISBN 9789401920278
ISBN e-book 9789401920285
ISBN audioboek 9789401920292
NUR 683

Uitgeverij Omniboek vindt het belangrijk om op verantwoorde wijze met natuurlijke bronnen om te gaan. Bij de productie van dit boek is daarom gebruikgemaakt van papier waarvan het zeker is dat de productie niet tot bosvernieti-
ging heeft geleid.

Blijf op de hoogte van onze nieuwe boeken en schrijf u in voor de nieuwsbrief:
www.omniboek.nl/nieuwsbrief

Voor mijn moeder Perdita,
die me geleerd heeft hoe je moet schrijven en denken.

Inhoud

Kaart van Rome		10
Kaart van het Romeinse Rijk		12
Stambomen		14
Tijdlijn		23
Hoofdrolspelers		26
Inleiding		35
Prelude: Messalina's antieke geschiedschrijvers		45
1.	Een bruiloft en een begrafenis	52
2.	Een marmeren podium	62
3.	Een scholing	73
4.	Tiberius afluisteren	84
5.	Een slecht jaar voor een bruiloft	98
6.	De brug over de baai	114
7.	De koning is dood, lang leve de koning	131
8.	Domina	151
9.	Madonna Messalina	166
10.	Het hof van Messalina	179
11.	De triomf van Messalina	199
12.	Intriges en angsten	211
13.	Politieke perversies	229
14.	Overspelige vrouwen hebben meer plezier	240
15.	Een tuin om een moord voor te doen	254
16.	Herinterpretatie van een einde	270
17.	De keizerin-hoer	290
18.	De tragedie van Claudia Octavia en Britannicus	308

19. Epiloog: de Messalina's 319
Besluit 352

Dankbetuiging 357
Bibliografie 359
Noten 373
Illustratieverantwoording 403
Register 405

ROME MIDDEN EERSTE EEUW N.CHR.

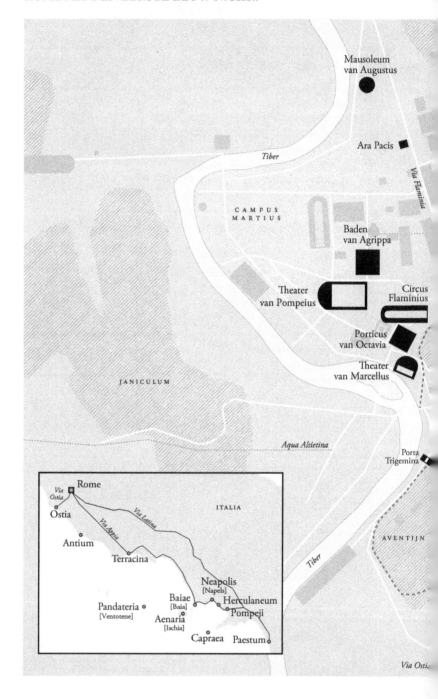

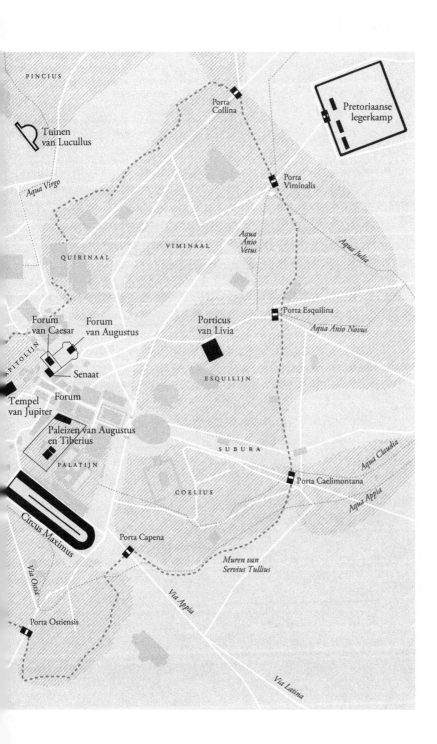

PINCIUS

Porta
Collina

Pretoriaanse
legerkamp

Tuinen
van Lucullus

Aqua Virgo

Porta
Viminalis

Aqua
Anio
Vetus

VIMINAAL

Aqua Julia

QUIRINAAL

Porta Esquilina

Forum
van Caesar

Forum
van Augustus

Porticus
van Livia

Aqua Anio Novus

PITOLIJN

Senaat

ESQUILIJN

Tempel
van Jupiter

Forum

Paleizen van Augustus
en Tiberius

SUBURA

Aqua Claudia

PALATIJN

Porta Caelimontana

COELIUS

Aqua Appia

Circus Maximus

Porta Capena

Via Ostia

Muren van
Servius Tullius

Via Appia

Porta Ostiensis

Via Latina

HET ROMEINSE RIJK MIDDEN EERSTE EEUW N.CHR.

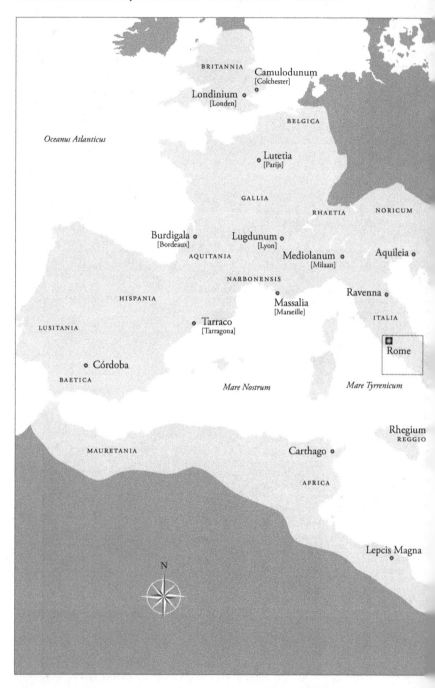

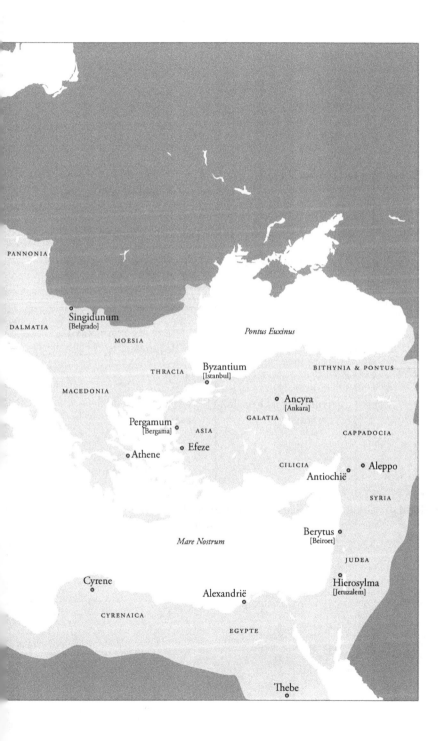

PANNONIA

DALMATIA

Singidunum
[Belgrado]

MOESIA

Pontus Euxinus

THRACIA

Byzantium
[Istanbul]

BITHYNIA & PONTUS

MACEDONIA

Ancyra
[Ankara]

GALATIA

Pergamum
[Bergama]

ASIA

CAPPADOCIA

Efeze

Athene

CILICIA

Aleppo

Antiochië

SYRIA

Berytus
[Beiroet]

Mare Nostrum

JUDEA

Cyrene

Alexandrië

Hierosylma
[Jeruzalem]

CYRENAICA

EGYPTE

Thebe

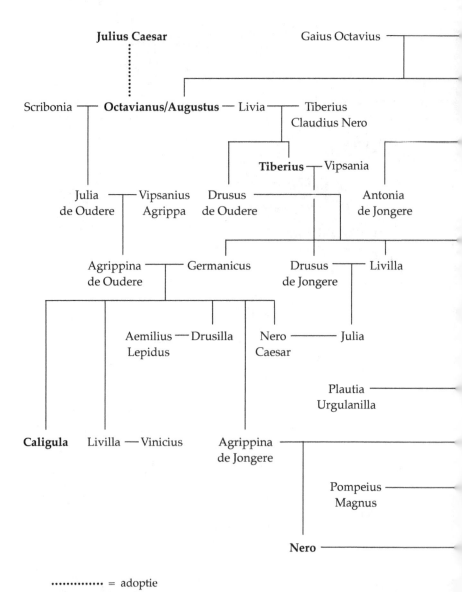

.... = adoptie
‒ ‒ ‒ ‒ ‒ = verloofd

De Julisch-Claudische dynastie

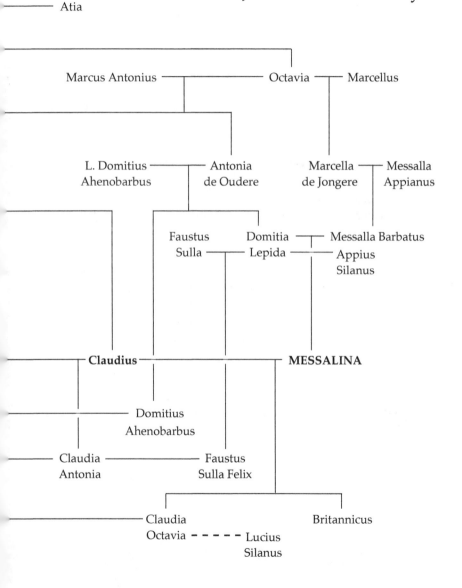

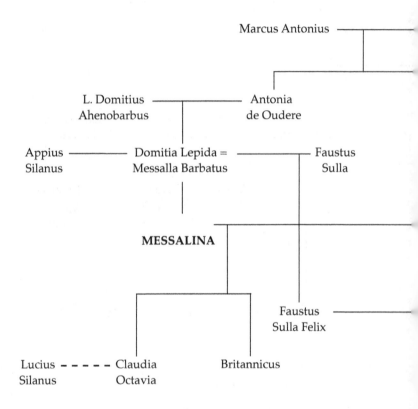

De familie van Messalina en Claudius

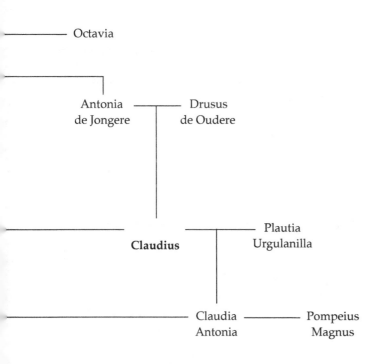

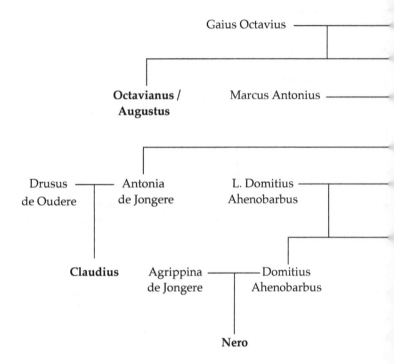

Messalina's familiebanden
ten tijde van haar huwelijk

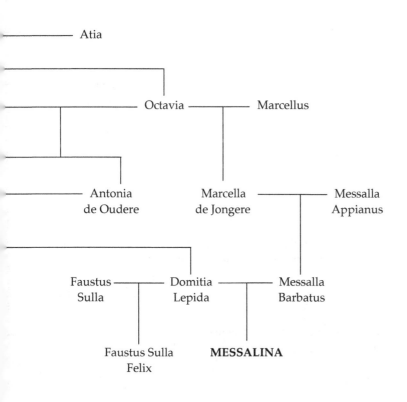

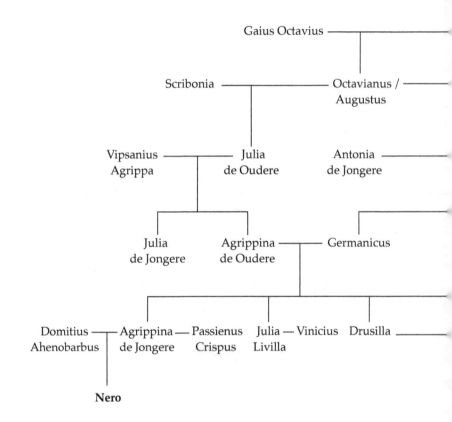

De keizerlijke prinsessen
en hun echtgenoten

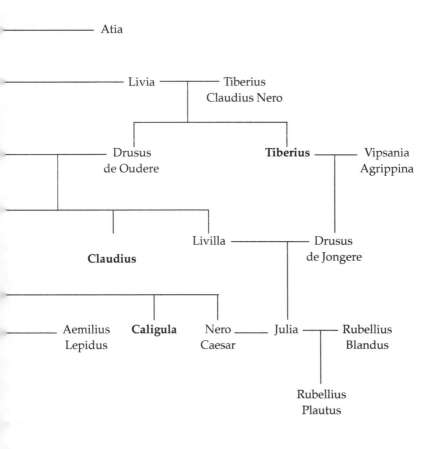

De ogen van Messalina brengen de beste en knapste mannen
onder de patriciërs jammerlijk ten val.
– Juvenalis, *Satiren*, 10.331-333

Tijdlijn

31 v.Chr.: Augustus verslaat Antonius en Cleopatra bij Actium, waarmee hij feitelijk alleenheerser van het Romeinse Rijk wordt: de Julisch-Claudische dynastie begint

27 v.Chr.: Augustus keurt een nieuwe staatsordening goed die hem het oppergezag verschaft

1 augustus 10 v.Chr.: de toekomstige keizer Claudius wordt geboren

19 augustus 14 n.Chr.: Augustus sterft, Tiberius wordt keizer

Ca. 20: Messalina wordt geboren

16 maart 37: Tiberius sterft, Caligula komt op de troon

37: Claudius aanvaardt zijn eerste consulaat

38: Messalina trouwt met Claudius

Herfst 39: de vermeende samenzwering van Gaetulicus leidt tot de verbanning van Caligula's zussen

Winter 39/40: Messalina schenkt het leven aan Claudia Octavia, haar eerste kind

24 januari 41: Caligula wordt vermoord, samen met zijn vrouw Milonia Caesonia en hun dochtertje

25 januari 41: Claudius wordt keizer

12 februari 41: Messalina schenkt het leven aan Britannicus

41: de senaat besluit Messalina de titel Augusta toe te kennen, maar Claudius weigert het eerbetoon namens haar

41: de keizerlijke prinses Julia Livilla en de filosoof Seneca worden beschuldigd van overspel en verbannen

42: de val van Appius Silanus, Messalina's stiefvader

42: Scribonianus doet een couppoging, daarbij gesteund door een aantal vooraanstaande figuren; de opstand wordt neergeslagen

43: Claudius valt Brittannië binnen

43: de val van Catonius Justus, prefect van de pretoriaanse garde

43: de val van de keizerlijke prinses Julia

44: Messalina rijdt mee in Claudius' triomftocht, de senaat verleent haar een aantal extra eerbewijzen

47: de val van de echtgenoot van Claudia Antonia, Pompeius Magnus; Claudia Antonia wordt uitgehuwelijkt aan Messalina's stiefbroer

47: de val van Valerius Asiaticus

47 of 48: de val van de vrijgelatene Polybius

Herfst 48: Messalina houdt naar verluidt een bigamische huwelijksceremonie met haar minnaar Gaius Silius, wat leidt tot haar executie en de executie van een aantal van haar bondgenoten

1 januari 49: Claudius hertrouwt, ditmaal met Agrippina

53: Messalina's dochter Claudia Octavia wordt uitgehuwelijkt aan Agrippina's zoon Nero

13 oktober 54: Claudius sterft en Nero wordt keizer

Begin 55: Messalina's zoon Britannicus overlijdt onder verdachte omstandigheden

62: Messalina's dochter Claudia Octavia wordt verbannen en vermoord

Hoofdrolspelers

MESSALINA'S FAMILIE

Domitia Lepida: Messalina's moeder.

Messalla Barbatus: Messalina's vader. Overleed toen ze nog heel jong was.

Faustus Sulla: de tweede echtgenoot van Domitia Lepida. Messalina's stiefvader.

Faustus Sulla Felix: Messalina's halfbroer. Later getrouwd met haar stiefdochter Claudia Antonia.

Claudius: Messalina's echtgenoot. Keizer van Rome.

Claudia Octavia: dochter van Messalina en Claudius. Later de vrouw van keizer Nero.

Britannicus: zoon van Messalina en Claudius.

CLAUDIUS' FAMILIE

Antonia de Jongere: Claudius' lastige moeder.

Drusus de Oudere: Claudius' dode vader.

Germanicus: Claudius' succesvolle jongere broer. Stierf onder verdachte omstandigheden. Gehuwd met Agrippina de Oudere, en vader van keizer Caligula en zijn zussen.

Livilla: Claudius' zus. Werd ervan beschuldigd haar broer Sejanus te hebben geholpen haar echtgenoot te vermoorden.

Plautia Urgulanilla: Claudius' eerste vrouw. Huwelijk ontbonden na een schandaal rondom beschuldigingen van incest en moord.

Claudius Drusus: Claudius' zoon bij zijn eerste vrouw. Stierf als tiener door een ongeluk met een gegooide peer.

Aelia Paetina: Claudius' tweede vrouw. Huwelijk ontbonden wegens redenen van ondergeschikt belang.

Claudia Antonia: Claudius' dochter bij zijn tweede vrouw. Messalina's stiefdochter.

HET HOF VAN AUGUSTUS

Octavianus/Augustus: de eerste keizer van Rome. Heette Octavianus tot hij in 27 v.Chr. de eretitel Augustus aannam.

Octavia: Augustus' geliefde en machtige zus. Messalina's directe stammoeder.

Livia: de vrouw van Augustus. Bezat ongekende macht en aanzien als de eerste echte 'keizerin' van Rome. Moeder van Augustus' opvolger Tiberius.

Julia de Oudere: Augustus' dochter. Tiberius' tweede vrouw. Verbannen wegens aanstootgevende beschuldigingen van overspel.

Julia de Jongere: dochter van Julia de Oudere. Augustus' kleindochter. Volgde later haar moeder in verbanning wegens overeenkomstige beschuldigingen van overspel.

HET HOF VAN TIBERIUS

Tiberius: Livia's zoon. Augustus' stiefzoon. De tweede keizer van Rome.

Sejanus: machtige prefect van de pretoriaanse garde onder Tiberius. Het prototype van de sinistere adviseur.

Drusus: Tiberius' zoon. Werd naar later werd aangenomen vergiftigd door zijn vrouw Livilla en Sejanus.

Agrippina de Oudere: de vrouw van Claudius' broer Germanicus en de moeder van Caligula en zijn zussen. Verenigde het verzet tegen Tiberius onder zich en werd verbannen.

HET HOF VAN CALIGULA

Caligula: de jonge en berucht wispelturige derde keizer van Rome. Claudius' neef.

Drusilla: Caligula's favoriete zus en volgens sommigen zijn minnares. Na haar dood vereerd als godin.

Aemilius Lepidus: echtgenoot van Drusilla. Zou liefdesbetrekkingen hebben gehad met zowel haar broer Caligula als haar zussen Livilla en Agrippina. Geëxecuteerd op beschuldigingen van samenzwering en overspel.

Gaetulicus: gouverneur van Opper-Germanië. Werd geëxecuteerd wegens zijn aandeel in een vermeende samenzwering tegen Caligula.

Livia Orestilla: Caligula's tweede echtgenote, die hij tot vrouw nam tijdens haar huwelijksceremonie met een andere man.

Lollia Paulina: Caligula's rijke derde vrouw.

Milonia Caesonia: Caligula's vierde vrouw en de moeder van zijn dochter. Vermoord samen met haar echtgenoot en baby.

DE PRETORIANEN

Cassius Chaerea: een voorname pretoriaanse officier met republikeinse overtuigingen. Een van de leiders van de samenzwering tegen Caligula.

Cornelius Sabinus: een hooggeplaatste pretoriaanse officier die betrokken was bij de samenzwering tegen Caligula.

Catonius Justus: pretoriaanse prefect tijdens de vroege jaren van Claudius' bewind. Geëxecuteerd, naar verluidt op bevel van Messalina.

Rufrius Crispinus: pretoriaanse prefect. Een trouwe bondgenoot van Messalina.

Lusius Geta: pretoriaanse prefect. Sprak zich tegen Messalina uit tijdens haar val, maar werd later te trouw aan haar nagedachtenis bevonden en uit de weg geruimd.

HET PALATIJNSE HOF TEN TIJDE VAN MESSALINA

Vrijgelatenen, slaven en bedienden

Narcissus: een machtige vrijgelatene, belast met de keizerlijke correspondentie. Veranderde van Messalina's grootste bondgenoot in een dodelijke vijand.

Callistus en Pallas: twee machtige vrijgelatenen in Claudius' hofhouding.

Calpurnia en Cleopatra: twee van de keizerlijke maîtresses.

Sosibus: Britannicus' huisleraar en een bondgenoot van Messalina.

De uitgebreide keizerlijke familie aan Claudius' hof

Julia Livilla: een van de zussen van Caligula. Teruggeroepen na Claudius' troonsbestijging. Beschuldigd van overspel met Seneca en naar verluidt verbannen op instigatie van Messalina.

Marcus Vinicius: de echtgenoot van Julia Livilla. Volgens latere geruchten zou Messalina hem hebben laten vergiftigen.

Julia Livia: dochter van Livilla en Drusus. Naar verluidt vermoord op instigatie van Messalina.

Pompeius Magnus: in 41 gehuwd met Messalina's stiefdochter Claudia Antonia maar later geëxecuteerd.

Lucius Silanus: verloofd met Messalina's babydochter Claudia Octavia. Werd door Agrippina tot zelfmoord gedwongen.

Appius Silanus: de derde echtgenoot van Messalina's moeder Domitia Lepida. Geëxecuteerd, naar verluidt op grond van een gefingeerde droom die werd bedacht door Messalina en Narcissus.

Agrippina de Jongere: een van de zussen van Caligula. Moeder van keizer Nero. Trouwde met haar oom Claudius na Messalina's val en werd ervan beschuldigd de hand in de moord op hem te hebben gehad.

Passienus Crispus: tweede echtgenoot van Agrippina de Jongere. Stond bekend om zijn gevatheid en steunde Claudius' bewind door dik en dun.

Vrouwen aan het hof

Poppaea Sabina de Oudere: een legendarische schoonheid. Wedijverde naar verluidt met Messalina om de attenties van de danser Mnester. Werd tot zelfmoord gedwongen vanwege haar vermeende affaire met Valerius Asiaticus. Haar dochter met dezelfde naam verving Octavia als echtgenote van Nero.

Pomponia Graecina: de vrouw van Claudius' generaal Plautius. Droeg de rest van haar leven rouwkleding uit protest tegen Messalina's behandeling van Julia Livia.

Junia Silana: de edelmoedige en schuldloze echtgenote van Gaius Silius. Gescheiden, klaarblijkelijk vanwege zijn affaire met Messalina.

Junia Calvina: de mooie zuster van Lucius Silanus. Beschuldigingen van incest leidden tot de zelfmoord van haar broer en haar (tijdelijke) verbanning.

Senatoren

Publius Suillius: vaardig redenaar en berucht aanklager. Lange tijd bondgenoot van Messalina.

Lucius Vitellius: bondgenoot in de senaat van Messalina tijdens het grootste deel van haar bewind. Zijn gelijknamige zoon was later kort keizer.

Seneca: hoveling en stoïcijns filosoof. Beschuldigd van overspel met Julia Livilla en verbannen, naar verluidt op instigatie van Messalina. Later huisleraar van Nero.

Camillus Scribonianus: gouverneur van Dalmatië. Ensceneerde een kortstondige opstand tegen Claudius en stierf door zelfmoord of moord.

Caecina Paetus: werd tot zelfmoord gedwongen vanwege zijn betrokkenheid bij Scribonianus' opstand. Zijn toegewijde vrouw Arria vergezelde hem in de dood.

Aulus Plautius: Claudius' belangrijkste generaal. Het meesterbrein achter de Britse campagne.

Valerius Asiaticus: een schatrijke en aanzienlijke senator uit Gallië. Werd tot zelfmoord gedwongen na zijn veroordeling wegens samenzwering en seksueel wangedrag, naar verluidt op instigatie van Messalina.

Messalina's vermeende minnaars en bondgenoten

Gaius Silius: de knapste jonge aristocraat in Rome. Naar verluidt Messalina's minnaar, bigamische echtgenoot en medesamenzweerder.

Mnester: een onweerstaanbare pantomime-steracteur. Naar verluidt de geliefde van Caligula en later van Messalina.

Polybius: een machtige vrijgelatene en Claudius' literaire adviseur. Naar verluidt een van Messalina's minnaars en op haar bevel vermoord.

Traulus Montanus: een opvallend knappe en onschuldige jonge ridder. Messalina zou hem voor één nacht hebben ontboden om met hem te slapen en hem vervolgens hebben weggestuurd.

Vettius Valens: een beroemd arts. Naar verluidt een van de minnaars van de keizerin.

Titus Proculus, Pompeius Urbicus, Saufeius Trogus, Juncus Vergilianus, Sulpicius Rufus, Decrius Calpurnianus: nog meer vermeende minnaars en bondgenoten van Messalina.

Helvia, Cotta en Fabius: drie andere mannen die Messalina mogelijk ook in haar val meesleepte.

Plautius Lateranus: de neef van Claudius' machtigste generaal. Werd samen met Messalina beschuldigd, maar kreeg gratie.

Suillius Caesonius: de zoon van de gevreesde aanklager Publius Suillius. Werd samen met Messalina beschuldigd, maar kreeg gratie.

De vrouwen van Nero

Acte Claudia: een vrijgelatene met wie Nero een hartstochtelijke verhouding had.

Poppaea Sabina de Jongere: geliefde van Nero en de dochter van Messalina's oude rivale Poppaea Sabina de Oudere. Nero scheidde van Octavia om met haar te trouwen.

Inleiding

In 1798 besloot de Parijse uitgever Pierre Didot pornografie uit te gaan geven. Hij bestelde zestien weelderige gravures waarop seksuele posities te zien waren, variërend van eenvoudig tot indrukwekkend atletisch. Om het project enigzins respectabel te houden plaatste hij de afbeeldingen in een historische context. Met de titel* werd (ten onrechte) een verband gelegd met een van de beruchtste erotische werken uit de renaissance: *I Modi* of *De standjes*. Deze bundel met zestien expliciete gravures en zestien sonnetten werd door de katholieke kerk zo gevaarlijk geacht dat twee complete oplagen in beslag werden genomen en vernietigd, waardoor van het werk alleen nog een paar onbevredigende fragmenten en zijn schandalige reputatie bewaard zijn gebleven.[1] Didot voorzag ook elk van zijn standjes van een klassieke bijschrift ontleend aan de Grieks-Romeinse mythologie of geschiedenis. Op Plaat 6 maakt Hercules goed gebruik van zijn legendarische kracht door Deianira helemaal van de grond te tillen, op Plaat 10 bedrijft Bacchus de liefde met Ariadne, die met haar hoofd omlaag ligt, en op Plaat 17 betrappen we Aeneas als hij een geknielde Dido van achteren vingert.

Standje 14 heet 'de Messalina'. We zijn in een Romeins bordeel waar Messalina – keizerin van de bekende wereld, echtgenote van keizer Claudius – op een bed met leeuwenpoten ligt en zich voordoet als een gewone prostituee. We kunnen het gezicht van de anonieme, gespierde klant die op het punt staat haar te penetreren nauwelijks zien, maar dat maakt niet uit. Messalina's been rust op zijn schouder en haar hand ligt

---

* Het boek werd gepubliceerd onder de naam *L'Arétin d'Augustin Carrache, ou recueil de postures érotiques* ('Verzameling van erotische standjes') met gravures van de kunstenaar Jacques-Joseph Coiny.

op zijn rug en trekt hem naar zich toe. De plaat verbeeldt een beroemde passage uit de vroegtweede-eeuwse *Zesde satire* van de dichter Juvenalis, waarin hij beweert dat de keizerin, voortgedreven door haar onverzadigbare sekshonger, wachtte tot haar echtgenoot in slaap viel waarna ze zich vermomde met een blonde pruik en een mantel en van het luxueuze paleis op de Palatijn via de donkere straten van Rome wegglipte naar een louche bordeel.[2] Daar installeerde ze zich in een benauwde en stinkende kamer, kleedde zich uit en bood zichzelf te koop aan onder de nepnaam 'Lycisca' – 'Wolvinnetje'. Ze flirtte en neukte voor een paar munten per keer en pas in de ochtend, wanneer de zon opkwam en de pooier chagrijnig werd, zwichtte ze met tegenzin voor zijn verzoek om te vertrekken. Ze keerde vies naar het paleis terug – het zweet van haar minnaars en het roet van de goedkope olielampen op haar huid – en ook tevredener, maar, zo beweert Juvenalis, nog steeds niet helemaal bevredigd.

De tekst bij Plaat 14 beschrijft het buitensporige seksleven van de hoofdpersoon. Messalina, zo wordt ons verteld, sliep met elke officier in het paleis van haar man; in feite was er in Rome amper een man te vinden die niet kon pochen dat hij het met de keizerin had gedaan. Er staat dat ze mannen die, uitgeput door haar eindeloze begeerte, niet het uithoudingsvermogen of de vaardigheid hadden om haar te bevredigen zonder scrupules liet ombrengen. Ten slotte wordt gesteld dat Messalina's naam nooit zal verdwijnen; die zal door de eeuwen heen voortleven als de titel voor elke vrouw die ongeremd toegeeft aan haar seksuele lusten en onovertroffen is in haar reputatie van losbandigheid.[3]

Althans wat dat laatste betreft had Didot geen ongelijk. In de eeuwen na Messalina's executie in 48 n.Chr. werd haar naam een synoniem voor de nymfomane, de femme fatale, de vrouw die haar seksuele verlangens durfde te tonen. In een geïllustreerd manuscript uit het middeleeuwse Frankrijk zien we een opmerkelijk ontspannen Messalina voor eeuwig branden in de hel terwijl ze in een verwoed debat verwikkeld is met de keizers Tiberius en Caligula over wie van hen het meest gezondigd heeft. Franse revolutionaire pamflettisten maakten Marie Antoinette uit voor een nieuwe Messalina, terwijl haar zus Maria Carolina, de machtige koningin van Napels, door een tijdgenoot werd beschreven als iemand die 'de wellust van een Messalina' combineerde met 'de onorthodoxe voorkeuren van een Sappho'.[4] In de jaren twintig van de vorige eeuw werd een vrouw uit een Britse woonwijk die veroordeeld was omdat ze haar minnaar zou hebben aangezet tot moord op haar man vereeuwigd als de 'Messalina van de Buitenwijken', en in de jaren dertig voorzag de fabrikant Player's Cigarette zijn pakjes van 'sigarettenkaarten' (als onderdeel van een serie over 'beroemde schoonheden') waarop een Messalina met roodgestifte lippen te zien is die arrogant en zelfbewust over een bank gedrapeerd ligt terwijl haar jurk van haar schouder af glijdt en ze haar wijnglas leeggiet op de vloer. Op de theatrale poster van de film *Messalina, Messalina!* uit 1977 is de keizerin uit de titel te zien in een tuniek met een lage rug die helemaal tot boven haar dijen is uitgesneden; de aanprijzing belooft kijkers 'de veelzijdige liefdesavonturen van een onverzadigbare mannenverslindster'. Messalina was de archetypische 'slechte vrouw' geworden, een monsterlijk voortbrengsel van mannelijke fantasieën vermengd met mannelijke angsten.

Dat Messalina op deze wijze voortleeft in het westerse culturele bewustzijn is gezien haar behandeling in de oude bronnen nauwelijks verrassend. Na haar executie onderging de keizerin een *damnatio memoriae*; haar naam werd van monumenten gebeiteld, haar standbeelden werden vernietigd en haar reputatie werd onbeschermd gelaten. Mannelijke historici, dichters en zelfs wetenschappers konden zich naar hartenlust uitleven en beschuldigden Messalina van overspel, hebzucht, prostitutie, bigamie en moord, waarbij ze tevens uiting gaven aan hun bezorgdheid over vrouwen die zich immoreel gedroegen of te veel macht kregen.

Dat Messalina's geschiedenis deels uitgewist en deels verdraaid is, maakt het lastig om een nauwkeurige 'feitelijke' reconstructie van haar leven op te stellen. Veel is twijfelachtig; zelfs de basaalste feiten staan ter discussie. Om maar een voorbeeld te noemen: schattingen van Messalina's geboortedatum lopen uiteen van het jaar 17 tot maar liefst 26. Voor een vrouw die waarschijnlijk haar dertigste verjaardag niet meer beleefde, is het verschil van bijna een decennium cruciaal. Als je 17 als het geboortejaar van Messalina neemt, dan was ze rond de 21 jaar oud toen ze in 38 met Claudius trouwde en rond de 31 toen ze in 48 stierf. Als je haar echter in 26 geboren laat worden, was ze pas 13 toen ze in het huwelijk trad en 22 toen ze stierf. Dit heeft duidelijk gevolgen voor onze analyse van de vrouw en haar daden. Was ze een maagd die getrouwd was met een man van meer dan drie keer haar leeftijd? Een tiener die haar seksualiteit aan het verkennen was? Een argeloos en onwetend meisje dat be-

landde in een hof vol politieke intriges die ze niet kon begrijpen? Of was
ze een jonge vrouw die zich goed bewust was van haar seksuele macht en
zich wat intrigeren betreft kon meten met de besten?

*

Is er voor de historicus dus geen eer aan Messalina te behalen? Misschien
ben ik bevooroordeeld, maar ik zou zeggen van wel.

Naar de maatstaven van de antieke wereld leefde Messalina in een
plaats en tijd waarover we een enorme hoeveelheid informatie bezitten.
De periode die loopt van ongeveer 100 jaar vóór tot 100 jaar na haar geboorte is misschien wel het best gedocumenteerde tijdperk van de westerse geschiedenis vóór de renaissance. De Romeinse samenleving was
toen geletterder dan ooit. De mensen woonden in een stedelijk landschap waar het schrift alomtegenwoordig was: wetten en decreten werden in steen of brons gegraveerd; lofredes aan de overledenen werden op
de graftombes langs de wegen gekerfd; plaquettes beschreven degenen
van wie publieke standbeelden waren neergezet en roemden hun verrichtingen; op elk stukje vrije muur waren opschriften aangebracht die je
vertelden wie je moest mijden, op wie je moest stemmen – en met wie je
moest neuken.

De ontwikkelde Romeinen konden lezen en schrijven, in zowel het
Latijn als het Grieks. Ze kenden een compleet literair oeuvre uit hun
hoofd – de heldendichten van Homerus, de tragedies van Aeschylus, de
toespraken van Demosthenes – en ze strooiden opzichtig met citaten
in de brieven die ze elkaar stuurden. En dat was een constante stroom.
Brieven vormden de bestuurlijke ruggengraat van het rijk; dankzij de
nieuwe keizerlijke postdienst (de *cursus publicus*), ingesteld door Augustus om instructies en rapporten tot in de verste uithoeken van het rijk
te brengen, was het mogelijk het enorm uitgestrekte Romeinse grondgebied centraal te regeren. In diezelfde periode ontwikkelde het schrijven
van brieven zich tot een kunstvorm toen Cicero en Plinius de Jongere hun
privécorrespondentie verzamelden en in dikke boekdelen publiceerden.
In de senatoriale archieven op de Capitolijn werden notulen, vonnissen
en decreten bewaard voor toekomstig gebruik.

Ook de Latijnse literatuur bloeide: Vergilius schonk Rome met zijn
Aeneis eindelijk een epos dat kon wedijveren met de heldendichten van

de Grieken; Catullus en Ovidius kwamen met hunkerende klaagzangen over verboden geliefden; Horatius, Persius en Juvenalis perfectioneerden het bijtende en typisch Romeinse nieuwe genre van de satire. Al snel werd gesproken van het gouden tijdperk van de Romeinse literatuur, dat ruwweg de eerste eeuw voor en na Christus beslaat. De teksten uit deze periode zouden voor het nageslacht bewaard blijven in abdijbibliotheken, waar monniken ze gedurende de hele christelijke middeleeuwen zouden kopiëren, vaak van kopie op kopie, omdat ze het literaire belang van de teksten respecteerden of lesmateriaal nodig hadden om 'goed klassiek Latijn' te kunnen onderwijzen.

Het tijdperk van Messalina drukte een minstens zo onuitwisbaar stempel op het fysieke als op het literaire landschap. De keizerlijke elite bouwde monumenten die ontworpen waren om de tand des tijds te doorstaan. Veel ervan kregen later een nieuwe bestemming in de Eeuwige Stad van de Katholieke Kerk; tempels van de oude goden werden kerken voor de nieuwe, bogen en zuilen werden hergebruikt om adellijke palazzo's te verfraaien. Elders bleef het landschap van Messalina's Italië beter behouden. De uitbarsting van de Vesuvius in het jaar 79 was weliswaar onfortuinlijk voor de inwoners van Pompeji, maar werkte als een soort tijdcapsule die ons een totaalbeeld verschafte van het alledaagse leven in Romeinse steden en villa's van halverwege de eerste eeuw zoals het écht was – in plaats van de snippers die speciaal werden gecreëerd om bewaard te blijven.

Uit deze ongelijksoortige bronnen kunnen we een opmerkelijk rijk weefwerk samenstellen van de wereld die Messalina bewoonde; de wetten, sociale normen, politieke instellingen en familienetwerken ervan, de economie, het uiterlijk vertoon, de idealen en angsten. Als we eenmaal de omgeving begrijpen waarin Messalina leefde – en waarin de eerste geschiedenissen over haar leven werden geschreven – kunnen we met een historische blik te werk gaan, ons afvragen of de verhalen die we te horen krijgen plausibel zijn en, als dat niet zo is, onderzoeken door welke vooroordelen en bijbedoelingen die verhalen in het leven kunnen zijn geroepen.

Dit is een hachelijke onderneming, maar ook een lonende. Soms vertellen de ficties die een samenleving over zichzelf bedenkt ons net zoveel over die samenleving als de feiten. Misschien vertellen ze ons zelfs meer.

Gebeurtenissen kunnen op toeval berusten, maar in een wereld waarin geschiedschrijving vooral was gebaseerd op mondelinge overlevering en schrijfmateriaal duur was, vereiste het creëren van een verhaal een gezamenlijke inspanning waarbij – bewust of onbewust – inventie en selectie een grote rol speelden.

De verhalen die over Messalina worden verteld zijn zo spectaculair als maar kan. Ze ruimt een van de rijkste en machtigste mannen van Rome uit de weg omdat ze zijn tuin mooi vindt; vermoordt mannen die weigeren met haar naar bed te gaan; daagt de beruchtste prostituee van Rome uit voor een 24 uur durende wedstrijd in seksueel uithoudingsvermogen... en wint; beraamt een staatsgreep om de keizer ten val te brengen en *trouwt* in het openbaar met haar minnaar terwijl haar echtgenoot de stad uit is.

In tegenstelling tot het personage van 'de Messalina' dat zich later in de westerse culturele traditie ontwikkelt – de vrouw die volledig door haar seksualiteit wordt bepaald – was de echte Messalina zowel een politieke als een seksuele kracht. De vermeende intriges van de keizerin, haar plotselinge ondergang en de uitermate effectieve karaktermoord die na haar dood op haar wordt gepleegd, onthullen veel over de innerlijke werking van de nieuwe hofpolitiek die ontstond toen Rome overging van Republiek naar Keizerrijk – een ontwikkelingsproces waarin Messalina, zo zal ik betogen, een centrale rol speelde. Het was een verandering die de toenmalige geschiedschrijvers uit de oude senatoriale klasse de stuipen op het lijf joeg. Politiek lag nu buiten hun controle: een duister en ongrijpbaar gebeuren dat zich achter gesloten deuren afspeelde, waarbij persoonlijke rivaliteit en partijstrijd de boventoon voerden en geschillen werden uitgevochten door middel van vermeende vergiftigingen en valse beschuldigingen in plaats van openbare vergaderingen en debatten.

Het is een proces dat ons vandaag de dag maar al te bekend voorkomt. De verkiezing van Donald Trump in 2016 zou korte metten moeten maken met de in de twintigste eeuw zo vurig aangehangen mythe dat de geschiedenis systematisch kan worden verklaard, met volledig voorbijzien aan het individu, het irrationele en het emotionele. In het Witte Huis van Trump hebben het karakter en het ego van de hoofdrolspelers, plus hun persoonlijke relaties, ongetwijfeld het verloop van het presidentschap veranderd. Ik zal hier niet komen aanzetten met de dooddoener dat hieruit blijkt hoezeer de klassieken nog steeds van wezenlijk belang zijn voor ons begrip van de moderne politiek – ze zijn niet van wezenlijk belang, ze zijn interessant (wat beter is) en, belangrijker nog, de nieuwe mondiale problemen waar we nu voor staan vragen om nieuwe oplossingen. Veeleer zouden we uit onze huidige ervaringen met persoonlijkheidspolitiek de les moeten trekken dat we persoonlijk temperament, liefde, lust, familiebanden, jaloezie, vooroordelen en haat niet moeten onderschatten als drijvende krachten achter echte historische verandering. Vooral mannelijke geleerden hebben Messalina lange tijd als een onderwerp voor serieuze studie terzijde geschoven, omdat de historische verslagen over haar leven onbetrouwbaar en de vrouw zelf een leeghoofdige slet zou zijn. Daar zou ik tegenover willen stellen dat haar verhaal centraal staat in en onlosmakelijk verbonden is met het verhaal van haar tijd; het dwingt ons onder ogen te zien hoezeer in deze periode moeilijk weegbare irrationele factoren de loop van de Romeinse politieke geschiedenis hebben bepaald.

De problemen die we tegenkomen wanneer we Messalina proberen te begrijpen, moeten erkend worden als onderdeel van haar verhaal én als onderdeel van het bredere verhaal van het vrouw-zijn in de oudheid. Want het literaire corpus uit de klassieke wereld mag dan nog zo rijk zijn, het bevat bijna geen vrouwelijke stemmen. We beschikken over de fragmenten van de dichteressen Sappho en Sulpicia, maar de 'woorden' van de grote vrouwen uit de antieke geschiedenis en mythologie – formidabele, machtige vrouwen als Helena, Medea, Antigone, Penthesilea, Artemisia, Lucretia, Cleopatra, Livia en Boudicca – zijn over het algemeen geschreven door mannen. Medea's bittere klaagzang dat 'van alles wat een ziel heeft en kan denken wij vrouwen de ongelukkigste schepsels zijn' kwam uit de pen van Euripides; Boudicca's oproep om de wapens op te nemen werd haar in de mond gelegd door Tacitus.[5] Steeds weer zien we dat deze vrouwelijke personages worden opgevoerd als hetzij toonbeelden van deugd hetzij duivelinnen, wat in dienst staat van de boodschap van de mannelijke auteur.

In de afgelopen 2000 jaar zijn we niet helemaal over deze tendens heen gegroeid – onze cultuur lijkt nog steeds geen weg te weten met vrouwelijke complexiteit. Veel meer dan hun mannelijke tegenhangers neigen moderne vrouwelijke personages nog steeds naar zwart-wit; in het culturele bewustzijn is er nog steeds minder ruimte voor de complexe heldin dan voor de complexe held.

De vrouwen voor wie mannelijke auteurs woorden hebben geschreven zijn de uitzonderingen; meestal komen de vrouwen uit de oudheid niet aan het woord en wordt er helemaal niet over hen gesproken. In de antieke wereld was de ideale vrouw zwijgzaam, bescheiden en teruggetrokken; in de Griekse rechtbanken stond alleen al het noemen van een vrouw in een openbare toespraak gelijk aan haar tot een hoer bestempelen.[6] In het begin van de eerste eeuw stond het volgende op het graf van een zekere Murdia:

> de lofzang op alle goede vrouwen is meestal eenvoudig en gelijksoortig, omdat hun natuurlijke, goede eigenschappen [...] geen grote verscheidenheid in beschrijving vereisen. Voor een vrouw volstaat het om dezelfde dingen te doen die elke goede vrouw doet om voor zichzelf een waardige reputatie te verwerven. Omdat hun leven zo weinig variatie vertoont, is het voor vrouwen immers moeilijker om nieuwe lofprijzingen te winnen. Daarom moeten wij hun gemeenschappelijke deugden roemen... Mijn geliefde moeder verdiende de grootste lof van allemaal omdat zij in bescheidenheid, eerlijkheid, kuisheid, gehoorzaamheid, spinnen en weven, ijver en trouw de gelijke was van elke andere respectabele vrouw en voor hen zelfs als voorbeeld kon dienen.[7]

De 'goede' vrouw, bezig met haar taken in huis, was simpelweg niet interessant voor de meeste Griekse en Romeinse schrijvers en dus noemden ze haar gewoon niet. Deze stilte is buiten de wereld van de elite nog oorverdovender. Het leven van armere vrouwen – of het nu slavinnen, vrouwen van ambachtslieden of prostituees waren – kunnen we slechts reconstrueren aan de hand van scherven aardewerk, versleten spinklossen, schroeisporen die haardvuren in oude vloeren achterlieten en fragmenten aanstootgevende graffiti.

Het is geen toevallige speling van de geschiedenis dat we zo weinig weten van Messalina's leven vóór haar huwelijk en we niet eens in staat zijn om haar geboortejaar met zekerheid vast te stellen. Het is kenmerkend voor een culturele aanname: dat vrouwen domweg pas interessant waren als hun levens die van mannen in aanzienlijke mate kruisten. Deze aanname was zo diepgeworteld dat die in de taal verweven zat: het Oudgrieks en het Latijn hebben beide geen aparte term voor de ongehuwde volwassen vrouw. De onzichtbaarheid en stemloosheid van de 'echte Messalina' – die in alle verslagen over haar leven geen enkele maal direct aan het woord komt – weerspiegelen de onzichtbaarheid en stemloosheid van de overgrote meerderheid van vrouwen in de oudheid.

Messalina's verguizing is de beste introductie die je kunt krijgen over de gevaren waaraan een zich ontplooiende vrouw blootstond in het misogyne patriarchaat dat bekendstaat als de wieg van de westerse beschaving, rationaliteit en vrijheid. Maar de angsten rondom een machtige vrouw – erger, een jónge machtige vrouw, nog erger, een jonge machtige seksuele vrouw – die tastbaar van elke zin over Messalina druipen, zijn meer dan alleen maar een goede introductie in de heersende vooroordelen van de oudheid. Ook voor de moderne lezer zijn ze herkenbaar. Al even bekend zijn de reflexmatige reacties die deze angsten oproepen: aan de schandpaal nagelen, voor slet uitmaken, de vrouw voorstellen als een onredelijk, emotioneel wezen. De geschiedenis van Messalina – voor zover we die kunnen reconstrueren – is in sommige opzichten heel modern: het is de geschiedenis van een vrouw die het aandurft om macht uit te oefenen in een mannenwereld en de gevolgen van die keuze ondervindt.

Belangrijker dan de relevantie die Messalina zou kunnen hebben voor de moderne wereld is dat ze haar juiste plaats in het historische verhaal terugkrijgt. Haar verhaal is geen parabel over de vrouwelijke sekse die onrecht wordt aangedaan. Messalina is niet simpelweg het onschuldige vrouwelijke slachtoffer in een misogyne wereld. Ze werd gevormd door het brute patriarchaat waarin ze leefde, handelde binnen de kaders ervan en hield het soms zelfs in stand.

Haar verhaal is in zekere zin het verhaal van de consolidatie van de keizerlijke macht in het midden van de eerste eeuw en de staatkundige transformatie van Rome van een republiek naar een monarchie, behalve in naam. Augustus had een autocratie gevestigd en de kiem gelegd voor een dynastiek stelsel – maar zijn echte meesterzet was de geleidelijkheid waarmee hij deze transformatie bewerkstelligde en aan het licht liet komen. Het proces was nog steeds gaande toen Messalina en Claudius in het jaar 41 aan de macht kwamen, zo'n 25 jaar na de dood van de eerste keizer Augustus. Als keizerin zou Messalina actief bijdragen aan de langzame omvorming van het Romeinse politieke landschap en pionieren met nieuwe manieren van machtsuitoefening die listig profiteerden van de oude, traditioneel mannelijke instellingen van het Romeinse openbare leven of die omzeilden. Ze creëerde nieuwe modellen voor vrouwelijke macht, die overgenomen zouden worden door haar opvolgsters en die medebepalend zouden zijn voor de Romeinse ideeën over wat het betekende om 'keizerin' te zijn.

Messalina, zo zal ik betogen, was een cruciale figuur in de geschiedenis van het keizerlijk Rome in de eerste eeuw. Onze obsessie met haar seksleven heeft dit verdoezeld en dat gaat niet alleen ten koste van háár nagedachtenis, maar ook van óns begrip van de periode.

Prelude

Messalina's antieke
geschiedschrijvers

Het meeste wat we weten over het leven van Messalina is afkomstig uit een aantal schriftelijke bronnen in het Latijn en Grieks die in de eeuwen na haar dood zijn opgesteld, met als belangrijkste de *Annalen* van Tacitus, *Keizers van Rome* van Suetonius en *Romeinse geschiedenis* van Cassius Dio. Tacitus en Suetonius waren vrijwel tijdgenoten rond het begin van de tweede eeuw; Dio schreef ongeveer een eeuw later, rond het begin van de derde. Elk werk is geschreven met een andere opzet en elke auteur was behept met zijn eigen vooroordelen, die we moeten begrijpen voordat we hun weergave van Messalina gaan ontwarren. Er zijn natuurlijk nog andere bronnen die melding maken van Messalina, maar deze zullen aan de orde komen wanneer ze relevant worden voor ons verhaal.

Publius Cornelius Tacitus werd geboren in het midden van de jaren 50 van de eerste eeuw, slechts een paar jaar na Messalina's dood. Zijn herkomst is enigszins onduidelijk, maar waarschijnlijk stamde hij uit een familie van provinciale adel in wat nu Noord-Italië of Zuid-Frankrijk is; ze waren in elk geval rijk en hadden genoeg connecties om hun zoon de beste opleiding in de stad Rome zelf te geven. Tacitus bleek veelbelovend en maakte al snel carrière in publieke ambten onder keizer Vespasianus: hij sloot een voordelig huwelijk, vervulde functies als magistraat en kwam waarschijnlijk in de senaat tijdens het bewind van keizer Titus in de vroege jaren 80. Hij klom gestaag door de rangen – zijn carrière werd niet gehinderd door de tirannie van Vespasianus – en werd in het jaar 97 consul.

Net als veel van zijn medesenatoren had Tacitus lange tijd geliefhebberd in literaire bezigheden, maar na zijn consulaat wijdde hij zich serieus aan geschiedschrijving. Zijn eerste werk, de *Historiae*, besloeg de periode tussen de val van twee tirannen: Nero in het jaar 69 en Domitianus in 96. In de inleiding ervan had Tacitus beloofd dat zijn volgende werk de eigentijdsere geschiedenis van de regeerperioden van Nerva en Trajanus zou behandelen, maar toen veranderde hij van gedachten, wendde in plaats daarvan de blik verder terug en schreef wat nog steeds het beste verslag is van de Julisch-Claudische dynastie, de eerste en beruchtste van Rome.

De *Annalen*, zoals dit werk werd genoemd, kwamen tot stand na Tacitus' diensttijd als gouverneur van de provincie Azië, misschien omstreeks het eind van de jaren 110 en het begin van de jaren 120. Toen het klaar was, verschaften de zestien of achttien boeken een ononderbroken verslag van de periode tussen de troonsbestijging van Tiberius en de val van Nero. In zijn inleiding wees Tacitus erop dat 'de feiten ten tijde van Tiberius, Caligula, Claudius en Nero tijdens hun leven uit angst zijn verdraaid en na hun dood met frisse haat vertekend zijn weergegeven'. Maar nu, zo beweerde Tacitus, zou hij de geschiedenis van die tijd schrijven 'zonder wrok of vooringenomenheid – daarvoor houd ik elke reden verre van mij'.[1]

Tacitus' streven naar onpartijdigheid was bewonderenswaardig, maar het was onmogelijk om zich eraan te houden. Tegen de tijd dat hij de *Annalen* begon samen te stellen was Tacitus al bijna veertig jaar senator, meer dan de helft van zijn leven. Zijn senatoriale status was bepalend voor zijn identiteit, vooral omdat hij deze status voor zichzelf had verworven als *novus homo* (een nieuwe man) uit een ridderfamilie uit de provincie. Hij was ook uit eigen ervaring bekend met tirannie, onder het despotisme van Domitianus; toch was het vooral aan deze keizer te danken dat Tacitus zo hoog op de maatschappelijke ladder gestegen was, een feit dat hij niet kon ontkennen en dat hem met een schuldgevoel moet hebben opgezadeld. Het verhaal van de Julisch-Claudische dynastie was het verhaal over hoe Rome van een senatoriale republiek was veranderd in een autocratie, dus Tacitus kon op geen enkele manier neutraal zijn.

Tacitus' voornaamste thema's – tirannie, dynastievorming en uitholling van de staatsvorm – zijn verweven in de structuur zelf van de *Annalen*. Tacitus begint zijn verhaal niet met het bewind van Augustus, maar met de troonsbestijging van zijn opvolger Tiberius – het moment waarop het boven alle twijfel verheven is dat Augustus niet alleen alle macht naar zich had toegetrokken, maar een min of meer erfelijke dynastie had gecreëerd. Hetzelfde thema komt naar voren in het contrast tussen de inhoud van het werk en de structuur die Tacitus het geeft. De *Annalen* hebben, zoals de naam al doet vermoeden, een annalistische ordening, waarbij het verhaal is onderverdeeld in jaren die telkens worden aangeduid door de namen van de zittende consuls van dat jaar. Dit was de traditionele vorm van Romeinse geschiedschrijving, die stamde uit een tijd waarin de gekozen senatoriale magistraten bepalend waren voor de politieke gebeurtenissen van dat jaar. Door deze structuur te gebruiken voor een verhaal dat steeds meer gedomineerd wordt door persoonlijke grillen en hofpolitiek, vestigt Tacitus keer op keer onze aandacht op de leugens en de huichelarij van het vroege Keizerrijk.

Tacitus schreef zijn werk met een bedoeling en Messalina's verhaal kon hij daarbij erg goed gebruiken. De macht die zij als keizerin bezat (volledig ongrondwettelijk en zonder republikeinse precedenten) laat zien hoe dicht Rome de monarchie was genaderd en hoe ver het was komen af te staan van een senatoriaal bewind. De geruchten dat ze die macht had gebruikt om haar eigen hebzucht, nukken en seksuele lusten te bevredigen, illustreerden perfect hoezeer de nieuwe hofpolitiek leidde tot gevaarlijke instabiliteit en corruptie. Messalina's verhaal kwam Tacitus eenvoudigweg te goed uit om het onpartijdig te vertellen.

In ons geval stuit het gebruik van Tacitus als bron ook op een praktischer bezwaar: de *Annalen* zijn slechts gedeeltelijk bewaard gebleven en de boeken 7-10, die de hele regeerperiode van Caligula en het begin van die van Claudius beslaan, zijn volledig verloren gegaan. Tacitus verschaft ons geen inlichtingen over Messalina's opkomst; in wat er is overgeleverd van zijn verhaal ontmoeten we haar vlak voor haar val.

Suetonius werd omstreeks het jaar 70 geboren in een ridderfamilie die waarschijnlijk afkomstig was uit Hippo Regius (in het huidige Algerije). Hij was slechts een generatie jonger dan Tacitus – en als beschermeling van diens vriend Plinius de Jongere kan hij hem zelfs gekend hebben –, maar hun carrières en hun literaire scheppingen ontwikkelden zich langs heel verschillende wegen. In plaats van een publieke carrière als senator na te jagen, ging Suetonius aan de slag bij de keizerlijke administratie en diende hij als literair adviseur, bibliothecaris en correspondentiesecretaris van de keizers Trajanus en Hadrianus tot hij (wegens een onbekende overtreding) in de jaren 120 uit keizerlijke dienst werd ontslagen.

Suetonius had een brede intellectuele belangstelling en hij schreef monografieën over uiteenlopende onderwerpen als 'Over beroemde courtisanes' en 'Over namen van winden'. Zijn interesse ging echter het meest uit naar de biografie, en het zijn de twaalf biografieën van de keizers van Julius Caesar tot Domitianus – met als titel *Keizers van Rome* – die voor ons onderwerp van belang zijn. Destijds was de biografie, misschien zelfs nog meer dan tegenwoordig, een apart genre binnen de geschiedschrijving; deze verhalen over beroemde mannen, zowel goede als afschuwelijk slechte, hadden een moraliserend doel en voor het vertellen ervan golden eeuwenoude en dwingende structurele conventies.

Als biograaf was Suetonius vooral geïnteresseerd in persoonlijke details. Hij had een fijne neus voor anekdotes en zijn levensbeschrijvingen zijn zowel karakterstudies als historische verslagen. Hun inhoud wordt ook bepaald door antieke ideeën over hoe een man wordt wie hij is, en vrouwen verschijnen alleen in beeld als ze de ontwikkeling van de keizer in kwestie direct beïnvloeden of daar licht op werpen. Waar Tacitus geïnteresseerd is in Messalina omdat zij uitdrukking geeft aan de morele en politieke omstandigheden van haar tijd, gaat het er Suetonius vooral om hoe zij het morele gehalte en de persoonlijkheid van haar man weerspiegelt.

Hoewel de senator Tacitus en de uit de ridderklasse afkomstige keizerlijke secretaris Suetonius hun identiteit, loyaliteit en literaire aspiraties heel verschillend hebben opgevat, speelde de schrijfarbeid van deze beide mannen zich af tegen een vergelijkbare achtergrond. Dankzij hun connecties met Plinius de Jongere en de keizerlijke hoven van Trajanus en Hadrianus bewogen ze zich in dezelfde sociale kringen aan het begin van de tweede eeuw – een tijdperk waarin er een intensieve dialoog werd gevoerd over tirannie en goed bestuur omdat de nieuwe heersende dynastie zichzelf actief trachtte af te zetten tegen het despotisme en de instabiliteit van haar voorgangers.

Onze derde hoofdbron, Cassius Dio, schreef in een heel andere context. Hij werd in het midden van de jaren 160 geboren in Nicaea (in het noordwesten van het huidige Turkije) en begon pas aan het begin van de derde eeuw met het schrijven van zijn *Romeinse geschiedenis*. Hij leefde in minder stabiele tijden dan het intellectueel vrijere klimaat waarin Tacitus en Suetonius hun werken schreven: zij maakten het begin mee van de beroemde Romeinse periode van de 'Vijf Goede Keizers'; Dio maakte het einde ervan mee met de dood van Marcus Aurelius in 180.* De jaren daarna werden gekenmerkt door een opeenvolging van tirannieën, burgeroorlogen en crises in de provincies en bij veel van deze turbulente gebeurtenissen zat Dio vanwege de belangrijke functies die hij vervulde op de eerste rang.

Hoewel hij stamde uit een machtige familie uit Bithynië, maakte Dio (net als zijn vader voor hem) een opvallende senatoriale carrière in Rome. Hij diende als militair generaal, provinciegouverneur en bekleedde tweemaal het consulaat voordat hij in 229 terugkeerde naar zijn thuisprovincie Bithynië en Pontus om daar zijn oude dag door te brengen. Dio's complexe culturele identiteit komt tot uitdrukking in de aard van zijn werk: zijn geschiedenis van Rome geeft voortdurend blijk van senatoriale bekommernissen over grondwet, vrijheid en tirannie, terwijl ze is geschreven in de taal en literaire traditie van het klassieke Grieks.

In tegenstelling tot Tacitus en Suetonius koos Dio niet voor een subgenre van geschiedschrijving (annalistisch, biografisch enzovoort) dat hem in zijn blikveld of gehanteerde structuur zou beperken. In plaats daarvan schreef hij een geschiedenis van Rome vanaf de legendarische aankomst van Aeneas in Italië tot het moment dat hij zich aan het einde van het derde decennium van de derde eeuw uit het openbare leven terugtrok. Het werk – dat in totaal 80 boeken zou omvatten – kostte hem ongeveer 22 jaar: 10 jaar voor onderzoek, 12 jaar voor het schrijven. De structuur is in grote lijnen chronologisch, maar Dio veroorloofde zich meer vrijheden dan Tacitus – hij last anekdotes zonder datering in wanneer die het illustratiefst zijn voor de ontwikkeling van personages en soms combineert hij verhaallijnen die zich over meerdere jaren uitstrekken in één enkel hoofdstuk omwille van beknoptheid en duidelijkheid.

Dio's *Romeinse geschiedenis* is niet compleet bewaard gebleven. Het deel van het werk dat de periode 69 v.Chr. tot 46 n.Chr. beslaat (en dus het grootste deel van Messalina's regeerperiode omvat) is bewaard ge-

---

* De 'Vijf Goede Keizers' waren Nerva, Trajanus, Hadrianus, Antoninus Pius en Marcus Aurelius.

bleven in Dio's eigen woorden – dankzij de traditie om manuscripten telkens weer te kopiëren. De rest is slechts onvolledig overgeleverd via citaten en samenvattingen vervaardigd door latere auteurs.

Geen van onze drie voornaamste historici was een directe tijdgenoot van Messalina en hun verslagen van haar wapenfeiten zijn duidelijk niet uit de eerste hand. In plaats daarvan vertrouwden deze schrijvers op een netwerk van verloren gegane bronnen waarnaar ze zelden expliciet en buitengewoon inconsistent verwijzen. Sommige van deze bronnen waren officieel, zoals de *acta diurna*, een dagelijkse registratie van officiële overeenkomsten, rechtszaken en redevoeringen, en de *acta senatus*, een archief met de notulen van senaatsvergaderingen die voor Tacitus en Dio beschikbaar moeten zijn geweest vanwege hun status van senator. De ridder Suetonius had misschien geen directe toegang tot de acta senatus, maar hij had wel een ander voordeel: hij was secretaris en archivaris van de keizers Trajanus en Hadrianus, een functie waardoor hij als een van de weinigen inzage had in de particuliere notities en correspondentie van de keizer, waaruit hij soms rechtstreeks citeert. Alle drie hebben ze ongetwijfeld ook gebruikgemaakt van schriftelijke verslagen uit hun tijd – uitgeschreven toespraken, recente geschiedenissen en autobiografieën – en van mondelinge overleveringen.* Wanneer Tacitus het verhaal van Messalina's val vertelt, verklaart hij bijvoorbeeld: 'Ik geef weer wat ik van ouderen hoor of lees.'[2]

Ten slotte is het belangrijk om op te merken dat de Romeinse kijk op de geschiedenis zelf fundamenteel verschilde van de onze. In de antieke wereld werd geschiedschrijving niet alleen gezien als een poging tot reconstructie van de historische werkelijkheid, maar ook beschouwd als een literaire creatie op zich, en het betreft hier teksten die zich onbeschaamd bezighouden met karaktertypering, verhalen vertellen, couleur locale, eisen van het genre, retoriek en zinspelingen op andere teksten. Vrouwelijke personages waren bijzonder vatbaar voor zulke processen van narratieve manipulatie. Hun levens waren over het algemeen minder goed gedocumenteerd dan die van mannen – hun handelingen wa-

---

* Messalina's opvolgster Agrippina heeft bijvoorbeeld een autobiografie geschreven. Helaas verloren gegaan, want deze zou voor ons fascinerende (zij het vooringenomen) lectuur zijn geweest.

ren vaak niet van het soort dat werd vastgelegd in officiële documenten zoals de acta en ze oefenden hun macht vrijwel altijd uit via kanalen in de privésfeer – wat het makkelijker maakte hun verhalen te verdraaien. Het creatieve element in de Romeinse geschiedschrijving is een dankbare bron voor de moderne historicus – bij adequate analyse vertellen de literaire keuzes van historici ons een heleboel over hun ideeën en hun vooroordelen –, maar het kan gevaarlijk misleidend zijn als niet wordt erkend hoeveel ervan bedacht is.

1

Een bruiloft en een begrafenis

'Het huis van de keizer was geschokt...'
Tacitus, *Annalen*, 11.28

Het verhaal van Messalina's val gaat in de versie van Tacitus ongeveer als volgt.[1]

De trouwstoet slingerde zich in vol ornaat een weg door het keizerlijk paleis op de Palatijn. In het jaar 48 was de herfst vroeg ingevallen, maar de avonden in de stad Rome waren nog zwoel genoeg om buiten feest te vieren. De bruid droeg de traditionele geel-rode sluier, koren van mannen en vrouwen zongen liederen voor Hymen, de god van het huwelijk, de getuigen waren verzameld, de gasten werden gefêteerd en op spijs en drank onthaald. Kosten noch moeite werden gespaard; dit was een bruiloftsfeest om nooit te vergeten.

Het was alleen ongelukkig dat de bruid al getrouwd was. En het was helemaal ongelukkig dat de man met wie ze al getrouwd was de scepter zwaaide over het overgrote deel van de bekende wereld. Verstrengeld met de knappe jonge edelman en gekozen consul Gaius Silius lag Messalina, keizerin van Rome en wettige echtgenote van Claudius, keizer van een rijk dat zich uitstrekte van het eiland Brittannië tot de woestijnen van Syrië, op het met bloemen versierde huwelijksbed.

Messalina en Silius hadden bepaald geen geheim gemaakt van de bezegeling van hun liefde, en dat in een stad die, zoals Tacitus het formuleert, 'alles weet en niets verzwijgt'.[2] Nergens was deze aangeboren Romeinse neiging tot roddelen meer uitgesproken dan aan het uitgestrekte, weelderige keizerlijk hof waar meedogenloze concurrentie heerste en waar, sinds het ontstaan ervan zo'n tachtig jaar eerder, geruchten en schandalen altijd kwesties van leven en dood waren geweest. En terwijl Messalina en Silius na de wijn en de seks hun roes uitsliepen, reden er al boodschappers de Porta Trigemina uit en repten zich over de Via Ostiensis in zuidwestelijke richting naar Ostia.

In het midden van de eerste eeuw was het de havenstad Ostia die Rome draaiende hield. Hier, iets meer dan 30 kilometer ten zuidwesten van de hoofdstad, laadde een enorm leger van arbeiders elke dag de vrachten die over de Middellandse Zee en van verder waren aangekomen over in schuiten die vervolgens zwaarbeladen de Tiber op voeren naar de drukke stad met haar 1 miljoen consumenten. Via Ostia werden rijke Romeinen bevoorraad met parels uit de Perzische Golf, Spaans zilver, parfums uit Egypte, specerijen uit India en Chinese zijde. Deze luxegoederen hadden de stad en haar kooplieden ongelooflijk rijk gemaakt, maar er vond daar ook handel in een nóg belangrijker artikel plaats – een artikel waarvan de kroon van de keizer, of zelfs zijn leven, kon afhangen.

Bekommernis om de graanvoorraden – aangevoerd via de grote handelsroute die een miljoen Romeinen in staat stelde om van de opbrengt van de Egyptische overstromingsvlakten te leven – was wat Claudius deze herfst naar de havenstad had gebracht. Hij moest toezien op de logistieke organisatie en de offerceremonies leiden voor een behouden overtocht van de schepen die Alexandrië verlieten, beladen met graan uit de Nijldelta dat de stedelijke bevolking tijdens de winter voldoende gevoed en politiek meegaand moest houden. In plaats van als eerste dame van het rijk aan de zijde van haar man te verschijnen, had keizerin Messalina zich ziek gemeld en was ze in Rome gebleven.

De boodschappers die aan de poorten van Ostia arriveerden met het nieuws over het 'huwelijk' van Messalina en Silius durfden het niet zelf aan de keizer over te brengen. 'Vermoord de boodschapper niet' dreigt immers van een zegswijze in een smeekbede te veranderen wanneer de ontvanger het grootste leger ter wereld commandeert en de boodschap luidt dat zijn vrouw met een ander in het huwelijk aan het treden is. Daarom gingen de boodschappers meteen naar zijn adviseurs: Callistus, Narcissus en Pallas. Deze voormalige slaven van de keizer, die zich als een meteoor hadden opgewerkt tot Claudius' naaste en machtigste politieke vertrouwelingen, speelden het spel van de hofpolitiek net zo bedreven als wie ook voor hen in Rome.

Het nieuws stelde de keizerlijke vrijgelatenen voor een ernstig probleem. Als Messalina op zo'n aanstootgevende wijze een huwelijk had gevierd, dan leed het volgens de vrijgelatenen geen twijfel wat haar volgende stap zou zijn; de geliefden hadden zo openlijk blijk van hun bedoelingen gegeven dat dit alleen maar het begin van een staatsgreep kon zijn. Gaius Silius was het soort man dat keizer kon worden. Hij kwam uit de allerbeste families, bezat charisma en een edel, knap voorkomen, en had een scherp verstand aangevuld door het beste onderwijs dat er te koop was. Silius was iemand die het politieke spel kon en zou meespelen: hij was al verkozen om het jaar daarop het consulaat te bekleden. Messalina, zo veronderstelden zij, was van plan Claudius omver te werpen, Silius haar zoon Britannicus te laten adopteren en haar minnaar op de keizerlijke troon te installeren. Dit was niet zomaar een affaire; het was een samenzwering om de keizer ten val te brengen. Om Claudius te redden diende Messalina te worden uitgeschakeld.

Maar hoe moest de keizer het nieuws worden verteld? De adviseurs van Claudius wisten dat hij als was in Messalina's handen was; iedereen wist dat. De ouder wordende keizer was duidelijk even dolverliefd op zijn jonge vrouw als zijn jonge vrouw op Gaius Silius. Zodra hij haar zag, was het spel uit; Claudius mocht in geen geval zijn vrouw haar kant horen bepleiten. Hoe langer de adviseurs de kwestie bespraken, hoe duidelijker het hun werd dat Messalina's ondergang niet gegarandeerd was, hoewel ze alle schijn tegen zich had. Pallas trok zijn handen ervan af terwijl Callistus aanraadde de zaak voorlopig af te wachten, wat ongeveer op hetzelfde neerkwam. Het was dus aan Narcissus om te bedenken hoe ze Claudius op de hoogte zouden brengen van het verraad van zijn vrouw. Snel handelen was geboden. Hij besloot dat Messalina zo lang mogelijk onwetend moest blijven van de beschuldigingen tegen haar. Maar van wie moesten die beschuldigingen in eerste instantie komen? Vanzelfsprekend niet van hem – dat zou hem duur kunnen komen te staan.

In plaats daarvan riep Narcissus de hulp in van twee van Claudius' favoriete maîtresses: Calpurnia en Cleopatra. (De liefde voor zijn vrouw had, misschien weinig verrassend, de machtigste man van de wereld niet tot monogamie aangezet.) Als de geruchten over het verraad van zijn vrouw de keizer ter ore kwamen via twee van zijn minnaressen, zo hoopte Narcissus, zou dat de klap voor zijn trots verzachten. Door Calpurnia en Cleopatra de eerste stap te laten zetten, zou de vrijgelatene bovendien kostbare tijd winnen waarin hij de reactie van Claudius kon peilen alvorens zijn eigen handen vuil te maken. Als de vrouwen zich afvroegen wat zij daarbij te winnen hadden, hoefden ze volgens Narcissus alleen maar te denken aan de geschenken, de kansen, de invloed, de macht en zelfs de positie naast hun minnaar die ze zouden kunnen krijgen door de val van diens echtgenote. Dat het nogal ironisch was om een echtgenoot via twee van zijn maîtresses te informeren over het overspel van zijn vrouw zou naar Narcissus aannam vast aan Claudius voorbijgaan.

Het kostte Calpurnia en Cleopatra weinig moeite om een privé-audientie bij de keizer te regelen. Zodra de drie alleen waren, wierp Calpurnia zich snikkend aan Claudius' voeten en verklaarde dat Messalina in Rome met Silius was getrouwd. De keizer wendde zich vol ongeloof tot Cleopatra, die knikte en volgens plan zei dat hij Narcissus moest laten komen. De vrijgelatene werd binnengelaten en bevestigde dat de geruchten waar waren. Hij vertelde Claudius dat iedereen getuige was geweest van het huwelijk van zijn vrouw – het volk, de senaat, de soldaten – en dat als hij niet snel handelde de nieuwe echtgenoot van zijn vrouw de stad zou innemen.

Claudius ontbood zijn adviseurs. De raad ontaardde in chaos toen hovelingen – ieder met eigen belangen en met veel te verliezen – over elkaar heen begonnen te schreeuwen. Niettemin werd al snel duidelijk dat de raad zich ernstige zorgen maakte over de situatie en die een reële bedreiging achtte voor het bewind van Claudius. Ze waren het erover eens dat er geen tijd te verliezen was en de keizer zich onmiddellijk bij het leger moest voegen. Zijn positie bij het pretoriaanse elitekorps was cruciaal – als de enige binnen de stadsgrenzen van Rome gelegerde soldaten handhaafden zij de orde, waardoor ze de macht hadden om keizers te maken en te breken. Persoonlijke wraak kon later komen, wanneer de trouw van het leger verzekerd was en Claudius' positie was veiliggesteld.

Claudius werd overmand door paniek. Naar verluidt vroeg hij herhaaldelijk of Silius nog steeds zijn onderdaan was en of hij nog wel de heerschappij over zijn rijk bezat.

In Rome waren Messalina en Silius nog steeds aan het feesten. Het oogstseizoen had zijn milde hoogtepunt bereikt en de pasgehuwden zetten hun verbintenis luister bij met ongekende extravagantie en losbandigheid. Het paleis stond vol met wijnpersen die allemaal een constante stroom wijn voortbrachten en de overvolle vaten sneller aanvulden dan de gasten van de keizerin ze konden legen. De aanwezigen waren gekleed als bacchanten – de woeste volgelingen van Bacchus, de god van de wijn – in slingers van wijnranken en dierenvachten. En ze gedroegen zich ook als bacchanten, zoals ze buiten zichzelf extatische dansen uitvoerden en schorre koren voorgingen in ritmische gezangen.

Messalina verscheen als hun aanvoerster, haar donkere haar golvend over haar schouders en Silius aan haar zijde, met een krans van klimop en aan zijn voeten de gevlochten, halfhoge laarzen die acteurs in antieke tragedies droegen. Het was een toepasselijk extra element in zijn kostuum, gezien de wending die de gebeurtenissen op het punt stonden te nemen.

De overvloedige wijn en de late herfsthitte moeten een koppig brouwsel zijn geweest; tegen de avond klom Vettius Valens, een beroemde arts en een van de ex-geliefden van de keizerin, boven de menigte uit een hoge boom in. De stad Rome en de omringende heuvels en het platteland strekten zich onder hem uit, helemaal tot aan de kust. Terwijl hij zich aan de bovenste takken vastklampte, stegen er uit de menigte onder hem stemmen op die vroegen wat hij zag. Het was vreemd, zei hij, maar het leek wel alsof er een verschrikkelijke storm opstak boven Ostia.

Het duurde niet lang voordat de aard van die storm zich openbaarde. Ondanks Narcissus' bevel dat de keizerin niets ter ore mocht komen over de beschuldigingen tegen haar, druppelden er uit Ostia boodschappers binnen die het bericht overbrachten dat Claudius alles wist, dat hij al onderweg was, dat hij uit was op vergelding. Het feest was ten einde; de gasten wisten niet hoe snel ze de benen moesten nemen om zich zo veel mogelijk te distantiëren van de confrontatie die elk moment kon uitbreken. Messalina en Silius vertrokken ook: hij ging onverwijld naar het forum om zijn publieke taken op zich te nemen en zijn gezicht te laten zien alsof er niets aan de hand was; zij zocht haar toevlucht in de zogeheten Tuinen van Lucullus op de Pincische Heuvel, die onlangs in haar bezit waren gekomen.

Bij het paleis waren intussen centurio's aangekomen en alle feestgangers die waren blijven hangen of zich probeerden te verstoppen werden gearresteerd. Toen het nieuws dat haar metgezellen werden opgepakt Messalina bereikte, vertoonde ze plotseling een tomeloze dadendrang.

Ze liet het bericht overbrengen dat haar kinderen bij Claudius – Claudia Octavia van ongeveer negen en Britannicus van bijna acht – onmiddellijk naar hun vader moesten gaan. Ze rekruteerde ook de vestale Vibidia – de oudste van de maagdelijke priesteressen die waakten over het symbolische haardvuur van het Keizerrijk en wettelijk over buitengewone bemiddelingsbevoegdheden beschikten – om haar zaak bij Claudius te bepleiten.

Ten slotte trok Messalina zelf te voet de stad door, slechts vergezeld door drie trouwe begeleiders en plots geïsoleerd tussen de krioelende stedelijke menigte. Ze was er zeker van dat als ze haar echtgenoot maar kon spreken – of misschien alleen al als haar echtgenoot haar maar zág – de situatie opgelost zou worden. Bij de stadspoort kreeg de keizerin een lift van het enige voertuig dat haar wilde meenemen en vertrok achter in een kar met tuinafval naar Ostia.

In het rijtuig van Claudius, die zelf op weg was van Ostia naar Rome, was de sfeer gespannen. De keizer verkeerde in tweestrijd. Het ene moment tierde hij over Messalina's schaamteloosheid en ging hij tekeer over haar ontrouw; het volgende moment stond hij stil bij herinneringen aan hun huwelijk, hun relatie, hun twee jonge kinderen. En nu werd Narcissus' vrees bewaarheid en kwam Messalina in zicht. Daar, midden op de Via Ostiensis, stond ze te huilen en te schreeuwen en ze smeekte haar echtgenoot – in naam van Britannicus en Claudia Octavia – om haar aan te horen.

Narcissus overschreeuwde wat ze zei; hij somde haar misdaden op, begon over Silius en beschreef hun affaire en hun huwelijk tot in de smoezeligste details. Tegelijkertijd overhandigde hij Claudius het ene na het andere document over de vermeende uitspattingen van diens vrouw. Hij wist dat, met Messalina in het volle zicht, niet alleen Claudius' geest, maar ook zijn ogen afleiding nodig hadden. Tijdens dit alles was de keizer merkwaardig stil. Hij zag zijn vrouw en nam het door Narcissus samengestelde dossier aan, maar hij zei niets.

De ruiterstoet reed verder in de richting van Rome. Toen hij bijna bij de poorten was, probeerden Britannicus en Claudia Octavia bij hun vader te komen. Narcissus liet hen gewoon afvoeren. De vestale Vibidia was minder gemakkelijk af te schepen. Ze eiste dat Messalina een proces en gelegenheid tot verweer zou krijgen en weigerde te vertrekken tot haar garanties in die zin werden toegezegd. Narcissus beloofde dat de keizer zijn vrouw natuurlijk zou aanhoren: morgen zou ze de kans krijgen om de beschuldigingen te weerleggen, al leek dat onmogelijk. Vibidia kreeg het bevel om voorlopig terug te keren naar de tempel en zich aan haar religieuze plichten te wijden.

Eenmaal in de stad leidde Narcissus Claudius rechtstreeks naar het huis van Silius en trakteerde hem op een rondleiding. In de vestibule, tussen de andere portretten van Silius' voorouders, hing een beeltenis van zijn vader – de man die ooit aangeklaagd was wegens het beramen van een opstand tegen keizer Tiberius.* Toen een veroordeling onontkoombaar leek had Silius' vader zelfmoord gepleegd, waarna de senaat een groot deel van zijn bezittingen in beslag had genomen en de vernietiging van al zijn afbeeldingen had gelast. Met het tentoonstellen van zijn portret had zijn zoon zonder twijfel het senatoriale decreet overtreden, maar het zou ook geïnterpreteerd kunnen worden als een uiting van opstandige bedoelingen. De rondleiding ging verder. Narcissus toonde Claudius meubels die ooit in zíjn paleis hadden gestaan en kostbaarheden die hij van zíjn voorouders, de Drusii en de Nerones, had geërfd: gestolen geschenken die alleen de vrouw van Claudius aan Silius kon hebben gegeven.

Claudius' woede, die onder zijn stilzwijgen had liggen sudderen, bereikte nu een kookpunt en de keizer barstte uit in bedreigingen en vervloekingen aan het adres van zijn vrouw en haar minnaar. Narcissus begeleidde de keizer rechtstreeks naar het pretoriaanse kamp. De soldaten hadden zich daar al in groten getale verzameld, voorbereid op de bijeenkomst die Narcissus had georganiseerd. De beschuldigde mannen waren er ook – gearresteerd, in de boeien geslagen en in afwachting van hun vonnis. Tegen zijn gewoonte in hield Claudius geen lange toespraak vol uitweidingen: bij deze gelegenheid sprak hij slechts enkele zorgvuldig afgewogen woorden en verborg hij zijn emoties zo goed als hij kon.

De reactie van de pretoriaanse cohorten strookte niet met de afgemeten toon van Claudius' toespraak. Uit de gelederen steeg een massaal gebrul op; in golven van woedend geschreeuw eisten ze dat de namen van de betrokkenen bekend werden gemaakt en ze hun gepaste straf kregen.

---

* In vrijwel alle antieke bronnen wordt erkend dat de beschuldigingen vals waren en om politieke redenen waren gefabriceerd.

Silius was als eerste aan de beurt. De beschuldigingen tegen hem werden voorgelezen en hij deed geen poging om ze te weerleggen. Net als zijn vader wist hij dat beschuldigd worden van een misdaad tegen de keizer maar één ding kon betekenen. Bovendien was de zaak al beslist, zo oordeelde hij terecht terwijl hij over de menigte joelende soldaten uitkeek. Hij vroeg alleen om een snelle dood. Het was een verzoek dat graag en prompt werd ingewilligd.

De moord op Silius was de eerste in een efficiënte reeks standrechtelijke executies. Meerdere rijke en illustere ridders volgden Silius' voorbeeld; ze ondergingen hun lot dapper en gelaten. Eerst kwam Titus Proculus, daarna Vettius Valens, de storm die hij boven Ostia had gezien had hem uiteindelijk ingehaald. Beiden bekenden en werden direct geëxecuteerd. De volgende was Traulus Montanus; hij was jong, misschien net geen tiener meer, bescheiden en woest aantrekkelijk. Hij had slechts één nacht in het bed van de keizerin doorgebracht, maar dat leverde Traulus geen genade van de keizer op. Daarna kwamen Pompeius Urbicus, Saufeius Trogus, de senator Juncus Vergilianus, Sulpicius Rufus, procurator van een gladiatorenschool, en Decrius Calpurnianus, prefect van de nachtwakers. De grond lag bezaaid met de dode lichamen van Messalina's exen.

Nu betrad een acteur het podium. Mnester was de grootste ster van zijn tijd; Caligula had hem zo geadoreerd dat hij iedereen die door Mnesters optredens heen praatte uit zijn stoel had laten slepen en geselen. Bij deze laatste, theatrale voorstelling stelde Mnester zijn publiek niet teleur. Hij ontkende niet dat hij met Messalina naar bed was geweest. Integendeel, hij kwam met de schandelijke aantijging dat zij hem had gedwongen – waarbij hij aanvoerde dat hij, anders dan zijn machtige medegedaagden, niet in de positie was geweest om de keizerin te weigeren. Om zijn bewering te staven scheurde hij zich de kleren van het lijf en toonde de menigte de littekens van de slavendienst die kriskras over zijn rug liepen. Voor het eerst die middag aarzelde Claudius, maar Narcissus drong erop aan geen genade te tonen en wees erop dat Mnester hoe dan ook met Messalina had geslapen, of hij haar nu begeerde of niet. Mnester werd dus ook ter dood gebracht waarna de keizer en zijn gevolg zich naar het paleis begaven voor het diner.

Aan de andere kant van de stad, in de Tuinen van Lucullus, bereidde Messalina haar verdediging voor. De keizerin was niet ten prooi aan de wanhoop die Silius ertoe had aangezet om enkel om een snelle executie te vragen. Ze was ervan overtuigd dat als ze haar echtgenoot nu maar haar verhaal kon vertellen, als hij haar kon zíén, hij niet in staat zou zijn om haar executie te bevelen. Messalina was er zeker van dat als ze hevig genoeg zou smeken en ontkennen, haar echtgenoot alles zou vergeven en vergeten. Ze was er zelfs zo zeker van dat haar angst al in woede begon om te slaan en haar woede in plannen; plannen die vooral tegen Narcissus gericht waren.

Messalina's vertrouwen was niet geheel misplaatst. Het diner in het keizerlijk paleis was in volle gang, de wijn vloeide en Claudius had het stadium van dronkenschap bereikt waarin je denkt dat verzoening met je ex een goed idee is. Hij riep een bediende en beval hem 'die arme vrouw' het bericht te brengen dat ze de volgende ochtend naar hem toe moest komen om haar zaak te bepleiten. Hierdoor raakte Narcissus in paniek. Hij kon zien dat Claudius' vastberadenheid al begon te wankelen en hij besefte dat de keizer weldra klaar zou zijn met eten en zich dan naar zijn slaapkamer zou begeven; een slaapkamer waar Claudius in het zachte licht van de nacht overstelpt zou worden door de aangenaamste herinneringen aan zijn vrouw. Narcissus glipte de banketzaal uit en nam een wachter apart. Messalina's executie moest vanavond nog voltrokken worden, zei hij. Orders van Claudius. Er was geen tijd te verliezen.

Een groep soldaten vertrok onmiddellijk van de Palatijn, trok door de stad en begon de tuinen te doorzoeken. Messalina werd vergezeld door haar moeder, Domitia Lepida; de twee waren nooit hecht geweest, maar nu stond ze haar dochter in haar laatste uren bij. Terwijl de soldaten op- rukten, drong Lepida er bij haar dochter op aan niet te wachten maar het heft in eigen handen te nemen en zelfmoord te plegen om zichzelf de vernedering en schande van een executie te besparen. Alles was ver- loren, zei ze. Het enige wat Messalina nu nog restte was moed tonen, en dus moest ze de dood onder ogen zien. Maar Messalina kon alleen maar verslagen op de grond liggen, huilend en weeklagend.

Zo vonden de soldaten haar. De tribuun naderde de keizerin in stil- te, maar toen de vrijgelatene die Narcissus had meegestuurd om de zaak tot het gewenste einde te brengen haar grove beledigingen toe slingerde, drong het ten slotte tot Messalina door dat haar lot bezegeld was. Ze nam met trillende handen het zwaard op, hield het tegen haar keel, dan tegen haar borst, dan weer tegen haar keel, maar ze kon zich er niet toe brengen zichzelf het leven te benemen. Uiteindelijk was het de tribuun die, haar geweifel beu, haar ter dood moest brengen.

Claudius zat nog aan het diner toen hem het nieuws van de dood van zijn vrouw werd gebracht. De boodschapper specificeerde niet of het zelfmoord of moord was geweest en Claudius vroeg er niet naar. Hij verried geen spoor van emotie – geen verdriet of vreugde, geen woede of medelijden. Hij wenkte alleen een bediende en vroeg om nog een glas wijn.

2

Een marmeren podium

'Kijk naar het Capitool van nu, en hoe het toen was:
het lijkt of er een nieuwe Jupiter in woont.'
Ovidius, *Ars Amandi*, 3.115-116

Toen de toekomstige keizerin Messalina werd geboren, waarschijnlijk in
het begin van de jaren 20, was Rome de grootste stad van het grootste
rijk dat de wereld ooit had gezien. Het Romeinse Rijk bestond uit een im-
mens conglomeraat van provincies dat zich uitstrekte van de Rijn tot aan
de Eufraat, met daaromheen een stevige bufferzone van vazalstaten, en
het had de stad die zich in het middelpunt van alles bevond buitensporig
rijk gemaakt.

De stad met haar zeven beroemde heuvels was in het midden van de
achtste eeuw voor Christus gesticht (als het resultaat van broedermoord
en goddelijke interventie, voor wie geloof hechtte aan de legendes over
de mythische stichter Romulus), maar het Rome van de eerste eeuw na
Christus verschilde hemelsbreed van de stad van zelfs maar een eeuw
eerder. De kleine bakstenen en tufstenen tempels, opgericht door de
met elkaar wedijverende aristocraten van de late Republiek, waren vervangen door enorme complexen die ruimte boden voor politiek, handel,
eredienst en spel en bekleed waren met glanzend gepolijst marmer, dat
de luister en generositeit van de keizer alleen moest bewijzen. Messalina
kwam ter wereld tijdens het bewind van Tiberius, maar ze werd geboren
in een stad die door zijn voorganger Augustus was geschapen. Dit was
een oord van onvoorstelbare weelde – een levend monument voor de imperiale macht van Rome en, subtieler, voor de dynastieke macht van de

keizerlijke familie. Het was een stad die haar stempel wel moest drukken op haar kinderen.

In de late eerste eeuw voor Christus had Augustus een compleet nieuw forum laten bouwen, dat nu bekendstaat als het Forum van Augustus. Waar het oude Rome met het antieke Forum Romanum langzaam en organisch was gegroeid tot een onregelmatig gevormde smeltkroes van verschillende stijlen en materialen, daar was het Forum van Augustus in één keer ontworpen en van de grond af aan gebouwd, op terrein waar krottenwoningen waren weggeruimd.[1] Het nieuwe complex bezat niet alleen samenhang in stijl, maar ook in thematiek: het moest tot in de details de boodschap van Augustus' heerschappij uitdragen.

Een waar landschap van gepolijst marmer lag tegen de Tempel van Mars Ultor aan, die aan de noordoostelijke kant van het forum oprees op een verhoogd fundament. Na de Slag bij Philippi in 42 v.Chr. had Octavianus (de toekomstige keizer die vanaf 27 v.Chr. bekend zou staan als Augustus) gezworen dit heiligdom voor 'Mars de Wreker' te bouwen toen hij eindelijk had afgerekend met de strijdkrachten die aangevoerd werden door Brutus en Cassius, de moordenaars van zijn adoptievader Julius Caesar.[2] Aan weerszijden strekten zich verhoogde zuilengangen uit die schaduwrijke wandelpaden afschermden en waarin op regelmatige afstand halfronde exedra's waren geplaatst. Standbeelden van de *summi viri* of 'grote mannen' uit de Romeinse geschiedenis verfraaiden de zuilengangen terwijl beeltenissen van de mythische stichters van Rome in de exedra's waren geplaatst. Aan de westkant zag je een triomferende Romulus, die de wapenrusting van een overwonnen vijand droeg. Aan de oostkant Aeneas – voorvader van Romulus en, zo werd beweerd, ook van Augustus' adoptiefamilie, de Juliërs – die met zijn bejaarde vader op zijn rug en zijn jonge zoon aan zijn zijde het brandende Troje ontvluchtte, op weg naar Italië. Tot slot was er een standbeeld van Augustus zelf, die een strijdwagen met vier paarden bestuurde – de natuurlijke erfgenaam van alle helden uit het verleden van Rome.

De jonge keizer verbouwde ook het oude Forum Romanum dat aan zijn nieuwe complex grensde.[3] Een nieuw senaatshuis, waarvan de bouw door Julius Caesar begonnen was, werd eindelijk voltooid en een nieuwe rostra – het verhoogde platform van waaraf toespraken werden gehouden – werd opgeluisterd met de voorstevens van de schepen van Marcus Antonius en Cleopatra, in 31 v.Chr. bij Actium op hen veroverd, en werd bekroond door het ruiterstandbeeld van een negentienjarige Octavianus dat de senaat in 43 v.Chr. had laten vervaardigen.[4] Messalina kon als vrouw nooit het woord voeren in het senaatshuis of vanaf de rostra, maar ze zou wel als eerste grote invloed uitoefenen op de toespraken en debatten die daar gehouden werden en er later het onderwerp van zijn. Als een spreker op de rostra recht over de menigte luisteraars heen keek, zou hij een nieuwe tempel zien verrijzen aan de zuidoostkant van het forum. Dit was de Tempel van Divus Julius, die Octavianus liet bouwen ter ere van Julius Caesar (die in 42 v.Chr. bij decreet van de senaat tot god werd verheven). De inwijding ervan in 29 v.Chr., toen Octavianus in triomf terugkeerde naar Rome, luidde een nieuw tijdperk in waarin het Romeinse volk nu ook mensen moest gaan vereren, eerst uitsluitend na hun dood, maar na verloop van tijd steeds meer al bij leven.[5]

Niet alles was nieuw. Augustus liet de grote historische schatten van het oude Forum Romanum zorgvuldig hun oorspronkelijke plaats behouden.[6] Hier stond de zwarte steen, die een oude cultusplaats of zelfs het graf van Romulus zou markeren. En daar was ook de *umbilicus Romae* – de navel van Rome –, volgens de overlevering de plek waar Romulus' ploeg voor het eerst een groef in de Romeinse aarde trok en nog steeds het punt van waaruit alle afstanden van en naar Rome werden gemeten. Hij begon ook een programma van herstelwerkzaamheden waarbij bijna alle grote republikeinse bouwwerken werden voorzien van een fonkelnieuw keizerlijk gewaad.

Kosten noch moeite werden gespaard. De vloeren van Augustus' gebouwen waren betegeld met gekleurd marmer in geometrische patronen. Paars porfier uit Egypte, grijsgroen cipollijn uit de Egeïsche Zee en goudkleurig giallo antico uit het Noord-Afrikaanse Numidië.[7] Dit was een reuzenatlas van steen die elke Romein uitnodigde om door de veroverde wereld van Augustus te wandelen zonder ooit het centrum van zijn geboortestad te verlaten.

Deze bouwprojecten waren politieke uitingen, maar het waren ook geschenken aan het gewone publiek. De Romeinse plebejer die door het Forum van Augustus slenterde kon daar iets proeven van het leven van een aristocraat. Hij kreeg een inkijkje in de materiële luxe – de pilaren en de exotische materialen en felle kleuren – waarmee de elite haar woonverblijven opluisterde. Hij kon ook trots voelen over de standbeelden van de grote helden uit het vroege Rome. Dit waren gemeenschappelijke voorouders en rolmodellen voor het hele Romeinse volk, die voor de gewone man dezelfde functie hadden als de generaties voorouderportretten die de atria van aristocratische huizen sierden.

Er bestond een wereld van verschil tussen deze verheven omgeving en wat de grote massa der Romeinen thuis ervoer. De stad had inmiddels 1 miljoen inwoners – een bevolkingsomvang die Londen pas in 1810 en New York pas in 1875 bereikte – en het onverwacht snelle tempo waarmee Rome was verstedelijkt, was niet zonder gevolgen gebleven.[8] De nieuwe steden die onder Romeinse leiding overal in het Middellandse Zeegebied werden gebouwd, waren befaamd om hun regelmatige ontwerp, met een strak stratenplan en wijkenpatroon (kenmerken die later als representatief voor de Romeinse rationele geest en praktische zin zouden worden beschouwd), maar de moederstad zelf was een warwinkel. Ruimte was schaars; de huisjesmelkers van de sloppenwijken bouwden de hoogte in en de huurkazernes – ook wel bekend als *insulae* oftewel 'eilanden' – hadden soms wel vijf verdiepingen. Brand lag constant op de loer, net als ziekte, ondanks de relatief goede openbare hygiënische voorzieningen, zoals rioleringen, aquaducten en baden. De straten in deze delen van de stad waren donkere, benauwde en onrustige plekken: ze waren in schaduw gehuld door de monolithische 'eilanden' aan weerszijden, winkels en kraampjes namen de beschikbare ruimte op de stoep in beslag, kookluchtjes walmden uit de afhaalrestaurants op de hoek. Ook het kabaal – van handel, misdaad en gezinsleven – moet onophoudelijk en onontkoombaar zijn geweest. Het was een omgeving waar geruchten zich als een lopend vuurtje verspreidden.

Messalina en haar familie bevonden zich aan de andere kant van het spectrum. Waar velen door de lokroep van alle goud naar de stad waren getrokken en daar nu in erbarmelijke omstandigheden leefden, daar stelde datzelfde goud de stedelijke elite in staat om zich te omringen met voorheen ongekende luxe. Toen Marcus Lepidus in 78 v.Chr. een nieuw huis voor zichzelf liet bouwen dat in weelderigheid zijn weerga niet kende, waren waarnemers het erover eens dat het het mooiste huis in Rome was.* In 45 v.Chr., nog geen 35 jaar later, zou het niet eens tot de eerste

---

* Dit is de Marcus Lepidus die in 78 v.Chr. consul was, vader van de Lepidus die samen met Octavianus en Marcus Antonius het Tweede Triumviraat vormde tijdens de burgeroorlogen die volgden op de moord op Julius Caesar.

100 hebben behoord.[9] Marcus Lepidus had in 78 v.Chr. veel kritiek gekregen omdat hij bloedrood, paars geaderd Numidisch marmer had gebruikt voor de drempels van zijn deuropeningen; 20 jaar later, in 58 v.Chr., zou de miljonair Marcus Aemilius Scaurus zijn atrium inrichten met massieve zuilen van glanzend zwart Melisch marmer met een hoogte van bijna 12 meter.[10] In de jaren 40 v.Chr. ging Mamurra, een op eigen kracht opgeklommen man die Caesars belangrijkste militaire ingenieur was geweest tijdens zijn Gallische veldtochten, nog verder: hij bekleedde elke vierkante centimeter muur met marmer en zijn huis bevatte geen enkele zuil die niet was gemaakt van massieve Carraraanse of Carystische steen.[11]

Wie marmer van muur tot plafond kil, smakeloos of gewoon onbetaalbaar vond, beschikte over een overvloed aan andere decoratieve opties. Fresco's waren een klassieke keuze. Grote vergezichten die doorliepen over hele kamers dompelden de bezoeker onder in andere werelden: een luxueuze villa aan zee misschien, of een weelderige Italiaanse tuin, of zelfs het exotische landschap van het onlangs veroverde Egypte, waar nijlpaarden en krokodillen en rieten boten opdoken en verdwenen in het water van de Nijl en mensen banketten en orgieën bijwoonden tussen de tempels die de oevers omzoomden. Later veranderde de mode en speelden verhalende mythologische scènes zich af tegen een achtergrond van rood, okergeel of gelakt zwart, omlijst door ranke zuilen versierd met slingers of Egyptische lotusmotieven. Vaak hielden de onderwerpen vagelijk verband met thematische of genealogische motieven, zodat je gasten konden zien dat je niet alleen op de hoogte was van de laatste mode, maar ook onderlegd was in de homerische heldendichten en de complexiteiten van de Grieks-Romeinse mythologie.

De zalen van de rijken, al schitterend versierd met fresco's of exotisch marmer, stonden toen evenzeer als nu vol met afgrijselijk dure antieke kunst. De Romeinen waren ervan doordrongen dat hun illustere voorouders in werkelijkheid weinig ontwikkelde militaristische boeven waren geweest, en dat zat ze niet lekker. Voor kunst moest je gewoon naar Griekenland. En dat deden ze massaal. Vanaf het einde van de derde eeuw voor Christus kochten, roofden of confisqueerden de Romeinen op enorme schaal Griekse meesterwerken. Bootlading na bootlading onschatbare marmeren beelden, bronzen sculpturen en paneelschilderijen werd van de centra van de Griekse cultuur verscheept naar het centrum van de Romeinse rijkdom.

In de stad kochten rijke mannen hele wijken op en maakten ze met de grond gelijk om er persoonlijke lusttuinen aan te leggen. In deze uit-gestrekte stadsparken en op hun immense landgoederen, ver weg van de hitte en het vuil van de stad, probeerden ze de natuur te overtreffen door bergen te bouwen, grotten uit te graven en kunstmatige rivieren te vor-men die ze 'de Nijl' of 'de Eufraat' noemden.* Het was te midden van deze wedstrijd om wie de mooiste tuin had dat Lucullus zijn terrassen-park op de Pincische Heuvel liet aanleggen; het landgoed waar Messalina later naar verluidt voor zou moorden om het in bezit te krijgen – en de plek waar ze zelf haar einde zou vinden.

Op het eerste gezicht leek Messalina dus op een gunstig moment gebo-ren te worden in de Romeinse elite. Daar staat tegenover dat de Romein-se aristocratie nog aan het herstellen was van de honderd jaar politieke strijd en de vijftig jaar burgeroorlog die de Republiek hadden geteisterd tot Augustus de alleenheerschappij verwierf.

In het jaar 146 v.Chr. was Rome de onbetwiste heerser van de me-diterrane wereld geworden. Het allegaartje van stadstaten waaruit Grie-kenland toen bestond had zich in zijn geheel overgegeven na de inname en plundering van Korinthe. In de lente van datzelfde jaar werd Carthago – lange tijd de grote rivaal van Rome voor de suprematie op zee – volledig vernietigd. Maar zelfs al terwijl Carthago in vlammen opging, mijmerde de zegevierende Romeinse generaal Scipio Aemilianus over het uiteinde-lijke lot van Rome als onbetwiste supermacht. 'Een glorieus moment, Po-lybius,' zou hij hebben opgemerkt, 'maar ik heb het vreselijke voorgevoel dat mijn eigen land op een dag hetzelfde onheil ten deel zal vallen.'[12] Zijn voorgevoel bedroog hem niet.

Een geslaagde politieke loopbaan loonde nu om heel andere redenen dan de aristocraten in de zesde eeuw voor Christus in gedachten had-den toen ze het republikeinse systeem van machtsdeling ontwierpen. Destijds werd het bekleden van een openbaar ambt gewaardeerd om het respect en de eer die de kandidaat in de gemeenschap verwierf. Nu werd een magistraatschap in Rome automatisch gevolgd door een 'pro-magi-straatschap' in het buitenland.[13] Hiermee verkreeg de houder ervan het

---

* Zulke extravagante lusttuinen werden ironisch genoeg *horti* of 'moestuinen' genoemd.

bevel over een leger en mocht hij zelfstandig besluiten nemen en snelrecht uitoefenen, waarbij zijn beslissingen pas achteraf, na afloop van zijn ambtsjaar, aan senatoriaal toezicht werden onderworpen.[14] Hij kon veroveringsoorlogen voeren die zijn soldaten verrijkten en hem in de ogen van het publiek thuis tot een god maakten. En als hij bereid was om oogluikend een beetje corruptie toe te staan, waren er schatten geld te verdienen. Toen er steeds meer op het spel kwam te staan, bezweken de controlemechanismen die waren ingesteld om de individuele ambitie binnen de perken te houden onder de druk. Machtige politici gingen er eigen legers op na houden en weigerden plaats te maken in hun ambt. Allianties werden gesloten en weer verbroken en geschillen tussen facties, voortspruitend uit botsende ego's, werden uitgevochten op slagvelden in de hele mediterrane wereld.

Dat was het toneel waarop de toekomstige keizer Augustus in 44 v.Chr. zijn intrede deed. Hij heette toen nog Octavianus, was negentien jaar oud en wierp zich op als de rechtmatige erfgenaam van zowel het fortuin als de politieke functies van zijn vermoorde oudoom en recente adoptievader, Julius Caesar. Op het moment dat Caesar op de idus van maart werd doodgestoken door de groep senatoren aangevoerd door Cassius en Brutus, volgde Octavianus een militaire opleiding in Apollonia, een stad in het deel van de Balkan dat destijds bekendstond als Illyrië (in wat nu Albanië is). Toen het nieuws van de moord op Caesar Octavianus bereikte, zette hij direct scheep naar Italië.

Het is op dit cruciale moment, en niet bij zijn geboorte in 63 v.Chr., dat Augustus de *Res gestae* – zijn eigen verslag van zijn leven en verrichtingen, in het Nederlands vertaald als *Mijn wapenfeiten* – laat beginnen met deze opmerkelijke woorden: 'Op negentienjarige leeftijd heb ik een leger op de been gebracht, op eigen initiatief en eigen kosten; daarmee heb ik de staat, die in de greep was van een kleine, tirannieke belangengroep, weten te bevrijden.'[15] Wie deze 'belangengroep' precies was, lijkt te hebben afgehangen van Octavianus' persoonlijke belangen op een bepaald moment.

Eerst ging Octavianus een bondgenootschap aan met de senatoriale belangengroep rond Cicero en trok hij namens de 'res publica' ten strijde tegen Marcus Antonius. Binnen enkele maanden hadden hij en Marcus Antonius echter hun krachten gebundeld als onderdeel van het Tweede Triumviraat en verklaarden ze Cicero en de andere 'republikeinen' tot vijanden van de staat. Uiteindelijk waren alle belangengroepen, 'tiranniek' of anderszins, die een bedreiging konden vormen voor de macht van Octavianus verdwenen. Het laatste 'republikeinse' verzet van enige betekenis kwam in oktober 42 v.Chr. ten einde met de nederlaag van Brutus en Cassius bij Philippi. In augustus 30 v.Chr., na een decennium van burgeroorlogen en voortdurend wisselende coalities, verpletterde Octavianus ten slotte de troepen van Antonius en Cleopatra bij Alexandrië.

Nu elke vijand van betekenis veilig uit de weg was geruimd, wierp Octavianus zich op als een toonbeeld van vrede, welvaart en stabiliteit. In 29 v.Chr. sloot hij voor het eerst in meer dan 200 jaar de poorten van de tempel van de dubbelkoppige god Janus, als teken dat er nu wereldwijd op land en zee vrede heerste.[16] De grote poorten waren in de lange geschiedenis van Rome slechts tweemaal eerder dicht geweest; Augustus zou ze in de loop van zijn 41-jarige regeerperiode driemaal sluiten.[17] Ook de senaat droeg bij aan de totstandkoming van dit nieuwe imago. In 13 v.Chr. besloot de senaat dat er ter ere van Augustus een altaar moest worden opgericht op de Campus Martius, het Marsveld.[18] Het altaar, dat naast een obelisk stond die de keizer als gedenkteken voor zijn bloedige militaire overwinningen in Egypte had laten plaatsen, kwam bekend te staan als de *Ara Pacis Augustae* – het Altaar van de Augusteïsche Vrede.[19] De naam was toepasselijk: het ging hier zonder twijfel om een typisch augusteïsche visie op vrede. Op de binnenmuren van het omsloten altaar waren zware guirlandes van weelderig en bloeiend gebladerte uitgesneden – de vrucht van vrede en voorspoed. Aan de buitenkant werd bij de ingang een beeld geplaatst van de gepersonifieerde godin Roma, tronend op het wapentuig van haar overwonnen vijanden, en langs de zijkanten werd een processie gebeeldhouwd waarvan leden van de uitgebreide familie van Augustus deel uitmaken – die voor het eerst op een staatsmonument vergezeld worden door hun vrouwen en hun kinderen. Te midden van die menigte zijn Messalina's grootouders van beide zijden geïdentificeerd, evenals Octavia, de zus van Augustus, Messalina's overgrootmoeder van zowel moeders- als vaderskant en de grootmoeder van haar toekomstige echtgenoot Claudius. Messalina's ouders Domitia Lepida en Messalla Barbatus bevinden zich misschien onder de kinderen die naar het spektakel staren of zich aan de toga's van hun ouders vastklemmen.[20] Het monument koppelde het lot van Rome aan dat van de familie van Augustus en Messalina hoefde alleen maar langs de Ara

Pacis te lopen om zich een beeld te vormen van haar plaats in dit grote dynastieke project.

Octavianus ondernam ook stappen om zijn officiële functie in het staatsbestel te herzien. Tussen 28 en 27 v.Chr. verklaarde hij de tijdelijke constitutionele regelingen van de burgeroorlog ten einde, waarbij hij afstand deed van het onbeperkte gezag dat hij over elke provincie en elk leger had uitgeoefend en van de wurggreep waarin hij de politieke instellingen in de stad had gehouden.[21] Hij zou later verklaren dat hij daarmee de Republiek had hersteld, en het lijkt alsof de instituties en de procedures van de republikeinse politiek tot op zekere hoogte zijn teruggekeerd; er werden verkiezingen gehouden voor de oude magistraatsambten en de rechtbanken en de senaat konden weer beraadslagen zonder dat er openlijk met militair geweld werd gedreigd.

In werkelijkheid gaf Octavianus zijn macht helemaal niet op, maar vestigde hij zijn alleenheerschappij op een nieuw, duurzamer fundament: hij leverde zijn buitengewone en ongrondwettelijke volmachten in en liet zich een brede verzameling erefuncties, titels en bevoegdheden toekennen, zowel officiële als onofficiële, die hem in vredestijd het hoogste en legitieme gezag gaven.

De senaat ging ermee akkoord dat Octavianus de controle zou behouden over een aantal 'keizerlijke provincies' en de troepen die daar gelegerd waren. Octavianus' bondgenoten voerden in de senaat aan dat deze provincies – waaronder Egypte, Gallië, Spanje en Syrië – moeilijker te besturen waren, complexer waren en het soort leiderschap nodig hadden dat alleen Octavianus kon bieden.[22] Voor hun verdediging vereisten deze onstabiele grensprovincies grote aantallen troepen; dus door zijn greep op de provincies te behouden, behield Octavianus ook de controle over de meerderheid van de Romeinse legioenen.

Op 16 januari 27 v.Chr. benoemde de senaat Octavianus tot *princeps senatus*, de 'leider van de senaat', en verleende hem de eretitel waaronder hij voortaan bekend zou staan: 'Augustus'.* Toen Augustus in 23 v.Chr.

---

* 'Augustus' is lastig direct te vertalen. Het is afgeleid van een bijvoeglijk naamwoord dat 'majestueus', 'verheven' of 'eerbiedwaardig' betekent. Het werd oorspronkelijk in de religieuze sfeer gebruikt en hield mogelijk verband met waarzeggerij. Nadat Octavianus het als zijn naam was gaan voeren, werd het de ultieme aanduiding van keizerlijke status en eer.

afstand deed van het consulaat dat hij jaar na jaar op zich had genomen, kende de senaat hem *tribunicia potestas* ('gezag van tribuun') en *imperium maius* ('oppergezag') toe.[23] Deze nieuwe bevoegdheden gaven hem respectievelijk het recht om wetten in te dienen of er een veto over uit te spreken en het recht om het bevel over elk leger in elke provincie over te nemen of om eenzijdig de besluiten van een andere magistraat terzijde te schuiven. Deze buitengewone bevoegdheden waren voor het leven toegekend – niet gekoppeld aan een tijdelijk en overdraagbaar ambt, maar aan één man. Het principaat was daadwerkelijk begonnen.

Er volgden nog meer eerbewijzen: in 12 v.Chr. werd Augustus *pontifex maximus*, de hogepriester van de Romeinse staatsgodsdienst, en in 2 v.Chr. kreeg hij de titel pater patriae – 'vader des vaderlands'.

De republikeinse droom van gedeelde macht was voorbij. Toch waren alle ambten en titels van Augustus hem officieel toegekend door de senaat en de assemblees, ogenschijnlijk op hun eigen initiatief. Sommigen onder de Romeinse aristocratie fluisterden dat ze een pact met de duivel hadden gesloten. Toegegeven, ze hadden stabiliteit gekregen, maar tegen welke prijs? Wat zouden hun voorouders, die ooit de koningen uit Rome hadden verdreven, ervan vinden als ze hen nu zouden zien, zich schikkend naar een staatsvorm die alleen in naam geen monarchie was? Maar als er onder de politieke elite al mannen waren die er zo over dachten, dan gold nog steeds dat de meesten – de pragmatische of misschien de verstrooidere onder hen – dat niet deden.

Tegen 27 v.Chr. was de Romeinse aristocratie lamgeslagen. Ze hadden vijftig jaar lang de ene burgeroorlog na de andere doorstaan; roemrijke geslachten waren zo goed als uitgemoord en fortuinen waren in beslag genomen of verloren gegaan in de strijd om hegemonie of overleving. Ze verdienden een rustpauze, een beetje luxe en een terugkeer, in elk geval in theorie, naar de voorspelbare ambtelijke hiërarchie die hen altijd in staat had gesteld een gestage reeks publieke eerbewijzen te verwerven. Een aantal grote Romeinse families had ook geconcludeerd dat een heersende dynastie hen duidelijkere voordelen kon opleveren. Aanpappen met een heerser was een makkelijkere weg naar een prestigieus ambt, hoe verstoken van echte macht het ook mocht zijn, dan stemmen werven bij slechtgemanierd kiezersvolk, en beide grootvaders van Messalina zouden het consulaat verwerven door de gunst van Augustus.* Het duurde ook niet lang voordat families als die van Messalina inzagen dat dynastieke connecties nieuwe wegen naar de macht konden bieden; ten tijde van Messalina's geboorte was haar tak van de *gens Valeria* door huwelijk en bloed verbonden met het Huis van Augustus.

De levensvatbaarheid van de augusteïsche regeling hing af van een ingewikkeld stelsel van afspraken en conventionele leugens. Het was in theorie een hachelijke balans, die bovendien berustte op hypocrisie, maar de regeling was ook ongekend effectief. Tegen de tijd dat Augustus in 14 n.Chr. op 76-jarige leeftijd vredig in zijn bed stierf, had hij bijna 60 jaar lang in het middelpunt van het politieke strijdgewoel van Rome gestaan, waarvan meer dan 40 jaar als enige keizer.

Bij de dood van Augustus kwam de werkelijke aard van zijn nieuwe systeem vol in het licht te staan. Zijn vele bevoegdheden, zorgvuldig bijeen vergaard in een halve eeuw van heerschappij, gingen in hun geheel over op zijn benoemde opvolger, stiefzoon en voormalige schoonzoon Tiberius. Zolang Augustus leefde, konden de mensen zichzelf wijsmaken dat dit alles het persoonlijke primaat was van één uitzonderlijke man, maar na de soepele troonsbestijging van zijn opvolger viel moeilijk te ontkennen dat de nieuwe orde veel weg had van een monarchie.

Gezegd wordt dat Augustus zich op zijn sterfbed tot zijn vrienden wendde en vroeg of hij het goed had gedaan in de komedie van het leven.[24] Het antwoord was duidelijk: Augustus had de rol van het hoofdpersonage perfect gespeeld. Maar hij had meer dan dat gedaan: hij had het toneel, het decor en de zaal opnieuw gebouwd. Messalina, die ongeveer zes jaar na de dood van de grote alleenheerser geboren werd, speelde net als iedereen die ze kende nog steeds op het toneel van Augustus. Zowel hun publieke als hun privéleven speelde zich af in de architecturale ruimten van Augustus, gebouwd in de blijvende nieuwe stijlen die hij populair maakte. Hun levens werden begrensd (of niet) door de morele kaders en de maatschappelijke categorieën die hij afbakende en hun fortuin rees en daalde binnen het dynastieke systeem dat hij creëerde. Tegen de tijd dat Messalina volwassen werd, waren de acteurs misschien veranderd, maar het theaterdecor bleef dat van Augustus.

---

* Messalina's grootvader van moederskant, L. Domitius Ahenobarbus, was consul in 16 v.Chr.; haar grootvader van vaderskant, M. Appianus, was consul in 12 v.Chr.

3

Een scholing

'Laat haar niet alles weten van geschiedenis, laat haar bepaalde
boekenwijsheid niet begrijpen, evenmin als ik.'
Juvenalis, *Satiren*, 6.450-451

Weinigen in Rome waren van betere komaf dan Messalina. De stamboom
van haar familie – de gens Valeria – ging terug tot het vroege begin van de
Romeinse geschiedenis: Valerius Poplicola (ook wel Publicola) behoorde
tot de mannen die na de verkrachting van Lucretia de monarchie omver
hadden geworpen en de Republiek hadden gesticht, en in 509 v.Chr. was
hij een van de twee mannen die als eerste consuls van de nieuwe staat
werden gekozen.[1]

Sindsdien was het aanzien van de familie nauwelijks afgenomen.
Messalina's ouders, Marcus Valerius Messalla Barbatus en Domitia Lepida de Jongere, hadden uitzonderlijk goede connecties. Hun beide vaders
hadden het consulaat bekleed; hun moeders waren halfzussen en beiden
nichten van Augustus via hun moeder Octavia, de geliefde en invloedrijke zus van de keizer.[2] Door hun afkomst behoorden Messalina's ouders
tot de hoogste kringen van de augusteïsche samenleving: ze waren lid van
zowel de oude Romeinse aristocratie als de nieuwe keizerlijke familie.

Messalina werd van alle kanten voorgehouden dat ze een lange en illustere stamboom had waarvan ze de eer hoog diende te houden. De huizen waarin ze opgroeide stonden vol erfstukken en militaire trofeeën en
de *imagines* van haar voorouders keken elke ochtend vanaf de muren van
de atria op haar neer. Deze wassen maskers van de gezichten van de mannen in de familie die in hoge functies waren gekozen, waren bijzonder

levensecht en werden bij familiebegrafenissen gedragen door figuranten die dan een lange stoet van de (succesvolle) doden vormden. Daarna werden ze weer op hun plek in het openbare deel van het huis gehangen, waar ze, zorgvuldig voorzien van opschriften met lovende woorden over hun wapenfeiten, bewoners en bezoekers herinnerden aan de lange, roemrijke voorgeschiedenis van de familie.[3]

De familiale identiteit zat ook verankerd in elke lettergreep van de naam van een Romeins meisje. In tegenstelling tot jongens kregen meisjes geen *praenomina*, vergelijkbaar met onze huidige voornamen, maar werden ze aangeduid met vervrouwelijkte versies van de achternamen van hun vader, zijn *nomen* en soms zijn *cognomen*, waarbij het eerste zijn clan aanduidde en het tweede de specifiekere tak van de familie waartoe hij behoorde. Een dochter van Marcus Valerius Messalla Barbatus zou dus altijd de naam Valeria Messalina krijgen.* Als de hoofdpersoon van ons verhaal een zus had gehad, zou zij ook Valeria Messalina hebben geheten, met als enige onderscheid (als dat al gebeurde) de toenaam *maior* als ze ouder was of *minor* als ze jonger was. Dat dit de historicus die de verhalen van individuele vrouwen wilde achterhalen tot wanhoop zou drijven (het is soms bijvoorbeeld erg moeilijk om onderscheid te maken tussen Messalina's moeder, Domitia Lepida, en haar oudere zus, Domitia Lepida) was niet van belang voor de Romeinse ouders, die amper kunnen hebben gewild dat hun dochters iets zouden presteren wat hun een vermelding in de annalen van de geschiedenis zou opleveren.** Deze namen mochten zich dan bijzonder slecht lenen voor het aanduiden van individuele vrouwen, ze gaven wel een duidelijke en effectieve boodschap af – dat de status en de identiteit van een Romeinse vrouw werden bepaald

---

* Deze conventies begonnen precies ten tijde van Messalina's geboorte te verschuiven. Haar eigen dochter, Claudia Octavia, zou niet alleen naar Claudius worden genoemd, maar ook naar Octavia – zowel haar grootmoeder van vaderskant en als haar overgrootmoeder van moederskant. Het kan nauwelijks toeval zijn dat vrouwen uit de hogere klasse pas persoonlijke namen beginnen te krijgen wanneer het dynastieke systeem van het Keizerrijk hen in staat stelt politieke en sociale invloed uit te oefenen.

** Messalina's moeder lijkt in de bronnen vaker Lepida genoemd te worden en haar zus Domitia, maar beiden worden ook weleens bij hun volledige, identieke naam genoemd.

door de familie waartoe ze behoorde. Het was een boodschap die de jonge Messalina niet kan zijn ontgaan.

Ondanks de hoge status van haar familie vond geen van de bronnen het nodig om de precieze geboortedatum van Messalina vast te leggen. Zo'n omissie was niet ongebruikelijk; Romeinse vrouwen, zelfs vrouwen die in de belangrijkste en voornaamste families werden geboren, werden over het algemeen pas vermeld in de historische verslagen als ze een politiek belangrijk huwelijk sloten. De geboortedata van Romeinse vrouwen worden meestal berekend door de datum van hun huwelijk te nemen en daar dertien of veertien jaar van af te trekken – de gebruikelijke leeftijd voor een meisje uit de Romeinse elite om haar eerste huwelijk te sluiten. In Messalina's geval zou deze methode een geboortedatum rond het jaar 24 of 25 opleveren.

Helaas lijkt Messalina's vader tegen het jaar 23 al dood te zijn – een omstandigheid die haar verwekking problematisch zou hebben gemaakt. We weten dat Messalla Barbatus' vader Messalla Appianus vroeg in zijn consulaat stierf. Hij bekleedde dat in 12 v.Chr., waardoor dit het laatst mogelijke geboortejaar is voor zijn zoon. Op grond van zijn connecties met het keizerlijk huis kon Messalla Barbatus verwachten omstreeks het jaar 23 (toen hij ten minste 35 zou zijn geweest) zelf een consulaat te bekleden – dat hij dat niet deed suggereert dat hij al dood was.[4]

Het strookt met deze gang van zaken dat Messalina een halfbroer had uit het tweede huwelijk van haar moeder. Voor deze Faustus Sulla Felix wordt op zijn laatst het geboortejaar 23 gesuggereerd, omdat hij het consulaat in het jaar 52 bekleedde, én we weten dat hij dispensatie kreeg om het ambt vijf jaar vroeger te bekleden toen hij met de keizerlijke prinses Claudia Antonia trouwde.[5]

We mogen ervan uitgaan dat Messalina's verbintenis met Claudius in 38 haar eerste huwelijk was: gezien de obsessieve aandacht in de bronnen voor Messalina's seksuele en romantische relaties lijkt het onmogelijk dat een eerder huwelijk nergens zou zijn vermeld. In haar late tienerjaren zou Messalina erg oud zijn geweest om voor de eerste keer te trouwen, dus moeten we Messalina's geboorte waarschijnlijk net voor, of misschien zelfs net na, de dood van haar vader plaatsen, en zo dicht mogelijk bij het hertrouwen van haar moeder en de geboorte van haar stiefbroer.[6] Als Domitia Lepida in de vroege jaren 20 is hertrouwd en toen haar zoon baarde, plaatst dat Messalina's geboorte rond het begin van het nieuwe decennium. In de rest van het boek ga ik daarom uit van het jaar 20 als de beste schatting voor de geboorte van Messalina.

Toen Messalla Barbatus stierf, bleef Lepida alleen achter als jonge weduwe met Messalina als vaderloze baby. Messalina's moeder – op dat moment misschien twintig jaar oud, mooi, rijk en aantoonbaar in staat om kinderen te baren – verspilde heel begrijpelijkerwijs geen tijd om te hertrouwen.[7]

Als haar tweede echtgenoot koos ze Faustus Cornelius Sulla, de achter-achterkleinzoon van de bloeddorstige dictator Lucius Cornelius Sulla die de Romeinse Republiek in de jaren 80 v.Chr. haar eerste echte voorproefje van een autocratie had gegeven. We bezitten weinig informatie over het karakter van Faustus Sulla zelf en helemaal niets over zijn relatie met Messalina. Echtscheiding en plotseling overlijden waren allebei zo gewoon in Rome dat samengestelde gezinnen geen pennen in beroering brachten. Bovendien was Faustus mogelijk alweer overleden voordat Messalina een tiener werd – na zijn consulaat in 31 vernemen we niets meer over hem.

In de vroege jaren 20 schonk Domitia Lepida haar nieuwe echtgenoot een zoon, Faustus Cornelius Sulla Felix, zodat Messalina nu een halfbroer had. Messalina en haar halfbroer lagen in leeftijd dicht bij elkaar en hun relatie schijnt goed te zijn geweest. Toen Messalina in het jaar 46 of 47 haar stiefdochter Claudia Antonia uithuwelijkte aan Faustus Sulla Felix, was dat zowel een eerbewijs als een gebaar van vertrouwen.[8]

Domitia Lepida had nu twee jonge kinderen onder haar hoede – hoewel het onwaarschijnlijk is dat ze een van beiden zelf de borst heeft gegeven. De zorg voor Messalina en haar broer berustte tijdens die vroegste, kwetsbaarste jaren van hun leven waarschijnlijk bij een min. De relatie tussen kinderen en hun min kon hecht en van levenslange duur zijn, maar wellicht belemmerde het gebruik ook de ontwikkeling van een band tussen de kinderen met hun moeder. In zijn verslag van Messalina's dood maakt Tacitus de terloopse opmerking dat Domitia Lepida haar terzijde stond hoewel ze 'in de hoogtijdagen van haar dochter van haar was vervreemd'.[9] Hun relatie kan in de eerste jaren van Messalina's bewind verstoord zijn geraakt – misschien door de moord op Domitia Lepida's derde echtgenoot Appius Silanus (over wie later meer) –, maar de kiem kan al eerder zijn gelegd.

Tacitus (geen fan van haar dochter en nooit vriendelijk gestemd jegens vrouwen aan het keizerlijk hof) beschrijft Domitia Lepida als 'schaamteloos, berucht, gewelddadig', een vrouw die even bedreven in ondeugd als begunstigd door fortuin was.[10] Toen Messalina de volwassenheid had bereikt en trouwde, kreeg Domitia Lepida enige tijd de voogdij over haar neef, de toekomstige keizer Nero. Ze zou de jongen vreselijk hebben verwend door hem te overladen met aandacht en geschenken.[11] De geschiedenis vermeldt niet of ze bij het opvoeden van Messalina dezelfde aanpak had gehanteerd.

Mocht Messalina's moeder zich misschien problematisch gedragen, ze was in elk geval fabelachtig rijk. Domitia Lepida bezat op haar eigen naam uitgestrekte landerijen bij Fundi, een stad halverwege de Via Appia, de levensader die Rome met het zuiden verbond, en in Calabrië, helemaal in de punt van Italië. De vochtige en beschutte vlakten van Fundi vulden vele kelders met Caecuba – een zware, lang gerijpte en volle wijn die door veel kenners werd beschouwd als de beste die Italië te bieden had; ook bracht de vruchtbare grond van de Calabrische landgoederen een rijke oogst aan citrusvruchten en olijven voort.[12] Domitia Lepida perste deze natuurlijke overvloed tot de laatste druppel uit; na de dood van haar dochter zou ze ervan beschuldigd worden dat ze de slaven die in enorme ploegen haar Calabrische landerijen bewerkten onvoldoende disciplineerde.[13] Ook spreidde ze haar investeringen. Ze bezat stukken land bij de haven in Puteoli – het grote handelsknooppunt van de Golf van Napels. Ze verpachtte deze aan een investeerder om er verhuurbare pakhuizen op te bouwen, zodat ze een deel van de winst opstreek die op zowel de inkomende ladingen Alexandrijns graan als de uitgaande ladingen zoete Pompejische wijn werd gemaakt.[14]

Messalina was een rijkeluiskind en dat bleek eens te meer uit hoe ze woonde. Faustus en Domitia Lepida moeten een huis hebben gehad op een van de populairste heuvels van Rome. Daar hadden de rijken hun villa's, hoog boven het forum met zijn lawaaiige bedrijvigheid en constante bouwwerkzaamheden en ver weg van de ongezonde smog van de Subura, de sloppenwijk in het vochtige dal tussen de zuidhelling van de Viminaal en de westhelling van de Esquilijn.

Achter de hoge, raamloze muren en zware deuren die noodzakelijk waren in de stad, bevond zich een breed atrium, rijkelijk versierd met inlegwerk van gekleurd marmer en pronkend met de eerdergenoemde afbeeldingen van illustere voorouders, waar vrienden van de familie en politieke medestanders, handelsagenten en oude getrouwen hun opwachting maakten om naar Faustus Sulla's kantoor met bijbehorende perkamentrollen geleid te worden, of naar een van de indrukwekkende zalen of galerijen die hij gebruikte voor ontvangsten. Als ze geluk hadden, werden ze door een opeenvolging van schaduwrijke en goed bewaterde binnenplaatsen geleid om vervolgens bij een diner te netwerken en te onderhandelen. Hoe voornaam en luxueus ze ook waren, de villa's van de Romeinse adel waren bedoeld voor *negotium* – politiek bedrijven en je bezittingen beheren. Vitruvius, een succesvol architect uit de eerste eeuw die een traktaat over architectuur schreef dat tot op de dag van vandaag zijn invloed uitoefent, herinnert zijn lezer eraan dat de huizen van edelen

> die eretitels dragen, ambten vervullen en zich moeten wijden aan hun plichten voor de staat, behoren te zijn voorzien van vorstelijke vestibules met hoge plafonds, ruime atria en zuilengalerijen [...] allemaal afgewerkt op een niveau dat past bij de waardigheid van hun positie. Er horen ook bibliotheken te zijn, en basilica's, in een stijl die kan wedijveren met de pracht en praal van soortgelijke burgerwoningen, want zowel publieke beraadslagingen als besloten processen en arbitrages vinden vaak plaats in de huizen van deze mannen.[15]

Op het platteland kon de aristocraat zich onttrekken aan het turbulente politieke leven en de verzoeken van zijn beschermelingen om wat broodnodige ontspanning te vinden. Het oude republikeinse ideaal van een eenvoudig rustiek toevluchtsoord, dat niet alleen respijt bood van de stress maar ook van de luxe van het stadsleven, had het al lang afgelegd tegen de voorliefde voor luxueus ontworpen buitenverblijven die van alle gemakken waren voorzien. Evenals de eigenaars ontspande de architectuur van het Romeinse huis zich wanneer ze de stad achter zich liet. Portieken wendden zich naar buiten om het uitzicht op het platteland te omlijsten in plaats van in zichzelf gekeerd de binnenplaats te omsluiten, brede vleugels spreidden zich uit aan weerszijden van het hoofdhuis, lange gangen leidden gasten naar kolossale eigen badinrichtingen of naar buiten de tuinen en het platteland in. Deze oorden waren niet ontworpen voor negotium, maar voor *otium* – een term die letterlijk te vertalen is als vrije tijd, maar die in het Latijn de specifiekere betekenis heeft van *welbestede* vrije tijd, het streven naar zelfverbetering door middel van cultuur, kunst en bezinning. Ten behoeve van dergelijke nobele doelen werden villa's voorzien van royale bibliotheken, met schilderijen volgehangen galerijen, Griekse beeldhouwwerken (sommige origineel, sommige gekopieerd) en enorme met peristylen omsloten tuinen waarin voor thuisgebruik bedoelde Romeinse versies werden aangelegd van een *gymnasion*, de publieke sportschool die zo kenmerkend was voor de hellenistische steden. Messalina's familie moet meerdere van dit soort villa's hebben bezeten, misschien op locaties grenzend aan Domitia Lepida's landerijen, op pachtgronden die al eeuwenlang in bezit waren van Faustus' familie, de Corneliae Sullae, of in de mooie heuvels van Latium die de charme van het buitenleven boden maar toch op een steenworp van Rome lagen.

Het leven in de landelijke villa's van Messalina's ouders mag dan verheugend veel mogelijkheden tot zelfontplooiing hebben geboden, opwindend kan het nauwelijks geweest zijn. Voor vertier trok de Romeinse jetset naar de Amalfikust. In de eerste eeuw was de keten van rijke badplaatsen rond de Golf van Napels dé plek om de zomer door te brengen; iedereen die iets voorstelde had hier een villa. Dat gold waarschijnlijk voor Domitia Lepida en Faustus, en van de oudere zus van Domitia Lepida weten we het zeker; haar landgoed in Baiae was zo gewild dat keizer Nero haar zou hebben laten vermoorden om het in handen te krijgen.[16] De beste villa's lagen op de kliffen boven de zee, met trapsgewijze terrassen die een panoramisch uitzicht over de baai boden en steile, in de rotswand uitgehakte treden die naar het water leidden.[17]

In het zomerseizoen heerste hier een druk sociaal leven – de grote redenaar Cicero betitelde het als 'die mengkom van weelderige luxe'.*

---

* Uit een brief van Cicero aan zijn vriend Atticus met de datering 16 april 59 v.Chr. Het woord dat Cicero hier gebruikt – *cratera* – was een Grieks leenwoord ter aanduiding van de grote kommen waarin het geciviliseerde deel van de bevolking zijn wijn met water mengde, maar het werd in het Latijn ook gebruikt om te verwijzen naar de krater van een vulkaan. Voor Cicero, die meerdere percelen in de omgeving bezat, was Baiae een plek waar morele en maatschappelijke onderscheidingen gevaarlijk konden vervagen, en hier drukt hij dat talig uit door de hedonistische mores van Baiae en de uiterlijke vorm van de ronde Vesuviaanse baai met elkaar te versmelten tot één beeldende term. Cicero geeft ook een suggestieve beschrijving van zomerfeesten aan de baai: Cicero, *Pro Caelio*, 49.

De huizen waren ontworpen voor vermaak, met privébaaien voor strand-feesten, aanlegsteigers voor plezierboten en keukens met voldoende capaciteit om honderden gasten te voeden. De eerste-eeuwse dichter Martialis portretteerde het als een plek die een non tot onkuisheid zou kunnen brengen:

> *Kuise Laevina, die niet onderdeed voor de oude Sabijnsen*
> *En nog strenger was dan haar o zo sombere man,*
> *maakte over het Lucrinus- en Avernusmeer excursies.*
> *Toen het water van Baiae haar dikwijls had gestreeld,*
> *werd ze verliefd, verliet haar man en volgde een jeugdige minnaar:*
> *als Penelope was ze gekomen, ze ging als Helena weg.*[18]

Aangezien Messalina in dit soort plaatsen opgroeide, is het niet verwon-derlijk dat ze een zekere hang naar luxe ontwikkelde. Maar ze zou ook enig begrip kunnen hebben ontwikkeld van wat het betékende om een Romeinse aristocraat te zijn in de Julisch-Claudische hoogtijdagen van de eerste eeuw na Christus. De opzichtige zalen en de aan elkaar gescha-kelde herenhuizen van haar ouders lieten zien hoe dun de lijn was tus-sen privéleven en publieke dienstbaarheid; hun buitenhuizen vol boeken en kunst getuigden van het belang van cultureel kapitaal; en de groepen weelderige villa's rond de Golf van Napels gaven uitdrukking aan de steeds vanzelfsprekendere aanname onder de hogere klassen dat genot zoeken een Romeins geboorterecht was.

Ongeacht wat Messalina opstak van de imagines van haar voorouders en de luxueuze vastgoedportefeuille van haar ouders, het was slechts een kanttekening bij haar formele opvoeding.

Voor een samenleving met een compromisloos patriarchale structuur en een vaak agressief misogyne cultuur, besteedden de oude Romeinen opvallend veel aandacht aan de opvoeding van vrouwen. Het lijkt erop dat gedurende de eerste eeuw voor en na Christus (onze best gedocu-menteerde periode) een aanzienlijk deel van de stedelijke vrouwen, zelfs buiten de bovenste lagen van de elite, op zijn minst gedeeltelijk gelet-terd was. Een aantal schrijvers vermeldt als de gewoonste zaak van de wereld dat zowel meisjes als jongens middeldure basisscholen bezoch-ten, gelegen aan schaduwrijke stadspleinen door heel Italië, waar deze kinderen uit de stedelijke hogere middenklasse werden onderwezen in lezen, schrijven, rekenen en soms enkele eenvoudige literaire werken.[19] Fragmenten van Pompejische graffiti die op de muren van de openbare ruimten van de stad zijn gekrabbeld – 'Romula was hier met Staphylus', 'Serena haat Isidorus', 'Atimetus heeft me zwanger gemaakt' – suggereren dat sommige vrouwen, ook degenen die lager op de sociale ladder stonden, in elk geval namen en een paar standaarduitdrukkingen konden schrijven.[*] En doordat ze opgroeiden in stedelijke omgevingen waar de voorbijganger werd gebombardeerd met teksten, konden nog meer vrouwen waarschijnlijk een paar kernwoorden lezen die steeds weer opdoken in formele inscripties en informele gekraste boodschappen: de namen van de goden, of de magistraten, of misschien de populairste gladiatoren van dat seizoen.

Messalina's opvoeding moet heel wat verder zijn gegaan. In tegenstelling tot de opvoeding van Romeinse jongens uit de hogere klasse, die vooral in het teken stond van een gedegen voorbereiding op een publieke loopbaan, had de opvoeding van een Romeins meisje uit de hogere klasse geen duidelijk omschreven doel, behalve haar uit te rusten met de kennis en vaardigheden die bij haar sociale status hoorden. Misschien dat er daarom nooit over geschreven werd met de methodische duidelijkheid die we bij verhandelingen over de opvoeding van jongens wel aantreffen. Onze gegevens zijn fragmentarisch en anekdotisch, maar we kunnen genoeg materiaal verzamelen uit de late Republiek en het vroege Keizerrijk om te reconstrueren hoe Messalina's opvoeding eruit zou kunnen hebben gezien: de kennis die haar zou zijn bijgebracht, de manieren waarop ze had leren denken, de vaardigheden waarmee ze zou zijn toegerust om de wereld der volwassenen te betreden.

Een opeenvolging van huisleraren heeft Messalina vermoedelijk onderwezen in Latijn en Grieks en mogelijk de basisbeginselen van de wiskunde. Ze zal passages van de literaire 'grootheden' hebben gelezen, voorgedragen en soms uit het hoofd geleerd: Homerus, de Griekse tragedies en de vermaarde Augustijnse dichter Vergilius. Deze werken vormden de ruggengraat van het universum van citaten en toespelingen

---

[*] De eerste komt uit het Huis met het Atrium Tetrastilium; de tweede komt uit een graf in de necropolis van Nocera; de derde komt uit het huis van C. Vibius aan de Vicolo del Panettiere.

waarmee ontwikkelde Romeinen hun brieven, gedichten en toespraken graag doorspekten. Misschien werd ook van haar verwacht dat ze de dichterlijke taal van deze teksten, hun structuur en de toegepaste versvoeten analyseerde. Daarnaast kan ze les hebben gekregen in muziektheorie, zingen en lierspelen. Danslessen kunnen ook op het programma hebben gestaan om haar te leren hoe ze bevallig moest bewegen (maar niet zo bevallig dat haar respectabiliteit in het geding zou komen). Om haar brieven een zekere flair mee te geven, nam ze misschien deel aan de oefeningen in proza schrijven die de basis vormden van de lessen in welsprekendheid die haar broer kreeg. Ze kan ook enig onderwijs in filosofie hebben gehad, bedoeld om Messalina te leren ideeën te evalueren, logisch te denken en, het belangrijkste, zich deugdzaam te gedragen.[20]

Al met al werd waarschijnlijk van Messalina verwacht dat ze een palet aan bekwaamheden zou verwerven zoals die werden aangeprezen in de 21-jarige weduwe Cornelia Metella, die in 53 v.Chr. met Pompeius de Grote was getrouwd. 'De jonge vrouw,' vertelt Plutarchus ons, 'had naast haar jeugdige schoonheid nog veel andere bekoorlijkheden. Ze was onderlegd in literatuur, lierspel en geometrie, en was eraan gewend met vrucht naar filosofische discussies te luisteren.'[21]

Sommige vrouwen uit de hogere klasse in pakweg de eeuw voor Messalina's geboorte moeten deze opmerkelijk veelzijdige scholing hebben ervaren als een navrant vrije voorbereiding op hun door conservatieve normen ingeperkte volwassen bestaan. Plutarchus bekroonde zijn lofprijzing over Cornelia's scholing immers met de bewering dat 'haar karakter vrij was van de onaangename pretenties die jonge vrouwen gewoonlijk aankleven door een dergelijk kennisniveau'.[22] Als ze poëzie schreef, dan werd de Romeinse dame geacht deze niet te publiceren; als ze intelligente brieven schreef aan vooraanstaande mannen, dan was de kans groot dat alleen hun antwoorden verzameld en gepubliceerd zouden worden; als ze zich bekwaamde in filosofie, dan werd er van haar verwacht dat ze die gebruikte om voldoening te vinden binnen de grenzen van haar vrouwelijke lot.

In de jaren 20 begonnen deze oude barrières tussen de kennis die een vrouw kon verwerven en de kennis die ze in praktijk mocht brengen echter te vervagen. Van de Romeinse vrouw uit de hogere klasse werd altijd verwacht dat ze haar verworven bekwaamheden inzette voor het grootbrengen van zonen die geschikt waren voor de republikeinse ambten.

Maar in een dynastiek systeem, waarin voor een jongen een roemrijke toekomst al vanaf zijn geboorte gegarandeerd kon zijn, kreeg deze rol ongekende nieuwe mogelijkheden. En er waren andere, nog verrassendere (en voor mannelijke tijdgenoten angstaanjagendere) manieren waarop zo'n vrouw in de keizertijd goed gebruik van haar bekwaamheden kon maken. In een wereld waarin over juridische kwesties en staatszaken steeds vaker niet in het openbaar werd beslist, dus op het forum of in de senaat, maar privé in de wandelgangen, de eetzalen of zelfs de slaapkamer van de keizer, kreeg een slimme vrouw nieuwe kansen. Ze kon haar kennis van politiek of geschiedenis gebruiken om advies te geven en haar kennis van literatuur of welsprekendheid om dat advies overtuigingskracht te verlenen.

Messalina's opvoeding zou haar voorbereiden op deze rol, ongeacht of ze dat toen al doorhad.

4

Tiberius afluisteren

'Sindsdien heerste in alle gevallen tirannie,
ongeremd nu en dwingend.'
Tacitus, *Annalen*, 5.3

De rijkdom van Messalina's ouders, hun villa's, hun leger van bedienden en hun nabijheid tot de macht zorgden voor een bevoorrechte jeugd.
Maar het moet ook voor een wat roerige jeugd hebben gezorgd.

Toen Messalina haar tienerjaren bereikte, kan het groeiende politiek
onbehagen in de gesprekken die ze in de gangen van haar stiefvader opving haar nauwelijks zijn ontgaan. Rome hing van sociale netwerken aan
elkaar en de rijkdom en positie van Domitia Lepida en Faustus moeten
een repeterende cyclus van diners en bijeenkomsten, banketten en concerten, lezingen en voordrachten, uitstapjes naar het platteland en tuin-
feesten met zich hebben meegebracht – bijgewoond door de crème de la
crème van de Romeinse samenleving.

Messalina moet tot op zekere hoogte deel hebben uitgemaakt van
deze sociale wereld. Adellijke Romeinse meisjes werden in hun kindertijd
zeker niet afgeschermd. Als Plinius de Jongere, een politicus, letterkun-
dige en redenaar uit het begin van de tweede eeuw, schrijft over de dood
van de dertienjarige dochter van een vriend, krijgen we een inkijkje in
het sociale contact dat een Romeins meisje kon hebben met de vrienden
van haar ouders. Plinius kende het meisje duidelijk goed: 'Ik heb nooit
een meisje gezien dat opgewekter of beminnelijker was dan zij [...] reeds
toonde ze de wijsheid van een rijpe vrouw en de waardigheid van een
dame, maar toch ook de lieftalligheid en maagdelijke schroomvalligheid

van een jong meisje.' Ook herinnert hij zich: 'Hoe hing ze aan de nek van haar vader! Hoe liefderijk en bescheiden omarmde ze ons, vrienden van haar vader!'[1] Aangezien Messalina's ouders tot de kern van de politieke elite ten tijde van Tiberius' keizerschap behoorden, moet de lijst van familievrienden die zij ontmoette een who's who hebben gevormd van de kopstukken in het nieuwe principaat. Misschien ving ze toespelingen op, waarvan de exacte strekking haar ontging, over een politieke situatie die langzaam maar zeker ontaardde in een crisis; en misschien viel het haar op wanneer een of ander voorheen bekend gezicht plotseling voorgoed van de gastenlijst van haar ouders verdween. Dit zou weleens het belangrijkste element van haar hele opvoeding kunnen blijken.

Tiberius werd keizer na de dood van Augustus in 14 n.Chr. Hij was niet de eerste keuze van zijn stiefvader geweest als diens opvolger.* Pas na de dood van een aantal potentiële erfgenamen begon Augustus hem naar voren te schuiven als een belangrijke pion in zijn dynastieke plannen, waarbij hij Tiberius dwong te scheiden van zijn zwangere vrouw Vipsania Agrippina en te trouwen met Augustus' eigen dochter Julia de Oudere. Tiberius was er kapot van. De eerste keer dat hij Vipsania na hun scheiding zag, zo vertelt Suetonius, 'keek hij haar met tranen in de ogen na, zo verlangend' dat Augustus maatregelen trof om te voorkomen dat ze elkaar nog ooit zouden zien.[2] Het zal niemand verbazen dat Tiberius' huwelijk met Julia de Oudere al snel op de klippen liep en in 6 v.Chr. verliet hij Rome tegen de wens van de keizerlijke familie en trok hij zich terug op het eiland Rhodos, zodat zijn impopulaire vrouw zich kon overgeven aan de geneugten van de stad. In 2 v.Chr. ontving Tiberius een brief die hem ervan op de hoogte stelde dat Julia de Oudere na een veroordeling wegens overspel verbannen was en dat Augustus al een echtscheidingsprocedure voor hem in gang had gezet.[3] Tiberius zegde uiteindelijk toe om in 2 n.Chr. naar Rome terug te keren op voorwaarde dat hij niet hoefde deel te nemen aan het openbare leven. In dat jaar stierven echter de beide beoogde opvolgers van Augustus, zijn kleinzonen Gaius en Lucius.[4] Na een decennium teruggetrokken te hebben geleefd, was Tiberius nu erfgenaam van het Keizerrijk.

---

* Tiberius was de zoon van Livia uit haar eerste huwelijk met Tiberius Claudius Nero. Augustus heeft naar verluidt erkend dat hij Tiberius niet als ideale opvolger zag. Suetonius, *Leven van Tiberius*, 23.

Tiberius was een opvallend onwillige autocraat. Als begaafd redenaar, koelbloedig diplomaat en uitstekend generaal had hij zowel militaire glorie verworven als zich een voorstander van strenge tucht betoond in de loop van een roemruchte carrière die hem van de rijke grensgebieden van Parthië in het oosten tot de woeste binnenlanden van Germanië en Pannonië had gevoerd. Hij had er echter geen slag van een goede verstandhouding met zijn publiek op te bouwen: hij had geen gevoel voor de vluchtige wensen van een menigte en hij voelde zich duidelijk ongemakkelijk bij alles wat riekte naar pracht en praal, spektakel of volksvermaak. Met zijn extreem gereserveerde houding en een verbeten hunkering naar wat hij zich vagelijk als de 'oude gebruiken' voorstelde, was Tiberius misschien beter geschikt geweest voor een leven met een bescheiden mate van glorie op het slagveld en op het forum tijdens de begindagen van de Republiek. In plaats daarvan bevond hij zich nu, op 54-jarige leeftijd, in een rol die hem totaal niet lag en bezat hij de oppermacht in een politiek systeem dat volstrekt onverenigbaar was met zijn persoonlijke idealen van aristocratisch conservatisme.

Tijdens de eerste jaren van zijn bewind deed Tiberius zijn best om traditionele aristocratische idealen zoals collegialiteit, ruimdenkendheid, bescheidenheid en gematigdheid een plaats te geven binnen de autocratische rol die hij op zich had genomen. Hij deed afstand van een aantal eerbewijzen, waaronder de titel pater patriae, die de positie van Augustus hadden versterkt en verzette zich tegen enkele van de bizarre uitingen van keizerverering; de maand september zou níét als eerbetoon naar hem worden vernoemd. Toen een senator een keer zijn knieën probeerde te omhelzen in een opzichtig vertoon van onderdanigheid, deinsde Tiberius zo snel terug dat de smekeling zijn evenwicht verloor en achterover op de grond viel.[5]

Zelfs de doorgaans kritische Tacitus moet toegeven dat gedurende de eerste jaren van Tiberius' bewind 'politieke kwesties en de belangrijkste privézaken werden behandeld in de senaat, waarbij de leidende figuren zich mochten uitspreken. [...] De ambten van consul en pretor behielden elk hun eigen prestige [...] en had hij al eens een conflict met burgers, dan werd er een beroep gedaan op het forum en de rechtspraak.'[6]

In toenemende mate bleken de persoonlijke idealen van Tiberius echter onverenigbaar met de politieke realiteit van het systeem dat hij leidde. Toen Tiberius in het jaar 21 de senaat aanspoorde om een nieuwe gouverneur te benoemen voor Africa – een van de laatste provincies die formeel onder jurisdictie van de senaat stond –, speelden de senatoren, doodsbang dat hun keuze onwelgevallig zou zijn, de beslissing onmiddellijk door naar de keizer. Buitenlandse gezanten die (in lijn met de wet) naar de senaat werden verwezen, klaagden dat ze op die manier hun missie niet konden uitvoeren: ze waren, zeiden ze, hierheen gestuurd om met de keizer te spreken. Het gebrek aan enthousiasme dat buitenlandse gezanten voor de senaat tentoonspreidden werd slechts geëvenaard door het gebrek aan enthousiasme van de senaat voor buitenlandse gezanten. Toen in het jaar 22 een aantal delegaties vragen aan de senaat voorlegde met betrekking tot het recht van vrijplaats in provinciale tempels, waren de senaatsleden het al snel beu de eindeloze petities en uitputtende bewijsvoeringen aan te horen en droegen ze hun bevoegdheden om de kwestie te onderzoeken en uitspraak te doen volledig over aan de consuls.[7] Als Tiberius zijn senatoren wilde dwingen om zich onafhankelijk te gedragen, vocht hij voor een verloren zaak. Aan het einde van dat jaar, zo vertelt Tacitus, had hij de gewoonte om bij het verlaten van het senaatshuis te mompelen dat 'die mannen klaar waren voor slavernij'.[8]

Maar op het moment dat Tiberius de tekortkomingen van de senaat aan de kaak stelde, zat hij in een impasse van eigen makelij, gevangen tussen het zelfbeeld van Tiberius de man en het eigenbelang van Tiberius de princeps. Hij wilde dat zijn senatoren zich vrij over kwesties uitspraken, maar voor het voortbestaan van het principaat was het cruciaal dat ze zíjn senatoren bleven; volledige vrijheid voor de senaat zou noodzakelijkerwijs het einde betekenen van het principaat en zelfs van de princeps. Tiberius begreep dit, en al voelde hij zich nog zo ongemakkelijk bij de autocratische aard van Augustus' systeem, hij hield het ook actief in stand door het leger strak in de hand te houden en zijn grootste rivalen uit de weg te ruimen.*

Het was een nulsomspel: aan de ene kant wist Tiberius dat elke maatregel die zijn positie als princeps versterkte de oude morele orde waaraan hij hechtte ondermijnde, aan de andere kant stond hem een wisse dood

---

* Tacitus noemt de moord op Agrippa Postumus 'de eerste misdaad van het nieuwe principaat' en plaatst die in zijn verhaal nadrukkelijk vóór zijn beschrijving van hoe de senaat de macht officieel aan Tiberius had verleend: Tacitus, *Annalen*, 1.6.

te wachten als hij naliet zijn positie te versterken – er bestond immers niet zoiets als een voormalige keizer. Tiberius stond aan het hoofd van een systeem dat hij niet had gecreëerd en waar hij zich niet helemaal prettig bij voelde. Hij deed een klus waar hij niet om gevraagd had, waarvoor hij niet geschikt was en waar hij niet van af kon komen, behalve via de langzame dood door ouderdom of de minder aantrekkelijke optie om door moord aan zijn einde te komen.

Historici uit de oudheid deelden de regeerperiode van 'slechte' heersers graag in twee stukken: een aanvankelijk veelbelovende periode van ogenschijnlijke vrijheid en gematigdheid, onvermijdelijk gevolgd door het afglijden naar tirannie, wreedheid en waanzin. Deze onderverdeling bood schrijvers een handig middel om schijnbaar tegenstrijdige daden begrijpelijk te maken en een bevredigende structuur voor hun biografieën die goed paste bij de klassieke opvatting van de menselijke geschiedenis als in wezen degeneratief. Maar deze literaire stijlfiguur zou in het geval van Tiberius weleens heel dicht bij de waarheid kunnen liggen.

Messalina werd precies ten tijde van de ommekeer geboren. In het jaar 19 stierf Germanicus – de broer van Messalina's toekomstige echtgenoot Claudius en Tiberius' zeer populaire adoptiezoon en vermoedelijke opvolger – onder mysterieuze omstandigheden terwijl hij op een missie voor de keizer was in Syrië.[9] Zijn weduwe Agrippina de Oudere schreeuwde moord en brand en beweerde dat zijn ziekte te heftig was geweest voor een natuurlijke aandoening. Er werd gesproken over vergiftiging en zelfs hekserij, waarbij het gerucht rondging dat er menselijke resten, verbrande sintels en loden vloektabletten met Germanicus' naam erop waren gevonden, verstopt in de muren en onder de vloer van zijn kamer. Tiberius was de voor de hand liggende verdachte en de rechtbank van de publieke opinie had hem zo goed als schuldig verklaard aan de misdaad.[10] Een paar jaar later, in september 23, stierf Tiberius' enige zoon Drusus na een korte, plotselinge en onduidelijke ziekte. Er werden toen geen verdenkingen geuit, maar later zou worden beweerd dat ook dit een moord was geweest.[11]

Volgens Tacitus markeert deze gebeurtenis de omslag in Tiberius' bewind. Zijn analyse is waarschijnlijk wat al te simplistisch, maar is in de kern misschien niet onjuist. In de jaren na de dood van Drusus lijkt Tiberius steeds teruggetrokkener en paranoïder te zijn geworden; hij woonde steeds minder vaak vergaderingen van de senaat bij en stond steeds vaker oogluikend vervolgingen toe die slechts gebaseerd waren op schaars bewijs en vaag omschreven misdaden betroffen. De meest gevreesde van deze aanklachten waren die in verband met de wet omtrent *maiestas*, meestal vertaald met het niet helemaal toereikende 'verraad'. Het ging hierbij om een reeks wetten die handelingen strafbaar stelden die de 'waardigheid' of 'macht' van de staat in gevaar brachten. In de Republiek, toen 'de staat' nog had gestaan voor de senaat en het volk van Rome, waren het over het algemeen zeer ernstige militaire overtredingen geweest die onder de *lex maiestatis* waren gevallen: met een leger optrekken tegen de staat, de vijand helpen, een fort in de steek laten. Nu 'de staat' steeds meer gelijkstond aan de keizer, kreeg deze wet een veel bredere interpretatie. Alles wat de waardigheid van het huis van de Caesars kon aantasten, werd in theorie bestraft met verbanning of de dood.

Het verlangen om te ontsnappen dat Tiberius drie decennia eerder naar Rhodos had gedreven, werd hem tegen het jaar 26 opnieuw te machtig. Deze keer koos hij voor Capri: een bergachtig eiland van vulkanisch gesteente dat op zo'n kleine tien kilometer van de kust uit de golven oprees in de Golf van Napels. Tiberius had er een landgoed geërfd dat ooit van Julius Caesar was geweest, met een villa hoog op de top, en nu wilde hij zich daar vestigen. Het uitzicht was er prachtig, maar Tacitus is van mening dat 'bovenal de eenzaamheid hem daar aanstond, omdat het aan alle kanten omgeven is door zee en [er] nergens havens [zijn] [...] niemand had er kunnen landen zonder opgemerkt te worden door een van de uitkijkposten'.[12]

Waarin voor hem de aantrekking van Capri ook precies lag, Tiberius zou nooit meer naar Rome terugkeren. Astrologen hadden dit al met zoveel woorden voorspeld bij zijn vertrek uit de stad in het jaar 26 (aanvankelijk om de tempels voor Jupiter in Capua en voor Augustus in Nola in te wijden), iets wat alom werd geïnterpreteerd als een teken van zijn naderende dood.[13] Het idee dat een Romein vrijwillig zijn geboortestad verliet om voor onbepaalde tijd elders te gaan wonen was onbevattelijk. Toch zou Tiberius dit doen voor de volle elf jaar die hem nog restten van zijn leven en regeerperiode. Hoewel hij af en toe tot in de schaduw van de muren van Rome zou reizen, zou hij de heilige grens, het *pomerium*, die officieel het gebied van de stad omsloot, nooit meer overschrijden.

Maar zoals het spreekwoord luidt: uit het oog, uit het hart. Het bleek dat afwezigheid de liefde bepaald niet sterker maakte. Nu Tiberius uit de stad vertrokken was, raakte de relatie tussen de senaat en zijn princeps in een vrije val. De senaat had het altijd al moeilijk gevonden om de ware bedoelingen van Tiberius te doorgronden en nu bleek dat zelfs onmogelijk. De keizer stuurde lange brieven die in de curia werden voorgelezen en de senatoren braken zich het hoofd over de dubbele betekenissen die achter de keuze van zijn woorden konden schuilen. Tiberius was er van zijn kant steeds meer van overtuigd dat de senaat hem haatte en zijn bewind verfoeide – en dat ze op zijn dood uit waren.

Eén man sloeg munt uit deze sfeer van wederzijds wantrouwen. Dit was Lucius Aelius Sejanus, geen lid van de keizerlijke familie en zelfs geen senator, maar de prefect (commandant) van de pretoriaanse garde, een soort uit zijn voegen gebarsten keizerlijke lijfwacht die nu zo'n 10.000 man telde. Van cruciaal belang was dat de pretoriaanse cohorten als enige in de stad Rome zelf gelegerd mochten zijn. De pretorianen waren rechtstreeks trouw verschuldigd aan de keizer terwijl de keizer zich op zijn beurt op hun steun verliet – anderhalf decennium later zouden de moord op Caligula en de troonsbestijging van Claudius en Messalina duidelijk maken hoe ver die trouw reikte. Tiberius verliet zich volledig op Sejanus en toen hij zich nog meer uit zijn publieke taken terugtrok, vond hij de pretoriaanse prefect steevast bereid de boel voor hem te regelen.

Nu de keizer veilig was afgezonderd op Capri, kon Sejanus als tussenpersoon de macht naar zich toe trekken. De postdienst van het rijk stond onder pretoriaans toezicht terwijl de keizer zich steeds meer liet leiden door wat de prefect hem influisterde, zodat de senatoren beseften dat Sejanus bepaalde welke informatie en adviezen de keizer al dan niet bereikten. De senaat besloot altaren met standbeelden van Tiberius en Sejanus te wijden aan Clementie en Vriendschap.[14] Contacten met Sejanus waren goud waard; senatoren volgden hem van Rome naar Campanië en weer terug, maakten hun opwachting op het voorplein van zijn huis, waar ze wanhopig probeerden de gunst en de patronage te winnen van de slaven die zijn deur bewaakten. Op nieuwjaarsdag bezweek een bank in zijn atrium onder het gewicht van zijn bezoekers.[15] Dio schrijft dat het wel leek alsof Sejanus keizer van Rome was en de op Capri weggemoffelde Tiberius slechts een klein baasje op een dictatoriale eilandstaat.[16] Zulke zorgen over sinistere, niet-senatoriale keizerlijke adviseurs zouden onder Claudius dubbel zo hard terugkeren – hoewel ze zich deze keer zouden concentreren op de invloed van de vrijgelatenen rondom de keizer, en die van zijn vrouwen. De golf van vervolgingen wegens maiestas werd toegeschreven aan de pogingen van Sejanus om zijn macht te consolideren. Een zekere Sabinus, die aan het begin van het jaar 28 werd beschuldigd van verraad en vervolgens werd terechtgesteld, schreeuwde toen hij naar zijn dood werd gesleept keer op keer dat hij een 'zoenoffer' was voor Sejanus en 'werd gedood om het nieuwe jaar in te wijden'.[17]

Er brak ook crisis uit binnen de keizerlijke familie. Er gingen al lang geruchten rond over verdeeldheid en nu werden ze op spectaculaire wijze bewaarheid. In het jaar 29 werden de slimme, populaire en ambitieuze weduwe van Germanicus, Agrippina de Oudere, en haar oudste zoon Nero Caesar tot staatsvijanden verklaard en verbannen. Haar tweede zoon Drusus Caesar onderging het jaar daarop hetzelfde lot. In het jaar 33 waren ze alle drie dood.[18] Messalina moet van deze sterfgevallen geweten hebben. De families waren nauw met elkaar verbonden: Germanicus was een neef van zowel haar moeders- als haar vaderskant en Agrippina's dochter met dezelfde naam was net getrouwd met Messalina's oom Domitius Ahenobarbus. Een aantal vooraanstaande aristocraten was hun vriendschap met Agrippina en haar familie al fataal geworden, onder wie de beroemde generaal Gaius Silius en zijn vrouw Sosia Galla.[19] Gaius Silius pleegde zelfmoord toen hij werd geconfronteerd met valse beschuldigingen van opruiing en afpersing, terwijl Sosia Galla werd verbannen. De tienerzoon die het echtpaar achterliet was dezelfde Silius die in het jaar 48 als Messalina's 'echtgenoot' zou sneuvelen.[20] Opnieuw leggen de bronnen de schuld voor de scheuring in de familie grotendeels bij Sejanus' machinaties.

Toen hij zich eenmaal comfortabel in het centrum van de macht had genesteld, begon Sejanus, hoewel van geboorte slechts afkomstig uit de ridderstand, volgens de bronnen niets minder dan het principaat zelf te ambiëren. Begin 31 leek het erop dat hem dat zou kunnen lukken. Op 1 januari nam hij het consulaat over met Tiberius zelf als zijn collega en daarnaast, zo beweert Suetonius, zinspeelde de keizer erop dat een huwelijk met Livilla, de weduwe van Tiberius' zoon Drusus, tot de mogelijkheden behoorde.[21] Als het jaar volgens plan was verlopen, zou Sejanus zowel senator als lid van de keizerlijke familie zijn geworden en dus een kandidaat voor de opvolging van Tiberius. Maar Sejanus zou het jaar 32 niet levend halen.

Het is niet geheel duidelijk wat precies de oorzaak is geweest van Sejanus' ondergang – het deel van Tacitus' werk dat handelt over de gebeurtenissen van het jaar 31 is verloren gegaan en geen van de verklaringen die door de andere bronnen worden gegeven is helemaal overtuigend. De waarschijnlijkste reconstructie gaat uit van een brief die Messalina's toekomstige schoonmoeder Antonia de Jongere aan de keizer schreef, waarin ze zinspeelde op een complot of eenvoudigweg aan Tiberius liet doorschemeren dat zijn trouwe favoriet niet zo onvoorwaardelijk loyaal was als hij zich voordeed.[22] Wat de aanleiding ook was, Sejanus ging spectaculair ten onder.[23]

Ergens rond mei droegen Sejanus en Tiberius beiden hun consulaat over aan andere senatoren. Dit was normaal. Het 'suffectus-consulaat', zoals het genoemd werd, was ingesteld om een groter aantal senatoren een kans te geven op de hoogste functie en om de keizer meer gelegenheid te geven voor patronage. De *consul suffectus* die Sejanus in mei verving was niemand minder dan Messalina's stiefvader, Faustus Sulla.*[24] In zijn nieuwe rol werd van Faustus Sulla verwacht dat hij de vergaderingen van de senaat zou voorzitten, maar deze taak werd steeds lastiger te vervullen. Rond de overgang van de lente naar de zomer stuurde Tiberius een stroom brieven naar de senaat, de ene nog verwarrender en tegenstrijdiger dan de andere. Eerst schreef Tiberius dat hij zo ziek was dat hij op het punt stond te sterven, daarna dat hij in goede gezondheid verkeerde en binnenkort naar de stad zou terugkeren; eerst schreef hij om een trouwe medestander van Sejanus aan te bevelen, dan om een andere te beschuldigen; eerst prees hij Sejanus, dan hekelde hij hem. Faustus Sulla probeerde de orde te bewaren terwijl de senaat verwoed zocht naar de ware bedoelingen van de keizer en eindeloos redetwistte over de interpretatie van zijn woorden.

De senatoren, met Faustus Sulla en zijn medeconsul aan het hoofd, waren doodsbenauwd om aan de verkeerde kant te eindigen en besloten op twee paarden te wedden: publiekelijk eerden ze Sejanus, maar privé meden ze zijn gezelschap. Messalina's familie moet opgelucht geweest zijn toen het oktober werd en Faustus zijn ambt kon afstaan aan de twee volgende suffectus-consuls. Sejanus zelf begon zenuwachtig te worden;

---

* Faustus Sulla diende van mei tot oktober, toen de consulaire fasces werden overgedragen aan een nieuw tweetal suffectus-consuls.

hij voelde zich niet zeker genoeg om zijn plannen door te zetten, maar hij was niet bang genoeg om zijn toevlucht tot wanhopige maatregelen te nemen. Aanvoerend dat Livilla onwel was, maar waarschijnlijk in de hoop meer vat op de situatie te krijgen, vroeg hij Tiberius of hij naar Capri mocht komen om hem te zien. Tiberius weigerde. Hij zou zelf weldra terug in Rome zijn, beloofde hij, en hij zou Sejanus dan wel spreken.

Geen van beide beloften zou worden ingelost. Toen Tiberius in de herfst van het jaar 31 ten slotte toesloeg, was dat snel en zonder waarschuwing. Hij stuurde de nieuwe pretoriaanse prefect, een zekere Macro, van Capri naar Rome om daar in de verborgenheid van de nacht een brief af te leveren. Macro kondigde zijn aankomst bij niemand aan, behalve bij een van de nieuwe suffectus-consuls, Memmius Regulus, en bij de prefect van de *vigiles*, de nachtwakers. Toen de senaatsvergadering de volgende ochtend begon, liet Macro bewakers het gebouw omsingelen en leverde de brief af bij de consuls. Hij bleef niet wachten om die te horen voorlezen.

De inhoud van de brief kwam voor vele senatoren – Faustus misschien inbegrepen – als een verrassing en ook Sejanus was verrast. Volgens Dio bevatte de brief geen expliciet bevel om Sejanus ter dood te brengen, maar wel een waslijst aan kritiek en de instructie om twee van zijn naaste medewerkers te executeren en de man zelf gevangen te zetten.

Over het verdere verloop was geen twijfel mogelijk. Sejanus werd nog dezelfde dag dat hij gevangen was genomen geëxecuteerd. Zijn lichaam werd van een steile trap gegooid, de zogeheten Gemonische trappen, tussen de gevangenis en het forum in gelegen. Het werd daar stukgetrapt en beschimpt door de menigte, zo'n drie dagen lang, tot het uiteindelijk in de Tiber werd gegooid. De lijken stapelden zich op toen Sejanus' voormalige bondgenoten zich haastten om elkaar te beschuldigen, in de hoop dat ze zichzelf zo konden vrijpleiten.

Ook de kinderen van Sejanus werden omgebracht. Zijn jonge dochter Junilla, pas verloofd met een keizerlijke prins (Claudius Drusus, de zoon van Messalina's toekomstige echtgenoot Claudius bij zijn eerste vrouw Plautia Urgulanilla) en ongeveer even oud als Messalina, vroeg keer op keer waar ze toch naartoe gebracht werd en welke misdaad ze begaan had en waarom een 'flink pak slaag' niet kon volstaan als straf. Het gold als een wandaad om een maagd te executeren en dus werd ze eerst nog verkracht voordat ze gewurgd werd en samen met de lijken van haar broers en zussen van de Gemonische trappen naar beneden gegooid werd.[25]

Messalina moet net oud genoeg zijn geweest om iets te begrijpen van wat er aan de hand was. Deze chaotische en bloedige gebeurtenissen – met inbegrip van de brute executie van een meisje van haar eigen leeftijd dat ze gekend moet hebben – moeten haar eerste echte kennismaking geweest zijn met de gewelddadige kant van de Romeinse politiek.

Er zou nog meer volgen – ditmaal met dank aan Sejanus' ex-vrouw Apicata – en het zou Messalina's familie nog dichter bij huis raken. Sejanus en Apicata waren in het jaar 23 gescheiden, waarschijnlijk in slechte verstandhouding aangezien zij werd gespaard in de stortvloed van vervolgingen en executies die volgde op de val van Sejanus. Omdat ze het niet kon aanzien hoe haar kinderen werden geëxecuteerd wegens de misdaden van hun vader, schreef Apicata een laatste brief aan Tiberius om zichzelf daarna van het leven te beroven.

De brief bevatte een reeks buitengewone beschuldigingen die bijna tien jaar teruggingen en betrekking hadden op de gebeurtenissen rond de dood van Tiberius' zoon Drusus in het jaar 23. Destijds had niemand de dood van Drusus verdacht gevonden. Het was onverwacht en plotseling geweest, maar niets wees op boze opzet. De brief van Apicata gaf een andere versie van de gebeurtenissen. Ze beweerde dat haar echtgenoot Drusus had beschouwd als een rivaal voor zijn eigen ambities om de macht te verwerven en besloot zich van hem te ontdoen. Sejanus had een aantal mogelijke bondgenoten overwogen en geconcludeerd dat één ervan veelbelovender was dan alle andere: Drusus' vrouw Livilla.

Livilla was Messalina's volle achternicht en de zus van haar toekomstige echtgenoot Claudius. Hoewel geen mooi kind, had Livilla zich ontwikkeld tot een van de grote schoonheden van haar tijd, maar ze was naar verluidt ongelukkig in haar huwelijk met de vaak dronken en soms gewelddadige Drusus.[26] Sejanus, zo beweerde Apicata, had Livilla verleid met liefdesbetuigingen en bij haar de hoop gewekt dat ze, zodra haar man uit de weg was, zouden trouwen en samen het Keizerrijk konden regeren.

Livilla maakte hem deelgenoot van de geheimen van haar echtgenoot en uiteindelijk, toen hij alle voorbereidingen had getroffen, sloeg Sejanus toe. Hij koos een gif 'met geleidelijk, sluipend effect, waardoor het eruit zou zien als een onfortuinlijke ziekte'.[27]

Nu die klus was geklaard, scheidde Sejanus van Apicata en schreef hij Tiberius een brief waarin hij om de hand van de weduwe Livilla vroeg, een verzoek dat aanvankelijk werd geweigerd tot het ten slotte in het jaar van zijn ondergang werd ingewilligd.

In Tacitus' relaas over de affaire gaan Livilla's overspel en haar rol in de politiek gemotiveerde moord op haar man hand in hand. 'De smoorverliefde uithangend', vertelt Tacitus ons, 'verleidde Sejanus haar tot overspel, en met de eerste schanddaad op zijn conto (want na verlies van haar kuisheid wijst een vrouw andere dingen niet af) dreef hij haar tot hoop op een huwelijk, delen in de heerschappij over het Keizerrijk en de moord op haar man.'[28] Deze koppeling – overspel presenteren als een opstapje naar rebellie – is iets waarop de bronnen later opnieuw zinspelen als het gaat over Messalina zelf en haar noodlottige, bigamische 'huwelijk' met Silius.

Natuurlijk kunnen we niet achterhalen of Apicata's aantijgingen waar waren, maar de waarheid doet er nauwelijks toe. Tiberius geloofde Apicata's laatste getuigenis en dus werd Livilla terechtgesteld. Ze was de eerste vrouw die damnatio memoriae onderging; de officiële vernietiging van alle beelden en inscripties die er van een persoon waren. Zeventien jaar later zou Messalina de tweede zijn. Volgens Dio liet Tiberius Livilla niet rechtstreeks executeren. In plaats daarvan droeg hij haar over aan haar moeder (Messalina's toekomstige schoonmoeder) Antonia de Jongere, die haar eigenzinnige dochter in een kamer opsloot tot ze stierf van de honger.[29]

Na de dood van Sejanus werd de toestand er niet beter op, zoals veel senatoren hadden gehoopt. Tiberius had de laatste man verloren die hij dacht te kunnen vertrouwen, de 'steun en toeverlaat bij mijn taken', zoals hij hem noemde.[30] De keizer volhardde in zijn isolement op Capri en zijn vervreemding van de senaat. Hij verwaarloosde zijn bestuurstaken om persoonlijke genoegens na te jagen, gaf steeds meer toe aan zijn neiging tot wantrouwen en liet zijn paranoia met hem aan de haal gaan.

Tiberius was als keizer geen gelukkig mens; hij ging gebukt onder het gewicht van een kroon op zijn hoofd die hij nooit had gewild. In 32, het jaar na de dood van Sejanus, begon Tiberius een brief aan de senaat met deze woorden: 'Wat ik u moet schrijven, heren senatoren, hoe ik u moet schrijven, of wat ik u op dit ogenblik beslist niet moet schrijven – de goden en godinnen mogen mij storten in een verderf vreselijker dan dat waaraan ik dagelijks ten prooi ben, als ik het weet.'[31]

Hoezeer het bestaan voor Tiberius in 32 ook aanvoelde als het sterven van een dagelijkse dood, het duurde nog 5 jaar voordat hij in 37 de echte dood zou ervaren. Toen Tiberius overleed in zijn bed op Capri had hij 22,5 jaar geregeerd.* Nu zou zijn neef, de jonge Gaius Caligula, hem opvolgen als keizer.

Het is onmogelijk om Messalina te begrijpen, of ons een idee te vormen van de verhalen die over haar verteld worden, zonder de lange en vaak pijnlijke regeerperiode van Tiberius daarbij te betrekken.

Messalina was een tiener toen Tiberius stierf: tijdens zijn bewind werd ze geboren en groeide ze op. De intriges en crises aan het hof van Tiberius in de vroege jaren 30 vormden haar opleiding in de Romeinse dynastieke politiek. De brute moorden op Agrippina, Sejanus' jonge dochter Junilla en Livilla toonden haar de gevaren die ze liep wanneer ze als vrouw verwikkeld zou raken in de Julisch-Claudische politiek.

Maar misschien wel het belangrijkst van alles was dat de omgeving van afzondering en geheimhouding die kenmerkend was voor het laatste deel van Tiberius' heerschappij een kweekvijver bleek voor het 'genre', als we het zo mogen noemen, van het obscene keizerlijke gerucht. Onder invloed van de verhalen die rond de geïsoleerde Tiberius de kop opstaken, ontwikkelde zich een lange en eerbiedwaardige traditie van lasterpraat rondstrooien; een traditie die de loop van Messalina's korte leven en lange nagedachtenis zou beïnvloeden.

Mensen zeiden dat de eens zo nobel ogende keizer zich had verstopt omdat hij fysiek afstotelijk was geworden en zijn gezicht overdekt was met puisten en zweren.[32] Ze zeiden ook dat die puisten slechts uiterlijke manifestaties waren van een innerlijke verdorvenheid; beschamende verlangens die Tiberius steeds minder in bedwang kon houden en verbergen. Ze zeiden dat hij seksueel ontaard was en zijn perversies botvierde. Dat de twaalf onderling verbonden villa's die hij op de heuveltop van Capri had laten bouwen waren voorzien van erotische schilderijen en sekshandboeken. Dat de tuinen grotten en terrassen hadden waar als nimfen en saters verklede prostituees zich aanboden. Ze zeiden dat hij op hun aristocratische afkomst en schoonheid geselecteerde jonge mannen verkrachtte. Dat hij kleine jongetjes leerde zijn ballen te likken in het

---

* Tiberius stierf waarschijnlijk een natuurlijke dood, hoewel de bronnen, niet verrassend, ons ook berichten over geruchten dat hij werd vermoord door Caligula en de pretoriaanse prefect Macro.

zwembad. Dat hij artiestenteams van mannelijke en vrouwelijke prostituees had – 'bedenkers van de onnatuurlijkste vormen van geslachtsgemeenschap' – die 'met elkaar drie aan drie hun ontuchtige handelingen moesten verrichten, om door deze aanblik zijn kwijnende lusten
te prikkelen'.[33] Tiberius, de ooit zo strenge conservatief, had op Capri
een verloederd wonderland geschapen van 'lage lusten' en 'mysterieuze
hartstochten'.[34]

Misschien berustte een deel hiervan op waarheid. Tiberius zou niet
de eerste machtige man zijn geweest die zijn macht misbruikte om seksuele grillen te bevredigen, en zeker niet de laatste. Maar veel was waarschijnlijk verzonnen. Het zelfgekozen isolement van Tiberius' latere
jaren, in combinatie met het zo zichtbare bloedvergieten van de vroege
jaren 30, fungeerde als een kweekvijver voor de populaire verbeelding,
waarin verbanden tussen seksuele uitspattingen en de schemerige, besloten wereld van de keizerlijke politiek konden groeien tot ze een eigen
leven gingen leiden.

Augustus vestigde de machtsstructuur van de Romeinse autocratie.
Maar het was pas onder Tiberius dat de nieuwe autocratische cultuur
echt in beeld kwam, en daarmee ook alle geheimen, de schijnprocessen,
de schandalen en de perversies waarmee het Huis van de Caesars, en de
naam van Messalina in het bijzonder, spoedig zo onuitwisbaar geassocieerd zou worden.

5

Een slecht jaar voor een bruiloft

'Kom toch naar voren, jonge bruid,
de fakkels laten hun gouden pluimen zwieren.'
Catullus, *Carmina*, 61

Het jaar van Messalina's huwelijk met Claudius begon ongunstig. Op 1 januari 38 klom een slaaf met de naam Machaon op het heilige altaar van de Jupiter Optimus Maximus-tempel op de Capitolijn – het hart van de Romeinse staatsreligie. Eerst verkondigde hij 'een reeks onheilspellende profetieën', daarna stak hij het hondje dat hij bij zich had dood en sloeg vervolgens de hand aan zichzelf.[1]

Toch konden de wilde uitspraken van een slaaf, en zelfs niet het afslachten van een hond, de feeststemming onder de aristocratie die januari bederven. De oude keizer Tiberius was de maart ervoor op Capri gestorven en Rome beleefde intense wittebroodsweken met zijn nieuwe princeps. Caligula was jong, grappig en zei alleen maar goede dingen – en na 22 jaar Tiberius' strengheid wilde de adel hem graag op zijn woord geloven.

Bovendien konden de plannen voor Messalina's huwelijk amper nog worden uitgesteld. De meeste aristocratische meisjes trouwden rond hun veertiende – met zo'n achttien jaar was Messalina al oud om voor de eerste keer te trouwen. Een eerder huwelijk zou zeker vermeld zijn in de bronnen, maar dit was misschien niet de eerste keer dat ze verloofd was. In het midden van de jaren 30 kon je maar al te gemakkelijk een verloofde verliezen – of zelfs twee, als je niet oppaste – door ziekte, militaire dienst of de turbulente hofpolitiek van Tiberius. Het is mogelijk dat Messalina al eerder verloofd was geweest, maar dat het huwelijk niet doorging.

Wat de reden voor het uitstel ook was, in het jaar 38 zou Domitia Lepida eindelijk haar dochter in bruidskleding zien. Op de ochtend van haar bruiloft zal Messalina vroeg wakker zijn geworden toen haar moeder en andere vrouwelijke familieleden haar kamer binnenvielen, met in hun kielzog bedienden die kleding en sieraden droegen, professionele kappers en trouwe slaven van de familie. Ze werd gekleed in de zuiver witte *tunica recta*, waarvan de plooien rond haar middel werden samengevouwen door een gordel die misschien rijkelijk was bezet met parels en juwelen en werd gestrikt in een ingewikkelde herculesknoop. Alleen haar man mocht deze knoop later die avond losmaken. Haar haar werd ritueel gescheiden met de punt van een speer – waaraan een mysterieuze symboliek was verbonden die niemand zich meer kon herinneren – en vervolgens gedraaid, gevlochten en opgebonden tot het ingewikkelde zesdelige bruidskapsel dat bekendstond als de *seni crines*. Deze 'torenkroon' werd getooid met een krans van verbenabladeren, marjolein en bloemen die Messalina, als ze zich aan de traditie hield, zelf had geplukt.[2] Haar voeten werden in elegante gele sandalen gestoken, gouden kettingen met kostbare edelstenen en parels werden om haar nek gehangen en armbanden werden om haar polsen geschoven. Ten slotte werd de *flammeum* om Messalina's hoofd gedrapeerd. Deze sluier, waarvan de kleur afwisselend wordt beschreven als die van 'eigeel', 'bloed' of 'bliksem', was het kenmerkendste ornament van de Romeinse bruid.

Gekleed in al deze pracht en praal bad en offerde Messalina aan de goden, waarbij haar gaven bestonden uit wierook, wat gesprenkelde wijn en misschien haar poppen uit haar kindertijd.[3] De huwelijkscontracten werden voor de laatste keer nagelopen terwijl de auguren naar gunstige voortekens van huwelijksgeluk zochten en die dienovereenkomstig vonden. Het lag in de lijn der verwachting dat Messalina zou huilen als ze haar ouderlijk huis verliet, waarschijnlijk net toen de zon onderging. De bruid die huilt bij haar eerste huwelijk was een cliché in de Latijnse poëzie – in een van zijn bruiloftsliederen had de late republikeinse dichter Catullus geschreven: 'Maak van de deur de grendels open./Het meisje staat gereed [...] oprechte schroom houdt haar waarschijnlijk tegen [...] zij is in tranen, daar zij nu moet gaan.'[4]

De stoet van familieleden, illustere vrienden en beschermelingen moet veel bekijks hebben gehad op zijn weg door de straten van de stad, verlicht door brandende fakkels terwijl ze ritmische bruiloftsliederen zongen voor Hymen: 'io Hymen Hymenaeus io, io Hymen Hymenaeus'.

De bestemming was het herenhuis van Claudius, een van de drie nieuwe woningen van Messalina, waarvan de deur voor de gelegenheid was versierd met bloemen en kransen en helder werd verlicht.*[5] Binnen wachtte de jonge bruid een groot bruiloftsmaal, een versierd huwelijksbed en een bruidegom: Claudius, Messalina's 47- of 48-jarige achterneef, de oom van de nieuwe keizer en een man die tot dan toe zowel in het leven als in de liefde weinig geluk had gehad.[6]

Claudius, of Tiberius Claudius Nero als je hem beleefd wilde aanspreken, was het derde en laatste in leven gebleven kind van Drusus de Oudere en Antonia de Jongere. Hij werd geboren in 10 v.Chr., op de eerste dag van de zomermaand die weldra ter ere van de regerende keizer 'augustus' zou heten.

Claudius was van verheven afkomst, met de gecompliceerde familiebanden die zo kenmerkend zijn voor het Julisch-Claudische huis. Zijn vader Drusus was formeel Augustus' stiefzoon. Livia was zes maanden zwanger van Drusus toen ze van haar eerste man scheidde om de derde vrouw van Augustus te worden, wat betekende dat de jongen onder het dak van de princeps was geboren. Livia's ex-echtgenoot werd wettelijk tot vader van de jongen verklaard, maar er deden vanzelfsprekend geruchten de ronde dat zijn echte afstamming majesteitelijker was. Een vers uit die tijd constateerde nogal schamper: 'Wie de Fortuin goed is gezind, krijgt na drie maanden al een kind.'[7]

De moeder van Claudius, Antonia de Jongere, had een officiëlere, maar mogelijk minder directe bloedverwantschap met de keizer. Antonia de Jongere was de dochter van Octavia, de zus van Augustus, en Marcus Antonius, zijn voormalige bondgenoot die zich tot vijand ontpopte. Haar oudere zus was de grootmoeder van Messalina. De datum van Claudius' geboorte, 1 augustus, moet bij zijn moeder Antonia gemengde gevoelens hebben opgewekt. Het was op de dag af twintig jaar geleden dat haar oom Augustus de Egyptische hoofdstad Alexandrië veroverde en zo de heerschappij over het Romeinse Rijk verwierf, maar daarbij ook zijn laatste

---

* Aan onroerend goed schijnt Claudius een herenhuis, een huis met tuinen in de buitenwijken en een landgoed in Campanië te hebben bezeten.

rivalen – haar vader Marcus Antonius en Cleopatra, de vrouw voor wie hij haar moeder had verlaten – tot zelfmoord dreef.

De vader van Claudius, Drusus de Oudere, zou je een rijzende ster kunnen noemen. Tegen de tijd dat Claudius geboren werd, had Drusus zijn naam als militaire held gevestigd met een reeks succesvolle noordelijke veldtochten op zijn conto en een reputatie van persoonlijke moed. Daar kwam bij dat Drusus, in tegenstelling tot zijn oudere broer, de toekomstige keizer Tiberius, ook een soort vlotheid in de omgang bezat die aan de berichten over zijn overwinningen een vleugje romantische glamour toevoegde.[*]

In 10 v.Chr. werd Drusus opnieuw naar het noordwestelijke front gezonden, van oudsher een van de onstabielste regio's van het rijk. Aan het begin van de zomercampagne rukte Drusus op vanuit Gallië en stak de Rijn over om het op te nemen tegen hordes Germaanse barbaren. De hoogzwangere Antonia bleef in Gallië achter, in de provinciehoofdstad Lugdunum (het hedendaagse Lyon), en het was daar dat Claudius werd geboren.[8] Drusus sloot de zomercampagne van 10 v.Chr. succesvol af, en die herfst keerde het met de pasgeboren Claudius uitgebreide gezin terug naar Rome, waar Drusus prompt tot consul gekozen werd.

Het volgende jaar zou minder voorspoedig verlopen. Als we Dio en zijn 300 jaar wijsheid achteraf mogen geloven waren de voortekens meteen al slecht: hevige stormen teisterden Rome en de Jupitertempel op de Capitolijn werd beschadigd door een blikseminslag. Maar voortekens of geen voortekens, Drusus was vastbesloten om voor het einde van het jaar aan de Elbe te staan, een expeditie die hem verder naar het noorden en oosten van Europa zou brengen dan enige Romein ooit was geweest. Hij bereikte inderdaad de oevers van die rivier, maar in plaats van dat hij die probeerde over te steken, keerde hij met zijn leger vreemd genoeg om in de richting van de Rijn.

Opnieuw hadden zich volgens de antieke commentatoren onheilspellende voortekens voorgedaan. Er werd gezegd dat Drusus aan de oever van de Elbe een ontmoeting had gehad met een eigenaardige, Latijn

---

[*] Drusus ging bijvoorbeeld op spectaculaire wijze achter de Spolia Opima aan (het harnas en de wapens van een vijandelijke leider, bemachtigd in een gevecht van man tegen man, en de toonaangevendste oorlogstrofee in de Romeinse cultuur): zie Rich, 'Drusus and the Spolia Opima', 544-555.

sprekende barbaarse vrouw 'van bovenmenselijke grootte', die hem als volgt aansprak: 'Waarheen haast gij u, onverzadigbare Drusus? Het is niet voorbestemd dat gij al deze landen zult aanschouwen. Maar vertrek, want het einde van uw arbeid en van uw leven is reeds nabij.'[9] Of Drusus werkelijk geloofde dat hij door zo'n geest werd gewaarschuwd, of dat de Elbe van dichtbij moeilijker over te steken leek dan gedacht, is onmogelijk te zeggen. Hoe dan ook, hij besloot de donkere bossen aan de noordoostelijke oever met rust te laten.

Het was een beslissing die hem niet zou baten. Op de lange terugreis naar het zomerkamp van het leger raakte Drusus betrokken bij een ernstig ruiterongeluk waarbij een van zijn benen werd verbrijzeld onder het gewicht van zijn paard. Hij haalde het nog tot het kamp, maar stierf binnen een maand.[10] Net als Messalina was Claudius een baby zonder vader.

De dood van Drusus leidde tot een massale uiting van publieke rouw. Zijn lichaam kreeg een heldenontvangst en werd onderweg naar Rome begeleid door een estafette van vooraanstaande burgers, voordat het werd gecremeerd op het Marsveld en werd bijgezet in het vreemde en grandioze Mausoleum van Augustus. In soldatenjargon heette het fort waar hij stierf voortaan 'het vervloekte kamp'; het leger bouwde een cenotaaf voor hem op de oevers van de Rijn en hield jaarlijks wedstrijden in volle wapenrusting ter nagedachtenis aan hem. De steden van Gallië beloofden plechtig jaarlijkse offers ter nagedachtenis aan hem te brengen; de senaat liet een met legertrofeeën versierde boog oprichten aan de Via Appia en kende Drusus en zijn nakomelingen de erenaam 'Germanicus' toe.

Drusus was de ideaalste politicus die je kunt hebben – een glamoureus en veelbelovend leider, die overlijdt voor hij de kans krijgt slecht te regeren – en zijn nalatenschap zou zich nog lang doen voelen.

De opvoeding van Claudius, zijn zesjarige broertje dat nu bekend is onder zijn vaders eretitel 'Germanicus' en de vier- of vijfjarige Livilla (de toekomstige vrouw van Tiberius' zoon Drusus en de vermeende minnares van Sejanus) werd aan hun moeder overgelaten.

Ondanks aandringen van Augustus zou Antonia nooit hertrouwen. De antieke bronnen stellen dit voor als een groots romantisch gebaar, de keuze van een vrouw die in eeuwige rouw verkeert om een verloren liefde.* Toch kan Antonia ook hebben genoten van de status en de relatieve vrijheid die het weduwschap haar gaf. Er was nog steeds een zekere distinctie verbonden aan het oude Romeinse concept van de *univira* – de 'vrouw van één man' – en Antonia wist dat ze, als de weduwe van de volksheld Drusus en de hoedster van zijn kinderen en zijn nalatenschap, nooit gebrek zou hebben aan publiek prestige of invloed binnen het hof.

Om financiële redenen hoefde ze ook niet te hertrouwen. Antonia bezat zelf enorme landgoederen in Italië, Griekenland en Egypte die rijke oogsten voortbrachten, misschien gekocht met het geld dat Augustus haar had gegeven na de verbeurdverklaring van het bezit van haar vader Marcus Antonius. Fragmenten papyri vermelden haar bezittingen in Egypte: vruchtbare tarwevelden, grasland voor het weiden van kuddes schapen en geiten, en palmbossen voor de teelt van zoete, zware dadels of misschien voor de productie van gevlochten rotan manden.[11] Op grond van nieuwe augusteïsche wetten, die waren bedoeld om het een eeuw van burgeroorlog nog steeds achterblijvende geboortecijfer op te krikken, had de geboorte van Antonia's derde kind Claudius haar bevrijd van de *tutela mulierum* – de juridische en financiële voogdij die gewoonlijk over een vrouw werd uitgeoefend –, waardoor ze officieel zeggenschap kreeg over haar eigen zaken.

In plaats van haar zinnen te zetten op een tweede echtgenoot, begon de weduwe Antonia haar eigen huishouden samen te stellen. Ze verzamelde filosofen en dichters om zich heen, en daarnaast een opmerkelijke reeks buitenlandse prinsen en prinsessen – onder wie Antiochus IV van Commagene, Tigranes V van Armenië, Herodes Agrippa van Judea en Ptolemaeus van Mauritanië – die allemaal naar Rome werden gestuurd om onder haar auspiciën te worden geschoold.** Hiermee herschiep Antonia tot op zekere hoogte de omstandigheden van haar eigen kindertijd: haar leergierige, zichzelf wegcijferende moeder Octavia had de drie kinderen van haar ex-man Marcus Antonius bij Cleopatra (Ptolemaeus Phi-

---

* De schrijver Valerius Maximus voert zowel Drusus als Antonia op als toonbeelden van echtelijke liefde en trouw. Hij beweert dat Antonia na de dood van Drusus haar oude echtelijke slaapkamer bleef gebruiken. Valerius Maximus, *Memorabele daden en uitspraken*, 4.3.3.
** Herodes Agrippa en Ptolemaeus waren van vrijwel dezelfde leeftijd als Claudius en groeiden waarschijnlijk samen met hem op.

ladelphus en de tweeling Alexander Helios en Cleopatra Selene) naast haar eigen kinderen opgevoed.

Antonia's samengestelde en kosmopolitische huishouden pendelde heen en weer tussen hun gedeelte van het complex van onderling verbonden huizen die samen het augusteïsche paleis op de Palatijn vormden en een grote villa bij Baiae, aan de Golf van Napels, tegenwoordig bekend als de Cento Camerelle oftewel het huis met honderd kamers. De tuinen, die van de heuvel af naar de zee liepen, waren aangelegd met gebogen zuilengangen en sierlijke visvijvers waarin murenen zwommen – de palingachtige vissen die de grote mode waren onder de superrijken van Rome.[12] Er werd gezegd dat Antonia haar lievelingsmurene met oorbellen had versierd.[13]

Antonia mag dan dol geweest zijn op haar murenen, voor Claudius was ze minder lief. Het eerste teken dat er iets niet in orde was kwam met Claudius' volwassenwording in het jaar 5 of 6. Als een Romeinse jongen meerderjarig werd droeg hij voortaan andere kleren: op zijn vijftiende of zestiende legde hij de kinderlijke *toga praetexta* met zijn gekleurde boord af en verruilde die voor de gewone witte *toga virilis*, de 'mannentoga'.[14] Deze gebeurtenis was aanleiding tot festiviteiten. Nadat de toga was omgewisseld, werden er offers gebracht en werd de *novus togatus* (de 'nieuwe togadrager') begeleid door zijn vader en een stoet volgers de openbare wereld van het forum binnengeleid. Voor jongens van het Huis van Caesar was deze gebeurtenis uitgegroeid tot een lange en extravagante reeks publieke ceremonies, bedoeld om het volk kennis te laten maken met hun toekomstige leiders. Er werd voedsel en geld uitgedeeld aan de toegestroomde menigte en in de straten werden banketten klaargezet terwijl de novus togatus, vaak onder leiding van Augustus zelf, door het forum schreed en de Capitolijn beklom naar de Jupitertempel, een stralende publieke toekomst als leider van de mensheid tegemoet.

Claudius zou echter iets heel anders ervaren. Zijn volwassenwording werd niet met het gebruikelijke trompetgeschal begroet: geen publieke ceremonie, geen processie, geen banketten, geen aanbeveling van Augustus. In plaats van dat de jonge prins trots aan zijn toekomstige volk werd getoond, werd hij in het holst van de nacht in een gesloten draagstoel naar de Capitolijn gebracht om de vereiste offers te brengen. Het leek alsof Claudius aan het zicht van het publiek werd onttrokken.[15]

De reden voor Claudius' uitsluiting lijkt te liggen in een raadselachtige combinatie van lichamelijke en geestelijke afwijkingen die de jonge prins teisterden. Suetonius beweert dat Claudius in zijn kindertijd en adolescentie te kampen had met 'allerlei hardnekkige kwalen' en dat als gevolg van deze aanhoudende slechte gezondheid 'zijn geestelijke en lichamelijke ontwikkeling ernstig werd geschaad'.[16] Er werd gezegd dat zijn hoofd voortdurend wiebelde, zijn knieën soms onder hem knikten, zijn rechterbeen een beetje sleepte, zijn polsen slap waren en zijn handen trilden. Hij sprak soms mompelend of hortend. Claudius had een onbeheerste, 'vulgaire' manier van lachen, terwijl zijn woede-uitbarstingen – waarbij zijn neus begon te lopen en het schuim hem op de wijd open mond kwam – nog weerzinwekkender waren om te zien.[17]

De pogingen van historici om het scala aan symptomen van Claudius te duiden met onze moderne medische kennis hebben weinig succes gehad: sommige wijten ze aan kinderpolio, andere aan een milde vorm van hersenverlamming. Wat de werkelijke medische oorzaak van Claudius' fysieke gebreken ook was, Antonia's diagnose was ondubbelzinnig: volgens zijn moeder was hij 'een misbaksel, geen eindproduct van Moeder Natuur, maar slechts een ruwe schets'.[18] De Romeinen hadden nooit een bijzonder accepterende houding tegenover invaliditeit; het paste niet bij hun ideaal van mannelijkheid en ook had het antieke denken van oudsher verontrustende parallellen getrokken tussen lichamelijke misvormdheid en morele degeneratie.

Voor de keizerlijke familie vormde Claudius' fysieke gesteldheid ook in politiek opzicht een probleem. Toen Claudius meerderjarig werd, was Augustus' project om de geesten van de senaat en het volk van Rome langzaam rijp te maken voor het principe van erfelijke heerschappij nog in volle gang. In een stad waar een half millennium lang een hartgrondige ideologische afkeer van dat idee had geheerst en de mensen nog maar net gewend waren aan de legitimatie van macht door de bloedlijn, kon de perceptie dat er 'slecht bloed' in de keizerlijke familie zat alles in gevaar brengen.

De vraag hoe Claudius' toekomst eruit moest zien leidde binnen de keizerlijke familie tot hevige discussies. In het jaar 12 schreef Augustus een brief aan zijn vrouw Livia waarin hij de kwestie voor eens en voor altijd probeerde op te lossen. Claudius was nu 22 en als er ooit een publieke carrière voor hem in het verschiet lag, dan was verder uitstel niet wenselijk:

Ik heb, mijn geliefde Livia, met Tiberius gesproken, zoals je me vroeg [...] Wij zijn het erover eens dat we eens en voor al moeten vaststellen welke lijn we ten aanzien van hem moeten volgen. Is hij normaal en heeft hij ze goed op een rijtje staan, als ik het zo even noemen mag, waarom zouden we hem dan niet alle rangen en functies van de politieke carrière laten doorlopen net als zijn broer? Vinden we daarentegen dat hij onvolwaardig is en dat er het een en ander aan hem schort, zowel psychisch als fysiek, dan moeten we de mensen, die nu eenmaal de gewoonte hebben met dergelijke gevallen de spot te drijven en er de neus voor op te halen, niet de gelegenheid geven hem, en ons tegelijk, belachelijk te maken.[19]

Uiteindelijk vielen deze beraadslagingen blijkbaar niet in het voordeel van Claudius uit. Hij kreeg geen politieke ambten en was technisch gezien zelfs geen lid van de senaat.

Met de dood van Augustus en de troonsbestijging van zijn oom Tiberius in het jaar 14 zag Claudius een kans om zijn positie te verbeteren. Hij schreef de nieuwe keizer en verzocht hem zijn capaciteiten als consul te mogen bewijzen. Tiberius probeerde hem af te schepen met consulaire onderscheidingstekens – een inhoudsloze eer –, maar Claudius wees die af. Hij wilde het echte ambt, met echte bevoegdheden en verantwoordelijkheden. Het antwoord van de keizer was kort en bot: 'Ik heb je veertig gouden munten gezonden voor de Saturnalia en de Sigillaria.'[20] Tiberius was helemaal niet ingegaan op Claudius' verzoek, maar had hem slechts wat zakgeld gestuurd als 'kerstgeschenk'.

De vrijheidsbeperkingen van Claudius gingen verder dan dat hem de toegang tot openbare ambten werd ontzegd. Zelfs na het bereiken van zijn meerderjarigheid hield de familie hem onder strikt toezicht van een 'mentor'. Later zou Claudius klagen dat deze man 'een barbaar en een gewezen opperstalmeester was die met geen ander doel over hem was aangesteld dan om hem voor elke kleinigheid zo hardhandig mogelijk de les te lezen'.[21] De berekenende wreedheid van Claudius' familie en de op hem uitgeoefende dwang zouden hun schaduw werpen over zijn latere bewind.

Claudius' positie kan er niet lichter op zijn geworden door het opvallende succes van zijn oudere broer Germanicus. Deze had de eretitel aangenomen die postuum aan hun vader Drusus was toegekend en ontpopte zich nu steeds meer tot een al even perfecte Romeinse prins. Hij was onstuimig, dapper, vastberaden, meeslepend en arrogant en hield evenzeer van de hitte van het gevecht als van de triomf van de overwinning. Hij was geliefd bij het volk en in het jaar 4, kort voor de opvallend heimelijke viering van Claudius' meerderjarigheid, dwong Augustus Tiberius om Germanicus te adopteren als zijn toekomstige opvolger in het principaat. We weten nu dat Germanicus nooit keizer zou worden – in het jaar 19 stierf hij onder mysterieuze omstandigheden in het oosten –, maar gedurende de eerste decennia van de eerste eeuw moeten Claudius' tekortkomingen en de vernederende ervaring dat hij buitenspel werd gezet zijn uitvergroot door het succes van Germanicus.

En toch gaf Claudius ondanks dit alles blijk van grote, zo niet buitengewone intellectuele vaardigheden. Op jonge leeftijd begon Claudius, daartoe aangemoedigd door de eminente Romeinse historicus Livius, een geschiedenis te schrijven. Claudius' verhaal, dat eigentijdser was dan het werk van Livius, zou oorspronkelijk beginnen bij de moord op Caesar, de burgeroorlogen en de totstandkoming van Augustus' principaat tot aan het heden. Het was blijkbaar een goed staaltje werk – zijn onderzoek zou een eeuw later door Tacitus als bron worden gebruikt –, maar de keuze van zijn onderwerp was ondoordacht. De periode die Claudius had gekozen omvatte de complete chaos aan bloedvergieten, ideologische strijd en burgertwisten die het begin van Augustus' principaat had gekenmerkt. Claudius' moeder en grootmoeder grepen in en eisten dat de geschiedenis pas zou aanvangen ná Augustus' triomf in de burgeroorlogen – het punt waarop de nieuwe princeps, nu al zijn rivalen dood waren, veilig minder nietsontziend te werk kon gaan en zijn meedogenloosheid verruilde voor mildheid.

In zijn volgende werken hield Claudius zich verre van de controversiële hedendaagse politiek. Hij liet geschiedenissen het licht zien over de Etrusken en de Carthagers en ook schreef hij, ondanks zijn problemen met vloeiend spreken, theoretische monografieën over redenaarskunst. Sommige van zijn onderwerpen waren behoorlijk specialistisch: omdat hij vond dat het Latijnse alfabet niet helemaal voldeed, bedacht hij drie geheel nieuwe letters en schreef hij een boek waarin hij de theorie erachter uiteenzette en het gebruik ervan bepleitte. Later, in het jaar 47, zou hij gebruikmaken van zijn positie als keizer en censor om de officiële opname van deze letters in het alfabet af te dwingen.

Het moet voor Claudius ondraaglijk zijn geweest dat hij ondanks zijn intelligentie niet voor vol werd aangezien. Inderdaad lijkt zijn aandoening deels psychologisch van aard te zijn geweest. Zijn fysieke problemen verbeterden naarmate hij ouder werd, maar verergerden wanneer hij ten prooi was aan emoties. Zijn manier van praten was naar verluidt hakkelend in conversaties, maar duidelijk en beslist wanneer hij een vooraf voorbereide toespraak hield.[22] Het opvallendst van alles is dat de handicaps van Claudius zichtbaar afnamen toen hij het principaat op zich nam – met alle respect en regeringsmacht die daarmee gepaard gingen. Suetonius vertelt ons dat hij uiteindelijk alleen nog last had van brandend maagzuur.[23] De geestelijke mishandeling waaraan Claudius tot dan toe onderworpen was geweest – de laatdunkendheid, het gebrek aan respect en de fnuikend lage verwachtingen – had duidelijk het effect van een selffulfilling prophecy gehad.

Na zijn aantreden zou Claudius het anders uitleggen; hij verklaarde dat hij zich uit zelfbehoud opzettelijk zwak had voorgegaan.[24] Suetonius vermeldt dat tijdgenoten van de keizer die suggestie lachwekkend vonden, maar het valt niet te ontkennen dat Claudius de bloedbaden van zowel Tiberius als Caligula overleefde, terwijl zijn broer, moeder, zus, schoonzus en twee neven de dood vonden en twee van zijn nichten werden verbannen. Of het nu toeval of opzet was, Claudius' ogenschijnlijke onbekwaamheid en zijn daarmee gepaard gaande gebrek aan invloed beschermden hem ongetwijfeld: het was in de jaren 20 en 30 gewoonweg onmogelijk om hem als een echte bedreiging te zien.

Dus leidde Claudius bijna een halve eeuw lang een ambteloos bestaan. Zijn leven liep zo geen direct gevaar, maar de verveling sloeg wel toe. Hij verbleef afwisselend in een huis in de buitenwijken en een villa in Campanië, waar hij zich verdiepte in zijn studies. Hij cultiveerde ook minder verheven hobby's en ontwikkelde een voorliefde voor wijn, vrouwen en gokken in het gezelschap van armen en nietsnutten.[25]

Al die tijd zat het Claudius in zijn privéleven net zo tegen als in zijn publieke carrière: toen hij Messalina ontmoette, had hij al twee verbroken verlovingen en twee mislukte huwelijken achter de rug. Zijn eerste verloving was als tiener met Aemilia Lepida, een achterkleindochter van Augustus, maar de trouwbelofte werd in het jaar 8 verbroken na de spectaculaire val van de moeder van de toekomstige bruid, Julia de Jongere.

Op beschuldiging van overspel met de senator Decimus Junius Silanus werd de zwangere Julia de Jongere verbannen naar het barre Adriatische eiland Tremirus, waar haar kind werd achtergelaten op een berghelling en zijzelf zo'n twintig jaar later stierf. Decimus daarentegen mocht op zijn gemak in vrijwillige ballingschap gaan toen het schandaal uitbrak en keerde zes jaar later na de dood van Augustus terug naar Rome. Voor Aemilia kwam een nieuwe verloofde in de plaats, Livia Medullina Camilla – de dochter van de consul van het jaar daarvoor, Marcus Furius Camillus –, die op de ochtend van hun bruiloft plotseling bezweek aan een ziekte.

Na deze aaneenschakeling van tegenslagen slaagde Claudius er in het jaar 9 of 10 uiteindelijk in een bruid naar het altaar te voeren. Haar naam was Plautia Urgulanilla. Als dochter van een consul van Etruskische afkomst die zich met Tiberius aan zijn zijde in zijn functie had onderscheiden en kleindochter van een van de intimi van keizerin Livia, was Plautia een partij met goede connecties, al was ze dan niet van bijster hoge adel. Het huwelijk verliep aanvankelijk goed en Plautia beviel al snel van een zoon, Claudius Drusus.[26]

Tijdens Plautia's tweede zwangerschap liep het echter helemaal verkeerd. In het jaar 24 gooide Plautia's broer Plautius Silvanus zijn vrouw uit een raam op de bovenste verdieping van hun huis in Rome, met dodelijk gevolg. Toen Silvanus beweerde dat haar val zelfmoord was geweest, ging keizer Tiberius zelf op onderzoek uit en trof de onmiskenbare sporen van een gewelddadige worsteling in de slaapkamer van het koppel aan. Voor het proces tegen Silvanus werd een senatorenrechtbank bijeengeroepen. Voordat het proces kon beginnen, liet zijn grootmoeder een dolk bezorgen bij de beklaagde, die de hint begreep en zichzelf terstond van het leven beroofde.[27]

Zonder de ontlading van een rechtszaak ging de publieke opinie op zoek naar nieuwe zondebokken. Eerst werd de ex-vrouw van Silvanus ervan beschuldigd haar ex-man met gif en magie tot een staat van waanzin te hebben gedreven, maar ze werd vrijgesproken. Vervolgens richtte de verdenking zich op Plautia. Er staken geruchten de kop op over een incestueuze relatie tussen broer en zus die, zo werd gesuggereerd, hen ertoe had gebracht een moordplan te smeden. Er is geen bewijs dat dergelijke geruchten op waarheid berustten, maar de reputatieschade was onherstelbaar. Het huwelijk werd prompt ontbonden, ook al was Plautia toen vier maanden zwanger.

Aanvankelijk erkende Claudius het kind dat Plautia vijf maanden later baarde en was hij van plan het in zijn huishouden op te voeden. Al snel
begon hij echter te twijfelen aan het vaderschap. Uiteindelijk verstootte
Claudius de baby publiekelijk op de traditionele manier: hij liet het kind
naakt en alleen achter op de stoep van haar moeder. Misschien omdat hij
het echt dacht, of misschien omdat hij Plautia een trap na wilde geven
door te suggereren dat ze een minnaar van lage afkomst had genomen,
bracht Claudius het verhaal in omloop dat de werkelijke vader van de
baby zijn ex-slaaf was, een vrijgelatene met de naam Boter.[28]

Het eerste kind van Claudius en Plautia, hun zoon Claudius Drusus,
bleef in het huis van zijn vader (kinderen waren het wettelijke eigendom
van hun vader en bleven dus automatisch bij hem in geval van een scheiding) tot hij in zijn tienerjaren stikte in een stuk peer dat hij speels in de
lucht had gegooid en in zijn mond opving.[29] Deze vroegtijdige dood be-
spaarde hem wel de pijn om te moeten toezien dat zijn verloofde Junilla,
de dochter van Sejanus, na de ondergang van haar vader in het jaar 31
werd verkracht en vermoord.

Claudius' volgende huwelijk, met Aelia Paetina – opnieuw de dochter van een consul die geen hoge aristocraat was – liep op veel minder
dramatische wijze stuk. De twee trouwden midden jaren 20 en kregen
op zijn laatst in het jaar 28 een dochter, Claudia Antonia. Suetonius
merkt op dat Claudius zich van Plautia had laten scheiden vanwege haar
'schandelijke uitspattingen en de verdenking van moord', maar dat de reden bij Aelia slechts 'onbetekenende wrijvingen' waren. Na de dood van
Messalina hadden Claudius' vrijgelatenen zelfs voorgesteld dat hij weer
met zijn tweede ex-vrouw zou kunnen hertrouwen.[30] Ironisch genoeg had
Claudius zich waarschijnlijk in de eerste plaats van Aelia laten scheiden
omwille van Messalina's verhevener familiebanden.

Toen in het jaar 38 zijn derde bruiloft aanbrak, moet Claudius het gevoel
gehad hebben dat het lot hem eindelijk toelachte. De troonsbestijging van
zijn neef Caligula in maart van het jaar daarvoor had Claudius' carrière
een duw in de goede richting gegeven: in juli had de nieuwe keizer hem
gekozen als zijn collega in het consulaat. Bijna een kwarteeuw nadat hij
Tiberius in het jaar 14 voor het eerst over de kwestie had geschreven, was
Claudius' ambitie om het consulaat te bekleden verwezenlijkt. Door die
benoeming werd Claudius op 47-jarige leeftijd ook voor het eerst senator.

Zijn huwelijk met Messalina – een tiener die ooit een fortuin zou erven en keizerlijke prinses in de eerste graad – was een verder bewijs dat zijn carrière in de lift zat. Andere, minder kil-pragmatische factoren kunnen ook ten gunste van de bruid hebben gesproken. Op haar portretten verschijnt Messalina als een sensuele schoonheid met een rechte neus en volle, pruilende lippen in een exquise, rond gezicht. Het opvallendst zijn de grote, amandelvormige ogen met zware oogleden onder licht glooiende wenkbrauwen. Iets meer dan een halve eeuw na Messalina's dood zou de dichter Juvenalis in zijn tiende satire de onweerstaanbare kracht van de ogen van de keizerin benadrukken. Ze krijgen van hem geheel en al de schuld van Silius' ondergang in het jaar 48: 'die beste en mooiste van het patriciërsgeslacht,' aldus Juvenalis, 'wordt jammerlijk ten val gebracht door Messalina's ogen'.[31] Hoewel we zijn beschrijving moeilijk voor waar kunnen aannemen, borduurt Juvenalis met het uitlichten van Messalina's ogen misschien wel voort op een gevestigde traditie.

Of Messalina zo blij was met Claudius als huwelijkspartner is moeilijker te achterhalen. Volgens de wet kon geen enkel Romeins meisje gedwongen worden tegen haar wil te trouwen en aangezien haar vader dood was, had Messalina technisch gezien het recht om eigenmachtig een huwelijksverbintenis te sluiten met een partner van haar eigen keuze.[*32] In de praktijk stelden deze rechten heel weinig voor. Traditioneel lag de keuze van de huwelijkspartner voor een tienermeisje uit de elite bij haar eerste huwelijk bij de familie – zeker als er dynastieke belangen op het spel stonden.[**] In het geval van Messalina werd het huwelijk met Claudius waarschijnlijk beklonken tussen haar moeder Domitia Lepida,

---

* Het overlijden van haar vader maakte een meisje *sui iuris* (mits haar grootvader van vaderskant ook dood was). Hoewel ze belangrijke beslissingen omtrent haar bezittingen alleen kon nemen met toestemming van een aangewezen voogd (een *tutor mulierum*), had ze zijn toestemming (of die van haar moeder) niet nodig om een huwelijk te sluiten.

** Er zijn gevallen bekend van Romeinse elitevrouwen die hun eigen huwelijkspartner kozen, maar hierbij gaat het meestal om iets oudere vrouwen die al eerder getrouwd waren geweest. Zelfs in deze gevallen blijkt vaak dat de familie er toch bij betrokken is (bijvoorbeeld in het geval van Cicero's dochter Tullia, die samen met haar moeder haar derde echtgenoot kiest terwijl haar vader weg is uit Rome), of dat de gang van zaken leidt tot onenigheid.

Claudius en keizer Caligula. Voor Caligula was de verbintenis een andere manier om zijn oom naar voren te schuiven en tegelijkertijd een prinses van keizerlijken bloede die een zeer gewilde partij was op een positie te manoeuvreren die geen bedreiging leek te vormen voor zijn eigen dynastieke plannen. Voor Domitia Lepida verstevigde het huwelijk de banden van haar tak van de familie met de keizer, waarbij ze misschien evenzeer aan de toekomst van Faustus Sulla Felix dacht als aan die van haar dochter. Het kan dat Messalina's toestemming vereist was voor het sluiten van de huwelijkscontracten, maar ze zal niet in staat zijn geweest de wensen van haar moeder en de keizer te trotseren.

Suetonius stelt Claudius voor als een gedistingeerde, rijpere man. 'Hij was lang van postuur maar niet slungelig, en hij had een aantrekkelijk gezicht, mooi grijs haar en een forse nek.' Alles bij elkaar 'een imponerende en waardige verschijning' – tenminste zolang hij rustig ergens zat; staan, lopen, spreken of het uitdrukken van emotie verergerde blijkbaar zijn hardnekkige tics en gebreken.[33] Maar voor Messalina, die later jeugd en schoonheid zo hartstochtelijk zou beminnen in Traulus, Mnester en Silius, kunnen de 'gezaghebbende uitstraling' en 'waardigheid' van de prins van middelbare leeftijd weinig aantrekkelijks hebben gehad. Haar nieuwe echtgenoot was meer dan twee keer zo oud als zij en zijn portretten als keizer, die levensechter en dus onbarmhartiger zijn dan de geïdealiseerde afbeeldingen van zijn dynastieke voorgangers, tonen een man met een wijkende kin, een stompe neus die niet strookte met het klassieke ideaal, ingevallen wangen en enorme wallen onder zijn ogen van de slapeloze nachten die de tol waren van het leiderschap. Toch moet Messalina hebben ingezien dat de verbintenis bepaalde immateriële voordelen bood. Haar toekomstige echtgenoot was weliswaar niet een van de rijkste leden van de keizerlijke familie en ook niet een van de machtigste, maar een huwelijk met Claudius zou Messalina toegang tot de hoogste kringen van het hof van Caligula garanderen – met alle glamour en spektakel van dien.

We kunnen niet reconstrueren wat Messalina dacht toen ze na het vertrek van de bruiloftsgasten op het met bloemen versierde huwelijksbed zat en haar bruidegom de speciale knoop in haar bruidsgordel losmaakte. Waarschijnlijk begreep ze wel ongeveer wat haar te wachten stond; in de antieke cultuur werd niet geheimzinnig gedaan over seks en afbeeldingen van de liefdesdaad waren er in overvloed in Messalina's Rome.[34] Taferelen van mooie vrijende paartjes werden op de muren van villa's geschilderd, op zilveren serviesgoed gegoten en op juwelen of het oppervlak van spiegels gegraveerd.* De vage kennis die Messalina misschien had ontleend aan de afbeeldingen op haar muren of spiegels moet echter in het niet zijn gevallen bij alle onbekende factoren: hoe het zou voelen, of hij teder zou zijn, of ze zwanger zou worden, of ze gelukkig zouden zijn. We weten niet of Messalina op dat moment haar nieuwe echtgenoot aantrekkelijk vond, of ze van zijn gezelschap genoot, of ze zich prettig bij hem voelde, of ze bang of opgewonden was, of ze hem vertrouwde.

Misschien kunnen we dichter benaderen wat ze de volgende ochtend dacht. Toen het daglicht tussen de luiken van de onbekende slaapkamer naar binnen sijpelde, moet Messalina ontwaakt zijn met een geheel nieuwe identiteit. De Romeinse man nam zelfstandig zijn volwassen identiteit aan: rond zijn vijftiende verruilde hij de kleren uit zijn kindertijd voor de toga die hem automatisch het volwassen burgerschap verleende. Dit gebeurde niet bij een Romeinse vrouw. Voor het Romeinse meisje was er geen volwassenwordingsceremonie die te vergelijken was met het aantrekken van de toga virilis door haar broers. Er was alleen het huwelijk. Aan de vooravond van haar huwelijk droeg het Romeinse meisje haar poppen over aan Venus en trok ze voor de laatste keer de kleren van haar meisjesjaren uit.** De volgende ochtend zou ze opstaan in een nieuw huis – een huis waarvan zij de meesteres was – en zich kleden in een nieuw kostuum: de lange gedrapeerde jurk en mantel van de *matrona*.

Wat Messalina ook van haar bruidegom vond, ze ontwaakte met een nieuwe identiteit, een nieuwe rol, een nieuw léven. De verandering was omvattend en onomkeerbaar.

---

* In moderne ogen lijken deze afbeeldingen misplaatst, maar ze waren vanaf de augusteïsche periode verplicht in huizen van de elite, waar ze samen met niet-erotische afbeeldingen in dezelfde stijl een prominent onderdeel van interieurs vormden. Ze waren waarschijnlijk niet bedoeld om de kijker erotisch te prikkelen, maar eerder om een sfeer van sensuele luxe op te roepen en de rijkdom en het welbehagen uit te stralen waarvan de huiseigenaar genoot.
** De dichter Propertius beschrijft het moment dat een meisje bij haar huwelijk van kleding wisselde bijvoorbeeld als volgt: 'toen maakte mijn meisjesjurk plaats voor de bruiloftsfakkels/en een ander soort hoofdband won het pleit en bond mijn haar op'. Propertius, 4.11.33-34.

6

De brug over de baai

'Kwaadaardigheid, wispelturigheid en valsheid zijn inherent aan absolute macht; en [...] onze patricische families schieten in menselijke warmte nogal eens tekort.'

Marcus Aurelius, *Persoonlijke notities*[1]

Het hof van Gaius Caesar Augustus Germanicus – beter bekend als Caligula – was voor een tienerbruid een bijzondere plaats om haar leven als getrouwde vrouw te beginnen. Aan de vooravond van Messalina's huwelijk was het nieuwe bewind nog aan het genieten van gouden, onstuimige 'wittebroodsweken'. De jonge princeps had de troon bestegen onder uitzinnig optimisme; op zijn tiendaagse reis van Tiberius' zelfverkozen hof op Capri terug naar de stad Rome was de weg omzoomd door altaren met offerdieren en drommen uitzinnige mensen die hem 'ster', 'haantje', 'mijn kereltje' en 'mijn troetelkind' noemden.[2] Nadat hij door de stadspoorten was gegaan, hielden de festiviteiten naar verluidt drie maanden aan. 160.000 stieren, schapen en varkens werden geofferd aan de goden en van hun vlees werden feestmaaltijden voor het volk bereid.[3]

Er hing absoluut een aura van tragische glamour om de 24-jarige princeps heen. De mensen hadden zich nooit helemaal kunnen verzoenen met de mysterieuze dood van Caligula's vader Germanicus (de broer van Claudius) en de executie van zijn moeder en zijn twee broers. Dat Caligula het overleefd had leek een wonder.

De nieuwe keizer was zijn leven begonnen in een reeks legerkampen. Zijn moeder had hem tot een soort mascotte voor de manschappen gemaakt door de kleine jongen uit te dossen in een kinderuniform, wat

Gaius zijn bijnaam Caligula of 'Soldatenlaarsje' opleverde.[4] Deze vroege kennismaking met de kracht van beeldvorming was Caligula niet ontgaan: een van zijn eerste daden als princeps was om ostentatief bij ruw weer naar de barre eilanden te reizen waar zijn moeder en broers waren geëxecuteerd om hun as op te halen en die bij te zetten in het Mausoleum van Augustus in Rome.[5]

Dat Caligula in de zomer van het jaar 37 Claudius tot medeconsul benoemde moest dezelfde boodschap overbrengen.[6] Door dit huldeblijk aan de oom die door het vorige regime zo systematisch op een zijspoor was gezet, nam Caligula afstand van de impopulaire Tiberius en wierp hij zich nadrukkelijk op als telg van zijn vereerde vader. De verbeterde positie van Claudius aan het hof betekende dat de achttienjarige Messalina in het diepe werd gegooid en zich moest zien te redden in een omgeving die algauw extreme kenmerken begon te vertonen.

Messalina's bruiloft vond plaats na een tweede sessie van onophoudelijk feestvieren in het eerste jaar van Caligula's bewind. De hele zomer en herfst van het jaar 37 door had de keizer een aantal ongekende spektakelstukken op touw gezet. Om de lang uitgestelde inhuldiging van de Tempel van de Vergoddelijkte Augustus luister bij te zetten, organiseerde Caligula 60 wagenrenwedstrijden in 2 dagen, toneelopvoeringen die tot diep in de nacht duurden, met de podia verlicht door fakkels, en spelen waarbij zo'n 800 wilde dieren werden opgejaagd en gedood – de ene helft beren en de andere helft exotische beesten die uit de woestijnen van Libië waren gehaald.[7] Bij deze gelegenheden hing Caligula zowel de deelnemer als de beschermheer uit. De senatoren onder de toeschouwers merkten tot hun afschuw op dat de keizer zich gedroeg als iemand uit het publiek, openlijk zijn favoriete team wagenmenners aanmoedigde – de groenen – en meezong met de liederen van zijn favoriete toneelstukken, maar het volk vond het prachtig.[8]

De keizer liet er tijdens deze eerste zomer geen misverstand over bestaan dat plezier maken onder zíjn auspiciën met volle inzet moest worden beoefend. Voor het eerst mochten senatoren in het theater op kussens zitten en hoeden dragen om zich tegen de zon te beschermen. Deze maatregelen gaven te kennen dat als Caligula toneelstukken opvoerde die tot diep in de nacht duurden, hij van zijn senatoren verwachtte dat ze tot diep in de nacht bleven zitten kijken. Anders dan de norse Tiberius, die een hekel had aan de wagenrennen en zo min mogelijk publieke festiviteiten liet organiseren, was de nieuwe keizer duidelijk van mening dat het vermaken van het hof en het publiek niet alleen een keizerlijk recht was, maar ook een keizerlijke plicht. Wat de schaal van deze festiviteiten betrof, legde Caligula een ontluikende interesse aan de dag voor het creëren van zulke overweldigende en exotische zintuiglijke ervaringen dat het grensde aan het surrealistische.

Al voor haar huwelijk met Claudius was Messalina waarschijnlijk aanwezig bij enkele van de grote evenementen die op Caligula's troonsbestijging volgden. Er waren twee banketten, waarschijnlijk gehouden in augustus 37 tijdens Claudius' consulaat, waarbij Caligula uitgebreid dineerde met alle senatoren en ridders, samen met hun vrouwen en kinderen. Messalina moet samen met haar senatoriale stiefvader onder de gasten zijn geweest, hebben geproefd van vele verschillende gerechten die op elke tafel werden gezet en een van de kostbare scharlaken en Tyrisch purperen sjaals hebben gekregen die Caligula als feestgeschenk aan de vrouwen en kinderen uitdeelde.[9]

Als Messalina die zomer andere evenementen bijwoonde – het theater, wagenrennen, gladiatorenspelen, dierengevechten en concerten – zou haar misschien de bijzonder prominente positie van de zussen van de keizer zijn opgevallen. Messalina zou deze drie prinsessen – de 21-jarige Agrippina de Jongere, de 20-jarige Drusilla en de 19-jarige Julia Livilla – gemakkelijk kunnen observeren, omdat ze naast hun broer in de keizerlijke loge zaten. Gewoonlijk hadden vrouwen niet het recht om op deze opvallende ereplaats te zitten; het was hun speciaal toegekend als onderdeel van een lawine aan eerbewijzen waarmee hun broer vlak na zijn troonsbestijging de drie zussen had overladen. Ze kregen ook de buitengewone wettelijke privileges van vestaalse maagden en iedereen die de eed van trouw aan de keizer zwoer moest ook hen daarin opnemen. Zelfs de consuls moesten nieuwe voorstellen in het senaatshuis vooraf laten gaan door de woorden 'tot voorspoed en geluk voor Gaius en zijn zusters'.[10]

Zoals ze daar zaten in de met guirlandes versierde keizerlijke loge moeten de zussen van Caligula op Messalina zijn overgekomen als een buitengewoon glamoureus clubje. Hun gezichten waren nu wereldberoemd. Onmiddellijk na de troonsbestijging van hun broer verspreidden de afbeeldingen van de meisjes zich door het hele rijk: steden bestelden hun portretten in marmer en brons, terwijl Caligula munten liet slaan waarop ze waren afgebeeld als goddelijke personificaties van 'Veiligheid', 'Vrede' en 'Welvaart'.[11] Messalina was slechts een paar jaar jonger dan de keizerlijke zussen en was intensief bezig met de laatste voorbereidingen voor haar aanstaande bruiloft. Waarschijnlijk zal ze met bijzondere nieuwsgierigheid hebben gadegeslagen hoe duizelingwekkend snel de ster van deze drie jonge vrouwen rees, van wier familie ze binnenkort deel zou uitmaken.

Caligula's toewijding aan zijn zussen ging verder dan uiterlijk vertoon. Toen hij in de winter van het jaar 37 ernstig ziek werd, zo beweert Suetonius, benoemde hij Drusilla tot erfgename van zijn *imperium*. Caligula kan niet hebben gehoopt dat Drusilla dan in haar eigen naam zou regeren (zoiets bleef juridisch onbestaanbaar, ondanks alle gemorrel aan het staatsbestel dat de afgelopen vijftig jaar had plaatsgevonden); in plaats daarvan was het misschien zijn bedoeling dat haar echtgenoot Aemilius Lepidus – Caligula's favoriet en volgens de geruchten ook minnaar – zou regeren tot het moment dat Drusilla's toekomstige kinderen de scepter konden overnemen.[12]

Toch trof Caligula hiermee een uitzonderlijke beschikking, die zonder precedent was in de Romeinse geschiedenis. Al snel deden geruchten de ronde over een incestueuze relatie tussen de keizer en zijn zus. Er werd zelfs gezegd dat hun grootmoeder Antonia de Jongere hen ooit in bed had betrapt toen de twee nog minderjarig waren en onder haar dak woonden.[13] Wat dit verhaal nog smeuïger maakte was dat Antonia (zowel de moeder van Claudius als de grootmoeder van Caligula) minder dan twee maanden na de troonsbestijging van de nieuwe keizer stierf en ze vlak voor haar dood ruzie zou hebben gemaakt met Caligula over een onbekende kwestie. Suetonius vertelt over toenmalige geruchten dat de keizer haar had laten vergiftigen, terwijl Dio oppert dat hij haar tot zelfmoord dreef.[14]

We kunnen natuurlijk niet uitsluiten dat er in de relatie tussen Caligula en zijn jongere zus sprake was van seksueel misbruik. Toch kunnen we ook gemakkelijk reconstrueren via welke kanalen een ongegrond gerucht over incest de ronde zou kunnen hebben gedaan. Incest vormde een van de grootste taboes die je in de Romeinse samenleving kon aantreffen: het was 'verderfelijk', 'heiligschennend', een vergrijp tegen de natuur en de hemelse wetten. Zo bezien gold de beschuldiging van

incest als direct bewijs van Caligula's soevereine of, juister gezegd, tirannieke minachting voor de wetten en zeden van zijn voorouders. De
associatie tussen incest en tirannie in het Romeinse denken werd versterkt door kennis over de praktijk van incestueuze huwelijken in sommige oosterse koninklijke dynastieën, vooral in Egypte waar de Ptolemaeën overgingen tot huwelijken tussen broer en zus om de bloedlijn
'zuiver' te houden en de heersers te associëren met de incestueuze goden uit de mythen. Aantijgingen over incest hadden de bijbetekenis dat
de keizer lak had aan de allerdiepste principes van zijn eigen volk en het
verlangen koesterde om te regeren als extravagante en absolutistische
oosterse koning.[15]

Een misschien nog wel belangrijkere stuwende kracht achter de beschuldigingen aan het adres van Caligula en Drusilla, was het onlosma-
kelijke verband in de Romeinse psyche tussen vrouwelijke macht en
vrouwelijke seksualiteit. Het is niet verrassend dat de buitengewone
machtspositie die Drusilla zo snel verkreeg geruchten over een seksuele
relatie tussen haar en haar broer op gang bracht; de Romeinen gingen er
simpelweg van uit dat ze zich een weg naar de top had geslapen. Later
zouden diezelfde angsten rondom het verband tussen seks en macht ook
Messalina parten spelen.

In januari 38 – het jaar van Messalina's huwelijk – was Caligula hersteld
van zijn ziekte. Maar nu de keizer de dood in de ogen had gezien, kwam
er een einde aan de onophoudelijke vrolijkheid die de eerste acht maanden van zijn bewind had gekleurd. Of Caligula zich nu plots bewust was
van zijn eigen kwetsbaarheid of ervan wilde profiteren dat zijn ziekte het
hof in een sfeer van verwarring en angst had gedompeld, feit is dat hij bij
zijn herstel de kaarten eens flink door elkaar schudde.

De eerste die voor de bijl ging was Tiberius Gemellus, de kleinzoon
van de laatste keizer en Caligula's enige rivaal van betekenis binnen het
Huis van Caesar. Caligula beschuldigde Gemellus van een samenzwering tegen hem en gelastte zijn zelfmoord. Gemellus was pas achttien en
moest de bevelvoerend centurio vragen waar hij zichzelf moest steken
om er zeker van te zijn dat de wond dodelijk zou zijn. De Joodse filosoof
Philo, die twee jaar later aan het keizerlijk hof vertoefde als gezant van
de Alexandrijnse Joodse gemeenschap, merkte hierover op: 'Na zijn eerste en laatste les te hebben ontvangen werd de arme jongen gedwongen

zijn eigen moordenaar te worden!'[16] Vergelijkbare bevelen tot zelfmoord gingen uit naar de pretoriaanse prefect Macro – omdat hij zou hebben opgeschept over zijn aandeel in het op de troon brengen van Caligula: 'Ik, Macro, ben degene die Gaius [Caligula] heeft gemaakt tot wat hij is, ik ben niet minder zijn verwekker dan zijn ouders' – en naar Silanus, een voormalige aristocratische mentor van de keizer.[17]

Suetonius beweert dat Claudius er ook bij betrokken was en dat Caligula 'hem alleen spaarde om de draak met hem te steken'.[18] In werkelijkheid kon Claudius zich volkomen veilig wanen op zijn positie aan het begin van het jaar 38. Hij had geen macht uitgeoefend onder Tiberius, had zijn recente promoties volledig aan Caligula te danken en leek als iemand van bijna vijftig die bekendstond om zijn zwakte en pas onlangs senator was geworden geen echte bedreiging te vormen voor zijn neef. Dat Claudius ongedeerd bleef in deze eerste woelige maanden van het jaar bevestigde zijn nieuwe positie aan het hof alleen maar, een positie die nog versterkt werd door zijn huwelijk met de zeer gewilde partij Messalina later dat jaar.

Als Messalina in de maanden na haar huwelijk iets meekreeg van nog resterende angsten aan het keizerlijk hof, kan dat haar niet al te veel in beslag genomen hebben. Ze zal het immers druk hebben gehad, niet alleen met het leren kennen van haar nieuwe echtgenoot, maar ook met wat in wezen een nieuwe baan was. Claudius had minstens drie woningen: een herenhuis in Rome, een landgoed net buiten de stad en een villa aan de Golf van Napels, elk met een aanzienlijk aantal slaven als personeel. De verantwoordelijkheid voor het beheer van de drie huishoudens zou nu bij zijn tienerbruid komen te liggen. Overigens waren Messalina's taken niet louter huishoudelijk: er werd ook van haar verwacht dat ze als gastvrouw fungeerde en haar charmes als hoge aristocrate inzette om de sociale connecties te cultiveren die de nieuwe positie van haar man aan het hof zouden verstevigen.

Een nieuwe tragedie later dat jaar zou de aandacht van het pasgetrouwde stel meer opeisen: op 10 juni stierf Drusilla.[19] Caligula werd verteerd van verdriet over het verlies van zijn favoriete zus. Er werd een periode van publieke rouw afgekondigd, met stopzetting van het hele openbare leven en een verbod op alle vormen van privévermaak, wat met ijzeren hand werd gehandhaafd. Alle vergaderingen en rechtszaken werden verdaagd; festiviteiten werden zonder uitzondering geannuleerd; de thermale baden werden gesloten; lachen was verboden. Een straathandelaar die gewoon doorging met warm water voor bij de wijn te verkopen, werd beschuldigd van verraad en geëxecuteerd.[20]

Caligula eerde Drusilla's nagedachtenis op ongekende schaal. Er zou elk jaar een extravagant, quasireligieus festival met banketten voor de senaat en ridders worden gehouden om haar verjaardag te vieren. Er zou een gouden portret van haar worden geïnstalleerd in het senaatshuis en een ander standbeeld (even hoog als het cultusbeeld zelf) worden opgericht in de Tempel van Venus Genetrix, de mythologische matriarch van de Juliaanse dynastie.

Eén senator (die slim doorhad in welke richting Caligula's gedachten gingen) verklaarde onder ede en op het leven van zijn kinderen dat hij Drusilla naar de hemel had zien opstijgen en rechtstreeks met de goden had zien spreken. De gok leverde hem een miljoen sestertiën op en Drusilla werd prompt vergoddelijkt, waarmee ze als eerste vrouw in de Romeinse geschiedenis toetrad tot de rijen der onsterfelijken.* Drusilla kreeg een tempel, waar de diensten werden uitgevoerd door een nieuw college van twintig zowel mannelijke als vrouwelijke priesters, en vrouwen moesten voortaan zweren bij de vergoddelijkte Drusilla wanneer ze een eed aflegden. Op bevel van Caligula sprongen er overal in het rijk heiligdommen voor Drusilla op, waar ze werd vereerd als 'de nieuwe Aphrodite' of als 'Panthea' – letterlijk 'de allesgodin'.[21] In Egypte gingen ze nog verder en werd ter nagedachtenis aan haar een maand omgedoopt tot 'Drusilleios'.[22]

Vóór het jaar 38 was de meest geëerde vrouw in de Romeinse geschiedenis Augustus' echtgenote Livia geweest: een oudere staatsvrouw die op 86-jarige leeftijd was gestorven en een matrone van onberispelijke seksuele deugdzaamheid die er prat op was gegaan zelf de toga's van haar man te weven. Haar plaats werd nu ingenomen door Drusilla: een vrouw van waarschijnlijk nog geen 22, die allerlei geruchten over overspel en incest aankleefden. Het is niet ondenkbaar dat de tiener Messalina deze positiewisseling opmerkte.

Toen de door verdriet gekwelde Caligula zich helemaal uit de stad terugtrok, was dat misschien een opluchting voor Messalina en de an-

---

* Julius Caesar en Augustus waren na hun dood vergoddelijkt, maar deze eer was nooit eerder aan een vrouw toegekend.

dere hovelingen. Hij ging eerst naar de Albanese heuvels buiten Rome en toen hij merkte dat hij daar nog steeds onder smart gebukt ging, reisde hij langs de kust naar de Golf van Napels, waar hij de zee overstak naar Sicilië. Er bereikten het hof verontrustende berichten over zijn gedrag: hij had zijn haar en baard laten groeien en zich volledig overgegeven aan wijn drinken en gokken.[23] Deze berichten waren niet helemaal terecht, want Caligula was voor officiële keizerlijke zaken op Sicilië en inspecteerde daar een aantal publieke bouwprojecten.[24] Hoewel de Siciliaanse steden de keizer vierden als beschermheer, bleef Rome de afwezigheid van de keizer echter beschouwen als een teken van egoïstische, onbeheerste en on-Romeinse rouw.

Toen Caligula in de herfst naar Rome terugkeerde, stortte hij zichzelf en zijn hofhouding in een leven dat meer dan ooit gekenmerkt werd door vertier, geldsmijterij en de sensatie van het buitensporige en schandalige. De diners (waar Messalina nu ook voor uitgenodigd zou zijn) werden steeds extravaganter, waarbij gasten zelfs 'broden' en stukken 'vlees' geserveerd kregen van massief zilver of goud.[25] Een keer zou één avondje amusement 10 miljoen sestertiën hebben gekost.[26] Plinius de Oudere zou zich later herinneren dat hij Lollia Paulina, een om haar schoonheid befaamde erfgename met wie Caligula in de zomer van datzelfde jaar was getrouwd, had gezien op een informeel verlovingsfeest waar ze was behangen met in het lamplicht glinsterende juwelen ter waarde van omstreeks 40 miljoen sestertiën – 40 keer wat iemand in totaal aan bezittingen moest hebben om lid van de senaat te kunnen worden. 'Ze was behangen met smaragden en parels,' herinnerde hij zich, 'die om en om aaneengeregen om haar hele hoofd, haar, oren, hals en vingers schitterden.'[27]

Caligula liet zich niet door zijn vrouw de loef afsteken. De kleding waarmee de keizer zich op zijn feestjes uitdoste, aldus Suetonius, 'paste niet bij een Romein, niet bij een burger, zelfs niet bij een man of zelfs maar een mens'. De ene avond trok hij een zijden vrouwenmantel aan met massa's armbanden en sierlijke sandalen; de volgende avond was hij gekleed in het speciale ceremoniële gewaad van een triomferende generaal, hoewel hij nooit op veldtocht was geweest; de volgende keer (zoals de toenmalige ambassadeur Philo getuigde) nam hij de gedaante aan van een held of een god – Hercules, Diana, Mercurius, Juno, Apollo, Mars, of

Mars' geliefde Venus, Neptunus, Dionysus en ten slotte Zeus.[28] Caligula speelde verkleedpartijtje met heilige taboes aangaande sekseverschillen, politiek en religie.

Als iets het hof van Caligula kenmerkte, dan was het wel opzichtige consumptie. Suetonius beweert dat Caligula de bijna 3 miljard sestertiën die hij had geërfd van de zuinige Tiberius 'er in minder dan een enkel jaar' doorheen joeg.*[29] Messalina zou niet kunnen wedijveren met een vrouw als Lollia Paulina, ook al had ze geld van zichzelf en ook al was ze nu getrouwd met een prins van keizerlijken bloede. Claudius was er bekaaid afgekomen in zowel het testament van Augustus als dat van Tiberius: zijn totale legaat van Augustus bedroeg iets meer dan 800.000 sestertiën, van Tiberius 2 miljoen.[30] Zelfs bij elkaar opgeteld bedroegen deze erfenissen nog geen tiende van de waarde van Lollia's parure van diamanten en smaragden. Hij zat krap bij kas, hoewel hij minstens 3 huizen van zijn vader had geërfd en misschien ook had gedeeld in de nalatenschap van zijn moeder bij haar dood in het jaar 37. Toen Caligula in het jaar 40 eiste dat zijn oom toetrad tot het priesterschap voor zijn eigen cultus – of waarschijnlijker de cultus van zijn *numen* of *genie* – was Claudius gedwongen om de 8 miljoen sestertiën entreegeld uit de schatkist te lenen, waarvoor hij een deel van zijn bezit als onderpand opgaf en uiteindelijk kwijtraakte.** Claudius ging failliet aan de druk om zijn stand bij Caligula op te houden.[31]

Messalina was zelf rijk. Ze moet een aanzienlijk fortuin geërfd hebben bij de dood van haar vader en kreeg mogelijk extra geld van haar moeder en andere familieleden om haar bruidsschat aan te vullen. Het grootste deel van haar bezit zal ook na haar huwelijk onder haar beheer zijn gebleven en dus niet getroffen zijn door het bankroet van Claudius, maar

---

* Bij Dio verkwist hij het in twee jaar, maar het eindresultaat blijft hetzelfde.

** De verering van de *genius* – de goddelijke natuur die in elke persoon schuilt – of de *numen* (naam) van de keizer was een compromis dat al onder Augustus tot stand was gekomen in een stad die zich nog niet helemaal op haar gemak voelde bij het idee om een levende man te aanbidden. Zo schijnt Tiberius een altaar aan de numen van Augustus te hebben gewijd toen de keizer nog leefde – misschien ter gelegenheid van zijn adoptie in het jaar 4 of van zijn overwinning in het jaar 9.

de financiële crisis kan toch voor spanningen in het huishouden hebben gezorgd.[*32] Het kan Messalina hebben geërgerd dat ze nu door de omstandigheden gedwongen was haar oudere echtgenoot te onderhouden met de inkomsten van haar eigen erfenis, terwijl hij zich ongemakkelijk kan hebben gevoeld bij een regeling die hem financieel afhankelijk maakte van zijn vrouw; en als er na de aanvankelijke wanbetaling in het jaar 40 beperkingen werden opgelegd aan de uitgaven van de familie, zou dat Messalina hebben belemmerd in haar pogingen om indruk te maken op een hof waar opzichtig vertoon bijna verplicht was. Bovendien kreeg Messalina, zoals we later zullen zien, zelf een groeiende hang naar materiële luxe en mooie dingen.

De eindeloze banketten waarvoor Caligula avond na avond de keizerlijke schatkist uitputte boden hem de perfecte arena om zijn neiging om zich te amuseren met wreedheden te botvieren. Op een keer liet hij de zoon van een man ter dood brengen en nodigde hij na de executie de vader uit om te blijven eten, waarbij hij hem als een attente gastheer onthaalde, moppen vertelde en verwachtte dat hij zou lachen. Op een andere, bijzonder liederlijke avond zou Caligula plotseling hebben geschaterd. Toen de consuls aan het tafelhoofd hem beleefd vroegen waarom hij zo moest lachen, antwoordde de keizer: 'Begrijpen jullie dat dan niet? Na-

---

* Omdat zowel haar vader als haar grootvader van vaderskant overleden was, was Messalina sui iuris en kon ze haar eigen bezittingen hebben. Zoals gebruikelijk in deze periode was ze waarschijnlijk *sine manu* met Claudius getrouwd, wat betekent dat het eigendom of beheer van haar bezittingen niet overging op haar echtgenoot. Belangrijke beslissingen over haar bezittingen kon een vrouw sui iuris officieel alleen nemen met goedkeuring van een mannelijke voogd die bekendstond als *tutor muliebrum*, maar tegen het midden van de eerste eeuw kreeg deze steeds minder zeggenschap: vrouwen konden zich tot de rechtbank wenden om hun tutor te dwingen in overeenstemming met hun wensen te handelen of een verzoek indienen om helemaal van tutor te veranderen. In de praktijk beheerde Messalina haar bezittingen waarschijnlijk zelf met behulp van slaven en vrijgelatenen in verschillende functies. Haar bruidsschat viel wettelijk onder Claudius, maar het werd maatschappelijk afgekeurd dat mannen bezittingen die deel uitmaakten van de bruidsschat van hun vrouw verkochten om persoonlijke schulden te vereffenen.

tuurlijk omdat ik met één hoofdknik jullie allebei zou kunnen laten ke-
len?'[33]

Claudius was het perfecte doelwit voor de terloopsere pesterijen op
Caligula's banketten. Als hij te laat kwam moest Claudius vechten voor
een zitplaats; ondanks zijn formele voorrangspositie maakte niemand
in het gezelschap plaats, zodat de oom van de keizer een vernederende
ronde door de eetzaal moest maken op zoek naar de laatste beschikbare
bank. Als Claudius naar zijn gewoonte een dutje deed na het eten, werd
hij door de andere gasten met dadels en olijven bekogeld, sloegen de hof-
narren hem met zweepslagen wakker of trok een of andere grapjas voor-
zichtig muiltjes over zijn handen met de bedoeling dat hij zich daarmee
de ogen uitwreef zodra hij ontwaakte.[34]

Messalina moet bij veel van deze diners aanwezig zijn geweest en
hebben toegekeken bij alle uitspattingen en uitwassen.* Het is onmogelijk te zeggen of Messalina, wanneer ze met Claudius naar een vrij plekje
zocht of naast hem gelegen de zweepslag van de hofnar rakelings langs
zich voelde gaan, met de plaaggeesten meelachte of zich plaatsvervan-
gend schaamde.

Het is niet verwonderlijk dat de verhalen over Caligula's extravagantie en sadistische neigingen doorspekt waren met geruchten over zijn
seksuele verdorvenheid. Het was bekend dat hij zich inliet met onfris
gezelschap; hij gebruikte de maaltijd met de wagenmenners in de stallen
van zijn favoriete team en ging om met acteurs, die hij ter begroeting
kuste in het theater.** Er deden ook verhalen de ronde over homoseksu-

---

* In tegenstelling tot de Grieken waren de Romeinen altijd van mening
geweest dat je met vrouwen leukere feestjes had. Eind jaren 30 v.Chr. had de
schrijver Cornelius Nepos aangegeven hoe bizar de Griekse scheiding der
seksen overkwam op Romeinse waarnemers. 'Welke Romein schaamt zich er
immers voor zijn vrouw mee te nemen naar een feest? Of welke moeder van de
familie betreedt niet het voorste gedeelte van het huis om zich onder de talrijke
bezoekers te begeven?' Nepos, 'Over voortreffelijke veldheren van buitenlandse
volkeren', Proloog, 6-7.
** Wagenmenners en acteurs stonden in de Romeinse samenleving helemaal
onderaan de hiërarchie. Samen met prostituees en veroordeelde overspelige
vrouwen behoorden ze tot de *infames* – een categorie burgers die vanwege hun
vermeende immoraliteit vrijwel gespeend waren van wettelijke rechten en
bescherming.

ele affaires.[35] Op zich zouden deze niet als bijzonder abnormaal zijn opgevat, ware het niet dat een van Caligula's minnaars zijn zwager Aemilius Lepidus was. Of als een andere, de jonge aristocraat Valerius Catullus, niet had beweerd dat hij in de verhouding de penetrerende en in het klassieke denken dus mannelijke rol op zich had genomen. Of als een derde – de knappe Mnester, die later geëxecuteerd zou worden wegens zijn affaire met Messalina – geen danser was geweest. De oude geruchten over incest staken ook weer de kop op. Caligula werd er nu van beschuldigd dat hij het bed deelde met allebei zijn overlevende zussen, Agrippina de Jongere en Julia Livilla.[36]

Het duidelijke genoegen dat Caligula ontleende aan toekijken hoe anderen vernederd werden lijkt zich ook te hebben uitgestrekt tot zijn seksleven. Wanneer hij zich vooroverboog om zijn nieuwste geliefde in de hals te kussen, maakte hij graag van de gelegenheid gebruik om te fluisteren: 'Dit mooie hoofdje gaat eraf zodra ik het beveel.'[37] Caligula had een hele reeks geaccepteerde minnaressen tot zijn beschikking – actrices, danseressen, slavinnen en prostituees, vrouwen wier seksuele eer, en zelfs hun lichamelijke autonomie, werd geacht geen bescherming van de wet nodig te hebben –, maar Suetonius beweert dat hij vooral plezier beleefde aan het ontmaagden en vernederen van Romeinse vrouwen uit de elite.

> Dikwijls inviteerde hij adellijke vrouwen met hun echtgenoten voor het diner en als zij dan langs het voeteneinde van zijn aanligbed liepen, bekeek hij ze langzaam van top tot teen, zoals slavenkopers doen, waarbij hij met zijn hand hun hoofd optilde als ze uit gêne de ogen hadden neergeslagen. Vervolgens verliet hij, zo vaak als hij daar zin in had, de eetzaal en riep de vrouw die hem het best bevallen was bij zich. Korte tijd later kwam hij dan terug terwijl de tekens van de vrijage nog vers waren en hij beschreef openlijk in afkeurende of prijzende zin alle goede en slechte eigenschappen van het lichaam van de vrouw en van haar gedrag in bed.[38]

De keizer toonde nauwelijks meer respect voor de vrouwen met wie hij trouwde. Caligula's eerste vrouw was kinderloos gestorven vóór zijn troonsbestijging en dus werkte hij tussen de jaren 38 en 39 in een reeks catastrofes drie echtgenotes af. Zijn huwelijk met zijn tweede vrouw,

Livia Orestilla, vond plaats tíjdens haar bruiloft met een andere man. Toen hij bij het bruiloftsmaal tegenover de gelukkige bruidegom aanlag, zou hij zich tot hem hebben gewend met de woorden 'heb geen seks met mijn vrouw' om vervolgens de bruid naar zijn eigen huis te laten brengen. Dat was geen veelbelovend begin voor echtelijk geluk. Binnen een paar maanden was het huwelijk stukgelopen en Caligula – die Orestilla ervan verdacht dat ze de relatie met haar oorspronkelijke echtgenoot had opgepakt – liet het koppel verbannen.[39]

Caligula's derde vrouw, de legendarisch rijke en mooie Lollia Paulina, werd teruggeroepen uit de oostelijke provincies waar haar toenmalige echtgenoot het bevel voerde over Caligula's legers en trouwde later dat jaar met de keizer. Omdat er al snel het vermoeden ontstond dat Lollia onvruchtbaar was, liet hij zich in de lente van het jaar 39 van haar scheiden.[40]

Met zijn vierde echtgenote nam Caligula geen risico. Milonia Caesonia was op zijn minst hoogzwanger van Caligula's kind, en kan het zelfs al gebaard hebben, toen de keizer tegen het einde van het jaar 39 met haar trouwde.[41] De nieuwe keizerin was mooi noch jong en toch oefende ze een vreemde bekoring uit op Caligula. Suetonius beschuldigt Caesonia van het toedienen van liefdesdrankjes en de macht die ze over hem had lijkt zelfs Caligula zelf te hebben verontrust: hij zou herhaaldelijk hebben gedreigd haar te laten martelen totdat ze onthulde wat ze had gedaan om hem zo volledig te betoveren. Het lijkt erop dat de twee wat hun neigingen betreft goed bij elkaar pasten. Suetonius beweert dat Caesonia een vrouw was die zich 'volkomen overgaf aan hartstocht en uitspattingen'. Ook beschrijft Suetonius dat ze samen met Caligula uitreed op militaire inspecties, waarbij ze de grens tussen de seksen overschreed door een soldatenmantel, helm en speer te dragen, en dat ze in opdracht van de keizer naakt verscheen op bijeenkomsten met zijn vrienden.[42]

Verslagen over het seksleven van de keizer zijn altijd een beetje verdacht; verhalen over wat er achter gesloten deuren gebeurt zijn moeilijk te weerleggen en (zoals ook bij Messalina het geval was) het zijn de smeuïgste geruchten die zich het snelst en het verst verspreiden. Het is onmogelijk met zekerheid vast te stellen of Caligula de vrouwen van zijn hovelingen echt een voor een afwerkte en of, als dat inderdaad gebeurde, Messalina ooit vreesde dat het haar beurt was. Hoe dan ook, vaststaat dat Caligula Caesonia – een getrouwde vrouw van senatoriale rang met drie dochters van haar eerste echtgenoot – lang voor hun huwelijk zwanger maakte. In het eerste jaar van haar huwelijk kwam Messalina misschien tot de overtuiging dat een beetje discreet overspel wel getolereerd werd binnen de hogere kringen van Caligula's hof.

Terwijl de zwangere Caesonia zich in de lente van het jaar 39 steeds meer in de attenties van Caligula mocht verheugen, zal Messalina zich bij de rest van het hof hebben gevoegd voor het seizoen in de Golf van Napels, waar ze verbleef in de villa die Claudius in de omgeving bezat en genoot van al het geboden vertier.

Caligula had plezierboten laten bouwen om zich op het water te amuseren. Suetonius heeft het over 'tienriemers waarvan de achterstevens met edelstenen bezet waren, met baldakijnen van changeantzijde, voorzien van ruime badgelegenheden, zuilengalerijen en eetzalen en zelfs een grote verscheidenheid aan wijnstokken en vruchtbomen'.[43] Het is een beschrijving die we misschien als al te overdreven zouden afdoen als er niet twee van zulke gezonken plezierjachten, met inscripties die Caligula's naam dragen, waren ontdekt in een meer dat bekendstaat als de 'spiegel van Diana', niet ver van de villa van de keizer buiten Rome. Elk van deze boten was meer dan zestig meter lang, met wanden en vloeren die waren versierd met mozaïeken en inlegwerk van gekleurd marmer. Op het dek van een van de schepen stond een tempel met portieken, waarvan de gecanneleerde marmeren zuilen versierd waren met gebeeldhouwde friezen. Het andere schip was toegerust met alle benodigdheden voor illustere feesten. Een hypocaustum leverde warm water voor een drijvend badcomplex, dat door bronzen kranen naar buiten stroomde. De dakpannen van de tempel, de portieken en de eetzalen waren verguld.[44] In Campanië bracht het gezelschap, misschien vaak incluis Messalina, lange luie dagen door op schepen zoals dit, varend langs de kust terwijl men zich liet vermaken door dansers en muzikanten en vroeg aan tafel ging liggen om daarvan pas laat in de avond op te staan.

Toch had Caligula voor die zomer ook een ambitieuzer project in gedachten: hij had de wens opgevat om de baai te overbruggen en dan in een soort namaaktriomftocht het water over te trekken. Hieruit vloeide een surrealistisch, buitenissig spektakel voort dat zijn weerga niet kende in de hele geschiedenis van Rome.[45]

Speciaal gebouwde of gevorderde schepen gingen voor anker in een dubbele lijn die zich helemaal van Baiae tot Puteoli over de baai uitstrekte – een afstand van ongeveer 3,5 kilometer. De rij boten werd met aarde bedekt en omgetoverd tot een imitatie van de Via Appia, met onderkomens en pleisterplaatsen voorzien van vers stromend water. Toen het allemaal klaar was deed Caligula een borstkuras om dat naar hij beweerde van Alexander de Grote was geweest, trok daar een ruitermantel van gouden of paarse zijde overheen die was bezet met Indiase edelstenen en reed toen de brug bij Baiae op. Hij offerde aan Neptunus en Invidia, de godin van de afgunst, en voerde aan het hoofd van een grote stoet soldaten een cavalerieaanval uit in de richting van Puteoli.

De volgende dag reed hij terug op een strijdwagen die werd getrokken door een span renpaarden, met in zijn gevolg een stroom hovelingen gekleed in gewaden met bloemmotieven – onder wie vrijwel zeker ook Messalina en Claudius. Daarachter kwam de pretoriaanse garde, gevolgd door de gijzelaars en de buit van een overwinning en als laatste het grote publiek. Toen hij halverwege de brug was besteeg hij een podium en sprak zijn 'soldaten' toe. Hij deelde geld uit en prees hen voor hun moed, voor de ontberingen en gevaren die ze hadden doorstaan en voor hun wonderbaarlijke prestatie om te voet de zee over te steken. Het gezelschap zette het vervolgens op een feesten, op de brug en op boten die rondom voor anker lagen. In de heuvels rond de kust werden duizenden fakkels ontstoken, die de halve cirkel van de baai verlichtten alsof het een theater was. Het zal voor iedereen een opmerkelijk schouwspel zijn geweest, maar het moet een overweldigende indruk hebben gemaakt op een jonge vrouw als Messalina.

In zekere zin wás de baai natuurlijk een theater – en de voorstelling was nog niet voorbij. Toen het gezelschap verzadigd was en zich had volgegoten met wat Dio beschrijft als 'goede en koppige drank', begon Caligula een aantal van zijn metgezellen van de brug te gooien en duwde hij degenen die zich aan de roeren vastgrepen terug het water in met roeispanen en boothaken. Toen hij daar genoeg van had, bracht hij in een snelle boot met een gepunte ram verscheidene schepen, die naast de brug voor anker waren gegaan om mee te feesten, tot zinken.

Verklaringen voor de daden van Caligula variëren sterk tussen (en zelfs binnen) de bronnen. De Joodse historicus Josephus beschouwt het project als teken van zowel de waanzin van de keizer als zijn streven naar goddelijkheid. Seneca zag het als teken van zijn waanzin en zijn streven naar tirannie in oosterse stijl.* Volgens Dio bedoelde Caligula het evenement als kritisch commentaar op de ontoereikendheid van een traditionele overwinning in republikeinse stijl. Suetonius suggereert dat hij de Perzische koningen Xerxes en Darius die (tijdens militaire campagnes) soortgelijke bruggen over de Hellespont en de Bosporus hadden gebouwd naar de kroon wilde steken, of dat hij hoopte dat het nieuws over zijn prestatie de Britse en Germaanse stammen zo zou imponeren dat ze zich zouden onderwerpen. Suetonius vermeldt echter nog een andere verklaring, hem verteld door zijn grootvader, die ten tijde van de gebeurtenis nog in leven moet zijn geweest: Tiberius, die zich zorgen maakte of Caligula wel capabel was om te regeren, had een astroloog geraadpleegd die voorspelde dat de jongen nog eerder te paard over de Golf van Napels zou rijden dan dat hij keizer zou worden. Caligula wilde per se bewijzen dat hij op beide punten ongelijk had.[46]

Wat Caligula's precieze beweegredenen ook waren, de brug – en de verwoesting ervan aan het slot – was niet louter het product van een irrationele geest. In feite paste het naadloos binnen de bredere politieke boodschap van zijn bewind. Caligula besefte dat wat de mensen het meest vrezen in een absoluut heerser – en wat hem feitelijk tot een absoluut heerser máákt – niet de macht is om gewelddadig te straffen, maar om willekeurig te straffen. In het openbaar en privé, in bed en tijdens het eten, herinnerde Caligula zijn onderdanen er graag aan dat ze als ónderdanen volledig waren ónderworpen aan zijn grillen. Zijn project aan de Golf van Napels in de zomer van het jaar 39 was de ultieme test van deze theorie: eerst vatte Caligula een ogenschijnlijk irrationele ambitie op en vervolgens realiseerde hij die in een surrealistisch spektakel. Hij

---

* Josephus schreef zijn werken onder de Flavische keizers (de dynastie die volgde op de Julisch-Claudische) in de jaren 70, 80 en 90. Hij was een in Judea geboren Jood die als militair gouverneur in Galilea een belangrijke rol speelde in de strijd tegen de Romeinen tijdens de Grote Joodse Opstand die uitbrak in het jaar 66. Hij werd in het jaar 67 gevangengenomen en tot slaaf gemaakt en ontwikkelde een hechte band met zijn Romeinse overmeesteraars, de toekomstige keizers Vespasianus en Titus. Na de oorlog werd hij vrijgelaten en kreeg hij het Romeinse staatsburgerschap, een huis in Rome, land in Judea en een keizerlijk pensioen – waarna hij zich toelegde op het schrijven van historische werken.

trakteerde zijn gasten op een feest voor de zintuigen, hij bracht hen met muziek en wijn in de waan dat ze veilig waren. Tot hij hun geheel zonder waarschuwing toonde dat hij met zijn absolute macht willekeurig kon beschikken over hun leven en dood.

De intensiteit van de omgeving waarin Messalina de eerste jaren van haar getrouwde leven doorbracht – en die haar leerschool voor de hofpolitiek vormde – kan niet worden overschat. Dit was een wereld waarin je werd gebombardeerd met zintuiglijke indrukken; een wereld van luxe, lichamelijk genot, uiterlijk vertoon en opzichtige consumptie om indruk op anderen te maken die Messalina en Claudius zich eigenlijk niet konden veroorloven. Het was ook een wereld die volledig afhing van de grillen en de willekeur van zijn leider. Een wereld van sadisme, vernedering, seksuele intimidatie, intriges aan het keizerlijk hof en geruchten op het forum. En misschien wel het verraderlijkste van alles: het was een wereld van niet-aflatende angst.

7

De koning is dood, lang leve de koning

'Vaak zei hij dat het lot van keizers beklagenswaardig was, omdat men pas van hen geloofde dat er een samenzwering was ontdekt wanneer zij zelf daarvan het slachtoffer waren geworden.'
Suetonius, *Leven van Domitianus*, 21

In september kwam er een abrupt einde aan het sociale zomerseizoen van het jaar 39. In de eerste dagen van de nieuwe maand werden de zittende consuls op bevel van Caligula afgezet: hun fasces, die hun grondwettelijk gezag symboliseerden, werden in stukken gebroken en een van hen werd tot zelfmoord gedreven.[1] Caligula kondigde toen vrij plotseling zijn intentie aan om onmiddellijk noordwaarts te trekken, over de Alpen naar de Rijn.

Het lijkt erop dat een expeditie naar het noorden al enige tijd gepland was: Suetonius heeft het over de rekrutering van nieuwe legioenen en grote aantallen hulptroepen. Alle voorgaande keizers hadden zich tot op zekere hoogte bewezen in de strijd en de herinnering aan de heldendaden van zijn vader en grootvader in Germanië moet voor Caligula hebben aangevoeld als een zware last op zijn schouders.

Het tijdstip van zijn vertrek kwam niettemin onverwacht en de opmars werd in een opmerkelijk tempo ondernomen. De pretorianen moesten hun trots opzijzetten en hun standaarden op de ruggen van lastdieren binden om de stoet te kunnen bijhouden. De steden langs de route kregen het bevel om de wegen met water te besprenkelen om te voorkomen dat stofwolken zouden opstuiven die de voortgang van de paarden en manschappen zouden belemmeren. In het kielzog van Caligula en zijn soldaten volgde een grote begeleidende karavaan: gladiatoren, acteurs en de kring van naaste vertrouwelingen aan het hof, onder wie de zussen van de keizer, Agrippina en Julia Livilla, en de verweduwde echtgenoot van Drusilla, Aemilius Lepidus.[2] Claudius en Messalina, wier eerste zwangerschap zich waarschijnlijk begon af te tekenen, bleven in Rome achter.*

De officiële rechtvaardiging voor Caligula's noordelijke expeditie was de pacificatie van de Germaanse stammen. Als gevolg van de slechte discipline onder de grenslegioenen, die te lang onder bevel van dezelfde toegeeflijke gouverneur hadden gestaan, ondernamen deze stammen steeds vaker uitvallen op Romeins grondgebied. Tegen het einde van oktober kregen Messalina en Claudius in Rome echter een bericht te horen dat op een heel andere drijfveer wees, die de plotse aankondiging en het ongekende tempo van Caligula's expeditie beter verklaarde. De lang zittende gouverneur van Opper-Germanië, Gnaeus Cornelius Lentulus Gaetulicus, was terechtgesteld, niet wegens nalatigheid in het handhaven van discipline, maar wegens samenzwering tegen de keizer.[3]

Aan het eind van oktober brachten de priesters in Rome offers als dank aan de goden – 'omdat de snode plannen van Cornelius Lentulus Gaetulicus tegen Gaius Germanicus [Caligula] tijdig waren ontdekt' –, maar de zaak was nog lang niet voorbij.[4] Gaetulicus had zich al eerder

---

* Er is enige verwarring over het geboortejaar van Messalina's eerste kind Claudia Octavia. Tacitus beweert dat ze twintig was bij haar dood in het jaar 62 (Tacitus, *Annalen*, 14.64), maar daarmee zou ze ongewoon jong zijn geweest bij haar huwelijk met Nero in het jaar 53 (Tacitus, *Annalen*, 12.58; Cassius Dio, 60.33.11). Overtuigender is Suetonius (Suetonius, *Leven van Claudius*, 27), die haar voorstelt als ouder dan haar broer Britannicus (geboren in februari 41), en op een Alexandrijnse munt uit het jaar 41 staat Messalina afgebeeld met de portretten van twéé kinderen in haar hand, wat bevestigt dat Octavia al geboren moet zijn tegen de tijd dat haar moeder zwanger werd van haar broer. Uit de goed gedocumenteerde geboortedatum van Britannicus volgt dat Octavia onmogelijk later geboren kan zijn dan de eerste maanden van het jaar 40, terwijl ze op grond van de vrij zekere datering van het huwelijk van haar ouders in midden 38 niet voor het jaar 39 geboren kan zijn. De datering van Octavia's huwelijk met Nero in het jaar 53 maakt gezien de verwarring over de volgorde van de geboorten van de broers en zussen een geboortedatum aan het einde van deze periode het waarschijnlijkst, dus de winter van 39/40.

een gewiekst politiek bestuurder getoond; hij had de val van zijn hechte bondgenoot Sejanus overleefd door Tiberius bedekte dreigementen te sturen over de sterke steun die hij genoot van de legioenen onder zijn bevel.[5] Het is mogelijk dat de daaropvolgende crisis voortkwam uit een mislukte laatste wanhopige poging om zijn eigen hachje te redden.

Na de executie van Gaetulicus werden nog drie samenzweerders beschuldigd: Caligula's zussen Agrippina en Julia Livilla, en Drusilla's weduwnaar Aemilius Lepidus. De aanklacht luidde dat Aemilius Lepidus affaires had onderhouden met allebei de zussen van zijn overleden vrouw en dat de groep een complot had gesmeed om Caligula te vermoorden en Aemilius Lepidus op de troon te zetten. Bewijs werd al snel ontdekt – of vervalst – in de vorm van geheime brieven in een handschrift dat overeen zou komen met dat van de samenzweerders. Door een inderhaast bijeengeroepen keizerlijke rechtbank werden ze alle drie veroordeeld wegens verraad.

Caligula liet drie zwaarden – één voor elk van zijn verraders – naar de Tempel van Mars Ultor ('de Wreker') in Rome sturen. Waarschijnlijk was het de aankomst van deze souvenirs van Caligula's noordelijke reizen waardoor Messalina voor het eerst iets hoorde over het drama dat zich die winter aan de Rijn afspeelde. Verdere bevestiging verscheen al snel in de persoon van Agrippina zelf. Caligula had Aemilius Lepidus laten terechtstellen en zijn zussen veroordeeld tot ballingschap op dezelfde barre eilanden waar hun moeder en grootmoeder waren gestorven. Maar eerst stuurde hij Agrippina naar Rome, waarbij hij haar opdroeg de as van haar vermeende minnaar elke stap van de weg bij zich te dragen.[6] Caligula was verknocht geweest aan zijn zussen, zijn enige naaste bloedverwanten die de vervolging van hun familie hadden overleefd, en zijn overtuiging dat ze hem hadden verraden moet ondraaglijk zijn geweest. De boetedoening die hij Agrippina oplegde was een meesterlijk staaltje van publieke vernedering en psychologische wraakoefening.

Caligula kan paranoïde zijn geweest, maar het is ook niet onmogelijk dat Aemilius Lepidus, Julia Livilla en Agrippina echt betrokken waren bij een complot in de winter van het jaar 39. In diezelfde periode trouwde de keizer met Caesonia en schonk zij hem een kind: een dochter die Caligula de naam Julia Drusilla gaf, naar zijn overleden zus. De keizer was dol op het kind, zijn eerste en überhaupt het eerste kind dat ooit werd geboren bij een regerend keizer. Hij liet ook geen misverstand bestaan over haar toekomstige hoge status: Caligula droeg Drusilla kort na haar geboorte naar de Capitolijn, legde haar in de schoot van een van de cultusbeelden en beval haar aan bij de goden als een soort bovenaards pleegkind.[7]

Vóór de geboorte van Drusilla koesterden alle drie de vermeende samenzweerders wellicht de hoop dat zij of een van hun kinderen de volgende keizer zou worden. Als echtgenoot van de zus van de keizer was Aemilius Lepidus in de winter van het jaar 37 kortstondig tot Caligula's opvolger benoemd en toen Agrippina diezelfde december een zoon had gebaard, had ze Caligula gevraagd een naam te kiezen – in de hoop dat hij zou uitkomen op zijn eigen naam 'Gaius' als belofte voor de toekomst. Hij had haar bedoeling door en stelde in plaats daarvan spottend 'Claudius' voor, een voorstel dat Agrippina zonder meer van de hand wees.[8] In plaats daarvan koos ze voor Nero. Nu er een dochter was geboren die Caligula's bloedlijn kon voortzetten en er heel goed nog meer kinderen konden volgen, moet de groep het gevoel hebben gehad dat er snel en doortastend moest worden ingegrepen voordat elk vooruitzicht op een eventueel keizerschap in rook was opgegaan.

De beschuldigingen van drievoudig overspel zijn dubieuzer. In het vroege Keizerrijk was het gebruikelijk geworden om politieke beschuldigingen te combineren met seksuele, vooral wanneer deze beschuldigingen tegen vrouwen werden geuit. Messalina zou deze strategie zelf gebruiken als keizerin; en er vervolgens zelf het slachtoffer van worden. Zelfs toenmalige waarnemers was al duidelijk dat deze aanklachten politiek gemotiveerde fantasieën waren. Sinds de hervorming van de overspelwetten door Augustus was het voor een echtgenoot verboden om nog langer getrouwd te blijven met een wegens overspel veroordeelde vrouw en voor een dergelijke vrouw om te hertrouwen. Dat Julia Livilla terugkwam bij haar oorspronkelijke echtgenoot en de verweduwde Agrippina zo snel hertrouwde na de herroeping van hun ballingschap in het jaar 41, toont aan dat de zussen waren vrijgesproken van de aanklachten wegens overspel en verraad.

Toch moet de plotse publieke val van Agrippina en Julia Livilla een grote schok zijn geweest voor Messalina. Dit waren vrouwen die slechts enkele jaren ouder waren dan zijzelf, die ze persoonlijk kende en die bedreven leken in het spel van de paleispolitiek. Misschien waren het vrouwen tegen wie ze ooit had opgekeken, als rolmodellen voor hoe je je moest gedragen, macht kon uitoefenen en als vrouw kon overleven aan het hof van Caligula.

Na Agrippina's aankomst in Rome ontving de senaat een brief van de keizer. Daarin stond de officiële bekendmaking dat er een complot was ontdekt, dat het gevaar was afgewend en dat de initiators waren gestraft. De senaat kwam in actie en prees Caligula voor zijn vooruitziende blik, bedankte de goden voor zijn redding en besloot hem een speciaal huldeblijk toe te kennen voor zijn 'overwinning' op de samenzweerders. Ze stelden een delegatie samen die naar het winterkamp van Caligula in Lugdunum (de geboortestad van Claudius) reisde om hun besluiten persoonlijk aan Caligula over te brengen. Gewoonlijk werden in zo'n geval loten getrokken, maar in plaats daarvan wezen ze Claudius aan als een van de afgevaardigden.[9] Deze manoeuvre zou een misrekening blijken te zijn.

Rond de tijd dat Claudius de stad verliet om de reis naar het noorden aan te vangen moet Messalina de eerste weeën hebben gevoeld. Haar eerste kind, een dochter die de naam Claudia Octavia kreeg (naar haar vader en naar Octavia, de betovergrootmoeder dankzij wie zowel Claudius als Messalina augusteïsch bloed had), werd waarschijnlijk geboren op het hoogtepunt van alle tumult en verwarring in de winter van 39/40.

Messalina zal de modernste medische zorg hebben gekregen die het rijk te bieden had. Maar zoals in elke premoderne samenleving was een bevalling een riskante aangelegenheid. Vanaf het eerste teken dat de bevalling zich aankondigde, werd Messalina bijgestaan door een team van ten minste drie zeer ervaren vroedvrouwen.[10] Een mannelijke arts stond op afroep klaar voor als er complicaties optraden. Slaven uit het huishouden zullen af en aan zijn gedraafd met olijfolie, warm water, verband, dekens, zacht gemaakte zeesponzen, kussens en verkwikkend ruikende verswaren zoals munt, appel, kweepeer, meloen, gerst, komkommer, citroen en zelfs vers gegraven aarde. Er werd een kamer uitgekozen – koel maar niet koud, ruim maar niet zo groot dat het tochtte midden in de Romeinse winter – en in gereedheid gebracht. Er werd een baarstoel gebracht en er werden twee bedden opgemaakt: een stevig en laag bed voor de bevalling en een zacht bed met een heleboel kussens en dekens. Op dit tweede bed zou Messalina na de bevalling kunnen rusten – als ze het overleefde.

In zijn *Zesde satire* hekelt Juvenalis rijke Romeinse vrouwen voor hun onwil om een zwangerschap te riskeren en een bevalling te doorstaan. 'Bijna nooit ligt er een kraamvrouw in een verguld bed,' schampert hij met alle arrogantie van een man die het zelf nooit zal hoeven te doen.[11] Juvenalis voert dit aan als een blijk van moreel verval en het verzaken van vrouwelijke plichten, maar de angst voor de bevalling, voor de pijnen, complicaties en een mogelijk fatale afloop moet heel reëel zijn geweest – vooral voor een jonge nieuwe moeder als Messalina.

De zorgen die van nature gepaard gingen met de geboorte van Messalina's eerste kind moeten nog zijn versterkt door de atmosfeer van die winter in Rome en in het huishouden van Claudius. De crisis aan de Rijn had een volledige reorganisatie van de kring van vertrouwelingen rond de keizer op gang gebracht, maar waar dat precies op zou uitdraaien was moeilijk in te schatten zolang Caligula uit de stad wegbleef. De vele verontrustende aanwijzingen waarmee Rome die herfst werd geconfronteerd – de abruptheid van Caligula's vertrek, de bekendmaking van Gaetulicus' executie, de aankomst van de drie zwaarden voor Mars Ultor, de verschijning van Agrippina en ten slotte de brief van de keizer aan de senaat – moeten een ontvlambare omgeving vol spanning en paranoia hebben gecreëerd.

Wat de gevolgen van de mislukte samenzwering waren voor Messalina en haar groeiende gezin zou pas bij Claudius' terugkeer uit Lugdunum volledig duidelijk worden. De keizer, zo bleek, was niet bepaald blij met de deelname van zijn oom aan de senaatsdelegatie. Caligula's reactie was zelfs zo vijandig dat hij volgens een bron uit die tijd Claudius bij zijn aankomst gekleed en al in de rivier gooide.[12] Dit verhaal is waarschijnlijk apocrief, maar Caligula was duidelijk razend over de aanwezigheid van zijn oom en Suetonius is van mening dat Claudius die winter in Gallië werkelijk in levensgevaar verkeerde.

De verklaring die Suetonius geeft voor de reactie van Caligula is niet overtuigend. 'Gaius ziedde en kookte,' beweert hij, 'omdat nu juist zijn oom naar hem toegezonden werd, alsof hij een kind was dat leiding behoefde.'[13] Hoewel het gevoel dat hij betutteld werd de woede van Caligula kan hebben aangewakkerd, was het echte probleem waarschijnlijk de band van Claudius met de samenzweerders. Hij was net zo goed een oom van Agrippina en Julia Livilla als van Caligula. Onder andere omstandigheden – als hij in familiekringen wel voor vol was aangezien en als hij de keizer die herfst op zijn eerste reis naar het noorden vergezeld had in plaats van in Rome achter te blijven – had hij gemakkelijk bij de samenzwering betrokken kunnen raken.

Caligula liet zijn verwerping van Claudius vergezeld gaan van een instructie aan de senaat: er mochten geen eerbewijzen meer worden toegekend aan leden van zijn vaders familie.[14] De wisseling van de wacht was compleet. Caligula's biologische familie, die hem zoveel aanzien had verleend in zijn jonge jaren, was in ongenade gevallen en de toekomst van het keizerlijk hof lag nu bij Milonia Caesonia en hun dochter.

Toen Claudius bij zijn terugkeer naar de stad aan zijn vrouw vertelde hoe hij in Lugdunum ontvangen was, zal dat nieuws niet goed zijn gevallen. Messalina had het gevaarlijkste deel van de postnatale periode waarschijnlijk net achter de rug. Haar borsten waren nog onaangenaam strak afgebonden met zwachtels gedrenkt in een middel om de melkproductie te stelpen, nu Claudia Octavia onder de hoede van de min Hilaria werd genomen.[15] Haar recent verworven positie aan het hof en de toekomst van haar pasgeboren baby vereisten haar aandacht. Ze wist dat haar man zijn positie, zijn prestige en waarschijnlijk zelfs zijn huwelijk met haar volledig te danken had aan de gunst van Caligula. De recente ommekeer daarin kon rampzalig uitpakken voor het jonge gezin.

Misschien was het dankzij Messalina's netwerk van invloedrijke connecties dat een potentiële crisis werd afgewend. Na de verbanning van Agrippina werd de zorg voor haar zoon Nero toevertrouwd aan Domitia Lepida (Messalina's moeder en Nero's tante van vaderskant).*[16] Aangezien Nero's toekomstperspectief waarschijnlijk een belangrijk motief voor de samenzwering van het jaar 39 was geweest, suggereert het feit dat de jongen onder de hoede van Domitia Lepida kwam dat Messalina's kant van de familie in elk geval het vertrouwen van Caligula behield.

De positie van Messalina en Claudius binnen Caligula's huishouding hing aan een zijden draadje. Maar het leek erop dat het staatsbestel zelf rond hen aan het afbrokkelen was.

De keizer bleef de daaropvolgende maanden in het noorden, waarbij zijn afwezigheid in de stad enkel werd onderbroken door de binnendruppelende verhalen over zijn bizarre gedrag aan het front.[17] In plaats van tegen de vijand te vechten, zo werd gezegd, gaf Caligula leden van zijn eigen Germaanse lijfwacht de opdracht zich in de bossen aan de overkant

---

* Nero's vader Gnaius Domitius Ahenobarbus was niet lang na de verbanning van zijn moeder gestorven.

van de Rijn te verbergen om dan na het middagmaal jacht op hen te maken met een ruiterij van vrienden en pretorianen. Er kwamen ook berichten dat hij de rijkste Galliërs liet kaalplukken en ombrengen om zijn verliezen bij het kaarten goed te maken, dat hij bomen liet omhakken en ze als overwinningstrofeeën liet opstellen, dat hij twee complete legioenen wilde uitroeien of in elk geval decimeren. Misschien wel het vreemdste verhaal van allemaal kwam erop neer dat Caligula met zijn troepen was opgerukt naar de kust van het Kanaal, ze in slagorde opstelde en toen plotseling het bevel gaf om zeeschelpen te verzamelen, want dat was volgens hem de krijgsbuit die de oceaan aan Rome verschuldigd was.

De herkomst en de waarheidsgetrouwheid van deze verhalen zijn het onderwerp geweest van veel wetenschappelijk debat; sommigen hebben ze bestempeld als verdraaide verslagen van echte pogingen om de grensbewaking te verstevigen, of van een muiterij door soldaten die niet bereid waren om de zee naar Brittannië over te steken. Wat de ware toedracht achter Caligula's gedrag aan het front ook is geweest, het zal weinig verschil hebben gemaakt voor hoe Messalina die winter in Rome beleefde. De geruchten over het grillige gedrag van de keizer, die zo snel na alle beroering over het complot arriveerden, moeten hebben bijgedragen aan de sfeer van angst en onzekerheid die in het begin van het jaar 40 in de stad heerste.

Toen die lente het bericht kwam dat Caligula was vertrokken uit Gallië en naar het zuiden reisde, moet dat met een mengeling van opluchting en vrees in de stad zijn ontvangen. Of het nu was om de stemming van de keizer te peilen, hem te vleien of uit bezorgdheid over de toenemende instabiliteit in de stad weten we niet, maar de senaat stuurde Caligula een grote delegatie tegemoet die hem smeekte zijn reis terug naar Rome te bespoedigen. Zijn antwoord was ondubbelzinnig. 'Ik kom, ik kom en dít neem ik mee,' schreeuwde hij terwijl hij op het gevest van zijn zwaard klopte.[18] Dat liet hij volgen door een officiële proclamatie: de keizer zou terugkeren, maar alleen voor diegenen die echt naar zijn terugkeer verlangden – de ridderstand en het volk. Want voor de senaat zou hij niet langer een princeps zijn en zelfs geen medeburger.

In mei kwam Caligula in de omgeving van Rome aan, waar hij deelnam aan een offerceremonie die door de priesterorde van de Arval-broederschap werd uitgevoerd in hun heilige bos buiten de stadsmuren en waar hij een delegatie Joden, die hem wilden spreken over de recente pogroms in Alexandrië, ontving in zijn paleis bij de Tiber.[19] Caligula ging echter niet daadwerkelijk de stad in. Misschien wilde hij de hitte van de stad vermijden, of misschien wilde hij de officiële triomfantelijke intocht voor zijn 'overwinningen' in het noorden afwachten, maar hij vermeed het zorgvuldig de heilige grens van Rome over te steken. In plaats daarvan trok hij verder langs de kust naar Campanië.[20]

Terwijl Caligula de stad en de senaat ontweek en van de ene luxueuze villa naar de andere trok, zwol de stroom van steeds sensationelere geruchten aan. Er werd gezegd dat hij overwoog om de hoofdstad van Rome naar Antium of Alexandrië te verplaatsen; dat hij van plan was om de halve senaat af te slachten; dat hij twee boekjes bijhield, het ene met het opschrift 'Zwaard', het andere met het opschrift 'Dolk', waarin hij lange lijsten opstelde met de namen en de signalementen van de mensen die hij ter dood wilde brengen.[21] Aan het einde van het jaar 39 leek Caligula's toch al wankele relatie met de aristocratie een fatale klap te zijn toegebracht – hun vrees is bijna tastbaar aanwezig in deze geruchten.

Hoewel Caligula beweerde dat de ridderstand en het plebs naar zijn terugkeer naar de stad verlangden, verslechterde de relatie van de keizer met het gewone volk zienderogen. In het jaar 40 hief hij nieuwe belastingen op de eerste levensbehoeften: etenswaren, tavernes, bordelen en rechtszaken.[22] Op protesten van het publiek werd gereageerd met een combinatie van politiegeweld en de pesterijen die Caligula zo typeren: op bijzonder warme dagen liet hij naar verluidt de luifels van het amfitheater oprollen en de uitgangen blokkeren, zodat de mensen in de zon verbrandden.[23]

Na een afwezigheid van bijna een jaar zette Caligula op 31 augustus 40 – zijn achtentwintigste verjaardag – eindelijk weer voet in de stad.[24] Hij voerde onmiddellijk maatregelen door om zijn keizerlijke macht op een nieuwe basis te grondvesten. Tot nu toe had de oude senatoriale aristocratie een wezenlijke, zij het paradoxale rol gespeeld in de definitie van het Julisch-Claudische gezag. De keizer had zichzelf gepresenteerd als de ultieme senator – letterlijk de princeps senatus of de 'eerste van de senaat' – en officieel waren al zijn bevoegdheden en eerbewijzen hem toegekend door senatoriale besluiten. Deze opzet (zo ingenieus bedacht door Augustus) maakte de senaat en de keizer wederzijds van elkaar afhankelijk. Het dwong de keizer om de eer van de senatoriale orde hoog te houden omdat de waardigheid van zijn eigen positie daarmee gediend was, en de senatoren om loyaal te blijven aan de keizer omdat hij een sociale hiërarchie afdwong die hún positie garandeerde.

Nu demonstreerde Caligula letterlijk op het publieke toneel dat hij lak aan deze verstandhouding had. Augustus had een ingewikkelde regeling ingesteld om te bepalen wie op welke niveaus mochten zitten in het theater en het amfitheater, waardoor de trapsgewijs oplopende banken als het ware een spiegel vormden van de hiërarchie van de Romeinse samenleving. Caligula schafte deze regels af en stond ieder lid van het gewone volk toe om een plaatsje te bemachtigen op de voorste banken, die voorheen voorbehouden waren aan de senaat.[25] Het gedrang dat hieruit voortvloeide was het tastbare bewijs dat de keizer deed wat hij op zijn terugreis uit het noorden had beloofd – dat hij de status en de eer van de senaat niet langer zou beschermen.

Met zijn herhaalde publieke vernederingen van de senaat verbrak Caligula een uitzonderlijk broze entente en bracht hij zichzelf in een moeilijke positie. Hij kon niet langer de princeps senatus spelen, maar gezien zijn snel verslechterende verstandhouding met het volk evenmin onverbloemd de rol van demagoog. Nu hij de traditionele Romeinse modellen voor alleenheerschappij – zo subtiel opnieuw vormgegeven door Augustus en, zij het onbeholpen, zo gewetensvol in stand gehouden door Tiberius – helemaal had uitgehold, wendde Caligula de blik naar het oosten en naar de hemel voor modellen van monarchen en goden.

In plaats van de toga – het universele waarmerk van de mannelijke burger en republikeins magistraat – gaf Caligula steeds vaker de voorkeur aan onconventionelere uitdossingen. Ruim honderd jaar eerder, in 70 v.Chr., had de grote orator Cicero het feit dat een verdachte van afpersing zich op een privéfeestje had vertoond in een tuniek en een Griekse mantel in plaats van een toga zo'n onmiskenbaar teken gevonden van zijn verdorven karakter, dat hij deze bijzonderheid opnam in zijn openingspleidooi. Nu toonde Caligula zich in de zijden gewaden en met de juwelen van oosterse vorsten en deed hij (zoals eerder op de brug in Baiae) het borstkuras om dat naar hij beweerde van Alexander was geweest, de ultieme hellenistische god-koning.

Van zijn omgeving eiste hij een gedrag dat bij zijn nieuwe status paste. Aan het begin van zijn bewind had Caligula een eind gemaakt aan het eerbiedige ceremonieel waarmee senatoren voorheen de keizer in het openbaar begroetten. Nu moedigde Caligula senatoren aan om zich voor hem ter aarde te werpen zoals onderdanen dat voor oosterse koningen deden. Deze hellenistische vorsten presenteerden zichzelf als levende goden – leiders wier gezag theoretisch niet voortkwam uit de steun van hun aristocratie, maar uit de heiligheid van hun bloed.

Sommige bronnen gaan nog verder en beweren dat Caligula écht geloofde dat hij goddelijk was.[26] Volgens Dio zag de keizer zichzelf als een soort Jupiter, en telkens als er een donderslag klonk of een bliksemschicht werd gezien, bedacht Caligula manieren om een flits en een knal terug te geven – alsof hij zich niet wilde laten aftroeven. Hij geloofde blijkbaar ook dat hij rechtstreeks met de goden kon communiceren. Suetonius vermeldt dat hij verschijningen van Oceanus zag; Dio dat hij beweerde met de maangodin Diana te converseren. Op een keer zou Caligula midden in een gesprek met de senator Lucius Vitellius hem plots de vraag hebben gesteld of hij Diana ook kon zien. Vitellius hield zijn ogen op de vloer gericht en koos zijn woorden zorgvuldig. 'Alleen u goden kunt elkaar zien, heer,' antwoordde hij.[27]

Beweringen dat Caligula echt gelóófde dat hij goddelijk was zijn op zijn zachtst gezegd dubieus. In de vroegste Romeinse bronnen, die in de decennia na de moord op Caligula werden geschreven door zijn tijdgenoten Seneca en Plinius en die voor het overige blijk geven van extreme vijandigheid jegens hem, ontbreekt deze beschuldiging. Beweringen dat de 'krankzinnige Caligula' zichzelf als een god zag en eiste als zodanig aanbeden te worden, compleet met een tempel en een eigen cultus in Rome, zijn alleen te vinden in de latere geschiedenissen van Suetonius en Dio, en in verslagen afkomstig van Joodse auteurs (ongetwijfeld gekleurd door de toenmalige vrees dat Caligula misschien de Tempel van Jeruzalem zou willen ontheiligen en door de onoverbrugbare theologische kloof tussen de Joodse en Grieks-Romeinse ideeën over de scheiding tussen het sterfelijke en het goddelijke domein). Bovendien is er een veelzeggend gebrek aan archeologisch bewijs: als de keizer zichzelf echt tot levende god had uitgeroepen, zouden we een heleboel tempels, standbeelden en altaren gewijd aan zijn eredienst verwachten.*

---

* Caligula kan de verering van zijn *genius* (de beschermgeest van een persoon, of de goddelijke elementen in zijn karakter) – een praktijk die goed ingeburgerd was in de privésfeer tijdens de regeerperioden van Augustus en Tiberius – hebben aangemoedigd op een nieuw openbaar podium en in steeds officiëlere termen. Het was waarschijnlijk de priesterorde van deze cultus waarvan Claudius lid moest worden en waarbij hij een coöptatievergoeding betaalde die hem bijna bankroet maakte.

In dit verband moeten Caligula's gekoketteer met de esthetiek van de Olympiërs en een koningschap in oosterse stijl niet gezien worden als een blijk van zijn geestelijke ontregeling, maar als een nieuwe manier om de senaat te vernederen. Door van de consuls te verlangen dat ze zijn schoenen kusten en van mannen die heel goed wisten dat hij geen god was te eisen dat ze serieus ingingen op zijn nachtelijke tête-a-têtes met Diana, dwong Caligula zijn senatoren openlijk blijk te geven van hun eigen hypocrisie: met hun gedrag erkenden ze feitelijk dat ze niet echt vrij waren en bevestigden ze dat hun aanspraak op sociale, zo niet politieke gelijkwaardigheid met hun 'princeps' al lang niet meer opging.

De ontevredenheid onder de hogere klassen van Rome was waarschijnlijk al aan het broeien tijdens de lange hete maanden in de zomer van het jaar 40 toen Caligula weg was uit de stad, en het lijkt erop dat de zaken niet lang na zijn terugkeer op de spits werden gedreven. Die herfst werd een aantal vooraanstaande senatoren terechtgesteld. Sommigen van hen had Caligula na een diner bij kaarslicht laten onthoofden op het terras van zijn tuinen aan de Tiber in het bijzijn van de verzamelde gasten – onder wie mogelijk Messalina.[28] De Caligula vijandig gezinde Seneca beweert dat de executies louter ter vermaak werden uitgevoerd, maar het lijkt erop dat een aantal van de terechtgestelde senatoren daadwerkelijk betrokken was geweest bij complotten om de keizer van het leven te beroven.[29]

Door deze geruchten over een samenzwering scheen het Caligula toe dat zijn ergste angsten over de senaat bewaarheid waren geworden. In een toespraak die hij een jaar eerder tot de senaat had gehouden, had Caligula zijn overleden oom Tiberius ten tonele gevoerd met de waarschuwende woorden: 'Denk eraan dat je met niet een van hen vriendschap sluit, en spaar niemand! Ze hebben allemaal de pest aan je en allemaal bidden ze om je dood. Als ze de kans krijgen zullen ze je om zeep helpen. Vraag jezelf dus niet langer af wat je moet doen om ze te vriend te houden en trek je niets aan van wat ze allemaal uitkramen. Jij moet alleen maar je eigen levensvreugde en veiligheid voor ogen houden.'[30] Deze waarschuwing mocht dan een retorische kunstgreep zijn, ze moest inmiddels toepasselijker dan ooit hebben geleken.

De twijfel aan de loyaliteit van de senaat lijkt Caligula ertoe te hebben aangezet de politieke macht zo veel mogelijk te concentreren binnen zijn resterende kring van vertrouwelingen. Volgens de bronnen heerste er bezorgdheid over de groeiende invloed van zijn vrouw Caesonia en de vrijgelatenen rondom de keizer – voormalige slaven die een groot deel van de regeringstaken op de Palatijn uitvoerden en een nieuwe machtsfactor op het politieke toneel waren. De ongerustheid over de invloed van de vrouwen en de vrijgelatenen zou na de troonsbestijging van Claudius alleen maar toenemen en misschien wel haar hoogtepunt bereiken met de val van Messalina. Vooralsnog waren zij echter de enige bondgenoten die Caligula nog durfde te vertrouwen – een vrouw noch een ex-slaaf kon een echte uitdaging vormen voor zijn suprematie –, maar hun aanwezigheid in het centrum van de macht van de regering betekende de zoveelste schoffering van de senaat.

Op zekere dag in de late herfst werd akelig duidelijk hoe penibel de situatie van de senaat was. Toen de vrijgelatene Protogenes – een van Caligula's naaste vertrouwelingen en naar verluidt de man aan wie hij zijn dodenlijst met senatoriale tegenstanders had toevertrouwd – voor staatszaken het senaatshuis betrad, haastten de senatoren zich om hem met zijn allen te begroeten. Een of twee generaties geleden zou zo'n reactie ondenkbaar zijn geweest voor de Romeinse aristocratie, maar nu was het slechts de inleiding op een gruwelijke scène. Protogenes groette de senatoren terug totdat zijn ogen op één man in het bijzonder vielen. Hij keek de man doordringend aan en vroeg toen: 'Ook jij begroet mij, terwijl je de keizer zo haat?' De wenk volstond: de senatoren dromden om hun collega samen en 'scheurden hem aan stukken', zoals Dio het fijntjes uitdrukt.[31]

Claudius en Messalina verkeerden bij dit alles in een vreemde positie. Messalina's stiefvader en stiefbroer waren leden van de oude senatoriale aristocratie, niet verwant aan de keizerlijke familie. Nog geen jaar geleden had Claudius de delegatie naar het noorden geleid en de standpunten en belangen van de senaat behartigd. Nu de senaat en de keizer echter steeds verder uit elkaar dreven, raakte het paar steeds meer verbonden met de keizerlijke kring in plaats van de senatoriale: Claudius verscheen in het openbaar vaak naast Caligula en werd, samen met Caesonia, opgenomen in de hyper-exclusieve priesterorde gewijd aan de keizerlijke genius.

Hoewel Messalina en Claudius inmiddels zo hecht met de keizer waren dat ze in toenemende mate geïsoleerd raakten van hun senatoriale gelijken, bleef hun positie in Caligula's vertrouwenskring precair. De 'eer' die Caligula aan Claudius had betoond door hem tot priester te benoemen, had het bankroet van de familie betekend en hen gedwongen geld te lenen en erfstukken te verpatsen om het hoofd boven water te houden. Het was misschien rond deze tijd dat Caligula de ongekende stap nam om een van Claudius' eigen slaven (die normaal gesproken niet eens tegen hun meester mochten getuigen) een rechtszaak tegen hem te laten aanspannen.[32] Volgens Josephus was het een aanklacht voor een halsmisdaad, die door Caligula werd aangezwengeld om zich op die manier van zijn oom te ontdoen. Deze versie van de gebeurtenissen is ongeloofwaardig: als Caligula Claudius uit de weg wilde hebben, had hij daarvoor geen stroman in de persoon van een slaaf nodig. Toch was de toestemming voor het aanspannen van een proces een duidelijk signaal dat het koppel zich aan het hof verre van veilig kon wanen.

In de winter van 40/41 moeten Claudius en Messalina hun positie als extreem kwetsbaar hebben ervaren. Caligula gedroeg zich wreder en onberekenbaarder dan ooit tevoren, maar zij bleven afhankelijk van zijn gunst. Ze waren onlosmakelijk verbonden met zijn hof, al helemaal in de ogen van de senaat. Het koppel was waarschijnlijk bang wat de toekomst brengen zou, vooral omdat Messalina opnieuw zwanger was.

De stemming in het keizerlijk paleis die winter bleef ook terwijl Caligula en zijn kliek de Saturnalia vierden bijzonder gespannen. Toen een waarzegger Caligula waarschuwde om 'op zijn hoede te zijn voor een Cassius', liet de keizer, die onmiddellijk aan Julius Caesars moordenaar Gaius Cassius moest denken, diens nazaat Cassius Longinus terugroepen van zijn provinciale post om hem vervolgens te laten executeren.[33] Later zou blijken dat Caligula de verkeerde Cassius te pakken had, maar hij maakte zich terecht zorgen: de executies van de herfst hadden de tegenstand niet de kop ingedrukt.

De hoofdrolspelers in het nieuwe complot dat tijdens de winter van 40/41 werd gesmeed, waren geen senatoren maar leden van het rijksbestuur. Tot hen behoorden twee hoge officieren van de pretoriaanse garde, Cassius Chaerea en Cornelius Sabinus, evenals de prefect van de garde en Callistus, een van Caligula's invloedrijkste vrijgelatenen-adviseurs.[34] De precieze aanleiding voor deze nieuwe samenzweringsronde is onduidelijk. De antieke bronnen, altijd tuk op kleurrijke anekdotes, maken het persoonlijk. Ze beweren dat Chaerea, ondanks het feit dat hij een stoere veteraan was die onder Caligula's vader aan het Germaanse front had gediend, de handicap van een ongewoon hoge stem had. Een dergelijk gevoelig punt was onweerstaanbaar voor Caligula's neiging tot pesterijen: telkens wanneer Chaerea om een nieuw wachtwoord voor de dag kwam vragen, koos de keizer iets verwijfds en seksueels zoals 'Venus', 'Priapus' of 'Liefde'.[35]

Welke persoonlijke wrok de samenzweerders ook koesterden tegen Caligula, de belangrijkste motivatie was bijna zeker politiek van aard. De leiderschapsstijl van Caligula was duidelijk onhoudbaar aan het worden en Dio en Josephus beweren allebei dat de samenzwering brede steun kreeg in zowel hofkringen als de senaat.[36] Het is aannemelijk dat deze nieuwe operatie haar oorsprong vond in een hergroepering van de ontevreden senatoren die eerder die herfst hun stem al hadden laten horen.

Caligula's hofhouding luidde het nieuwe jaar 41 in met de viering van de *ludi Palatini*. Deze spelen, na de dood van Augustus ingesteld door Livia ter ere van hun trouwdag, strekten zich gewoonlijk uit over drie dagen, maar dit jaar had Caligula hun duur verdubbeld.* Na een aantal valse starts en behoorlijk wat geaarzel sloegen de samenzweerders ten slotte toe op 24 januari – de laatste dag van het festival.

Iedereen was het erover eens dat Caligula die ochtend in een ongewoon goed humeur was. De keizer vond het bijzonder vermakelijk dat de toga van een senator werd bespat met het bloed van een flamingo toen hij die aan Augustus offerde. Waarvan Caligula zich uiteraard niet bewust was, was dat dit later zou worden geïnterpreteerd als een voorteken.[37]

Aangezien dit de laatste dag van de festiviteiten was, zat de keizerlijke loge vol mensen.[38] Claudius bevond zich onder het gevolg van Caligula, maar Messalina – toen in de gevaarlijke laatste weken van haar tweede zwangerschap – was misschien niet meegekomen. Ondanks Caligula's goedgeluimdheid was de sfeer gespannen, en de samenzweerders die dicht bij Caligula zaten konden hun onrust maar met moeite verbergen. Het ochtendprogramma was die dag opvallend bloederig: beide uitgevoerde toneelstukken eindigden met de gewelddadige dood

---

* De ludi Palatini waren een besloten festival dat vooral bedoeld was voor de keizerlijke familie en de senaat, samen met hun vrouwen en kinderen, en dat waarschijnlijk werd gehouden in een tijdelijk theater dat was gebouwd op het voorplein van het keizerlijk paleis op de Palatijn.

van hun hoofdpersonen. Volgens Suetonius 'stroomde het bloed over het toneel'.

Rond het middaguur werd Caligula rusteloos. Moest hij de hele middag blijven of zou hij wegglippen om te lunchen en een bad te nemen en dan opgefrist terugkomen voor de avondvoorstelling? Degenen van zijn metgezellen die in het complot zaten spoorden hem aan om een bad te nemen en een van hen, een senator, glipte weg om Chaerea te waarschuwen. Toen het keizerlijk gezelschap het paleis binnenging, scheidde Caligula zich af van Claudius en de rest van de groep. Omdat hij onderweg naar zijn bad voor de lunch nog even een blik op de koorrepetities wilde werpen, liep hij een overdekte gang in. Daar stortten de samenzweerders zich op hem.

Over hoe Caligula precies aan zijn einde kwam bestaan drie verschillende verslagen, het ene nog gewelddadiger en theatraler dan het andere. Josephus laat Chaerea naar Caligula gaan om te vragen naar het wachtwoord van de dag, waarop hij een te verwachten vernederend antwoord krijgt, zijn zwaard trekt en de keizer in de nek steekt. Gewond maar niet dood zet Caligula het op een lopen, maar hij wordt dan door Sabinus gegrepen, op de grond gedwongen en doodgehakt door de verzamelde groep. Suetonius geeft twee versies. In de eerste benadert Chaerea de keizer van achteren, roept 'Verricht de daad!' – eveneens de uitspraak van de priester die de offerceremonie leidt – en brengt de keizer de fatale slag toe. In de tweede slaat Sabinus als eerste toe. Hij vraagt de keizer om het wachtwoord en wanneer Caligula 'Jupiter' zegt – de god van de donderslagen en de plotselinge dood – roept Sabinus 'Het zij zo!' en steekt hij zijn zwaard dwars door het kaakbeen van de keizer. Terwijl Caligula op de grond kronkelt daalt er een regen van slagen op hem neer. Suetonius beweert dat hij met 30 steekwonden werd omgebracht, aanzienlijk meer dan de 23 bij Julius Caesar, en vermeldt nadrukkelijk dat sommige moordenaars het gemunt hebben op zijn geslachtsdelen. Dio merkt slechts op dat de aanslag zo woest was, en de samenzweerders zo bezeten waren, dat sommigen van hen hun tanden in het vlees van de keizer zouden hebben gezet. Zijn bondige conclusie luidt: 'Zo kwam Caligula er uit eigen ervaring achter dat hij geen god was.'

Dat de verslagen zozeer verschillen in de details geeft aan hoe chaotisch de moordaanslag verliep. Terwijl de moordenaars het gangenstelsel van het keizerlijk paleis in vluchtten, vielen Caligula's Germaanse lijfwachten de achterblijvers aan. Ze doorzochten de kamers en hakten zonder onderscheid des persoons in op samenzweerders en onschuldige aanwezige edelen. Er ontstond paniek toen er berichten doorsijpelden tot de mensen die nog in het theater vastzaten: sommige hielden in dat Caligula dood was, andere dat hij zwaargewond was en de keizerlijke chirurgen voor zijn leven vochten, weer andere dat hij ontkomen was en dat hij – weliswaar gewond en besmeurd met zijn eigen bloed – de menigte op het forum al toesprak.

Later op de avond, terwijl de stad nog steeds in een staat van anarchie verkeerde, begonnen de samenzweerders zich af te vragen of ze de klus wel helemaal hadden geklaard: Caligula's vrouw en dochter waren immers nog in leven. De meningen hierover waren verdeeld.[39] Sommigen vonden dat de twee onschuldig waren en dat de moord op een vrouw en een kind zou afdoen aan de heroïek van de tirannenmoord. Anderen legden de schuld voor de ontaarding van Caligula's bewind bij Caesonia: 'Ze had hem namelijk drugs gegeven met de bedoeling zijn gedachten en gevoelens helemaal onder controle te krijgen. Daardoor had hij zijn verstand verloren. Zij was dus in feite het brein en de architect achter al die aanslagen op het welzijn van de stad en van de hele Romeinse wereld.'[40] Angst en het tweede standpunt wonnen het pleit.

Josephus beweert dat de soldaat die op weg was gestuurd om het karwei af te maken Caesonia en haar kind aantrof in de gang naast het lichaam van Caligula, dat daar nog steeds lag. Caesonia zat geknield naast haar echtgenoot, haar huid en jurk bevlekt met zijn bloed, en jammerde: 'Ik heb je gewaarschuwd, ik heb je steeds weer gewaarschuwd.' Nadien, zo vertelt Josephus ons, zouden mensen gaan redetwisten over de betekenis van deze woorden. Had Caesonia lucht gekregen van het nieuwe complot? Of had ze misschien aangevoeld dat het politieke tij zich tegen hem keerde en hem aangespoord om zijn gedrag te matigen voordat het te laat was?

Nu deed het antwoord op deze vraag er niet meer toe. Caesonia besefte wat de soldaat in de zin had toen hij haar naderde. 'Aarzel niet,' droeg ze hem op terwijl ze hem haar keel aanbood, 'maak snel een einde aan het drama dat je voor ons hebt geënsceneerd'.[41] De soldaat gehoorzaamde en doorstak Caesonia met zijn zwaard. Vervolgens sloeg hij de schedel van Drusilla – die net voorbij haar eerste verjaardag was – stuk tegen de muur.[42]

Claudius kwam niet thuis in de nacht van de moord op Caligula en Caesonia. Messalina, acht maanden zwanger, moet buiten zichzelf van angst
geweest zijn. De stad was in rep en roer; drommen mensen stroomden
door de straten naar het forum, waar de senatoren al hun overredings-
kracht moesten aanwenden om de woedende menigte (bij wie Caligula
relatief populair bleef) in bedwang te houden en de orde in het leger te
handhaven. De dreiging van chaos, rellen en plunderingen hing zwaar in
de lucht. De vrienden of boodschappers die Messalina op de hoogte hielden van de ontwikkelingen konden haar weinig met zekerheid vertellen
– de samenzweerders leken amper plannen te hebben gemaakt voor hoe
het verder moest na de moord op Caligula. Ze konden haar zeker niet
geruststellen over het lot van haar echtgenoot.

Het verhaal over hoe Claudius keizer werd – 'door een wonderbaarlijke speling van het toeval', zoals Suetonius het uitdrukt – heeft een apocrief tintje.[43] Toen de commotie over de dood van Caligula zich uitbreid-
de over het keizerlijk paleis, zou Claudius zich achter de gordijnen van
een balkon verstopt hebben. Een gewone soldaat zag zijn voeten en trok
hem achter de gordijnplooien vandaan. Toen hij zag wie hij zo ruw behandeld had, zonk hij vervuld van afschuw op zijn knieën en riep Claudius uit
tot *imperator*. Claudius, die volgens de verslagen nog steeds in een staat
van verwarring en doodsangst verkeerde en de soldaten smeekte om hem
te sparen – werd in een draagstoel gezet en onder gewapend escorte naar
het versterkte pretoriaanse kamp bij de stadsmuren gebracht. De mensen die hem voorbij zagen komen, zo vertelt Suetonius, 'beklaagden hem,
omdat ze aannamen dat hij onschuldig ter dood zou worden gebracht'.[44]

Ondertussen steeg de senaat de vrijheid naar het hoofd. Toen de men-
senmassa op het forum de naam eiste van de moordenaar van Caligula,
antwoordde de voormalige consul Valerius Asiaticus: 'Ik wou dat ik het
gedaan had.'[45] Het was een opmerking die Messalina zou bijblijven en die
ze bijna een decennium later tegen hem zou gebruiken. De senaat had de
inhoud van de keizerlijke schatkist overgebracht naar de gemakkelijk te
verdedigen Capitolijn, waar ze die avond hun vergadering bijeenriepen.
Toen hij de oproep ontving om zich bij zijn collega-senatoren te voegen,
liet Claudius weten dat hij niet aanwezig kon zijn: hij werd met geweld
vastgehouden in het kamp van de pretorianen.[46] Op de Capitolijn leek
de senaat vastbesloten om de Republiek te herstellen. Mannen die de
tijd vóór Augustus alleen van horen zeggen kenden, hielden opzwepende

toespraken waarin ze de tirannie hekelden en toen Chaerea de consuls om een nieuw wachtwoord vroeg, gaven ze hem 'Vrijheid'. Buiten in de straten handhaafden de stedelijke cohorten – een kleine groep soldaten loyaal aan de senaat, die functioneerde als een soort politiekorps – een broze vrede.

Terwijl de dag plaatsmaakte voor de nacht moeten de uren voorbij zijn gekropen voor Messalina. Inmiddels begon het nieuws over de gewelddadige dood van Caesonia en de baby Drusilla de ronde te doen; Messalina moet zich er scherp van bewust zijn geweest dat het plan van de senaat om de Republiek te herstellen op een ramp voor haar en haar familie zou kunnen uitlopen.

Gelukkig voor Messalina betekende het republikeinse ideaal van 'Vrijheid' waar de senaat zo aan hechtte bar weinig voor de rest. Het plebs – dat onder aristocratische heerschappij amper meer vrijheid had genoten dan onder de aanzienlijk vrijgeviger autocratische keizers – riep nog steeds om het bloed van Caligula's moordenaars. Hoewel Chaerea zelf oprecht een tegenstander schijnt te zijn geweest van de keizerlijke regeringsvorm – of op zijn minst van de Julisch-Claudische dynastieke aspiraties –, was het gemeenschappelijke belang dat de senaat had verbonden met de meesten van hun medesamenzweerders onder de pretoriaanse cohorten en de keizerlijke regering vervlogen op het moment van Caligula's dood. De pretoriaanse garde en de regering op de Palatijn waren beide intrinsiek keizerlijke instellingen die praktisch noch ideologisch een rol speelden in een republiek. Deze mannen gaven weinig om hooggestemde republikeinse principes. Ze hadden een nieuwe caesar nodig – liefst eentje die iets voorspelbaarder was dan Caligula. Claudius leek de perfecte kandidaat.

Zich bewust van de intenties van de pretorianen stuurde de senaat een delegatie naar Claudius met de eis dat hij het senatoriale gezag zou respecteren en zich niet op onwettige wijze de opperste macht zou toe-eigenen. Voor een man die zich naar verluidt enkele uren eerder achter een gordijn had verstopt was Claudius' antwoord opmerkelijk resoluut. Sterker nog, hij sprak alsof die macht hem al was toegekend. Hij zei te begrijpen dat de senaat twijfels had gekregen over het principaat na de capriolen van Caligula in de rol van keizer, maar hij beloofde dat ze van hem in dat opzicht niets te duchten hadden. Onder het oude regime had hij evenzeer onder angst en vrees geleefd als zij en hij zou alles doen wat in zijn macht lag om ervoor te zorgen dat deze beproevingen zich niet zouden herhalen: de senatoren zouden spoedig 'ervaren' hoe anders hij als heerser zou zijn. Claudius' woorden, kracht bijgezet door pretoriaans wapengekletter, kwamen neer op een coup die voor de vorm was ingekleed als een belofte. Om de zaak te beklinken sprak Claudius een vergadering van de pretoriaanse soldaten toe en beloofde hen een beloning van minstens 15.000 of 20.000 sestertiën de man in ruil voor hun trouw. Naar de legers buiten Rome werden boodschappers met gelijksoortige beloften gestuurd.

De senaat kwam de volgende ochtend voor zonsopgang opnieuw bijeen. Slechts 100 van de 600 leden hadden de moed om te komen opdagen. Buiten riep het volk om een keizer en noemde Claudius bij naam; zelfs de troepen die de senaat hadden gesteund eisten nu dat er één enkele heerser zou worden gekozen om de stabiliteit te waarborgen. De senaat speelde met het idee om iemand onder hen als nieuwe princeps voor te dragen. Marcus Vinicius (de echtgenoot van Caligula's verbannen zus Julia Livilla) werd geopperd, evenals Valerius Asiaticus. Ze konden het niet eens worden over een kandidaat, niet in het minst omdat Claudius het principaat al zo goed als had bemachtigd. Als de senatoren nu een alternatieve kandidaat zouden voorstellen, ontketenden ze daarmee een grootscheepse burgeroorlog – een oorlog die ze bijna zeker zouden verliezen.

Tegen de ochtend van 25 januari was het duidelijk dat de strijd gestreden was. Soldaten en burgers kwamen in steeds groteren getale naar het pretoriaanse kamp om hun respect en trouw aan de nieuwe keizer te betuigen. Claudius mocht zich nu verheugen in het voorrecht om de senatoren naar het keizerlijk paleis op de Palatijn te ontbieden en hen 'toe te staan' hem de officiële titels en bevoegdheden van de keizer te 'verlenen'.

8

Domina

'De vrouwelijke sekse is zwak en niet bestand tegen hard werk,
en erger nog, bij gelegenheid wreed, intrigerend en machtsbelust.'
Tacitus, *Annalen*, 3.33

Hoewel de troonsbestijging van Claudius op 25 januari van het jaar 41 een
einde maakte aan de directe gevaren van de voorgaande dag, bracht het
Messalina in een dubbelzinnige positie.

Claudius' formele uitroeping tot keizer ging niet gepaard met een
overeenkomstige 'kroning' voor Messalina. De precieze aard van Messalina's nieuwe positie bij haar 'troonsbestijging' in januari was verre van
duidelijk. In de Romeinse staat was 'keizerin' geen officiële functie. De
rol van de echtgenote van de keizer lag niet vast en was veranderlijk,
zodat deze slechts werd afgebakend door de grenzen van haar persoonlijkheid en de precedenten van haar voorgangers. Vóór Messalina had in
Rome slechts één vrouw een positie bekleed die de term 'keizerin' verdiende: Augustus' echtgenote Livia. Ze had bewezen dat het kon, maar
het zou moeilijk worden om haar voorbeeld na te volgen.

Rome beschouwde zichzelf als een stad die bijna geheel zonder vrouwen was gesticht. Het verhaal gaat dat de ultieme voorouder van het
Romeinse volk, Aeneas, niet werd gebaard door een sterfelijke vrouw,
maar door Venus, en dat de mythologische stichters van de stad, Romulus en Remus, niet door hun eigen moeder werden gezoogd, maar
door een wolvin. Ook zou de stad oorspronkelijk een volledig mannelijke bevolking hebben gehad – bestaande uit struikrovers en ontsnapte

slaven –, een situatie die pas werd verholpen door een massale ontvoe-
ring van vrouwen uit het naburige volk der Sabijnen. Zelfs Lucretia – de
adellijke vrouw wier verkrachting door de prins Tarquinius en daaropvolgende zelfmoord leidden tot het verdrijven van de koningen en de
geboorte van de Romeinse Republiek – had meer invloed in de dood
dan bij leven.

De gedachtekronkels die nodig waren om de politieke, sociale en zelfs
biologische rol van vrouwen zo volledig uit de Romeinse ontstaansmy-
then te bannen, onthult ons iets over de Romeinse houding ten opzichte van de publieke rol van het vrouwelijke. Het verhaal van de Sabijnse
vrouwen vat het misschien wel het beste samen: vrouwen waren cruciaal
voor het voortbestaan van de bevolking van de stad, maar Rome had als
functionerende natie al volledig gestalte gekregen vóór hun komst. Gedurende pakweg de eerste 600 jaar van de Romeinse geschiedenis was
deze scheiding strikt gehandhaafd: alle magistraten waren mannen, net
als de voltallige senaat en het electoraat.

Aangezien het republikeinse systeem was ontworpen in uitdrukke-
lijke tegenstelling tot de corruptie en het stiekeme gekonkel die zo kenmerkend waren geweest voor het bewind van de vroege tiran-koningen
van Rome, was het zo georganiseerd dat het politieke bedrijf zich zo veel
mogelijk afspeelde in de officiële, transparante en uitsluitend mannelijke
publieke sfeer. Hierdoor werden de mogelijkheden voor het uitoefenen
van *soft power* en invloed achter de schermen uiterst beperkt, terwijl dat
in de antieke wereld de belangrijkste kanalen waren voor vrouwelijke politieke macht.

Het traditionele ideaal van de Romeinse vrouw had als bepalend element dat ze zich verre hield van het openbare leven. Een grafschrift uit
de tweede eeuw voor Christus voor een vrouw met de naam Claudia eindigt met de tekst: 'Ze hield het huis aan kant, ze spon wol. Ik heb alles
gezegd wat ik te zeggen had. Je mag gaan.'[1] Een ander grafschrift, van
ongeveer honderd jaar later, herdenkt 'Amymone, echtgenote van Marcus, de beste en mooiste, wolspinster, vroom, bescheiden, zuinig, kuis,
huisgebonden.'[2]

In de laatste, woelige jaren van de late Republiek begonnen deze
grenzen te vervagen. Vrouwen uit de elite kregen een zekere mate van
economische vrijheid doordat hun bruidsschatten steeds meer in een
soort trust werden ondergebracht in plaats van dat ze volledig onder de

controle van hun echtgenoot kwamen.* Belangrijker nog was dat de republikeinse staatsvorm die hen buiten de Romeinse politiek had gehouden aan het afbrokkelen was. Gedurende de laatste eeuw van de Republiek had een opeenvolging van dictators en dynasten, meestal met militaire steun, zich steeds minder aangetrokken van de constitutionele waarborgen die lange tijd hadden voorkomen dat één individu de overhand kreeg in de staat. Macht was steeds minder gekoppeld aan het ambt en steeds meer aan de man.

De creatie van nieuwe machtskanalen die de traditionele magistratuur omzeilden – kanalen die de nadruk legden op persoonlijke reputatie en relaties – opende mogelijkheden voor elitevrouwen om enige invloed uit te oefenen. Vreemd genoeg droeg de militarisering van de politiek daar ook aan bij. Toen Rome geteisterd werd door een golf van burgeroorlogen, werd van vrouwen van wie de man in ballingschap leefde verwacht dat zij in Rome hun zaak bepleitten; anderen voegden zich bij hun man in hun legerkamp, op diplomatieke conferenties of aan het front. Fulvia, de toenmalige vrouw van Marcus Antonius, zou zelfs een zwaard hebben omgebonden en met een leger tegen Octavianus ten strijde zijn getrokken.**[3]

Maar pas met de komst van het principaat braken er voor vrouwen wezenlijk nieuwe manieren aan om zich op het Romeinse publieke toneel te manifesteren. De consolidatie van Augustus' alleenheerschappij in 28/27 v.Chr. en zijn toenemende dynastieke ambities in het daaropvolgende decennium veranderden de parameters voor machtsuitoefening door vrouwen. Voortplanting was nu niet langer een politieke bijzaak, zoals republikeinse verhalenvertellers dat hadden voorgesteld in de tijd

---

* In de eerste eeuw voor Christus maakte het huwelijk *cum manu* (waarbij de zeggenschap over de vrouw en haar bezittingen overging op haar echtgenoot) steeds vaker plaats voor het huwelijk sine manu (waarbij de vrouw en haar bezittingen onder de *potestas* van haar vader bleven). Deze regeling verschafte de vrouw doorgaans een grotere onafhankelijkheid.

** Dit was de oorlog te Perusia, uitgevochten tussen 41 en 40 v.Chr. terwijl Marcus Antonius in het oosten was. In Dio, 48.10 wordt verhaald dat Fulvia een zwaard omgordde en de soldaten toesprak. Hoewel de waarheidsgetrouwheid van dergelijke beweringen moet worden betwijfeld, lijkt Fulvia een belangrijke rol te hebben gespeeld in de gebeurtenissen.

van de Sabijnen: het voortbestaan van de Julisch-Claudische dynastie was afhankelijk van vrouwen. Dat de oppermacht nu definitief van de senaat was verlegd naar de figuur van de princeps maakte bovendien de toegang tot het oor van de keizer een aantoonbaar waardevoller politiek instrument dan de toegang tot een van de oude magistraten. En de vrouwen van de keizerlijke familie bezaten een dergelijke toegang van nature.

Augustus bevorderde ook actief het publieke profiel van de vrouwen in zijn familie. Om de bezorgdheid over zijn nieuwe positie in de staat weg te nemen en de sociale cohesie in de nasleep van de burgeroorlogen te bevorderen, wierp Augustus zichzelf op als de belichaming van 'ouderwetse familiewaarden'. Centraal in dit programma stond dat de vrouwen in zijn huishouden voortdurend aan het publiek werden gepresenteerd als toonbeelden van de traditionele vrouwelijke deugdzaamheid. Deze strategie bezat (als zoveel van het augusteïsche programma) een intrinsieke schijnheiligheid. Het traditionele Romeinse ideaal van de 'goede vrouw' berustte op huiselijke deugdzaamheid, maar nu probeerde Augustus deze privédeugden publiekelijk uit te venten. Augustus' vrouw Livia was zich terdege bewust van deze tegenstrijdigheid, waarmee ze op uitgekiende wijze haar voordeel zou doen.

Tot op zekere hoogte werd de nieuwe positie van de vrouw binnen de kersverse orde van Augustus openlijk erkend. In 35 v.Chr. regelde Augustus dat zijn zus Octavia de Jongere en echtgenote Livia een ongekende reeks eerbewijzen en voorrechten werd toegekend: er werden standbeelden van hen op openbare plekken geplaatst, belediging van hen werd strafbaar en ze kregen het recht om hun eigen bezittingen en landgoederen te beheren.[4] Toen de senaat in 13 v.Chr. de Ara Pacis Augustae (het Altaar van de Augusteïsche Vrede) oprichtte, fungeerden de in marmer uitgesneden taferelen op de muren van het heiligdom als een reclamebord voor de positie van vrouwen en vrouwelijkheid binnen de nieuwe dynastieke ideologie. Het wemelt van zinspelingen op vruchtbaarheid: gebladerte kronkelt langs de muren omhoog, met fruit beladen takken buigen door onder hun eigen gewicht, op één paneel heeft een godin een tweeling op haar schoot. In de gebeeldhouwde processie die zich rond de buitenmuren slingert, vinden we tussen het gebruikelijke gezelschap van senatoren, priesters en buitenlandse hoogwaardigheidsbekleders voor het eerst op een Romeins publiek monument afbeeldingen van keizerlijke vrouwen en hun kinderen.

Deze voorstelling bracht twee boodschappen over: ten eerste dat het welslagen van het rijk rechtstreeks verband hield met de vruchtbaarheid van de keizerlijke vrouwen, en ten tweede dat de 'privéleden' van de familie van Augustus nu net zo belangrijk waren voor de 'publieke' wereld van de Romeinse politiek als de senatoren. Rond de millenniumwisseling nam het denkbeeld van de *Domus Augusta*, of het 'Huis van Caesar', als een volwaardige politieke entiteit steeds duidelijker vorm aan.[5] De senator die Augustus in 2 v.Chr. uitriep tot pater patriae – de 'Vader des Vaderlands' – begon zijn toespraak met de woorden 'moge geluk en voorspoed ten deel vallen aan *u en uw huis*, Caesar Augustus'.[6] Toen Augustus in het jaar 14 stierf, was het concept voldoende ingeburgerd om letterlijk in steen te worden gebeiteld: onder de eerbetuigingen aan de overleden keizer bevond zich een publieke beeldengroep die de '*Divo Augusto domuique Augus[tae]*' oftewel 'de vergoddelijkte Augustus en het augusteïsche Huis' voorstelde.[7]

Hoewel niemand kon ontkennen dat de keizerlijke vrouwen een machtsfactor van belang vormden in de nieuwe politieke orde, deinsde de senaat – en Augustus – ervoor terug de positie van zijn vrouw, zuster of dochters een officieel karakter toe te kennen. De positie van Augustus zelf was een bundeling van een hele reeks informele (maar in toenemende mate gestandaardiseerde) ambten en eerbewijzen, waarvan de meeste rechtstreeks waren ontleend aan het oude republikeinse systeem van magistraturen. Augustus had de rol van keizer niet zozeer ontwikkeld door de structuur van het Romeinse staatsbestel te wijzigen, maar had in plaats daarvan zoveel van de reeds bestaande ambten van de Republiek naar zich toe getrokken dat zijn persoonlijke suprematie onbetwistbaar was. Dit was voor de vrouwen van Augustus' huis geen begaanbare weg: er waren bar weinig bestaande ambten en eerbewijzen die zij zich konden toe-eigenen.

Het is niet helemaal duidelijk op welk moment Livia – de vrouw van Augustus en in de ware zin van het woord zijn partner – de eerste 'keizerin' van Rome werd. Nadat haar echtgenoot in 27 v.Chr. zijn opperheerschappij had veiliggesteld, bleef Livia aanvankelijk op de achtergrond, vooral omdat ze werd overschaduwd door Augustus' geliefde zus (en directe voorouder van zowel Messalina als Claudius) Octavia. Sinds haar vertoon van stoïcijnse heldhaftigheid tegenover de affaire van haar echtgenoot Marcus Antonius met Cleopatra had Octavia zich een grote populariteit verworven en gedurende een groot deel van de jaren 20 v.Chr. speelde ze een prominentere rol in het openbare leven dan Livia.[8]

In deze periode maakte Octavia gebruik van haar populariteit en reputatie van traditionele deugdzaamheid om een project te initiëren dat ongekend was voor een Romeinse vrouw: in haar eigen naam de opdracht verstrekken om een openbaar gebouw neer te zetten.[9] De Porticus van Octavia – waarvan de verbasterde gevel vandaag de dag nog steeds in Rome staat als ingang van een middeleeuwse vismarkt – was een groot plein met zuilengangen die twee tempels, Griekse en Latijnse bibliotheken en een openbare kunstgalerij omsloten. Maar toen Octavia's zoon in 23 v.Chr. overleed en Octavia zich grotendeels uit het openbare leven terugtrok, trad Livia steeds meer op de voorgrond. In de volgende vijftig jaar zou ze de rol van 'keizerin' naar haar eigen beeld creëren en invullen.

Zo'n tien jaar na haar dood zou Livia's achterkleinzoon Caligula haar 'Ulysses in een stola' noemen.[10] Zoals zo vaak het geval was bij Caligula, lag deze opmerking gevaarlijk dicht bij de waarheid. De stola was de kenmerkende jurk voor de respectabele Romeinse matrone, en in het openbaar presenteerde Livia zich ijverig als een vrouw die dit kledingstuk bij uitstek paste: het type van de traditionele republikeinse vrouw, vrij van insinuaties omtrent weelderigheid of ondeugd, die in haar grafschrift kon worden aangeduid als 'wolspinster' en 'huisgebonden'. Met een zo talrijk personeelsbestand van slaven dat zich daaronder zelfs een vaste parelzetter bevond, kan Livia zich amper geroepen hebben gevoeld om veel huishoudelijk werk te doen.[11] Toch verspreidde zich het gerucht dat de keizerin zelf de toga's van haar man weefde, en nog in de vierde of vijfde eeuw waren er recepten in omloop voor 'Livia's' huismiddeltjes tegen keelpijn en verkoudheid.[12] Wol spinnen en zieke familieleden verzorgen waren symbolische voorbeelden van traditioneel vrouwenwerk. Door aanspraak te maken op deze praktische huishoudelijke vaardigheden riep Livia het typische vrouwbeeld op van de plichtsgetrouwe troosteres.

Ulysses (de Latijnse naam voor Odysseus) stond in de antieke wereld daarentegen bekend om zijn kille intelligentie en sluwheid. Livia was ongetwijfeld uitzonderlijk intelligent en haar presentatie van zichzelf als huisgodin was geniaal, zij het onwaarachtig. Het Romeinse ideaal van de zorgzame, toegewijde echtgenote hoorde thuis in de privésfeer, maar nu begon Livia het te projecteren op het publieke toneel. Rond 15 v.Chr.

volgde ze Octavia's voorbeeld en liet ze haar eigen porticus bouwen.[13] Als 'genre' van openbare bouwwerken paste de porticus perfect bij hoe Livia zichzelf aan de wereld wilde tonen. Met zijn omsloten zuilengalerij, groene beplanting, verfrissende fonteinen en hoekjes die naargelang het weer schaduw of beschutting boden, stelde de porticus Livia in zekere zin in staat om de ideale echtgenote te spelen voor het grote publiek. Die bood de mensen immers een aangename ruimte om te vertoeven, weg van de stedelijke drukte en ontworpen voor hun comfort, gezondheid en herstel, precies zoals een echtgenote geacht werd te doen door de *domus* van haar man op orde te houden. Het was een boodschap die Livia extra benadrukte met het heiligdom voor Concordia – de personificatie van 'eendracht' en een godin die handig genoeg voor zowel harmonie in het huwelijk als harmonie in de politiek stond – dat ze in de porticus of de omgeving ervan liet opnemen. Toen Livia haar porticus in 7 v.Chr. inwijdde, deed ze dat met haar zoon Tiberius prominent aan haar zijde.

Livia liet ook het heiligdom van Bona Dea of de 'Goede Godin' herbouwen, een oude vruchtbaarheidsgodin wier riten werden uitgevoerd door vestaalse maagden en alleen werden bijgewoond door respectabele, kuise getrouwde vrouwen. Ze was mogelijk ook betrokken bij het herstel van twee andere vrouwelijk georiënteerde cultussen, die van Vrouwe Fortuna en die van de Kuisheid. In een ander filantropisch project waarover Dio bericht – armere meisjes voorzien van een bruidsschat – stonden het vrouwelijke en de familie opnieuw opvallend centraal.[14]

Livia had de juiste snaren weten te beroeren. In zijn *Fasti* uit omstreeks 8 v.Chr. schreef de dichter Ovidius dat Livia 'met haar daden en haar altaar Concordia in ere herstelde/als de enige vrouw die waardig werd bevonden voor het huwelijksbed van de machtige Jupiter'.[15] Later, als balling, zou Ovidius in een groot deel van zijn steeds wanhopigere vleierijen dezelfde thema's aansnijden: nu toont Livia 'met haar deugdzaamheid dat de vroegere eeuwen van de oudheid/De onze niet kunnen overtreffen in de glorie van hun kuisheid/Zij, die Venus' schoonheid paart aan Juno's voortreffelijkheid/Wordt als enige waardig bevonden voor het huwelijksbed van een godheid'.[16] Zelfs Tacitus (die zich voor het overige buitengewoon negatief over Livia's karakter uitlaat) geeft toe dat ze 'in de heiligheid van haar huis een vrouw van de oude stempel was, vlotter dan voor dames van vroeger betamelijk gold, een mateloze moeder maar als echtgenote plooibaar'.[17]

De reputatie die Livia voor zichzelf creëerde verbreidde zich over het hele rijk; een inscriptie in Andalusië noemt haar 'moeder van de wereld'.[18] Hoe succesvol Livia met haar imagovorming was blijkt echter misschien nog wel het meest uit een zeker stilzwijgen. Niemand, zelfs geen vijandige historicus of een omhooggevallen satiricus, heeft haar ooit durven beschuldigen van overspel, wat vrijwel als een unicum mag gelden onder de Julisch-Claudische keizerlijke vrouwen.

Livia's strategie was doordrenkt van een inherente spanning: ze gebruikte de traditionele voorkeur voor vrouwelijke deugden in de privéomgeving om zichzelf te promoten op het publieke toneel.[19] Tacitus noemde Livia 'prima passend bij de listige strategieën van haar man en de hypocrisie van haar zoon', en al is deze passage ongetwijfeld bedoeld als een belediging, feit blijft dat de eigenschappen die Tacitus zo weerzinwekkend en gevaarlijk vond in een vrouw de grondslag vormden voor Livia's politieke succes.[20] Net als haar echtgenoot bezat de keizerin een opmerkelijke intuïtie voor het onderscheid tussen politieke beeldvorming en politieke realiteit; evenals Augustus begreep Livia hoe ver deze kloof opgerekt kon worden en hoe ze haar voordeel kon doen met het grijze gebied dat hierdoor ontstond. Augustus had zijn troon gebouwd op een precair web van subtiele huichelarijen en Livia deed hetzelfde toen ze de rol van keizerin vormgaf. Dat Livia zich presenteerde als het toonbeeld van haar huiselijke deugden zorgde voor een geruststellend laagje traditionele continuïteit of herstel van oude waarden, dat haar een zekere onkwetsbaarheid verleende toen ze voor zichzelf een ongekende politieke machtsbasis opbouwde.

Begiftigd met haar intelligentie, goede opleiding en een opmerkelijk politiek instinct, was Livia waarschijnlijk van meet af aan een belangrijke adviseur van haar echtgenoot geweest. Dat zij en Augustus er niet in slaagden om samen levende erfgenamen voort te brengen – hoewel ze allebei kinderen van andere partners hadden – zou normaal gesproken tot een vriendschappelijke scheiding hebben geleid. Het feit dat ze getrouwd bleven geeft aan dat Augustus zijn partnerschap met Livia onmisbaar moet hebben gevonden.

Hoewel ze haar invloed vooral achter de schermen uitoefende, vermelden de bronnen een aantal specifieke gevallen waarbij Livia bemiddelde ten behoeve van haar zonen, vrienden, smekelingen en provinciale gemeenschappen. Een voorbeeld uit de late regeringsperiode van Augustus wordt (in geuren en kleuren) beschreven door Seneca. Wanneer de keizer is geïnformeerd over een moordcomplot tegen hem, beraamd door een man die hij eerder als een loyale en meegaande bondgenoot had beschouwd, verkeert hij in tweestrijd over hoe te reageren. Hij brengt een onrustige nacht door en vraagt zich hardop af wat hem te doen staat. 'Ten slotte viel zijn echtgenote Livia hem in de rede en zei: "Aanvaard je advies van een vrouw? Doe wat medici doen die, als de gebruikelijke geneesmiddelen niet werken, het tegenovergestelde uitproberen. Met strengheid ben je tot op heden niets opgeschoten [...] Probeer nu hoe clementie uitpakt. Vergeef Lucius Cinna. Hij is gearresteerd. Schaden kan hij je niet meer, maar hij kan wel je reputatie bevorderen."'[21]

Het is onbekend of Livia om principiële redenen tussenbeide kwam of het gewoon zat was om haar man aan te horen terwijl die midden in de nacht hardop over zijn problemen bleef praten, maar Augustus volgde haar advies op. Cinna werd toegesproken, vergeven en vrijgelaten, waarna hij zich ontpopte tot een oprechte aanhanger van het regime. In de door Seneca overgeleverde versie verschaft het voorval ons een aantal inzichten in zowel de potentiële macht van de keizerin als de manier waarop Livia die macht in de ogen van haar tijdgenoten gebruikte. Seneca laat de scène zich 's nachts in de slaapkamer van het koppel afspelen: een tijd en plaats waar de keizerin, als echtgenote, de keizer alleen en ongestoord kon spreken. Livia's woordkeuze – zoals doorverteld aan Seneca of zoals hij zich die voorstelde – weerspiegelt ook de briljante dubbelzinnigheid waarmee haar hele politieke strategie doordrenkt was. Ze begint met een toespeling op haar vrouwelijkheid, gekoppeld aan de bewering dat ze het normaal gesproken niet zou wagen om haar man ongevraagd advies te geven en de retorische suggestie dat hij er niet naar hoeft te luisteren. Vervolgens komt ze toch met een helder en praktisch advies dat duidelijk bedoeld is om Augustus tot een bepaalde handelwijze te bewegen. Hoewel ze hem aanraadt barmhartigheid te betrachten, is Livia's argumentatie pragmatisch tot op het cynische af en bevat geen spoor van wat de Romeinen als 'vrouwelijke emotie' zouden hebben beschouwd. Haar toespraak zit retorisch goed in elkaar en de beweegredenen die ze geeft zijn politiek van aard.

Livia diende als politiek adviseur voor haar echtgenoot, maar ze stond hem ook op cruciale wijze bij op het gebied van 'public relations'. Met de creatie van haar publieke imago als onberispelijke echtgenote stelde Livia haar man in staat zich des te geloofwaardiger op te werpen als hoeder van de traditionele Romeinse zeden. Nog belangrijker was dat Livia's inspanningen om zichzelf te associëren met Concordia de link legden waarop Augustus een groot deel van zijn dynastieke ideologie zou baseren: de harmonie van de staat en het rijk, zo suggereerde ze, stond rechtstreeks in verband met de harmonie van de keizerlijke familie.

Livia's invloed vindt relatief vroeg literaire erkenning. De auteur van het anonieme troostgedicht voor de dood van Livia's zoon Drusus schrijft: 'De Fortuin heeft je hoog verheven en je opgedragen/je ereplaats te verdedigen, Livia, draag je last ...[...] Een mooier toonbeeld van deugd-zaamheid kun je niet zijn/Nu je het werk van een Romeinse vorst draagt.'[22] Vanuit zijn ballingschap aan de grimmige provinciale kust van de Zwarte Zee dringt de dichter Ovidius er bij zijn vrouw op aan zijn zaak niet bij Augustus maar bij Livia te bepleiten.

Laat je lippen een smeekbede brengen aan de vrouw van Caesar ...[...]
Leider van de vrouwen, onze femina princeps ...[...]
Als ze in beslag wordt genomen door gewichtige staatszaken,
stel je plan dan uit, ...[...]
Wacht dan liever tot al die gevallen zijn afgehandeld[23]

Dergelijke poëtische smeekbeden zijn natuurlijk bedoeld om te vleien, maar ze zouden zinloos zijn als het doelwit van al die vleierij geen in-vloed had. In een wereld waarin de suprematie van de princeps vooral gebaseerd was op persoonlijke *auctoritas*, was Livia's invloed een even se-rieuze en officiële bron van politieke macht als alle andere. En Ovidius' vermoeden dat het in Livia's atrium vaak wemelde van mensen met pu-blieke en persoonlijke verzoeken lijkt zeker gerechtvaardigd.*

In Ovidius' gedichten klinkt door dat Livia niet alleen als echtgenote invloed uitoefent, maar ook politieke autoriteit bezit. Dat komt vooral door het herhaalde gebruik van het woord 'princeps', dat als bijvoeglijk naamwoord 'eerste' of 'voorste' betekent en als zelfstandig naamwoord

---

* Het Romeinse concept *auctoritas* is verwant met ons moderne begrip 'au-toriteit', maar valt daar niet mee samen. Vaak genoemd als het tegendeel van 'potestas' (macht, soms steunend op geweld) was 'auctoritas' een krachtige vorm van legitieme invloed die voortkwam uit status en reputatie.

zou kunnen worden weergegeven als 'leider', 'chef', 'stichter', 'stam-
hoofd', 'vorst' of 'soevereine heerser'. Het is bijna onmogelijk om de volledige strekking van de Romeinse term in vertaling weer te geven, laat
staan de context en geschiedenis ervan. Het meervoud, *principes*, werd in
de tijd van Cicero, en soms zelfs nog tijdens het Keizerrijk, gebruikt om
in algemene zin te verwijzen naar de belangrijkste mannen van Rome,
terwijl de oude titel princeps senatus traditioneel het hoogste lid van de
senaat had aangeduid.[24] Deze titel kwam nu voor altijd aan de keizer toe
en halverwege de regeringsperiode van Augustus begon de verkorte vorm
princeps in zwang te komen om de functie van keizer, waarvoor geen bestaande Latijnse term bestond, samen te vatten en te beschrijven.* De
associatie van Livia met deze term die voor het legitieme, mannelijke,
politieke gezag stond, is niets minder dan revolutionair.

Toen Augustus in het jaar 14 stierf, werd het duidelijk dat Livia's invloed en autoriteit niet afhingen van haar positie als vrouw van de regerende keizer. De dood van haar echtgenoot – een gebeurtenis waarbij de
meeste koninklijke gemalinnen hun macht zouden zien tanen – kwam in
Livia's geval neer op een promotie. In zijn testament schoof Augustus de
conventie en zelfs de wet terzijde door Livia een derde van zijn gigantische boedel na te laten – een erfdeel waarvan de waarde op ongeveer 50
miljoen sestertiën werd geschat. Belangrijker was echter dat hij haar zijn
naam naliet. In zijn testament adopteerde Augustus Livia als zijn dochter, wat haar formeel lid maakte van de *gens Julia*. Deze maatregel was
niet bedoeld opdat Augustus aan gene zijde van het graf een incestueuze
neiging kon bevredigen, maar om Livia's status te verhogen.[25] De gens
Julia was een van de oudste en adellijkste families in Rome; ze beweerden zelfs dat hun afstamming terugging tot Romes mythische stamvader
Aeneas en zijn moeder, de godin Venus. Dankzij Julius Caesars postume
adoptie van Augustus in de gens Julia had de politieke loopbaan van de
toekomstige keizer een vliegende start gekregen en hij had in de tussenliggende jaren geen middel geschuwd – van de artistieke iconografie van
zijn nieuwe forum tot het verhaal van Vergilius' *Aeneis* – om het idee te
doen postvatten dat de lotgevallen van Rome en de Juliaanse familie on-

---

* De Latijnse term *imperator*, waarvan het Engelse *emperor* is afgeleid, was
een specifieke militaire aanspreekvorm, geen titel die politieke suprematie
aanduidde.

losmakelijk met elkaar waren verbonden. Zijn opname van Livia in de gens Julia benadrukte dat zij van wezenlijk belang bleef voor de bloei van Rome.

Livia's echtgenoot/adoptievader zette ook de opmerkelijke stap om de eretitel 'Augustus' op haar over te dragen – een naam die tegen de tijd van zijn dood steeds meer was gaan fungeren als een quasipolitieke titel die het ambt van keizer aanduidde. Een dergelijke overdracht van een eretitel van een man naar een vrouw was in de Romeinse geschiedenis nooit eerder voorgekomen; met zijn maatregel deed Augustus een duidelijke uitspraak over de machtspositie die Livia Augusta na zijn dood moest bekleden.[26]

Dankzij de vergoddelijking van Augustus steeg Livia nog meer in aanzien. Het kwam goed uit dat een senator de hemelvaart van de dode keizer had gadegeslagen; zijn scherpe gezichtsvermogen werd beloond door Livia, die hem uit eigen middelen een miljoen sestertiën betaalde voor zijn getuigenis.[27] Livia werd benoemd tot priesteres van de nieuwe cultus van haar echtgenoot. Deze positie bracht officiële publieke taken met zich mee en Livia kreeg een lictor toegewezen – een dienaar die een bijl droeg en op weinig subtiele wijze het Romeinse staatsgezag symboliseerde – die haar vergezelde als ze op pad moest.

Bij het aanbreken van het tijdperk-Tiberius dienden zich geen nieuwe rivalen aan die Livia's positie bedreigden. Tiberius hertrouwde nooit na zijn tweede echtscheiding; zijn ex-vrouw Julia de Oudere kwijnde nog steeds weg in ballingschap in Calabrië. Bij zijn troonsbestijging beroofde Tiberius haar van haar weinige overgebleven eigendommen en privileges en ze stierf later datzelfde jaar. Tiberius had geen zussen, geen minnaressen die machtig genoeg waren of lang genoeg leefden om in onze geschiedenissen genoemd te worden – er was geen enkele vrouw die met Livia kon concurreren. Zo kwam het, aldus Dio, dat Livia Augusta in de ochtend menige senator bij haar thuis ontving, petities in ontvangst nam en zelfs de brieven van Tiberius mede ondertekende.[28]

Wat echter misschien wel het meest getuigt van Livia's invloed in deze periode is de machteloze vrees waarmee de mannelijke geschiedschrijvers daarover schreven. Vooral Tacitus ziet haar machinaties overal. 'En dan nog die moeder met haar vrouwelijke honger naar macht,' luidt zijn onheilspellende commentaar bij het begin van Tiberius' bewind, 'slaaf zullen ze worden van een vrouw.'[29] Volgens Tacitus worden alle politieke interventies van Livia gedreven door vrouwelijke passies: jaloezie, haat, moederlijke ambitie. Ze vinden altijd plaats achter de schermen, zijn allemaal verderfelijk, gewoonlijk in strijd met de wet en voor het merendeel moorddadig.

Meteen al in de openingsscènes van zijn verhaal spuit Tacitus zijn venijn. 'Tiberius zat nog maar amper in de provincie Illyrië,' schrijft hij,

of hij werd door een ijlbrief van zijn moeder teruggeroepen. Hij trof Augustus aan in de stad Nola, nog in leven of levenloos, dat is niet echt duidelijk. Livia had namelijk huis en wegen afgezet en scherp laten bewaken, en men liet geregeld positieve berichten uitgaan totdat al het nodige was geregeld. Zo kwam het nieuws in één keer: overlijden van Augustus en machtsovername door Tiberius Nero.[30]

Het is de vraag of Tacitus hier een waarheidsgetrouw verslag geeft, maar het is verhelderend om te kijken naar de literaire bron ervan: de gebeurtenissen voltrekken zich wezenlijk hetzelfde als in een verhaal over de sluwe, pre-republikeinse Romeinse koningin Tanaquil.[31] Na de moord op haar man in 578 v.Chr. sloot Tanaquil het paleis af en verscheen voor een bovenraam met de bewering dat haar man leefde, maar dat hij het regentschap van de staat had toevertrouwd aan Servius Tullius (haar favoriet) totdat hij van de aanslag was hersteld. Tegen de tijd dat Tanaquil de dood van de koning bekendmaakte had Servius Tullius de macht stevig in handen, waardoor hij de eerste koning van Rome werd die de troon besteeg zonder door het volk te zijn gekozen. Het verhaal van Tanaquil presenteert ons een achterbakse vrouwelijke interventie die de instituties van het mannelijke publieke gezag omzeilt – de parallel met Livia is niet subtiel. In de ogen van Tacitus was de macht van Livia en van de andere toekomstige keizerinnen – onder wie Messalina – een levensgevaarlijk symptoom van het feit dat Rome dreigde af te glijden naar de monarchie, wat die macht onveranderlijk tot iets sinisters maakte.

Toen Livia in het jaar 29 stierf, had ze in veel opzichten een prestatie geleverd die vergelijkbaar was met die van haar echtgenoot: door traditionele rollen te combineren met nieuwe bevoegdheden had ze geleidelijk een ongekende positie voor zichzelf in de Romeinse staat gecreëerd. Bij haar dood werd het pakket van eretitels en voorrechten dat ze had opgebouwd echter niet doorgegeven aan een erfgenaam. Dat de positie van 'keizerin' zoals Livia die had gecreëerd feitelijk met haar stierf, getuigt zowel van de amorfe aard van die positie als van de mate waarin die afhankelijk was van de persoonlijke auctoritas van de bekleder ervan.

In de periode tussen de dood van Livia in het jaar 29 en Messalina's troonsbestijging in het jaar 41 had geen enkele vrouw een echte kans gehad om invulling te geven aan de rol van Romes 'first lady'. Caligula's zussen waren tot grote hoogte gestegen, maar dat was van korte duur geweest: Drusilla was iets meer dan een jaar na Caligula's troonsbestijging overleden en Agrippina en Julia Livilla waren iets meer dan een jaar daarna in ongenade gevallen. De eerste twee vrouwen met wie Caligula als keizer huwde werden beiden na minder dan zes maanden aan de kant gezet en zelfs Caesonia – de enige die echt invloed zou hebben uitgeoefend – had nog maar iets meer dan een jaar in die rol te leven, nauwelijks lang genoeg om de portfolio van bevoegdheden en privileges, die bij de dood van Livia Augusta was komen te vervallen, opnieuw samen te stellen.

Bij de troonsbestijging van haar man in januari 41 erfde Messalina geen gevestigde machtsbasis. Ze bezat geen titel, geen bijzondere wettelijke voorrechten, geen officiële rol in het openbare leven van de staat. Dat Octavia aanvankelijk Livia had overheerst en – zoals Messalina later met eigen ogen had kunnen aanschouwen – Caligula's zussen zijn vrouwen Orestilla en Lollia, toonde behoorlijk overtuigend aan dat echtgenote van de keizer zijn niet voldoende was om een vooraanstaande positie te garanderen. Kortom, het was een situatie die Messalina zowel voor een uitdaging stelde als kansen bood: ze zou de rol van 'keizerin' tot op zekere hoogte naar haar eigen beeld moeten vormen.

Livia's dood en de betrekkelijk schaarse vrouwelijke machtsuitoefening die erop volgde hadden aangetoond dat invulling van de rol van keizerin voor een groot deel berustte op persoonlijke reputatie. Hoe geniaal Livia dat ook had gedaan, ze had een blauwdruk nagelaten die voor Messalina van beperkt nut was. Livia was in de tachtig toen ze in het jaar 29 stierf; ze was bijna veertig en moeder van twee volwassen zonen toen ze aan het einde van de jaren 20 v.Chr. op de voorgrond van het Romeinse openbare leven trad. Het publieke imago dat ze voor zichzelf had gecreëerd – dat van de rijpe matrone, spaarzaam en nuchter, die gracieus ouder wordt en wijsheid in huwelijk en moederschap betoont – had gesteund op haar leeftijd en *gravitas*. Voor Messalina, een heel jonge moeder van een peuterdochter, was dit geen model dat ze precies kon navolgen.

Bovendien wist Messalina dat de tijden veranderd waren. In de twaalf jaar die verstreken waren sinds de dood van Livia was de oude augusteïsche façade van traditie en republikanisme grotendeels weggevallen, eerst door de paranoia van Tiberius' laatste jaren en daarna door de despotische grillen van Caligula. Zowel de politieke verhoudingen als de openbare gedragsnormen waren veranderd. De senaat kon niet langer voorwenden dat het hoogste staatsgezag zich op het forum bevond in plaats van in het paleis: die kwestie was beslist door de grootschalige verhuizing van Tiberius' hof naar het eiland Capri. Het was ook duidelijk dat er op het politieke toneel een nieuwe bezetting in opkomst was: waar Augustus en zelfs Tiberius zich veel moeite hadden getroost om hun respect voor de senaat te tonen, daar had Caligula zich ermee geamuseerd de spot te drijven met de oude aristocratie, terwijl hij openlijk zijn vertrouwen stelde in een intrigantenkliek van vrouwen, hovelingen en ex-slaven. Messalina was goed op de hoogte van deze nieuwe normen: Tiberius had tijdens haar kindertijd de wijk naar Capri genomen en ze was door haar huwelijk precies tot de vertrouwenskring van Caligula's hof toegetreden toen de jonge keizer iedere pretentie van eerbied voor de senaat definitief had laten varen.

De tijd was rijp voor een nieuw, onbeschaamder model van wat het betekende om een Romeinse keizerin te zijn en Messalina – jong, mooi, vruchtbaar, modern, van hoge adel en onmiskenbaar een kind van het Keizerrijk – leek de perfecte vrouw om dat te creëren.

9

Madonna Messalina

'Kindertal en renommee'
Tacitus, *Annalen*, 2.43

Als we het canonieke verhaal over de troonsbestijging van Claudius voor waar aannemen, kwam Messalina's leven door de gebeurtenissen van 24/25 januari 41 volkomen onverwacht op zijn kop te staan. Had ze tot dan toe als prinses uit de keizerlijke familie een relatief anoniem leven aan de zijlijn van de keizerlijke entourage geleid, plotseling was ze – acht maanden zwanger van haar tweede kind en nauwelijks voorbij haar tienerjaren – verheven tot een van de beroemdste vrouwen van het Keizerrijk. De positie die ze nu bekleedde bracht eindeloze mogelijkheden en gevaren met zich mee, maar bood haar bar weinig bevoegdheden en privileges om deze te benutten dan wel het hoofd te bieden. Van de ene op de andere dag waren Messalina's dochter en ongeboren kind gebombardeerd tot de toekomstige erfgenamen van het Keizerrijk en was haar echtgenoot de machtigste man van de bekende wereld geworden.

Toch is het mogelijk dat het nieuws van haar verheffing, toen dat haar bereikte, voor Messalina niet helemaal als een volslagen verrassing kwam. De verhalen in de bronnen over hoe Claudius als bij toeval keizer werd zijn uiterst verdacht: in allemaal zien we Claudius in de nacht van 24 januari veranderen van een bevend wrak dat zich achter een gordijn verschuilt en voor zijn leven smeekt, in een man die vastbesloten is de oppermacht te grijpen en zich resoluut opstelt tegenover onrust onder de burgers en de oppositie van de senaat. Het verhaal van de bange, onwillige keizer past veel te keurig in het algemene narratief dat later zou worden geconstrueerd rondom Claudius als heerser: soms bekwaam, maar doorgaans zwak en veel te gemakkelijk beïnvloedbaar. In de chaos die volgde op de moord op Caligula verspreidden de geruchten zich als een lopend vuurtje. Terwijl het forum volstroomde met mensen, verschansten de samenzweerders zich in hun respectievelijke kampen, met als gevolg een vacuüm van onzekerheid in de stad. Dat moet zijn gevuld door een grote hoeveelheid aan alternatieve verklaringen die de ronde gingen doen terwijl mensen probeerden grip op de situatie te krijgen. Het verhaal van Claudius achter het gordijn – zo aantrekkelijk in zijn vermenging van drama en klucht, en zo bruikbaar als zinnebeeld voor Claudius' karakter – kwam waarschijnlijk in deze chaos naar boven drijven en bleef hangen.

Het lijkt waarschijnlijk dat Claudius op de hoogte was van het complot tegen het leven van zijn neef voordat het tot uitvoering kwam. Hij kan er actief bij betrokken zijn geweest of hij kan de pretoriaanse factie simpelweg hebben laten weten dat hij bereid was om zich kandidaat te stellen als hun princeps, mocht de moordaanslag slagen. Aangezien er in de herfst van het jaar 40 overduidelijk storm op til was en een aanslag op Caligula zo goed als onvermijdelijk begon te lijken, kan Claudius het gevoel hebben gehad dat hij geen keuze had en zich er ondanks de gevaren bij moest aansluiten. Als Caligula ten val kwam door een volledig republikeins complot, zou het Claudius net zo kunnen vergaan als Caesonia. En als hij gevaar liep, was ook Messalina niet veilig – zoals het noodlottige einde van Caligula's vrouw en dochter spoedig zou aantonen. Gezien de adviserende rol die zij later bij zijn keizerschap zou spelen, is het een redelijke veronderstelling dat hij zijn plannen ook met haar besprak.

Of Messalina nu gewaarschuwd was of niet, in de dagen na de moord leek de toekomst uiterst hachelijk. Claudius was dan misschien bij de samenzwering betrokken, maar de samenzweerders waren verre van eensgezind. In de senaat hadden zowel andere mededingers naar het keizerschap als 'hardcore' republikeinen zich tegen zijn kandidatuur verzet. De dreiging van pretoriaans geweld had deze mannen gedwongen Claudius' gezag voorlopig te aanvaarden, maar ze steunden hem bepaald nog niet. Voor het eerst sinds de instelling van het principaat was een keizer door een militaire staatsgreep aan de macht gekomen, tegen de wil van de senaat in. Een keizer bovendien die weinig politieke ervaring had en nooit op het slagveld had gestaan. Claudius had nog een lange weg te gaan om zijn macht te legitimeren.

Messalina's belang bij dit alles had niet groter kunnen zijn. Zelfs tijdens de bloedigste en bitterste uitwassen van de burgeroorlogen hadden vrouwen en kinderen de verbanning van hun echtgenoot en vader meestal ongedeerd overleefd. Het lot van de kinderen van Sejanus en de dubbele moord op Caesonia en Drusilla bewezen dat de situatie veranderd was. Als Messalina op de hoogte was geweest van de plannen van de samenzweerders, had ze nu misschien het gevoel gekregen dat de situatie haar boven het hoofd dreigde te groeien. Ze moet Caesonia goed gekend hebben en haar eigen dochter Claudia Octavia was ongeveer even oud als Drusilla. Het gevaar waarin ze verkeerde – dat als Claudius er niet in slaagde zijn macht te consolideren, dat weleens een doodvonnis voor haarzelf en haar kinderen zou kunnen betekenen – moet haar afschrikwekkend duidelijk zijn geworden.

Vanaf het moment van haar troonsbestijging had Messalina een aandeel in zowel de risico's van de heerschappij van haar echtgenoot als de beloningen. Dit is de sleutel tot ons begrip van Messalina's daden in de volgende jaren. Net als Livia zou ze een actieve rol spelen in het vormgeven en verbreiden van het imago rondom het principaat van haar echtgenoot; ze zou zichzelf in het centrum van de schimmige structuren van de interne paleispolitiek plaatsen; en ze zou systematisch, soms zelfs wreed, mogelijke haarden van verzet tegen zijn heerschappij en tegen haar eigen positie uitroeien. Deze acties ondernam ze zowel voor zichzelf en haar kinderen als voor Claudius.

Messalina's ambtstermijn als keizerin (als we voorbijzien aan het bloedvergieten waarmee haar troonsbestijging gepaard ging) had niet beter kunnen beginnen. Op 12 februari, nog geen twintig dagen na het aantreden van haar echtgenoot, beviel ze van haar tweede gezonde kind – en deze keer was het een jongen.[1] Met de geboorte van Tiberius Claudius Caesar – die later bekend zou worden als Britannicus – werd een regerend keizer, na alle jaren van opvolgingscrises die Augustus en zijn erfgenamen hadden geteisterd, voor de eerste keer gezegend met een zoon.*

Britannicus was van voorbeeldige afkomst. Aan Claudius' ouders, Drusus de Oudere en Antonia, bewaarde men ondanks het bewind van

---

* Omwille van de eenvoud wordt Messalina's zoon vanaf hier Britannicus genoemd.

hun kleinzoon Caligula positieve herinneringen, terwijl Messalina (in tegenstelling tot Caesonia) zelf kon bogen op een illuster voorgeslacht, aangezien het bloed van de vereerde Octavia van zowel haar vaders- als haar moederskant door de aderen stroomde. Voor het volk was de geboorte van een dergelijke prins ongetwijfeld een reden tot feestvieren.

Naast zijn afkomst gaf ook het tijdstip van de geboorte van de jongen reden tot opwinding. In zijn streven om zijn dictatorschap om te vormen tot een dynastie had Augustus er alles aan gedaan om de vruchtbaarheid van zijn huis gelijk te stellen aan het welvaren van het rijk, een handelwijze waarmee hij de baarmoeders van keizerlijke vrouwen als het ware had voorzien van de gave der voorspelling. De geboorte van een keizerlijke zoon, nog geen drie weken nadat Claudius' bewind een aanvang had genomen, moet een goed voorteken hebben geleken dat een tijdperk van vrede en voorspoed inluidde. Er werd dat jaar een nieuwe munt geslagen. Op de ene kant staat Claudius' waardige profiel met lauwerkrans, op de andere een vrouwelijke personificatie van 'Spes' of Hoop die naar voren stapt en een bloem aanbiedt, vergezeld van het opschrift 'SPES AUGUSTA'. De implicatie was duidelijk: met Claudius op de troon en Britannicus als zijn erfgenaam mocht het Romeinse volk hoop koesteren op betere tijden.

In de Romeinse beleving wierp de geboorte van Britannicus ook een gunstig licht op Messalina persoonlijk. Lichamelijke vruchtbaarheid was een van de grootste 'deugden' die een vrouw in de oudheid kon bezitten en het voortbrengen van een grote schare kinderen was beladen met morele oordelen. Een tot vermoeiens toe herhaalde anekdote over Cornelia, een toonbeeld van de oude republikeinse vrouwelijke deugdzaamheid, illustreert de moralisatie die vruchtbaarheid omgaf.* Ergens in het midden van de tweede eeuw voor Christus ontving Cornelia een rijke matrone uit Campanië als gast in haar huis te Rome. De vrouw bezat de mooiste verzameling juwelen van haar tijd waar ze eindeloos mee pronkte tegenover haar gastvrouw. Cornelia liet de vrouw praten in afwachting van het moment dat haar twáálf kinderen uit school terugkwamen, waarop ze, ongetwijfeld met onverdraaglijke zelfvoldaanheid, verklaarde: 'Dít zijn mijn schatten.'[2]

---

* Cornelia, de dochter van Publius Cornelius Scipio Africanus, was de moeder van de befaamde gebroeders Gracchus, tribunen voor de plebejers die ijverden voor hervormingen en daarom vermoord zouden worden.

We hebben al gezien dat Juvenalis, zo'n drie eeuwen na Cornelia's dood, in zijn uitzinnig misogyne *Zesde satire* de vrouwen van zijn tijd zou hekelen voor hun onwil om de gevaren van zwangerschap en bevalling te doorstaan.[3] Kinderen baren en vrouwelijke deugdzaamheid waren in de Romeinse geest zozeer met elkaar verweven dat het uitblijven van kinderen kon worden opgevat als teken van onvermogen om een goede vrouw te zijn. Na de dood van Messalina zou Juvenalis haar opvoeren als een nieuw voorbeeld van vrouwelijke verdorvenheid. Maar in het jaar 41 – na de geboorte van Britannicus, en voordat de geruchten over haar seksleven zich begonnen te verspreiden – leek ze alles nog goed te doen.

Op alle Romeinse vrouwen lag een zware druk om vruchtbaar te zijn, maar voor de vrouwen van het Huis van Caesar was die druk nog zwaarder. Onder het dynastieke stelsel was het baren van kinderen een plicht die ze zowel aan de staat als aan de familie verschuldigd waren, en hun vruchtbaarheid werd in het hele rijk aangeprezen. De boodschap was overal aanwezig: in de gebeeldhouwde processie van keizerlijke prinsessen die hun kleine kinderen aan de hand meevoerden op de Ara Pacis, in het aanmoedigen van de cultus van Venus Genetrix ('Venus de Verwekster'), in de beeldengroepen van gezinnen die op stadspleinen en openbare gebouwen in de provincies stonden opgesteld, in de weelderige overvloed van bladmotieven die zo wezenlijk waren voor de augusteïsche esthetica.* De vruchtbaarheid van een keizerlijke vrouw kon haar carrière en populariteit onder het volk maken of breken. Caligula had zich van Lollia Paulina laten scheiden omdat ze zes maanden na hun huwelijk nog steeds niet zwanger was; hij was pas met Caesonia getrouwd nadat ze de 'klus' had geklaard. En het feit dat 'Germanicus' echtgenote Agrippina het qua kindertal en renommee won van Livia, de vrouw van Drusus',

---

* Zo zijn er bij Velleia in Noord-Italië en Nerona in Kroatië grote groepsportretten van de keizerlijke familie gevonden, met inbegrip van standbeelden van vrouwen en kinderen die respectievelijk ten minste twaalf en zeventien figuren omvatten. Deze voorstellingen waren geen statische composities: beelden van nieuwe bruiden of kinderen werden toegevoegd, beelden van gevallen keizers en keizerinnen verwijderd. Het standbeeld van Agrippina bij Velleia schijnt oorspronkelijk dat van Messalina te zijn geweest: het hoofd van de oude keizerin werd verwijderd en vervangen door een portret van de nieuwe.

zorgde volgens Tacitus zelfs voor meer verdeeldheid aan het hof gedurende de eerste jaren van Tiberius' bewind.[4]

Sterker nog, voor een keizerlijke vrouw was vruchtbaarheid een zo prijzenswaardige deugd dat deze een veelheid aan zonden kon toedekken. In Macrobius' *Saturnalia*, een vijfde-eeuwse verzameling van fictieve tafelgesprekken ontleend aan oude auteurs en mondelinge overlevering, komt het gesprek op Julia de Oudere, die in het jaar 2 v.Chr. was verbannen wegens overspel, en iedereen is het erover eens dat het uitsluitend aan haar befaamde vruchtbaarheid (ze bracht vijf levende kinderen ter wereld) te danken was dat ze niet eerder in ongenade was gevallen:

> Toen Augustus zijn grote schare kleinkinderen en hun duidelijke gelijkenis met haar echtgenoot Agrippa in ogenschouw nam, bloosde hij van schaamte bij de gedachte dat hij ooit aan de kuisheid van zijn dochter had getwijfeld. Sindsdien maakte Augustus zichzelf wijs dat de buitensporige levenslust van zijn dochter de *schijn* van losbandigheid wekte, maar dat alle beschuldigingen daaromtrent echte grond misten.[5]

Een grote kinderschaar gelijkstellen aan kuisheid komt misschien wat onlogisch over op iedereen met een beetje basiskennis van de menselijke biologie, maar in de ogen van de Romeinen, voor wie 'kuisheid' geen christelijke onthouding maar huwelijkstrouw betekende, waren de twee natuurlijke bedgenoten. De 'goede vrouw' ging alleen met haar echtgenoot naar bed, maar wel vaak, en schonk hem talloze kinderen, die allemaal zijn naam droegen met lichte variaties daarin – dat was haar plicht en daarin lag tegelijk haar deugdzaamheid. Voor het Romeinse publiek voorspelde de geboorte van Britannicus niet alleen veel goeds voor Claudius' bewind, maar het zette ook Messalina's karakter in een gunstig daglicht.

De senaat reageerde dienovereenkomstig: kort na de geboorte van de jongen werd besloten dat de baby de eretitel 'Augustus' zou worden toegekend en dat Messalina voortaan 'Augusta' zou zijn.[6] Het was een zeer uitzonderlijk voorstel. Augusta was de voornaamste titel die een Romeinse vrouw kon krijgen; Livia was een weduwe van in de zestig geweest toen haar die eer was toegekend, terwijl Messalina nog nauwelijks twintig was en het ambt van keizerin pas een paar weken vervulde.

Sommige senatoren moeten knarsetandend met het aanbod hebben ingestemd. Voor degenen onder hen die slechts drie weken geleden hadden
gehoopt op de terugkeer van de Republiek moet het idee van de senaat
die een vróúw, en dan ook nog een jónge vrouw, een eretitel toekende
louter omdat ze een zoon had gebaard, zijn neergekomen op een pijnlijke erkenning dat de herbevestiging van het dynastieke stelsel een feit
was. Voor senatoren die de hoop hadden gekoesterd om zelf de troon te
bemachtigen, betekende de geboorte van een zoon en opvolger van Claudius een regelrechte ramp.

Wellicht weerspiegelde het aanbod van de senaat een pro-Messalina-
sentiment in de straten van Rome. In de chaos die uitbrak na de dood
van Caligula was de menigte er bijna in geslaagd de deuren van de ver-
gaderzaal van de senaat open te breken en had ze op een haar na een van
de consuls gelyncht. De senaat moest zijn relatie met zowel de princeps
als het volk herstellen, zodat eer bewijzen aan Messalina terwijl het volk
zich nog verheugde over de geboorte van Britannicus misschien een goede eerste zet leek.

Valeria Messalina was echter niet voorbestemd om Messalina Augusta te worden. Terwijl Messalina bijkwam van het baren van Claudius' kind en het effect van de toenmalige pijnstillende en infectiewerende
middelen, nam haar echtgenoot het op zich de eer namens haar af te wijzen. Voor Claudius was dit een manier om de senaat gerust te stellen dat
hij er niet op uit was om à la Caligula een oosterse monarchie na te boot-
sen – het getuigde, zoals de historicus Dio ietwat overdreven zei, van
'grote terughoudendheid'.[7] Voor Messalina was het een forse tegenslag.
Met het verkrijgen van de titel Augusta had de roemrijkste fase in Livia's
carrière een aanvang genomen. Claudius' beslissing maakte duidelijk dat
de nieuwe keizer vrouwen aan zijn hof wellicht een minder prominente
positie gunde dan ze bij Caligula hadden genoten. Messalina zou voor
haar positie moeten vechten.

Wat deze gang van zaken voor Messalina misschien nog schrijnender
maakte, was de extravagante manier waarop Claudius vorige generaties
Julisch-Claudische vrouwen ophemelde. Ondanks de minachting die ze
hem bij leven had betoond, overlaadde Claudius zijn moeder Antonia
met postume eerbewijzen. Ter nagedachtenis aan haar werden elk jaar
circusspelen gehouden en in tegenstelling tot Messalina kreeg zij wél de
titel Augusta.[8] Ook de reeds lang gestorven Livia ontving nieuwe eerbe-

wijzen: ze werd in het jaar 42 vergoddelijkt op wat haar trouwdag zou zijn geweest.[9] Het leek erop dat een vrouw in het Rome van Claudius alleen gehuldigd kon worden als ze dood was.

De oude Romeinse bedenkingen tegen de publieke verheerlijking van vrouwen die Claudius hadden bewogen het aanbod van de senaat af te wijzen, waren in de provincies niet aanwezig. Boodschappers vertrokken over het netwerk van postwegen om het bericht dat Messalina met succes een kind ter wereld had gebracht naar de verste uithoeken van de Romeinse wereld te brengen en het rijk haastte zich om dat te vieren. Op 10 november 41 schreef Claudius een brief aan het stadsbestuur van Alexandrië in Egypte waarin hij hun toestemming gaf om standbeelden van hemzelf en zijn familie op te richten.[10] Alexandrië liet ook munten slaan met de beeltenis van Messalina die, gesluierd en behangen met slingers, de bundel korenaren vasthoudt die met Griekse vruchtbaarheidsgodinnen wordt geassocieerd. Op de handpalm van haar andere, uitgestrekte arm staan de kleine standbeeldachtige figuurtjes van haar twee kinderen op hun gemak naast elkaar. Het Griekse randschrift op de munt vertelt ons dat we hier 'Messalina, keizerin en Augusta' zien. De oosterse provincies waren volkomen bereid om de echtgenote van de princeps expliciet en bondig te erkennen voor wat ze was: een keizerin.

Aan Messalina's eenzijdige promotie tot 'Augusta' van de kant van de provincie lag een diepgeworteld cultureel verschil ten grondslag. Na meer dan drie eeuwen van hellenistische monarchie had in het Griekse Oosten stevig het idee postgevat dat de positie van koningin een officieel ambt was, waarbij een reeks onvervreemdbare bevoegdheden hoorden die automatisch toekwamen aan de echtgenote van de heerser. Maar de munten die Alexandrië in het jaar 41 uitgaf weerspiegelen ook Messalina's persoonlijke prestige. Steden in de provincies mochten het ontwerp van hun eigen munten zelf bepalen, zodat de beslissing van Alexandrië om Messalina af te beelden getuigt van de populariteit van de nieuwe keizerin buiten Rome.

Voor de provincies was de stabiliteit van het rijk van veel groter belang dan zijn ideologie, en stabiliteit was wat het Claudische regime in zijn vroege jaren allereerst beloofde. Munten geslagen in de jaren 41 en 42 dragen bijvoorbeeld vaak opschriften die de *Constantia* van de keizer verkondigen: zijn standvastigheid. Terwijl het senatoriale gekrakeel in

Rome voortduurde, waren de provincies (samen met het van zijn politieke rechten beroofde stadsproletariaat) simpelweg opgelucht dat er weer een duidelijke lijn van opvolging was, wat het gevaar van ontwrichtende staatsgrepen, samenzweringen en burgeroorlogen verminderde. Messalina had deze stabiliteit (letterlijk) ter wereld gebracht, waarvoor de Alexandrijnse munt haar wilde huldigen.

Natuurlijk was Messalina ook nog om een andere reden aantrekkelijk voor de muntmeesters van Alexandrië. De oosterse provincies leden niet aan Romes vermoeiende obsessie met de moreel verderfelijke effecten van weelde en schoonheid, en bovendien was Alexandrië de stad van Alexander de Grote en Cleopatra – ze hadden een roemrijke traditie van koninklijke luister hoog te houden. In vergelijking met de kwijlende vijftigjarige Claudius, wiens gelauwerde hoofd de voorzijde van elke munt sierde, verschafte Messalina de glamour waar velen naar dorstten: ze was jong, van hoge adel en, zoals de provincies net begonnen te ontdekken, mooi.

Anno 41 was het geen geringe opgave om iemands beeltenis over de hele breedte van het rijk te verspreiden, maar de leden van de Julisch-Claudische dynastie waren daar als meesterlijke bespelers van de publiciteit opmerkelijk bedreven in geworden. Messalina zal, waarschijnlijk in de allereerste dagen van haar regeerperiode, hebben geposeerd voor een beeldhouwer. Het daaruit resulterende portret (bekend van de paar kopieën die bewaard zijn gebleven) is flatterend, maar niet zo vergaand geïdealiseerd dat het niet meer herkenbaar is als de weergave van een echt individu.[11] Messalina draagt haar haar in de gekunstelde stijl die gangbaar was aan Caligula's hof: een scheiding in het midden, met lange stijf gedraaide krullen die in verticale groeven over haar kruin zijn aangebracht. Bij haar achterhoofd is het haar gevlochten in de vorm van een lage wrong. In sommige versies van het portret vallen een paar losse lokken in golven over haar schouders. Aan de voorzijde van het hoofd vormt een franje van strakke, platte krulletjes de bovenrand van een hartvormig gezicht, met een breed voorhoofd, volle wangen en een taps toelopende kin. De mond is smal, maar de lippen zijn vol, zich welvend in een cupidoboog en bij de hoeken opkrullend in een minieme glimlach. De beeldhouwer heeft een diepe, schaduwrijke groef tussen de lippen aangebracht, waardoor het lijkt alsof de geportretteerde ze in een ontspannen pose lichtjes van elkaar houdt of op het punt staat te spreken. De neus is klassiek recht, maar Messalina's ogen zijn zonder twijfel haar opvallendste gelaatstrek. Groot en ovaalvormig, onder elegante wenkbrauwen die precies de golving van haar bovenste oogleden volgen, verlenen deze ogen Messalina's gezicht een open uitdrukking die zowel onschuldig als kwetsbaar aandoet. Ze ziet er mooi uit, sensueel zelfs, maar ook jong.

Eenmaal geïnspecteerd, gewijzigd en goedgekeurd, moet het portret zijn gekopieerd en als een model voor steden in het hele rijk zijn verspreid. Deze kopieën werden dan op hun beurt gekopieerd totdat er overal afbeeldingen van de keizerin waren te zien. Levensgrote marmeren en bronzen beelden zullen in de tempels en op stadspleinen hebben gestaan; bustes en figuurtjes – vervaardigd van kostbare gekleurde steen, metaal of klei, afhankelijk van het budget – sierden particuliere zitkamers en huisaltaren; tijdelijke portretten, geschilderd op spandoeken of houten panelen, hingen in openbare heiligdommen en winkeletalages.

De meeste van deze afbeeldingen werden vernietigd in het kader van de damnatio memoriae waartoe werd bevolen nadat Messalina in ongenade was gevallen. Toen het nieuws over de toedracht rondom haar executie zich door het rijk verspreidde, werden haar standbeelden van hun sokkels gehaald: het brons werd omgesmolten, het marmer in stukken geslagen. In de zuinigere gemeenschappen werden haar standbeelden teruggestuurd naar het atelier om te worden bijgewerkt naar de beeltenis van Claudius' volgende echtgenote. Schilderijen zullen zijn verbrand, of Messalina's gezicht werd eenvoudig weggeschuurd. Wie een schilderij of beeld van haar bewaarde, zelfs in de beslotenheid van de eigen woning, maakte zich schuldig aan verraad.

Een bewaard gebleven hoofd van een standbeeld waarvan is vastgesteld dat het Messalina voorstelt draagt de sporen van een poging om het te vernietigen. Het beeld, dat zich nu in Dresden bevindt, vertoont de karakteristieke kenmerken van het messalinische modelportret: het ingewikkelde kapsel met de rijen stijve pijpenkrullen die het ronde gezicht met zijn zachte, prominente gelaatstrekken omlijsten. De keizerin is geportretteerd met de attributen die worden geassocieerd met het goddelijke: ze draagt een lauwerkrans en de kroon van de godin Cybele, die de vorm heeft van een stadsmuur met torentjes.[12] Deze gelijkenis moet niet letterlijk worden genomen – Messalina werd niet als een levende god vereerd –, maar verleent het beeld een kloeke uitstraling van macht, wat de diepe scheuren dwars over het marmer des te opvallender maakt. Het lijkt een opzettelijke poging tot verwoesting te zijn geweest: het gezicht werd in vier hele stukken gespleten door één harde klap op het achterhoofd.[13]

Eén standbeeld doorstond deze systematische verwoesting nagenoeg ongeschonden. Dit meer dan levensgrote portret van Messalina en Britannicus, dat na de vondst ervan in Rome verdween naar de koninklijke collectie in Versailles en tijdens de revolutie in beslag werd genomen voor het Louvre, is opmerkelijk goed bewaard gebleven.* Het dateert waarschijnlijk uit de vroegere jaren van Messalina's regeerperiode, toen Britannicus nog als een baby kon worden afgebeeld. Misschien overleefde het in een atelier, waar het er om de een of andere reden nooit van kwam het gezicht opnieuw te beeldhouwen; of misschien werd het stiekem weggestopt in de villa van een of andere particuliere bewonderaar.

Deze Messalina heeft geen expliciete goddelijke attributen gekregen. Haar kleding is opvallend bescheiden. Gezien de manier waarop de stof rond haar hals is gedrapeerd draagt ze hier de stola, het lange gewaad dat aan beide schouders vast werd gespeld en het waarmerk was van de respectabele Romeinse matrone. Daaroverheen draagt ze de *palla* of mantel, strak om haar middel getrokken, gevouwen over haar linkerarm en als een sluier om haar hoofd geslagen. Met de duim en wijsvinger van haar rechterhand tilt ze de zijkant van de sluier iets op, zodat de stof boven de plek zweeft waar die anders op haar schouder zou vallen. Dit is in de Romeinse kunst een bekend gebaar, bedoeld ter aanduiding van *pudicitia* of kuisheid, als een vrouw die op het punt staat haar gelaat met de sluier te bedekken.

Deze bewuste uitbeelding van deugdzaamheid moet gemakkelijk te herkennen zijn geweest voor iedere beschouwer uit die tijd, maar in dit beeld spreekt uit de handeling een zekere dubbelzinnigheid. Er schuilt een zekere koketterie, iets flirterigs zelfs, in de delicate manier waarop Messalina de stof vasthoudt, in het open gebaar dat de rest van haar hand maakt en in de handeling zelf: ze tilt de sluier op om die, zoals we ons ge-

---

* Het beeld werd ontdekt in Rome. Hoewel het enige schade vertoonde die gerestaureerd moest worden – onder meer ontbrak het hoofd van Britannicus – is die eerder het gevolg van de natuurlijke tand des tijds gedurende 2000 jaar dan van opzettelijke vernietiging.

acht worden voor te stellen, kuis dicht om haar hoofd te trekken – maar de beeldhouwer heeft het moment vastgelegd waarop ze de sluier wegtrekt en zo de blote huid van haar hals onthult. De Romeinen waren zich scherp bewust van de aanlokkelijkheid van het verbodene die de 'kuise' vrouw kon uitstralen: als hij het heeft over Nero's vrouw Poppaea Sabina de Jongere, schampert Tacitus dat 'ze een façade van maat en eenvoud ophield, maar feitelijk bandeloos was. Ze vertoonde zich zelden publiekelijk, en dat dan half gesluierd om blikken niet te verzadigen, of misschien gewoon omdat het haar stond.'[14]

De aanwezigheid van de baby Britannicus verhult deze zweem van seksualiteit doordat hij het beeld tot een viering van vruchtbaarheid en moederschap maakt. Britannicus zit in de holte van Messalina's linkerarm. Zijn bovenlichaam is naakt, maar zijn benen en rechterschouder zijn gehuld in een los gewaad, als een miniatuur-Zeus. Hij draait zich naar zijn moeder, tilt zijn hoofd op om haar aan te kijken – terwijl zij op haar beurt haar hoofd lichtjes naar hem wendt – en steekt zijn arm uit, met de pink naar voren, om haar kin aan te raken of wellicht aan de kraaglijn van haar stola te trekken.

Voor de westerse beschouwer, doordesemd van 2000 jaar christelijke iconografie, lijkt Messalina sprekend op een madonna. In werkelijkheid is de compositie waarschijnlijk geïnspireerd door een Grieks meesterwerk uit de vierde eeuw voor Christus: *Eirene en Ploutos* van Cephisodotus.[15] Het oorspronkelijke beeld van de gepersonifieerde godin Vrede (Eirene) die haar reikende kind Rijkdom (Ploutos) draagt, had ooit in brons op de Atheense Agora gestaan. Het was veel gekopieerd en de vorm ervan moet overal in de mediterrane wereld zijn herkend: het zal antieke ogen niet zijn ontgaan dat het keizerlijk portret zijn iconografie eraan had ontleend.

In deze ene sculptuur zijn alle aspecten van Messalina's publieke imago in de eerste dagen van haar regeerperiode vertegenwoordigd. Door de geboorte van haar zoon kon ze aanspraak maken op de verhevenste symbolen van de traditionele vrouwelijke deugd: haar stola stond voor haar huwelijk, haar gebaar voor haar trouw en haar kind voor haar vruchtbaarheid. Na de eindeloze onzekerheid van Caligula's bewind beloofde de geboorte van Britannicus een nieuw tijdperk van stabiliteit en veiligheid: door haar te vereenzelvigen met Eirene, de personificatie van de vrede, verkondigt de compositie Messalina's rol in het bereiken daarvan.

Maar het beeld onthult ook nog een ander element in het publieke imago van de keizerin. Ze was jong en mooi; het speelse optillen van haar sluier en het kind op haar arm getuigden evenzeer van koketterie als van kuisheid en evenzeer van seksualiteit als van vruchtbaarheid. Messalina had wapens in haar arsenaal waarover de matriarchale Livia – al de veertig gepasseerd voordat ze op de voorgrond trad – nooit de beschikking had gehad. Dus toen Messalina, mooi en jong als ze was, plotseling een van de rijkste, beroemdste en invloedrijkste vrouwen ter wereld werd, moet ze snel hebben begrepen dat glamour net zo'n machtig wapen kon zijn als deugdzaamheid.

10

Het hof van Messalina

'Herinner je hele drama's met altijd hetzelfde soort achtergrond,
die je kent uit eigen ervaring of uit verhalen over vroeger. Bijvoorbeeld het hele hof van Hadrianus en van Antoninus of van Philippus,
Alexander en Croesus. Want dat was allemaal hetzelfde, alleen met
andere acteurs.'
Marcus Aurelius, *Persoonlijke notities*, 10.27

Zouden we ons beperken tot het verhaal van Messalina's publieke imago tijdens het eerste deel van het bewind van haar echtgenoot, dan was
daarmee slechts de helft, zo niet minder, van haar werkelijke politieke belang verteld. Het merendeel van haar activiteiten – en van haar
machtsuitoefening – speelde zich achter de schermen af. Ze bewoog zich
niet in het senaatshuis en op het forum, maar wel in de wandelgangen van
het keizerlijk paleis dat zich van de top van de Palatijn over de heuvel had
uitgespreid.

Augustus (toen nog Octavianus) had zijn eerste huis op de Palatijn
gekocht toen hij nog een gewoon burger was.* Hoewel midden in de populairste wijk van de stad gelegen, was het naar de maatstaven van die
tijd een bescheiden woning: betrekkelijk klein, met zuilen gehouwen uit
ruwe grijze peperinesteen in plaats van uit marmer.[1] Misschien was de
toekomstige keizer gevallen voor de locatie. Het huis lag aan de zuidwestelijke kant van de heuveltop, bovenaan de flank vanaf de Lupercal – de
grot waar Romulus en Remus volgens de legende waren gezoogd door de

---

* Het Nederlandse woord 'paleis' stamt van de heuvelnaam de Palatijn.

wolvin – en naast de plek waar het huis van Romulus zou hebben gestaan.*

Suetonius vertelt dat Octavianus het huis kocht van de grote aristocratische redenaar Hortensius; hij vergeet te vermelden dat hij het vermoedelijk voor een spotprijs verwierf toen Hortensius tijdens de burgeroorlogen van 43 v.Chr. werd verbannen.[2] Het daaropvolgende roerige decennium was een goede tijd om onroerend goed te kopen – voor wie zijn hoofd koel hield en kapitaal achter de hand had – en terwijl Octavianus met zijn legers de gebieden rondom de Middellandse Zee doorkruiste, verwierven zijn agenten ook veel van de omliggende huizen. In de jaren daarna werden muren doorgebroken, ingangen dichtgemetseld en uitbreidingen toegevoegd om een onderling verbonden complex van appartementen te creëren, waar Octavianus'/Augustus' immer uitdijende huishouden van verwanten, stiefkinderen, buitenlandse prinsen, op bezoek komende hoogwaardigheidsbekleders en slaven werd gehuisvest. Vervolgens bouwde Tiberius een tweede paleis, dat vanaf het eerste verder de heuvel af liep (en nu grotendeels onder de Tuinen van Farnese ligt) en werd uitgebreid door Caligula tot het bijna tot aan het forum zelf reikte.[3] Dit uitgestrekte paleizencomplex mocht Messalina nu haar thuis noemen.

De bezoeker die van de ene kant van het paleis naar de andere probeerde te lopen, zou niet alleen getroffen zijn door de enorme omvang, maar ook door de verscheidenheid aan stijlen die hij tegenkwam. In sommige kamers zag hij originele fresco's in de oude augusteïsche stijl, elegant en coherent met hun grootse, illusionistische ontwerpen. In één kamer zien we een natuurgetrouw geschilderde zuilengang met zorgvuldig gecanneleerde zuilen, waaromheen zich rijk met fruit beladen bladertakken slingeren en waartussen aan brede rode linten dionysische attributen, lieren en druiventrossen hangen. Een andere is ingericht als een kunstgalerie, compleet met van neplijsten voorziene mythologische schilderijen die kopieën zijn van die van de oude Griekse meesters: aan de ene kant zien we Io, net bevrijd van haar gevangenbewaarder Argus voordat ze door Zeus in stierengedaante zal worden verkracht, aan de

---

* Op dit stuk van de Palatijn zijn daadwerkelijk resten van hutten uit de ijzertijd blootgelegd, wat een verklaring biedt voor de Romeinse traditie aangaande de woonplek van Romulus.

andere kant de zeenimf Galatea die op een zeepaard probeert te ontkomen aan haar kwelgeest Polyphemus.[4]

De gematigde augusteïsche decoraties maakten plaats voor een heel andere inrichtingsstijl zodra je de nieuwe delen van het paleis betrad. Deze waren ingericht door Caligula, die – als alle waarlijk bloeddorstige autocraten – niets liever deed dan zich met binnenhuisarchitectuur bezighouden.[5] Hier waren de muren bekleed met gekleurd marmer of ingericht in de nieuwe barokke stijl. Op deze muren kon het niet gek genoeg: architectonisch onmogelijke ratjetoes van zuilen en gestapelde bogen maakten vlakke muren tot toneeldecors bevolkt door acteurs, groteske wezens en goden, met pseudoramen die zicht boden op fantasielandschappen of dramatische scènes uit de mythologie.[6] Deze kamers dompelden de bezoeker onder in denkbeeldige werelden.

Ondanks alle luxe was het keizerlijk paleis in sommige opzichten een rommeltje. In Messalina's tijd bestond het paleis op de Palatijn uit een wirwar van oude republikeinse huizen en spiksplinternieuwe gebouwen die verbonden waren door houten trappen, doorgebroken deuren, passages en lange zuilengalerijen. Het moet een vreemde ervaring zijn geweest om van de geruststellende huiselijkheid van de hogere regionen van het paleis te belanden in de enorme zalen van het *Domus Tiberiana*, of via een smalle trap of een lage passage uit te komen in een hoge koepelzaal. De bezoeker kwam door statige atria, ontvangsthallen en banketzalen; privébaden, binnenpleinen, tuinen en visvijvers; accommodatie voor de familie, voor gasten en bezoekende hoogwaardigheidsbekleders; woonvertrekken en werkplaatsen voor het gigantische leger aan keizerlijke slaven; bibliotheken, kantoren, archiefruimten, schatkamers, ateliers en winkels. Het complex – dat inmiddels een hele helling van een van Romes zeven heuvels besloeg – had meer weg van een stad dan van een woning.

In het keizerlijk paleis zoals Messalina dat in het jaar 41 aantrof, liepen de publieke en de private ruimte in elkaar over. Met zijn gebruikelijke aandacht voor de beeldvorming had Augustus zijn thuis ontworpen als een opvallend traditioneel republikeins *domus*. Hij had de openbare ruimten van de stad, haar tempels en forums, omgevormd tot volkspaleizen van glanzend marmer, maar voor zijn eigen huis vermeed hij alles wat excessief of paleisachtig was. Toch werden er steeds meer eisen aan de ruimte gesteld: het huis was nu tegelijkertijd het hart van het rijk en de ruimte waar het gezinsleven en het netwerken zich afspeelden. In de hier

gehouden vergaderingen werd het keizerlijk beleid bepaald, en onder de
gasten bevond zich een gestage stroom van buitenlandse hoogwaardigheidsbekleders en gezantschappen. De uitbreidingen die Augustus' opvolgers lieten bouwen, voorzagen het complex van ruimere hallen voor
ontvangsten, grotere eetzalen voor banketten en uitgestrektere binnenplaatsen waar bezoekers op hun beurt konden wachten om de keizer te
spreken, maar er bestond nog steeds geen echte scheiding tussen wonen
en werken.

In 28 v.Chr. had Octavianus (zoals hij toen nog heette) een nieuwe
tempel gewijd aan zijn beschermgod Apollo. Het terrein voor het heiligdom was aangewezen door goddelijke interventie – zo beweerde de jonge
dynastiestichter – toen een bliksemschicht een deel van zijn eigen huis
trof.[7] Het was een wonder dat opmerkelijk gelegen kwam. De deuren van
zijn domus kwamen nu direct uit op het terras van de tempel, waardoor
een architectonisch kanaal ontstond tussen mens en god dat impliciet
maar onvermijdelijk deed denken aan de paleizen van de hellenistische
koningen. Het was een strategie die Caligula zo'n zeventig jaar later zou
navolgen door het paleis verder naar omlaag uit te breiden tot het aan de
tempel van Castor en Pollux grensde. 'Dwars door de tempel heen,' aldus
Dio, 'liet hij een ingang naar zijn paleis maken, midden tussen de twee
standbeelden door. Op die manier, zei hij altijd, konden de dioscuren als
zijn poortwachters fungeren.'[8] De Julio-Claudianen bouwden zichzelf en
hun privéleven het publieke weefsel van de stad in.

Tegen de tijd dat Augustus stierf, werden zijn huis en zijn dynastie aangeduid met een en dezelfde naam: de Domus Augusta of het Huis van
Caesar. Naarmate het paleis werd aangepast en uitgebreid om aan de
veranderende behoefte van de keizerlijke familie te voldoen, weerspiegelde de fysieke structuur van het gebouw in toenemende mate de politieke structuur waarover de bewoners de leiding hadden. Dat de scheiding tussen de openbare en privégedeelten van het paleis steeds meer
wegviel, vond een parallel in het vervagen van de grenzen van de macht.
Wanneer je de keizer in sociale zin benaderde, als zijn beschermeling, als
zijn gast of als zijn echtgenote, benaderde je hem dan noodzakelijkerwijs
ook in politieke zin?

Deze grenzen, in het beste geval al complex, zouden onder Claudius
bijzonder poreus worden. Claudius, die in de nasleep van alle geweld

rondom zijn troonsbestijging wantrouwig stond tegenover de senaat en delen van het leger, leunde wellicht sterker dan enige van zijn voorgangers op zijn gekozen medewerkers, de mannen en vrouwen met wie hij zich op de Palatijn had omringd en van wie hij, terecht of onterecht, aannam dat hij ze kon vertrouwen. De macht van vrouwen en de keizerlijke vrijgelatenen was achter de schermen al jaren aan het groeien; nu zou hun invloed exploderen zoals nooit eerder was vertoond.

Onder Claudius zien we het woord 'hof' in het Latijn voor het eerst als politieke term opduiken. Het woord dat de Romeinen gebruikten – *aula* – komt niet uit het Latijn. Het is een latinisering van het Griekse woord αὐλή of *aulè*, een term die oorspronkelijk 'zaal' of 'binnenplaats' betekende maar die al geruime tijd werd gebruikt om te verwijzen naar de hofkringen van de oosterse en hellenistische koningen. Het woord dook voor het eerst op in het Latijn tijdens de late Republiek, maar gedurende bijna een eeuw lijkt het strikt en uitsluitend te zijn gebruikt in verband met vreemde landen. Vooral oosterse landen, plaatsen die de Romeinen altijd met een mengsel van verrukking en afgrijzen als tiranniek en luxueus hadden bestempeld. Seneca, een man die (zoals we zullen zien) de realiteit van de hofpolitiek aan den lijve ervoer, is voor zover bekend de eerste die de term ergens rond het jaar 44 of 45 op Rome zelf toepast.[9] Het is veelzeggend dat deze betekenisverschuiving zich precies voordeed toen Messalina op de Palatijn oppermachtig was.

Claudius' hof is beschreven als 'een reeks concentrische cirkels van afnemende macht', te beginnen bij het bed en de slaapkamer van de keizer (in de Romeinse wereld een plaats van zowel intieme ontmoetingen als seksuele intimiteit) en dan uitdijend van zijn eetzalen, zijn kantoren, zijn baden en zijn privétuinen tot de kantoren van zijn vrijgelatenen en de grote ontvangstzalen en wachtkamers van zijn paleis.[10] Het courante betaalmiddel in dit politieke landschap was niet langer welsprekendheid op de rostra, of op onrechtmatige wijze verkregen grote rijkdom, of zelfs een degelijke oude familienaam, maar toegang tot en invloed op de keizer. En als vrouw van de keizer was Messalina beter gepositioneerd dan welke senator ook.

De goede pers die Messalina oogstte met de geboorte van Britannicus had niet op een beter moment kunnen komen voor het keizerlijk paar. Claudius besefte terdege dat zijn positie aan het hoofd van de staat nog precair was: er zou een volle maand onder zijn bewind verstrijken voordat hij zelfs maar het senaatshuis durfde te betreden.[11] Het was misschien niet helemaal toevallig dat hij dat uiteindelijk een week na de geboorte van zijn zoon deed.

De eerste maanden van Claudius' heerschappij werden in beslag genomen door pogingen tot verzoening. Chaerea – de man die Caligula de eerste slag had toegebracht – werd samen met een aantal van zijn medepretorianen terechtgesteld. Hoezeer Claudius het optreden van Chaerea ook mocht hebben geapprecieerd of zelfs aangemoedigd, het was te gevaarlijk om een keizermoord door de vingers te zien. De kliek rondom Chaerea koesterde bovendien een diepe haat tegen het Julisch-Claudische huis. Hoewel de meerderheid van de pretorianen Claudius tot keizer had uitgeroepen, had Chaerea de senaat gesteund en gepoogd de Republiek te herstellen: hij was degene die, in zijn streven om de dynastie uit te roeien, het bevel had gegeven om Caesonia en Drusilla om te brengen en hij zou ongetwijfeld ook Claudius hebben laten vermoorden als hij beter was geweest in verstoppertje spelen. Desalniettemin bleef Chaerea na zijn dood populair en volgens Josephus bracht het volk offers 'waarbij ze hem opriepen zich genadig te tonen en niet ontstemd te zijn over hun ondankbaarheid'.[12]

Over het algemeen wilde Claudius zich echter vergevingsgezind betonen. Zelfs Sabinus, een van de aanvoerders van de samenzwering onder de pretorianen, kreeg gratie en mocht zijn officierspositie behouden.* Voor de senaat werd een volledige amnestie afgekondigd: de magistraten bleven in functie en Claudius greep persoonlijk in toen een van de consuls gelyncht dreigde te worden.[13]

Suetonius heeft een verhaal opgetekend dat, hoewel waarschijnlijk apocrief, de sfeer in de eerste dagen van Claudius' bewind goed overbrengt. Na de dood van Caligula, vertelt hij ons, 'werd er een grote kist met allerlei vergiften gevonden. Toen ze later door Claudius in zee werd gestort, werd die erdoor verontreinigd, naar men vertelt, en spoelden de vissen dood door de branding op de aanliggende stranden aan.'[14] Voor zowel Claudius als Messalina was het allereest zaak om het gif uit de wond te zuigen dat Caligula's bewind in het lichaam van de Romeinse politiek had achtergelaten.

---

* Sabinus vond het schuldgevoel dat hij het er levend vanaf bracht en zijn metgezellen niet echter onverdraaglijk en pleegde zelfmoord.

In de daaropvolgende maanden pakte Claudius de senaat met fluwelen handschoenen aan. Hij groette de leden met opvallend respect en raadpleegde de senaat over kwesties van ondergeschikt belang.[15] Deze betuigingen van eerbied stelden in werkelijkheid natuurlijk weinig voor. Het stond als een paal boven water dat Claudius zijn troon te danken had aan militair krachtsvertoon en niet aan de instemming van de senaat. Terwijl Claudius nadrukkelijk aan de consuls het recht vroeg om op zijn landgoederen markt te laten houden, werden tegelijkertijd activa geliquideerd om de enorme steekpenningen te kunnen betalen die hij aan zijn pretoriaanse aanhang had beloofd. Er werd een nieuw muntstuk geslagen waarop Claudius voor de poort van het pretoriaanse kamp de hand schudt van een officier.[16] Claudius bewandelde in die periode een heel smalle lijn, maar zijn uitgekiende huichelarij begon vruchten af te werpen. Binnen een paar maanden was de rust in de straten van Rome wedergekeerd, liepen de provincies in het gareel en deden de republikeinse leuzen van 24 en 25 januari alweer lachwekkend naïef aan.

Claudius dong ook naar de gunst van het volk. Als oprecht liefhebber van spektakel en erop gebrand te bewijzen dat hij geen saaie Tiberius was, zorgde Claudius voor een druk programma van opvoeringen, spelen en wagenrennen. Hoewel hij de door de senaat voorgestelde eerbewijzen aan Messalina had afgewezen en erop stond dat de geboorte van zijn zoon alleen als een privégebeurtenis voor de familie gevierd zou worden, liet hij geen kans onbenut om zijn kind aan het publiek te tonen. Suetonius zegt hierover: 'Al toen hij jong was, beval hij hem bij herhaling aan in de gunst van de soldaten en het volk. Tijdens een vergadering van de soldaten droeg hij hem in zijn armen. Bij het volk hield hij hem tijdens de spelen op schoot of vóór zich, en hij stemde in met de gelukwensen die de menigte hem toeriep.'[17]

De pr-campagne werkte. Toen Claudius niet lang na zijn troonsbestijging onderweg was naar Ostia, ging er in Rome het bericht rond dat zijn konvooi in een hinderlaag was gelopen en hij vermoord was. 'Het volk raakte in grote opwinding, maakte de soldaten en senatoren voor moordenaars uit en vervloekte hen in de gruwelijkste bewoordingen. Het kon pas tot bedaren worden gebracht toen de magistraten eerst een of twee mensen en later een groot aantal anderen als getuigen lieten optreden op de rostra met de verzekering dat de keizer niets mankeerde en dat hij op weg was naar de stad.'[18]

Ondanks het succes van zijn politieke beleid in die beginmaanden verkeerde Claudius privé in een staat van verwarring. In de bronnen is zijn lafheid een terugkerend thema. 'Zijn overheersende trekken waren vreesachtigheid en achterdocht,' vertelt Suetonius ons. 'Geen verdenking was zo ongegrond, geen aanklager zo onbetrouwbaar, of hij liet zich tot extra veiligheidsmaatregelen en straffen verleiden zodra de geringste argwaan bezit van hem nam.'[19] Sommige van deze beschuldigingen kunnen we afdoen als literaire overdrijving, maar het lijkt erop dat Claudius' hof aanvankelijk overheerst werd door paranoia. Niet alleen meed de keizer de senaat, hij schroefde zijn persoonlijke veiligheidsmaatregelen op tot een draconisch niveau. Hij ging nergens naartoe zonder een lijfwacht en liet zich zelfs op zijn diners vergezellen door zwaarbewapende soldaten.

Petitionarissen, onderhorigen en vrienden werden allemaal gefouilleerd, en hun bezittingen werden doorzocht of zelfs in beslag genomen. Latere versoepelingen van deze maatregelen onthullen alleen maar hoe streng ze in de begindagen van het nieuwe bewind waren geweest. 'Pas na lange tijd en met grote aarzeling,' beweert Suetonius, 'verzachtte hij ze in die zin dat hij vrouwen, minderjarige jongens en meisjes niet meer liet fouilleren, en dat assistenten en secretarissen van bezoekers hun schrijfkoker en griffeldoos mochten behouden.'[20] Als een man die aan de macht was gekomen door een clandestiene staatsgreep, was Claudius zich er altijd van bewust dat wat geschonken was ook weer weggenomen kon worden. Daarin had hij natuurlijk niet geheel ongelijk, maar voor Messalina moet hij een nachtmerrie zijn geweest om mee samen te leven.

Achter gesloten deuren deed het nieuwe hof verwoede pogingen om vaste voet aan de grond te krijgen. Twee koninklijke huwelijken en een verloving werden in snelle opeenvolging en in relatieve stilte voltrokken. Claudius' oudste dochter Claudia Antonia werd uitgehuwelijkt aan Gnaeus Pompeius Magnus, Messalina's peuterdochter Claudia Octavia werd beloofd aan Lucius Silanus en zijn verre verwant Appius Silanus werd teruggeroepen van zijn gouverneurschap van Hispania Tarraconensis om de derde echtgenoot te worden van Messalina's moeder Domitia Lepida.[21] Ieder van deze mannen vormde in beginsel een bedreiging voor Claudius' machtspositie: Lucius Silanus was een directe afstammeling van Augustus via zijn kleindochter Julia de Jongere, Appius was een van de voornaamste mannen in Rome en Pompeius Magnus was de stamhouder van de lijn van Pompeius de Grote, de roemruchte politiek leider tijdens de burgeroorlogen.*[22] Deze twee huwelijken en de ietwat premature verloving van een tweejarige waren duidelijk pogingen om de positie van het keizerlijk paar te verstevigen; door deze mannen hechter dan ooit aan de familie te binden, hoopte men elkaars belangen te laten samenvallen en hun trouw te kopen. De twee bruiloften werden binnen de beslotenheid van het keizerlijk paleis gevierd en geen van beide werd extra luister bijgezet met publieke festiviteiten. De bronnen schrijven geen van de drie verbintenissen rechtstreeks aan de machinaties van Messalina toe. Als we echter bedenken dat het ene huwelijk haar moeder betrof, het andere haar stiefdochter en de verloving haar kind, lijkt de kans groot dat de keizerin enige betrokkenheid had bij de planning van deze vroege dynastieke stappen.

Ook in de regering van Claudius was het een gedrang om de beste posities. Door de centralisatie van de macht rond de figuur van de keizer was de noodzaak ontstaan voor nieuwe bureaucratische structuren om de wil van de keizer ten uitvoer te brengen. In het republikeinse Rome was er nooit echt behoefte geweest aan een min of meer professioneel ambtenarenapparaat, aangezien degenen in de leidinggevende functies werden gekozen en de uitvoerende taken werden uitbesteed aan particuliere aannemers. De keizer moest echter delegeren. In de tijd van Claudius was de staf van de keizer uitgegroeid tot een enorme organisatie bestaande uit klerken, secretarissen, boekhouders, administrateurs en adviseurs.[23] Bijna al deze functies werden vervuld door leden van wat eufemistisch de 'familia Caesaris' werd genoemd: hoogopgeleide slaven en ex-slaven van de keizerlijke familie die, zowel wettelijk als volgens de traditionele normen, hun meesters onvoorwaardelijke loyaliteit verschuldigd waren.

Drie vrijgelatenen in het bijzonder manifesteerden zich bij het aanbreken van Claudius' regeerperiode als krachtspelers op het politieke to-

---

* Pompeius Magnus stamde van moederskant af van Pompeius de Grote. Aan zijn vaderskant was hij een afstammeling van Crassus, een andere republikeinse leider die samen met Pompeius en Caesar het Eerste Triumviraat had gevormd.

neel. Callistus* handelde de petities af, Pallas beheerde de schatkist en Narcissus wist voor zichzelf de positie van privésecretaris van de keizer te fiksen.[24] Deze mannen bezaten enorme macht. Ze stonden feitelijk aan het hoofd van grote ministeries en wat misschien nog wel belangrijker was: ze hadden directe toegang tot de keizer zelf.

Hun macht was zelfs zodanig dat het oude establishment, hoezeer het hen ook verfoeide, daar onmogelijk omheen kon. Het grafmonument van Pallas, dat aan een van de hoofdwegen vanuit Rome zou worden opgericht, had deze inscriptie: 'Hem heeft de senaat voor zijn trouwe toewijding aan zijn meesters de pretoriaanse eretekens toegekend plus vijftien miljoen sestertiën. Hij heeft zich met de eer van deze schenking tevredengesteld.'[25] De aristocratische Plinius de Jongere, die zo'n veertig jaar na de dood van Pallas langs het monument kwam, was geschokt. 'Dit opschrift,' schreef hij bitter aan zijn vriend, 'heeft me meer dan wat dan ook ingescherpt hoeveel komedie en zotheid er schuilt in die eerbewijzen die af en toe worden uitgestort over deze drek, over dit uitschot, en die deze aartsschurk uiteindelijk heeft durven accepteren én weigeren en zelfs als voorbeeld van bescheidenheid voor het nageslacht heeft durven etaleren.'[26] Met een misplaatst vertoon van bescheidenheid weigerde Pallas het geld als een te groot eerbetoon, maar het is niet onwaarschijnlijk dat hij er ook weinig behoefte aan had. Een post in de hogere echelons van de keizerlijke administratie kon een man extreem rijk maken: in zijn *Naturalis historia* herinnert Plinius de Oudere zich dat Callistus' eetzaal was verfraaid met dertig grote zuilen van massief onyx.[27]

Het zal Plinius' goedkeuring niet hebben weggedragen, maar Messalina zou in de vrijgelatenen rondom de keizer haar natuurlijkste bondgenoten vinden. In een door en door patriarchale samenleving als die van het eerste-eeuwse Rome had een keizerin veel gemeen met een voormalige slaaf: beiden konden extreme rijkdom en extreme macht bezitten, beiden konden de keizer te spreken krijgen, maar geen van beiden kon hopen ooit openlijk en in eigen naam macht uit te oefenen.

Eenmaal hersteld van de geboorte van Britannicus beijverde Messalina zich in de eerste maanden van Claudius' bewind om binnen deze nieuwe hiërarchie een eigen netwerk te ontwikkelen. Ze moet haar eigen

---

* Dezelfde Callistus die betrokken was bij de samenzwering om Caligula ten val te brengen.

woonvertrekken hebben gekregen – misschien gelegen in Livia's oude huis of in een van de nieuwere delen van het paleis, maar in elk geval groot genoeg om haar groeiende gevolg in onder te brengen. Als keizerin had Messalina de vrijheid om een groot huishouden van slaven en vrijgelatenen in dienst te nemen, en dankzij grafschriften zijn we in staat de naam van enkelen te achterhalen. Een vrouw met de naam Cleopatra werkte als naaister voor de keizerin, terwijl een man met de naam Amoenus in dienst was als *ab ornamentibus*, dat wil zeggen degene die zorgde dat ze bij ceremoniële gelegenheden de juiste kleding droeg.[28] Hilaria was aangetrokken als verzorgster van Octavia, Philocrates als huisleraar voor een van de of beide kinderen.[29] Idaeus was *supra argentum* – belast met het zilver – en er werden mannen opgeleid als secretarissen en archivarissen, onder wie een zekere Lucius Valerius.[30] Allen stonden onder toezicht van *dispensatores* of rentmeesters, van wie we weten dat een van hen Sabbio heette.[31] Als Messalina's huishouden leek op dat van Livia, wat goed voorstelbaar is, dan kunnen we hieraan een leger van dienstmeisjes, kappers, dokters, gynaecologen, apothekers, parfumeurs, secretarissen, notulisten, schatbewaarders, lakeien, atriumbedienden en schenkers toevoegen.[32]

Messalina's woonvertrekken en personeel boden haar alle ruimte, luxe en comfort die ze zich maar kon wensen, maar belangrijker was dat ze haar ook de vrijheid gaven om haar eigen ontvangsten te houden. Van de Romeinse keizer werd verwacht dat hij de gastheer bij uitstek was wanneer hij op de Palatijn verbleef. Drommen petitionarissen, senatoren en vrienden maakten 's ochtends hun opwachting bij de keizer; een paar gelukkigen werden gehoord, degenen met nog meer fortuin werden uitgenodigd voor het diner.

Van de keizerin werd vermoedelijk verwacht dat ze de gastvrijheid van haar echtgenoot zou evenaren. Livia ontving politieke petitionarissen op haar eigen ochtendrecepties en er is geen reden om aan te nemen dat Messalina niet hetzelfde deed. Het is mogelijk dat Claudius van zijn echtgenote verwachtte dat zij hem wat 'vrouwenkwesties' uit handen zou nemen, of misschien dat ze de echtgenotes van sommigen van zijn senatoriale vijanden zou proberen om te turnen tot aanhangers van het regime. Messalina raakte bijvoorbeeld goed bevriend met Arria, de vrouw van Caecina Paetus, die in ongenade zou vallen voor zijn aandeel in de opstand van Scribonianus in het jaar 42.

Hoewel Claudius zijn vrouw misschien vooral aanmoedigde om connecties te ontwikkelen onder de dames uit de aristocratie, maakten de
vertrekken van de keizerin niet de indruk van een afgezonderde harem.
De vrouwen van de keizerlijke familie hadden zich altijd in gemengde ge-
zelschappen bewogen. Aan het begin van de vijfde eeuw tekende Macrobius – een ijverig verzamelaar van oude anekdotes – het volgende verhaal
op over de vrouwen van de Domus Augusta:

> Tijdens een gladiatorengevecht was het de mensen opgevallen hoe-
> zeer het gevolg van Julia de Oudere verschilde van dat van Livia.
> Want Livia werd omringd door ernstige en statige mannen van ge-
> wicht, terwijl zich rondom Julia de Oudere een menigte extravagant
> geklede jongemannen verdrong die praalden met hun weelde. Haar
> vader stuurde haar een vermanende brief, waarin hij wees op het
> grote verschil tussen de twee vorstelijke gemalinnen. Julia de Oudere
> stuurde op haar beurt een elegant antwoord: 'En deze mannen zullen
> ook met mij oud worden'.[33]

Als Livia – met haar eigenhandig geweven toga's en vlekkeloze reputatie – onbekommerd mannelijke en vrouwelijke vrienden door elkaar ontving, dan kunnen we er zeker van zijn dat Messalina, die in de bronnen
nooit in verband wordt gebracht met weven of vlekkeloze reputaties, dat
ook deed.

In haar woonvertrekken op de Palatijn verzamelde Messalina een
bonte kring van uiteenlopende personages om zich heen: aristocratische
echtgenotes, politiek betrokken senatoren, leden van de bevoorrechte
luierende klasse, de machtigste vrijgelatenen, de rijkste ridders en ge-
liefdste gevatte geesten. Haar feesten waren blijkbaar iets om niet te
missen. Op een keer, vertelt Dio ons, ontving een grote groep gasten tegelijkertijd uitnodigingen voor twee feesten: het ene gegeven door Claudius, het andere door Messalina en haar favoriete vrijgelatenen. De keizerin vond haar feestzaal tot de nok gevuld; de keizer ontving een stroom
van beleefde maar waterdichte smoezen.[34]

Misschien waren de wijn en de muziek op Messalina's feesten simpelweg beter, maar de sociale macht van de keizerin was een verre van
lichtzinnige zaak. Hoe groot haar invloed ook was, als vrouw kon Messalina zich nog steeds niet rechtstreeks bemoeien met feitelijke regerings-

zaken, het recht en de wetgeving. Als ze echte macht wilde uitoefenen, zou ze dat via een man moeten doen, en als ze die macht onafhankelijk van haar echtgenoot wilde uitoefenen, zou ze een netwerk van andere mannen moeten ontwikkelen die bereid waren haar ideeën in praktijk te brengen.

We kunnen drie van de belangrijkste leden van dit netwerk met naam en toenaam aanwijzen. Vanaf Messalina's troonsbestijging in het jaar 41 tot vlak voordat hij haar in het jaar 48 aan het zwaard liet rijgen, was de vrijgelatene Narcissus de trouwste bondgenoot van de keizerin aan het hof. Als respectievelijk echtgenote en privésecretaris van Claudius hadden Messalina en Narcissus alle reden om voortdurend contact te hebben. De bronnen noemen de twee vaak in één adem, vooral tijdens de eerste jaren van Claudius' bewind, toen de keizerin haar positie zelfstandig nog niet goed kon verdedigen. Wanneer Messalina in deze jaren beschuldigd wordt van een samenzwering of misdaad, wordt Narcissus bijna altijd genoemd als haar medeplichtige. In een geschrift na Messalina's val zou Seneca hun relatie als volgt samenvatten: ze waren 'al vijanden van de staat lang voordat ze vijanden van elkaar werden'.[35]

Samen bezaten Messalina en Narcissus gevaarlijk veel macht. De keizer stond onder grote invloed van zijn echtgenote: ze had voortdurend toegang tot zijn persoon en zijn bed en ze wist hoe ze daarvan gebruik moest maken. De 51-jarige Claudius had altijd al een zwak voor vrouwen gehad. 'Zijn hartstocht voor vrouwen was ongebreideld, van mannen moest hij niets hebben,' zo vertelt Suetonius met een vleugje klassieke verbazing, en dat gold des te meer voor zijn mooie jonge vrouw.[36] Zelfs toen haar lot bezegeld leek was Messalina ervan overtuigd dat alles vergeven zou worden als Claudius haar maar kon zíén, terwijl haar vijanden er om dezelfde redenen op gebrand waren dat de executie voltooid zou worden voordat Claudius zich terugtrok in de echtelijke sponde met alle herinneringen van dien.

Maar vooralsnog was Messalina's invloed groeiende en met een alliantie met Narcissus zou deze nog verder kunnen toenemen. Als Claudius' privésecretaris beheerde Narcissus het papierwerk en de correspondentie van de keizer: rapporten uit de provincies, persoonlijke verzoeken, aanbevelingsbrieven, notulen van officiële bijeenkomsten, conceptversies voor verordeningen of toespraken, kattebelletjes afkomstig van zijn senatoriale vrienden. Suetonius schetst een duister beeld van hun modus operandi, waarbij Messalina en Narcissus schenkingen herriepen, vonnissen introkken en zijn officiële memo's vervalsten, verdonkeremaanden of wijzigden.[37] Maar ook zonder toevlucht te nemen tot regelrechte corruptie zag Messalina in dat Narcissus haar iets van onschatbare waarde had te bieden: informatie. Berichten over de persoonlijke aangelegenheden van de keizer, over kwesties in de senaat en de rechtbanken en over het bestuur in elke uithoek van het rijk konden nu via Narcissus vroeg en rechtstreeks onder de aandacht van de keizerin komen.

Messalina had ook bondgenoten in de senaat, met name Lucius Vitellius en Publius Suillius Rufus. Deze mannen, welbespraakt en in het bezit van goede connecties, traden als zaakwaarnemer voor Messalina op. Ze behartigden haar belangen in de senaat en maakten haar zaken aanhangig in de rechtbanken. Kortom, ze fungeerden als haar publieke spreekbuis in omgevingen waar ze als gevolg van haar sekse niet voor zichzelf kon spreken. Toen Publius Suillius en Vitellius in het jaar 47 de aanklachten indienden tegen Valerius Asiaticus (een van de laatste en voornaamste slachtoffers van de keizerin), schreef Tacitus dat Asiaticus was omgekomen 'door vrouwenlist en Vitellius' ontuchtige mond'.[38] In het jaar 58, een decennium na Messalina's dood en in het vierde jaar van de regeerperiode van Claudius' opvolger Nero, was het Publius Suillius' beurt om voor de rechtbank te verschijnen. Hij probeerde alle schuld op Messalina te schuiven. Hij had, zo zei hij, 'alleen maar bevelen opgevolgd'. Dat verweer faalde, maar niet omdat iemand eraan twijfelde dat Publius Suillius had gehandeld op instigatie van Messalina. In plaats daarvan wilden zijn aanklagers weten waarom híj en niet enige andere man 'was gekozen als spreekbuis voor die immorele, hysterische vrouw'.[39] Deze 'helpers bij gruwelen', besloot men, moesten evenzeer gestraft worden als hun aanstichters. Het vonnis tegen Publius Suillius en Tacitus' hatelijke opmerking over Vitellius zijn tekenend voor hoe de relatie tussen Messalina en haar senatoriale bondgenoten werd gezien. Het was Messalina die de plannen smeedde en haar mannelijke bondgenoten waren alleen verantwoordelijk voor de uitvoering ervan.

Deze senatoren hadden Messalina net zo hard nodig als zij hen. Hun relatie met de keizerin verschafte sociaal prestige, informatie en een communicatiekanaal dat hen rechtstreeks verbond met de rijksregering en met de keizer zelf. Zolang haar ster boven de Palatijn straalde en zij invloed had op haar echtgenoot, kon ze hen en hun familie beschermen tegen de grillen van de hofpolitiek en het onderlinge senatoriale gekonkel. Omdat ze zoveel te bieden had, moet het Messalina weinig moeite hebben gekost om senatoren te vinden die haar belangen bevorderden. Sterker nog: ze kwamen naar haar. In zijn levensbeschrijving van Vitellius' gelijknamige zoon (keizer gedurende een paar korte maanden in het jaar 69) schotelt Suetonius ons een anekdote voor die laat zien hoe ver de oudere Vitellius ging om Messalina te vleien. Hij smeekte haar hem toe te staan haar schoenen uit te trekken, droeg de rechterschoen voortaan altijd bij zich tussen de plooien van zijn toga en haalde die alleen af en toe tevoorschijn om er een kus op te drukken.[40] Andere senatoren probeerden ook om het hardst haar eer te bewijzen. Zo vertelt Dio ons dat een aantal van de pretors het op zich nam publieke feestelijkheden te organiseren om haar verjaardag te vieren, hoewel die dag niet was uitgeroepen tot officiële feestdag.*[41] Dat zij hiertoe de moeite namen getuigt er niet alleen van dat de invloed van de keizerin op de Palatijn groot was in hun ogen, maar wellicht ook van haar populariteit onder het volk.

De invloedrijke netwerken die ze onder de vrijgelatenen en senatoren opbouwde, maakten Messalina niet alleen tot een spin in het web op de Palatijn, maar waren ook cruciaal voor haar overleving. Messalina was zich er sterk van bewust dat de macht van haar echtgenoot niet van haar afhing op dezelfde manier als de hare van hem afhing. Net zoals er mannen aan het hof waren met voldoende capaciteiten om aan Claudius' stoelpoten te zagen, waren er ook vrouwen die een bedreiging konden vormen voor de nieuwe keizerin. Claudius had zich eerder vrijwel zeker van zijn tweede vrouw Aelia Paetina laten scheiden om haar in te ruilen voor een rijkere, jongere vervangster met betere connecties; Messalina moet terdege hebben beseft dat haar hetzelfde kon overkomen. Dat haar echtgenoot had geweigerd haar de titel Augusta toe te kennen na de geboorte van Britannicus – een titel die ze voor altijd en zelfstandig zou hebben gedragen – moet bijzonder verontrustend voor haar zijn geweest.

---

* Dio vermeldt niet in welk jaar de verjaardag van de keizerin voor het eerst werd gevierd, hoewel hij dit bijna in dezelfde passage aan de orde stelt als Claudius' weigering om Messalina de titel Augusta toe te kennen, wat suggereert dat het betrekkelijk vroeg in de regeerperiode plaatsvond. Vanaf dat moment, zegt hij, werd haar verjaardag soms publiekelijk gevierd en soms niet, afhankelijk van de sympathieën van de pretors van dat jaar.

Er bleek niet alleen 'terughoudendheid' uit, maar ook een onwil om Messalina's aanspraken op macht te formaliseren, om haar een positie toe te kennen onafhankelijk van haar status als 'huidige echtgenote' en 'moeder van de huidige troonsopvolger'.* Als keizer kon Claudius iedere vrouw krijgen die hij wilde en er waren ongetwijfeld vrouwen met betere kwalificaties voor de rol van keizerin, meer doorkneed in de hofpolitiek, rijker en met betere connecties, bij wie meer augusteïsch bloed door de aderen stroomde. Messalina besefte dat er slechts twee manieren waren om haar positie te verstevigen: zich volkomen onmisbaar maken voor Claudius, of haar concurrentes uitschakelen. Ze lijkt ze beide te hebben toegepast.

Een van Claudius' eerste daden als keizer was dat hij een aantal bannelingen terugriep, onder wie Caligula's zussen Agrippina en Julia Livilla, die in de winter van 39/40 waren verbannen op de dubbele beschuldiging van overspel en samenzwering. Julia Livilla was bijna even oud als Messalina en had de reputatie van een opvallende schoonheid. Vroeg in Messalina's huwelijk met Claudius, toen ze Julia Livilla en haar zussen had zien zitten op de voorste rij in het theater en naast hun broer bij banketten, was de machtsverhouding tussen de twee duidelijk geweest: Julia Livilla was de verheven zuster van de keizer, publiekelijk vereerd en met grote sociale macht, terwijl Messalina de jonge echtgenote was van een berooide zielenpoot aan het hof. Nu waren de rollen omgedraaid. Messalina had de overhand: gevestigd op de Palatijn, met toegang tot de rijksschatkist en het oor van de keizer, was zij het natuurlijke middelpunt van de sociale wereld van het hof.

Julia Livilla lijkt haar nieuwe ondergeschikte positie niet goed te hebben opgenomen. Volgens Dio weigerde Livilla haar nieuwe keizerin eerbied te betuigen en koos ze er in plaats daarvan voor zo veel mogelijk tijd alleen met Claudius door te brengen.[42] Dio denkt dat Messalina jaloers was – wat ze zeker kan zijn geweest. Julia Livilla was mooi en wist het sociale en politieke spel van het hofleven geroutineerd te spelen. Ze was erin geslaagd een groep oude bondgenoten van vóór haar verbanning vast

---

* In dit verband is het interessant dat Agrippina, ervarener en van zuiverder koninklijken bloede dan haar voorgangster, de titel Augusta kort na haar huwelijk met Claudius, dat volgde op Messalina's ondergang in het jaar 48, kreeg toegekend.

te houden en, misschien het allerbelangrijkst, ze was een rechtstreekse afstammeling van Augustus. Julia Livilla wilde de positie en de reputatie die ze in die winter van het jaar 39 aan de Rijn zo abrupt had verloren terugwinnen en het leek erop dat Messalina daarvan het slachtoffer zou worden.

De reactie van de keizerin was snel en meedogenloos. Het jaar van haar terugkeer naar Rome was nog niet ten einde of Julia Livilla werd ervan beschuldigd een overspelige affaire met Seneca te onderhouden.[43]

De gezette 45-jarige schrijver, filosoof en vast element van de sociale scene aan het hof lijkt op het eerste gezicht een onwaarschijnlijke partner voor de 22-jarige aristocratische schoonheid. Dit sluit natuurlijk niets uit – sommige mensen beweren intelligentie en een integer karakter net zo aantrekkelijk te vinden als oppervlakkige charme en een strakke kaaklijn –, maar het staat niet vast dat het verhaal van overspel op feiten was gebaseerd. Seneca lijkt al tot de sociale kring van Julia Livilla en haar zussen te hebben behoord sinds hun tijd als glamourgirls onder Caligula: de anekdotes in zijn brieven laten zien dat hij talloze connecties bezat onder de vrienden van de zussen. Toen Seneca in het jaar 39 bijna ten offer was gevallen aan een van Caligula's aanvallen van paranoia, had een onbekende dame aan het hof ingegrepen om zijn veiligheid te garanderen. Deze anonieme weldoenster was waarschijnlijk afkomstig uit Julia Livilla's kring; het zou zelfs Julia Livilla zelf kunnen zijn geweest.

Als Seneca en Livilla al lang goed bevriend waren, moet het Messalina makkelijk zijn gevallen om het gerucht te verspreiden dat ze nog intiemer bevriend waren geraakt, vooral omdat dit niet de eerste keer was dat Julia Livilla's reputatie in twijfel werd getrokken. Er was de zweem van incest die altijd om haar broer en zussen heen had gehangen, en bij haar verbanning in het jaar 39 had Caligula Julia Livilla en Agrippina niet alleen van verraad beschuldigd, maar ook van overspel. Het moet niet moeilijk zijn geweest de geruchten over een affaire hard te maken, waarvoor de basis al kon worden gelegd voordat de officiële aanklacht werd ingediend. Aan de roddels schijnt alom geloof te zijn gehecht, of ze nu op waarheid berustten of niet. Zelfs nadat Messalina van het toneel was verdwenen en Seneca uit verbanning was teruggeroepen, werd hij er nog steeds van beschuldigd een verhouding met Julia Livilla te hebben.[44]

Toen Julia Livilla werd aangeklaagd, werd ze behalve van overspel nog van diverse andere niet bij name genoemde zaken beschuldigd – van

samenzwering misschien, of van ander seksueel afwijkend gedrag. Een
echt proces vond niet plaats – laat staan een eerlijk – en Julia Livilla werd
opnieuw uit Rome verbannen. Waarschijnlijk werd ze weer naar Pandateria gestuurd, het eiland dat ze slechts een paar maanden eerder had verlaten. Dit afgelegen en gure stukje rots, ver in de Tyrreense Zee gelegen,
was berucht om zijn stormen en bezat weinig meer ruimte dan voor een
villa en een paar bijgebouwen. Seneca viel ook in ongenade. 'Slaapkamers
bederven van keizerlijke vrouwen' (zoals een latere tegenstander het zou
formuleren) was een misdrijf dat gelijkstond aan verraad, zodat Seneca voor een senatoriale jury werd gesleept.[45] Zijn rechters veroordeelden
hem prompt ter dood, wat Claudius de gelegenheid bood zijn clementie
te tonen door de straf om te zetten in verbanning naar Corsica.[46]

Messalina's aandeel in dit alles wordt bevestigd door zowel het feit
dat Seneca pas na haar dood werd teruggeroepen als een terloopse opmerking van de man zelf. In de opdracht van Boek 4 van zijn *Natuurlijke
vragen* prijst Seneca degene tot wie de opdracht is gericht, Lucilius, omdat hij trouw is gebleven aan zijn 'vrienden' (dat wil zeggen aan Seneca zelf en misschien aan een bredere groep van zijn sympathisanten) en
niet is gezwicht voor de druk van Messalina en Narcissus.[47] Dio beweert
dat Seneca vanuit ballingschap zijn zaak bij Messalina bleef bepleiten.
Hij stuurde haar een boek waarin zoveel kruiperige loftuitingen aan het
adres van haar en haar bevriende vrijgelatenen stonden dat hij het bij
zijn terugkeer uit schaamte uit de roulatie probeerde te nemen.[48] Dat hij
zijn smeekbedes aan haar richtte spreekt boekdelen over wie volgens
de doorgewinterde insider Seneca in de vroege jaren 40 aan de knoppen
draaide op de Palatijn.

Seneca zou naar het hof worden teruggeroepen in het jaar 49, nadat
Messalina van het toneel was verdwenen en Claudius was hertrouwd met
Julia Livilla's zus Agrippina, maar Julia Livilla zou minder geluk hebben.
Binnen een jaar na haar terugkeer naar het barre eiland Pandateria was
ze overleden.

De bronnen stellen de hele episode voor als een 'catfight' – Livilla was
populair en trok de aandacht naar zich toe, en Messalina was jaloers –,
maar in werkelijkheid was het conflict ongetwijfeld van politieke aard.
Dat Claudius na Messalina's dood met Agrippina trouwde geeft aan dat
de nieuwe keizerin de acties van de nicht van haar echtgenoot terecht als
een bedreiging van haar eigen positie beoordeelde. Messalina kan heb-

ben gemeend dat ze uit zelfverdediging maar beter zelf de eerste klap kon uitdelen.

Messalina was niet de enige voor wie Julia Livilla's hernieuwde aanwezigheid een bedreiging kon betekenen. In alle ons overgeleverde verslagen van de intrige wordt Claudius voorgesteld als een onschuldige, zij het goedgelovige omstander, die zich eerst laat bespelen door Julia Livilla's toenaderingen en dan door Messalina's beschuldigingen. Toch had de keizer misschien minstens zoveel reden als zijn echtgenote om te wensen dat hij van Julia Livilla verlost was.

Julia Livilla's echtgenoot Vinicius was tijdens het korte interregnum van het jaar daarvoor beschouwd als een mogelijke vervanger voor Caligula. Hij was, zo schijnt, daadwerkelijk een kundig staatsman. Tacitus beschrijft hem als 'vriendelijk van aard en met een verzorgde spreekstijl', terwijl Dio hem prijst voor zijn politieke instinct om te weten wanneer je je mond moet houden.[49] Hij stond duidelijk ook in hoog aanzien bij zijn tijdgenoten. Velleius Paterculus had in de aanloop naar zijn eerste consulaat in het jaar 30 zijn Romeinse geschiedenis opgedragen aan Vinicius. Deze persoonlijke kwaliteiten waren bewonderenswaardig, maar het was pas de combinatie met zijn illustere huwelijk waardoor Vinicius aan het begin van het jaar 41 een geloofwaardige kandidaat voor het principaat was geworden. Vinicius stamde uit een oud en voornaam plattelandsgeslacht, maar zonder verwantschap met de keizerlijke familie. Als uit zijn verbintenis met Julia Livilla (Augustus' achterkleindochter van haar moederskant) echter kinderen voortkwamen, zou het bloed van de dynastiestichter bij hen door de aderen stromen – iets waar Messalina en zelfs Claudius geen aanspraak op konden maken. Met de eliminatie van Julia Livilla zou het gevaar dat Vinicius vormde een stuk kleiner worden.[50]

Messalina kan jaloers zijn geweest op Julia Livilla, ze kan een persoonlijke hekel aan haar hebben gehad en hebben gevonden dat zij haar vooraanstaande positie op de Palatijn bedreigde, maar ze kan ook tot op zekere hoogte in het belang van het regime hebben gehandeld. Ondanks zijn stunteligheid en zachtmoedige reputatie had de nieuwe keizer zich opmerkelijk gretig betoond in het uit de weg ruimen van zijn gelijken. Uit de eerste 17 jaar van Tiberius' regeerperiode is er niet 1 senatoriale executie bekend. In Claudius' aanmerkelijk kortere tijd op de troon behaalde hij een indrukwekkende score van 35 senatoren en 300 of – mocht je hem het voordeel van de twijfel gunnen – 221 ridders.*[51] Het regime waarvan Messalina deel uitmaakte en waarin het voor haar en haar kinderen een kwestie van leven en dood zou blijken hoe het zich ontwikkelde, was voortgekomen uit intriges en geweld en vertrouwde daar ook op om zich te handhaven. Messalina's rol in de val van Julia Livilla en Seneca was geen ontaarding van het Claudische beleid, maar een voortzetting daarvan. Met de ondergang van Julia Livilla werden om zo te zeggen 3 gevaren in 1 klap bezworen: Seneca, intelligent en met goede connecties, kon zich tot een vijand ontwikkelen; Julia Livilla's dynastieke kwalificaties waren een bedreiging voor Britannicus; en Vinicius was met zijn combinatie van talent en keizerlijke connecties iemand onder wie de senatoriale oppositie tegen Claudius' principaat zich kon verenigen.

Met de eliminatie van Julia Livilla en Seneca werd Messalina's eigen positie een stuk stabieler. Het beschermde het regime waarvan zij en haar kinderen afhankelijk waren, stelde haar in staat zich aan Claudius te presenteren als een actief en onmisbaar onderdeel van zijn politieke programma en schakelde Julia Livilla uit als een potentiële rivale voor de positie van keizerin – wellicht nog voordat Claudius haar als zodanig begon te beschouwen.

Hoewel er minder dan een jaar verstreken was sinds de troonsbestijging van haar echtgenoot, blijkt uit de affaire rondom Julia Livilla dat Messalina al een eigen hof op de Palatijn had opgebouwd. Ze had de sociale connecties om de geruchten over het overspel van haar rivale te verspreiden en de politieke connecties om het tot een officiële aanklacht voor de rechtbank te laten komen. Ze had geen officiële positie en Claudius had haar zelfs de door de senaat verleende eerbewijzen ontzegd, en toch was Messalina al machtig genoeg geworden om zowel aan de overleving van het regime bij te dragen als om tussenbeide te komen ten behoeve van haar eigen overleving. De nieuwe keizerin had zich een soort wonderkind betoond in het spel van de paleispolitiek.

---

* Suetonius geeft een totaal van 35 senatoren en 300 ridders. De *Apocolocyntosis* (een satire over Claudius' dood en vergoddelijking, in het verleden onterecht aan Seneca toegeschreven) stemt overeen in het aantal senatoren, maar wanneer het aanbelandt bij het aantal slachtoffers onder de ridderstand is het manuscript beschadigd. In de tekst lijkt 221 te staan, al reconstrueren sommige geleerden 321, waarvoor ze als argument onder meer de door Suetonius vermelde getallen aanvoeren.

11

De triomf van Messalina

'U, boven alles uit, Caesar, voor iedereen zichtbaar, in purper,
staand op de wagen; zo gaan winnaars het volk tegemoet!
Langs heel de route klinkt ovationeel het applaus van uw burgers,
gul met hun bloemen; de weg lijkt wel een bloeiend tapijt.'
Ovidius, *Tristia*, 4.2.47-50

Als onderdeel van de precaire stilzwijgende overeenkomst die hij in de
maanden volgend op zijn machtsovername met de senaat had gesloten,
had Claudius de zittende consuls tactvol tot het einde van hun ambtstermijn in hun functie gelaten. Hij wachtte tot 1 januari 42 (het begin van de
traditionele republikeinse consulaire termijn) om de post zelf op zich te
nemen. Dit was zijn tweede consulaat, zijn eerste als keizer.

Het nieuwe jaar kan stof tot overdenking hebben gegeven in het keizerlijk huishouden. Dat Claudius het consulaat naar zich had toegetrokken benadrukte hoezeer zijn situatie veranderd was ten opzichte van het
jaar 14, toen hij Tiberius om de functie had gesmeekt en hem die in de
vernederendste termen was geweigerd, en zelfs hoe hoog hij gestegen
was sinds het jaar 37, toen de benoeming waarnaar hij zo had gehunkerd
hem was toegekend door een gril van zijn jonge neef Caligula. Ook Messalina kan door het contrast getroffen zijn geweest: toen ze kort na diens
eerste consulaat met Claudius trouwde, zal ze zich amper hebben kunnen voorstellen dat hij de functie nogmaals zou bekleden, laat staan in de
hoedanigheid als keizer.

Het kan Messalina ook hebben beziggehouden dat het nu bijna een
jaar geleden was dat Caligula, Caesonia en Drusilla waren geëxecuteerd.

Zij en Claudius hadden hun macht een heel jaar behouden. Dat dit beslist een opmerkelijke prestatie was voor een keizer die door een militaire coup aan de macht was gekomen, zou zo'n drie decennia later worden aangetoond door de gewelddadige opvolging van vier keizers binnen één jaar na de coup waarmee Nero werd afgezet. Met de geboorte van Britannicus, haar populariteit in Rome en in de provincies en haar manoeuvres achter de schermen kon Messalina terecht het gevoel hebben dat zij in niet geringe mate had bijgedragen aan de zwaarbevochten stabiliteit van de positie van haar echtgenoot. De ochtendstond van 24 januari 42 moet de geesten van Caesonia en Drusilla voor haar hebben opgeroepen, als een tijdige herinnering dat ze haar werk moest voortzetten.

Die herinnering was wellicht minder welkom naarmate het jaar vorderde. Ergens in het jaar 42 ontving het paleis een brief uit de provincie Dalmatië, aan de oostkust van de Adriatische Zee. De opsteller ervan, de gouverneur Camillus Scribonianus, wond er geen doekjes om.* Scribonianus, die duidelijk het principe 'als je niks vraagt krijg je ook niks' aanhing, 'twijfelde er niet aan of hij kon Claudius ook zonder een oorlog te beginnen intimideren. Hij beval hem daarom in een brief vol beledigingen, dreigementen en laatdunkende opmerkingen het keizerschap neer te leggen en in alle rust als gewoon burger verder te leven.'[1] Het was een gok die, als we de bronnen geloven, bijna resultaat opleverde. Een aantal vooraanstaande senatoren en ridders bleek hun steun aan Scribonianus te hebben toegezegd en volgens zowel Dio als Suetonius brak er paniek uit in het paleis. Ze vertellen dat Claudius serieus overwoog om af te treden. Het was een belachelijk idee, want wat Scribonianus ook beloofde, er bestond niet zoiets als een ex-keizer. Aftreden zou voor Claudius de dood hebben betekend, en misschien ook voor Messalina en haar kinderen.

De opstand was van korte duur. Aan het eind van de vijfde dag van de rebellie werd Scribonianus door zijn mannen in de steek gelaten. Dio beweert dat ze geen belang stelden in zijn retorische belofte om de Republiek te herstellen. Suetonius wijt het aan 'vroomheid': de soldaten

---

* Zijn geboortenaam was Furius en dat is ook de naam die Suetonius gebruikt, maar hij stond op dat moment officieel bekend onder de naam L. Arruntius Camillus, die hij had gekregen nadat hij door de machtige consul van het jaar 6 was geadopteerd.

vonden hun standaarden onheilspellend moeilijk te dragen en interpreteerden dit als afkeuring van de goden omdat ze hun eed van trouw aan de keizer hadden verzaakt. In werkelijkheid hadden de legioenen, die geen inherent ideologisch belang kunnen hebben gehad bij een aristocratische burgeroorlog, waarschijnlijk de kans afgewogen dat Scribonianus zou winnen en hen dan belonen – en die te gering geacht.

Scribonianus vluchtte naar het piepkleine Adriatische eiland Issa (nu Vis in Kroatië) en stortte zich in zijn eigen zwaard of werd vermoord.[*] De legioenen die zich tegen hun bevelhebber hadden gekeerd werden voor hun (zij het wat verlate) trouw aan de keizer beloond met de verwachtingsvolle titel 'Claudius' eigen legioenen, loyaal en standvastig'. Van een aantal prominente senatoren en ridders werd vastgesteld dat zij de opstand hadden gesteund en zij werden in Rome geëxecuteerd – deze nasleep in de stad was een smerige zaak, en we zullen Messalina's vermeende rol hierbij nader bekijken in het volgende hoofdstuk. Hoewel het onmiddellijke gevaar binnen een week de kop was ingedrukt, hadden de acties van Scribonianus een barst in Claudius' gezag aan het licht gebracht: hij genoot de steun van zijn soldaten, maar kon niet rekenen op het respect van hun aanvoerders. Dit besef heeft mogelijk een rol gespeeld in de beslissing die Claudius aan het eind van dat jaar nam, namelijk om het mysterieuze land ten noorden van Gallië binnen te vallen dat de Romeinen Britannia noemden.

Als toevoeging aan het rijk stelde Brittannië niet veel voor, maar als propagandastunt was het van onschatbare waarde. Julius Caesar had als eerste zijn oog op Brittannië aan de overzijde van het Kanaal laten vallen. Hij was er geland, een aantal stamhoofden had zich aan hem onderworpen en hij had aantekeningen gemaakt over de plaatselijke druïdeculturen, maar hij had het nooit veroverd. Als Claudius erin slaagde deze oude ambities te vervullen, zo hoopte hij, zou hij daarmee zijn eigen imago opvijzelen tot eenzelfde hoogte als dat van de grote en vereerde generaal.

In het jaar 43 was Rome een zee-imperium, met de Middellandse en Zwarte Zee als kern waaromheen goed in kaart gebrachte landen lagen, maar de Romeinen wisten dat het water tussen Gallië en Brittannië deel

---

[*] Cassius Dio, 60.15 heeft het over zelfmoord; Tacitus, *Annalen*, 12.52 suggereert dat Scribonianus later stierf aan een ziekte of door vergif.

uitmaakte van iets anders – een oceaan. Ze wisten niet tot hoe ver het water zich uitstrekte, noch of het land dat ze konden zien een eiland of een continent was. Ergens voorbij Brittannië, zo werd aangenomen, lag een oord dat 'Thule' heette – het noordelijkste land in de wereld –, maar het was vrijwel onmogelijk dat te bereiken omdat de zee naarmate je dichterbij kwam steeds dikker en dus onbevaarbaar werd. Al deze factoren droegen alleen maar bij aan de aanlokkelijkheid van de onderneming. Het was lang geleden dat de Romeinen zich echte ontdekkingsreizigers hadden gevoeld. Brittannië, met zijn wildernis, zijn 'primitiviteit', zijn vreemde priesters en onbekende gevaren, bezat de perfecte eigenschappen om de oude Romeinse pioniersgeest nieuw leven in te blazen.

Als zo vaak luidde het voorwendsel voor de invasie dat er een onbeduidende aanval had plaatsgevonden op een of andere vazalkoning die Rome (geheel altruïstisch) had gezworen te beschermen.[2] Gedurende de winter en lente van 42/43 werden voorbereidingen getroffen. Zo'n 40.000 soldaten marcheerden weg uit hun provincies en verzamelden zich aan de noordkust van Gallië. De eerste oversteek werd zonder Claudius gemaakt, die misschien met Messalina in Rome was gebleven. Pas toen een veilige overtocht en landing verzekerd waren, vertrok Claudius zelf per boot van Ostia naar Massilia (het moderne Marseille), waarna hij over land en rivier naar Bononia (Boulogne) reisde en omstreeks juli 43 met versterkingen het Kanaal overstak.

De keizer arriveerde – volgens plan – een beetje laat op het feest. Zijn generaals hadden zich al langs de zuidkust een weg omhoog naar de Theems gevochten. Het Britse verzet was neergeslagen en de Catuvellauni – de machtige stam die gevaarlijk dominant in de regio was geworden – waren in het gareel gebracht. Claudius' tocht naar de Theems was een reis door veroverd gebied. Toen hij de oevers van de rivier bereikte, nam hij het bevel over de troepen op zich en bereidde hen voor op het innemen van Camulodunum (Colchester) – een bolwerk van de Catuvellauni. Dio beschrijft een veldslag tegen een massale barbaarse strijdmacht, waarvoor hij zich baseert op officiële verslagen van het front, maar het is onduidelijk hoeveel actief verzet er nog resteerde tegen de tijd dat Claudius naar Camulodunum oprukte.

Claudius nam bij zijn triomfantelijke intocht in de stad de gelegenheid te baat om de Romeinse militaire macht te etaleren. Britse stamhoofden werden ontboden om de gevangenen te bezichtigen en parades bij te wonen van strak in het gelid lopende soldaten, mannen uit onbekende streken in onbekende wapenuitrustingen, aangevoerd door een contingent Afrikaanse krijgsolifanten. Het moet een ware logistieke nachtmerrie zijn geweest om deze olifanten het Kanaal over te verschepen – Claudius was er duidelijk op gebrand indruk te maken. En het werkte. Alles bij elkaar onderwierpen zich – gedwongen of 'aangemoedigd' – elf koningen en koninginnen tijdens de waarschijnlijk iets meer dan twee weken die de keizer op Britse bodem doorbracht. Daarna liet hij de schoonmaakoperatie over aan zijn generaals en keerde terug naar het continent op zoek naar een fatsoenlijk bad en een echte zomer.

De gangen van Messalina in deze periode zijn lastiger na te gaan. Het is niet onmogelijk dat ze Claudius op in elk geval een deel van de route naar de grens van het rijk vergezelde. Het was niet ongebruikelijk voor keizerlijke vrouwen om met hun echtgenoot mee te reizen op diplomatieke of militaire campagnes. Claudius zelf had te kampen met voortdurende schimpscheuten over zijn Gallische afkomst omdat zijn moeder hem in zijn vaders winterkamp te Lugdunum ter wereld had gebracht. Meestal komen we de reizen van deze keizerlijke vrouwen op het spoor dankzij de overenthousiaste gedenktekens met inscripties die werden opgericht in de provincieplaatsen waar ze doorheen kwamen. In het geval van Messalina zullen al deze bewijsplaatsen vernietigd zijn in het kader van de damnatio memoriae die na haar dood plaatsvond.

Het lijkt echter waarschijnlijker dat Messalina in Rome achterbleef, in elk geval tot de overwinning van Claudius zeker was. De tocht naar het noorden was geen diplomatieke rondreis, waarbij de aanwezigheid van de keizerin nuttig kon zijn om soft power uit te oefenen, maar een missie die was bedoeld om een beeld van militaire mannelijkheid uit te stralen. Messalina, die niet overkomt als het type vrouw dat behagen schiep in ontberingen, had waarschijnlijk niet het gevoel dat ze iets misliep. Verre reizen waren afmattend en Brittannië zou bekend komen te staan als een van de miserabelste provinciale uithoeken van het rijk. Tijdens de regeringsperiode van Hadrianus, na honderd jaar van eensgezinde pogingen tot 'beschaven', kon de dichter Florus nog steeds schrijven: 'Nee, ik wil geen caesar zijn die geteisterd door Scythische sneeuwbuien ronddoolt tussen de Britten.'[3]

Ook uit politiek oogpunt kan het voor Messalina veiliger zijn geweest om thuis in de hoofdstad te blijven. Claudius nam een groot risico door de hoofdstad zo snel na Scribonianus' opstand te verlaten, waarvan hij zich terdege bewust was. Zoals een reeks republikeinse leiders op noodlottige wijze had ervaren, bezat de man die Rome in handen had bijna onveranderlijk het rijk; als er oproer uitbrak terwijl Claudius weg was aan het front, kon dat zijn bewind aan het wankelen brengen. De lijst van adjudanten die hem vergezelden op zijn Britse campagne leest als een opsomming van de illusterste senatoren in de Romeinse staat: Claudius was er duidelijk op gebrand hen uit Rome te hebben terwijl hij weg was. Misschien heeft bij hem ook de overweging meegespeeld dat hij de invasie, en de militaire eer die daarbij te behalen viel, kon gebruiken om zijn potentiële rivalen aanzienlijk aan zich te verplichten. In deze context moet het voor Messalina zowel een verantwoordelijkheid als een opluchting zijn geweest om in Rome te blijven.

Sinds de geboorte van Britannicus had Claudius het zorgvuldig vermeden om iemand als zijn tweede man te kiezen. Vreemd genoeg was het keizerlijk Rome, hoewel in wezen een monarchie, geen samenleving waarin biologische afstamming allesbepalend was. Adoptie, benoeming, testamentaire beschikkingen en patronage speelden naast bloedverwantschap allemaal een rol bij de keuze van opvolgers, en een rechterhand die te veel macht kreeg zou die positie gemakkelijk kunnen aangrijpen om Britannicus' recht van successie te betwisten. Toch moest iemand het fort bewaken in Claudius' afwezigheid. De twee meest voor de hand liggende kandidaten waren Claudius' huidige schoonzoon Pompeius Magnus, recent getrouwd met Claudia Antonia (Claudius' dochter bij Aelia Paetina), en zijn toekomstige schoonzoon Lucius Silanus, nog steeds verloofd met Messalina's dochter Claudia Octavia. De immer behoedzame Claudius had de beide mannen voorzichtigheidshalve gedurende de hele reis en campagne aan zijn zijde gehouden. Toen de twee uiteindelijk terug naar Rome werden gestuurd, was dat als de eerste boodschappers van Claudius' succes, zodat hun aankomst in de stad uitsluitend aanleiding kon geven voor feestelijkheden in de naam van de keizer.[4]

In plaats daarvan, beweert Dio, droeg Claudius 'het binnenlands bestuur' over aan Messalina's nauwe bondgenoot Vitellius, de collega van de keizer in het consulaat van het jaar 43.[5] Terwijl Vitellius toezicht hield op het senaatshuis en het pretoriaanse kamp, kan de leiding van het keizerlijk hof goed aan Messalina zijn toegevallen. Ze was populair bij het volk, ze kende de fijne kneepjes van de hofpolitiek en haar belangen lagen althans op dit moment geheel op één lijn met die van Claudius.

Hoezeer ze wellicht ook van zijn afwezigheid genoot, Messalina moet een zucht van opluchting hebben geslaakt toen het nieuws over de geslaagde missie van haar echtgenoot samen met Pompeius Magnus en Lucius Silanus in Rome arriveerde. Ook al zou haar echtgenoot naar ze wist nauwelijks actie aan het front zien, de reis alleen al bracht reële gevaren met zich mee. Er waren genoeg keizerlijke prinsen overleden aan verwondingen opgelopen bij het paardrijden of tijdens legeroefeningen en er moest ook nog een zee worden overgestoken, in noordelijke wateren die slecht in kaart waren gebracht en naar havens die onbekend waren. Het was typisch iets voor Claudius om op zijn allereerste militaire campagne door een stom ongeluk op zijn drieënvijftigste te sterven. Als hij inderdaad die domme pech had, zou de situatie voor Messalina extreem gevaarlijk worden. De opvolgingslijn lag helemaal open: haar zoon was nog veel te jong voor de troon en toch vormde hij door alleen zijn bestaan een existentiële dreiging voor iedere man die in de tussentijd de macht naar zich toe trok. Bovendien had de toon van Scribonianus' brief pijnlijk duidelijk gemaakt dat Claudius als princeps nog weinig geloofwaardigheid bezat. Een militaire ramp, of zelfs een anticlimax van het soort dat Caligula in Germanië was overkomen, zou een andere troonpretendent ertoe kunnen aanzetten zich in de strijd om het keizerschap te werpen.

Dankzij de overwinning in Brittannië kon het regime voorlopig weer vrijer ademhalen. Messalina voelde zich misschien veilig genoeg om de stad te verlaten en naar het noorden te reizen om haar man ergens op zijn weg terug naar Italië te ontmoeten. Vervuld met een nieuw zelfvertrouwen maakte het keizerlijk gezelschap geen haast en er waren bij elke halteplaats feestelijkheden. In Lugdunum, de stad waar Claudius was geboren, was het gezelschap waarschijnlijk aanwezig bij de inwijding van monumenten voor Jupiter en Overwinning, opgericht ter ere van Claudius' succes en behouden terugkomst. Bij de monding van de Po voeren ze de Adriatische Zee op met een boot die Plinius de Oudere later zou beschrijven als 'eerder een paleis dan een schip'.[6] Toch vielen deze gala's en ceremonies in het niet bij het onthaal dat hen in Rome wachtte.

Of ze hem nu onderweg uit het noorden had ontmoet of bij de poorten van de stad, toen Claudius na een afwezigheid van ten minste zes maanden, waarvan hij waarschijnlijk niet meer dan zestien dagen in Brittannië had doorgebracht, officieel Rome weer binnenging, zal Messalina zich zeker aan zijn zijde hebben bevonden. Geconfronteerd met het bericht dat zijn campagne in Brittannië met succes was bekroond, besloot de senaat Claudius een reeks kruiperige eerbewijzen te verlenen.[7] Hij kreeg de eretitel Britannicus toegekend – een naam die later vooral door Messalina's zoon gebruikt zou worden – en er werden triomfbogen gepland in Rome en op de plek waar hij in Gallië scheep was gegaan. Toen deze bogen in het jaar 51 eindelijk waren voltooid, zouden ze zijn getooid met standbeelden van de nieuwe echtgenote van de keizer, Agrippina, maar bij de bekendmaking van deze plannen zal Messalina hebben verwacht daar straks haar eigen beeltenis op te zien prijken.

De senaat schonk ook eerbewijzen aan Messalina, en deze keer werden ze niet geweigerd. Er werden haar twee van Livia's voormalige privileges verleend: het recht om samen met de vestaalse maagden een ereplaats te bezetten op de voorste rij in het theater, en het recht om zich door de stad (gewoonlijk overdag alleen toegankelijk voor voetgangers) te verplaatsen in een speciaal soort overdekt rijtuig met de naam *carpentum*.[8] Messalina mocht dan nog steeds geen aanspraak kunnen maken op de titel Augusta, maar deze eerbewijzen markeerden wel een verandering in haar positie. Beide waren bedoeld om haar zichtbaarheid te verhogen en haar meer te laten opvallen in de ogen van het publiek. En door haar toe te staan ze te accepteren, kondigde Claudius een beleidsverandering aan. Nu zijn heerschappij steviger was gevestigd, leek hij eindelijk bereid te zijn de macht en het belang van Messalina's positie te erkennen.

Ten slotte stond de senaat Claudius een triomftocht toe.[9] Dit oude gebruik om een overwinning te vieren ging, zo geloofden de Romeinen, terug op de triomf van koning Romulus zelf en was een van Romes meest legendarische – en met vele betekenissen beladen – tradities. Naarmate de Republiek ouder, rijker en meedogenlozer was geworden, was de ceremonie exponentieel uitgedijd en het visitekaartje bij uitstek geworden waarmee de zegevierende legeraanvoerder zijn persoonlijke status uitdrukte.[10] Het was een ontwikkeling (of ontaarding) naar steeds meer waaraan Augustus min of meer een einde maakte met zijn viering van een luisterrijke drievoudige triomf in 29 v.Chr. Sindsdien waren triomftochten (op één uitzondering na) voorbehouden aan de keizer en zijn erfgenamen – en zelfs deze vonden slechts bij hoge uitzondering en met lange tussenpozen plaats.[*]

Claudius' triomftocht in het jaar 44 was de eerste in 27 jaar.[11] Velen onder de (overwegend jonge) stedelijke bevolking zullen niet oud genoeg zijn geweest om herinneringen te hebben aan de laatste keer dat het ritueel was uitgevoerd, in het jaar 17 door Claudius' eigen broer Germanicus. De opwinding die zich in afwachting van Claudius' terugkeer door de stad verspreidde moet voelbaar zijn geweest. Messalina was mogelijk betrokken bij de koortsachtige voorbereidingen: er moesten straten worden vrijgemaakt, offerdieren worden gekozen, banketten worden voorbereid, borduursels op kostuums worden aangebracht, versieringen worden vervaardigd en opgehangen. De satiricus Persius beschrijft de bijdrage van Caesonia in de voorbereidingen voor Caligula's triomftocht die nooit werkelijkheid werd: 'De keizer zond bericht van overwinning vanwege de opvallende Germaanse nederlaag. De koude as wordt van altaren weggeveegd, Caesonia huurt wapens voor de deurpost, koninklijke mantels en blonde pruiken voor de "gevangenen", wagens en enorme voorstellingen van de Rijn.'[12] We kunnen ons voorstellen dat Messalina vergelijkbare taken op zich nam terwijl haar echtgenoot in Gallië en aan de Rijn vertoefde aan het eind van het jaar 43.

Op de dag van de triomftocht verzamelde zich 's ochtends vroeg een grote menigte op de Campus Martius, het oude militaire oefenterrein dat net buiten de heilige grens van de stad, het pomerium, lag. Claudius was daar aanwezig met zijn generaals en soldaten, evenals Messalina met Britannicus en Claudia Octavia op sleeptouw. Praalwagens stonden klaar, gevangenen waren in rijen vastgeketend, oorlogsbuit was op karren geladen. In dit opzicht had Brittannië zijn veroveraars niet gul bedeeld. Het had geen monumentale kunst te bieden zoals in Griekenland of Egyp-

---

[*] Dat Augustus op deze indirecte wijze de triomftocht intoomde, had waarschijnlijk twee redenen. Ten eerste was hij van mening dat het rijk uit zijn krachten dreigde te groeien en raadde hij zijn opvolgers nadrukkelijk af verdere uitbreidingsoorlogen te voeren. Ten tweede was hij zich er scherp van bewust dat de triomftocht een wezenlijk republikeinse ceremonie was die nauw verbonden was geraakt met de uitzinnige competitiedrang die het tijdperk van de burgeroorlogen had gekenmerkt.

te, en veel minder goud en juwelen dan er te halen viel bij de oosterse potentaten. De blonde gevangenen werden echter hoog gewaardeerd en iemand, wellicht Messalina, moet hebben geregeld dat er afbeeldingen werden vervaardigd van de geschiktste, exotisch klinkende plaatsen van het land. Dit kunnen schilderijen zijn geweest, beelden of gekostumeerde personificaties. Misschien zaten daar ook voorstellingen van Oceanus tussen, die grote en onbevattelijke god, op wie Claudius in zekere zin ook een overwinning had behaald.

Messalina vervulde de eerste ceremoniële rol van de dag. Toen Livia jong was en er nog werd verwacht dat ze bij Augustus kinderen zou krijgen, ging het verhaal rond dat een adelaar een lauriertwijgje in haar schoot had laten vallen. De keizerin had dit takje in de tuin van haar villa buiten de stad geplant en er zou een heel bosje uit zijn opgesproten dat gewijd was aan de keizerlijke familie en uitsluitend door de leden ervan mocht worden beroerd.[13] Het schijnt de taak van de hooggeplaatste keizerlijke vrouw – in dit geval Messalina – te zijn geweest om takken van dit laurierbosje af te snijden om daar de maanvormige strijdwagen van de triomfator mee te versieren.[14] Na de triomftocht zou een deel van deze kransen terug naar het bosje worden gedragen en daar weer worden geplant, waarmee de hele cyclus handig de traditie van de triomftocht en de roemrijke expansie van het Keizerrijk verenigde met de vruchtbaarheid van de Julisch-Claudische dynastie.

Zodra Messalina de strijdwagen naar tevredenheid had versierd en de vier paarden waren ingespannen, zette de triomfstoet zich in beweging, eerst langs het pomerium en dan over de heilige weg naar de tempel van Jupiter Optimus Maximus op de Capitolijn. Claudius ging voorop in zijn strijdwagen, getooid met de laurierkrans en gekleed in de traditionele *toga picta* van de triomfator, met overvloedig borduurwerk van palmbladmotieven als symbool van de overwinning. De keizer werd in de triomfwagen waarschijnlijk vergezeld door zijn twee jonge kinderen, de vier- of vijfjarige Claudia Octavia en de twee- of driejarige Britannicus.

Direct achter Claudius, de ereplaats die gewoonlijk was gereserveerd voor de erfgenaam van de triomfator, reed Messalina. De aanwezigheid van een echtgenote in de triomfstoet was een historisch unicum in Rome. Vrouwen waren altijd volledig uitgesloten geweest van deelname aan het oude republikeinse ritueel en zelfs ten tijde van het Keizerrijk was de rol

Messalina's vermeende nachtelijke escapades als de prostituee 'Lycisca' verschaffen de perfecte klassieke vrijbrief voor achttiende-eeuwse erotiek in Pierre Didots heruitgave van Aretino's 'Posities'.

Een processie van de leden van het Huis van Caesar, in marmer uitgebeeld op de Ara Pacis oftewel het Altaar van de Augusteïsche Vrede.

Een afbeelding van een jong koppel dat de liefde bedrijft, op de muren van Caecilius Iucundus' zuilengang in Pompeji. Zulke expliciete taferelen waren gebruikelijk in modieuze eerste-eeuwse interieurs.

Messalina, met haar opvallende midden-eerste-eeuwse kapsel, jeugdige schoonheid en beroemde ogen, zoals ze verschijnt in het officiële modelportret dat vroeg in haar regeerperiode werd vervaardigd.

Claudius, een man die er volgens Suetonius waardig uitzag zolang hij stokstijf stilstond, is hier afgebeeld als keizer die de *corona civica* draagt, de krans van eikenbladeren.

Het chaotische moment waarop Claudius 'bij toeval' keizer werd, zoals verbeeld door de Engels-Nederlandse schilder Lourens Alma-Tadema in 1871.

Een muurschildering uit het paleis op de Palatijn, daar nog aanwezig in Messalina's tijd. De trompe-l'oeil-effecten en het weelderige gebladerte zijn karakteristiek voor de tweede stijl uit het Augustus-tijdperk.

Een ironisch madonna-achtige voorstelling van Messalina en Britannicus. De compositie is gebaseerd op een beroemd standbeeld van de godin Vrede en haar zoon Rijkdom.

Messalina is hier weergegeven met de attributen van de moedergodin Cybele. Later werd het beeld met een zware klap op het achterhoofd in stukken gebroken.

Op een munt uit Alexandrië staat Messalina afgebeeld met de popperige figuurtjes van Britannicus en Claudia Octavia op haar hand. Op de voorzijde staat een buste van Claudius.

Op Andrea Mantegna's laatvijftiende-eeuwse *De triomfen van Caesar*, waarvoor hij uitvoerig onderzoek deed, dragen mannen afbeeldingen van veroverde steden en beslissende veldslagen mee – zoals ze dat ook in 44 v.Chr. zouden hebben gedaan.

Hans Makarts portret van Charlotte Wolter als Messalina in het Duitse toneelstuk *Arria und Messalina* beeldt de keizerin uit in haar glorietijd: gebiedend, zelfverze-kerd en sensueel.

Het verhaal van Arria en Paetus had alles als onderwerp wat de neoclassicistische schilder zich kon wensen: een klassieke setting, een morele les en victoriaans topdrama.

Afbeelding van koppels die dineren, op de muren van het triclinium van het Pompejische Huis van de Kuise Geliefden – de perfecte setting voor buitenechtelijke avonturen à la Ovidius.

Op deze Pompejische muurschildering zit een koppel intiem bij elkaar achter een kithara. Muziek en poëzie werden beide met argwaan bezien, als mogelijke opstapjes tot overspel.

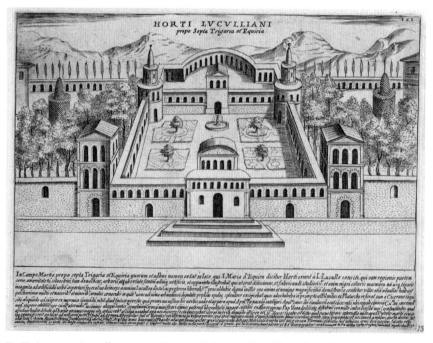

De Tuinen van Lucullus – zo schitterend dat ze als voldoende reden voor moord werden beschouwd – opnieuw verbeeld in een vroegzeventiende-eeuwse prent van Giacomo Lauro.

Een fresco uit het Pompejische Huis van de Gouden Armband weerspiegelt de Romeinse obsessie met landschapstuinen waarin natuur en kunst op artificiële wijze zijn vermengd.

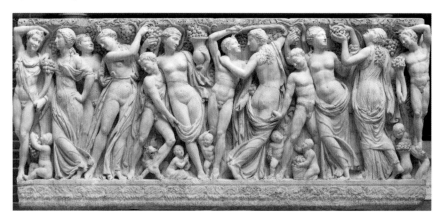

Boven: Een bacchanalisch gezelschap viert de druivenoogst op de Farnese-sarcofaag. Zoals in Messalina's verhaal verbindt de voorstelling wijn, seks, genot en dood met elkaar.

Links: Een maenade, met wapperende haren en een luipaardpoot omklemmend, danst extatisch op de binnenkant van deze drinkbeker uit de vroege vijfde eeuw voor Christus. Het tafereel suggereert zowel vrijheid als gevaar.

Poppaea toont Nero het afgeslagen hoofd van zijn terechtgestelde ex-vrouw Claudia Octavia in een fantastisch kitscherige uitbeelding van keizerlijke wreedheid en
pracht en praal, uit 1876.

Het donkere portaal van het Pompejische lupanar. Juvenalis stelt zich voor dat
de keizerin 's nachts uit het paleis wegglipt om precies in een dergelijk bordeel te
werken.

Toulouse-Lautrec bezocht avond na avond voorstellingen van de opera *Messaline* om schetsen te maken. Op de resulterende schilderijen is de keizerin in haar rode jurk onmiskenbaar.

Messalina blijft goed gekleed en kalm, ook al brandt ze hier in dit geïllustreerde manuscript van Boccaccio uit omstreeks 1415 in de hel naast de keizers Tiberius en Caligula.

Een schilderij van Francesco Solimena uit een reeks die werd besteld ter ere van het huwelijk van een Venetiaanse edelman, waarop Messalina figureert als een tragische waarschuwing tegen overspel.

De Deense hofschilder Nicolai Abildgaard geeft in dit werk uit 1797 blijk van een opmerkelijk meevoelende visie op Messalina, hier veilig dood en betreurd door haar moeder Domitia Lepida.

De Nederlandse schilder Nicolaes Knüpfer laat het wilde bruiloftsfeest van Messalina en Silius zich in deze verbeelding afspelen in wat een zeventiende-eeuws bordeel uit die tijd lijkt te zijn.

Eugène Cyrille Brunets meer dan levensgrote beeld *Messaline* introduceerde de keizerin – die hier alleen, maar duidelijk in seksuele opwinding is weergegeven – op de Parijse salon van 1884.

Het marketingteam voor *Messaline*
(of: *The Affairs of Messalina*) (1951)
ging helemaal los met hun slagzin-
nen.

Een Messalina in rococostijl, met
een pruik en lijfje die als bedek-
king overduidelijk tekortschieten,
begeeft zich naar het bordeel op een
van Aubrey Beardsleys illustraties
van Juvenalis' *Satiren*.

De Franse symbolistische schilder Gustave Moreau toont hier een prachtige, standbeeldachtige en uiteindelijk onbevredigbare Messalina – de ultieme femme fatale uit het fin de siècle.

van de keizerlijke echtgenote tot dan toe beperkt geweest tot het om-
kransen van de strijdwagen van hun echtgenoot en het bekostigen van
aparte feestbanketten voor vrouwen en kinderen.

Maar nu reed Messalina daar, in die voorname positie, vóór de generaals en de senatoren en de buitenlandse hoogwaardigheidsbekleders,
direct achter haar echtgenoot en haar kinderen terwijl zij hun weg ver-
volgden langs de juichende menigten, door de straten van hun stad en
omhoog over de hellingen van de Capitolijn. Ze reed in de carpentum,
het overdekte, fraai bewerkte rijtuig waarvoor ze pas net het gebruiks-
recht had verworven en dat voor de gelegenheid rijkelijk was versierd.
Net zoals de strijdwagen van haar echtgenoot was dit een ceremonieel
voertuig waarvoor de senaat ter gelegenheid van een overwinning speciale toestemming verleende. In zekere zin was de carpentum Messalina's
eigen *currus triumphalis*, en Claudius' triomf was in zekere zin ook haar
eigen triomf.

Messalina naderde nu het hoogtepunt van haar publieke prominentie. Door het hele rijk werden nieuwe munten uitgegeven; één daarvan
uit Anatolië toont op de ene kant een buste van Messalina, op de andere
kant haar kinderen en haar stiefdochter.* Uit de periode na de triomf
van haar echtgenoot stammen misschien de portretten waarop Messalina in half goddelijke gedaante is afgebeeld, getooid met een lauwerkrans
(ook gedragen door zegevierende generaals) en de kroon met torentjes
die was geassocieerd met de godinnen Cybele en Fortuna-Tyche. Het
was niet de bedoeling dat deze afbeeldingen letterlijk werden genomen –
Messalina werd niet als een levende godin vereerd –, maar ze waren wel
een extreme vorm van vleierij.** In het openbaar leek de populariteit van

---

* Dit betreft een zilveren *didrachme*, geslagen tussen 43 en 48 in Caesarea
Mazaca, waarvan een exemplaar zich nu in het British Museum bevindt: BM
1893.0804.3.

** We kunnen deze standbeelden niet precies dateren, maar de toevoeging
van goddelijke attributen zou erop kunnen wijzen dat er opdracht tot hun ver-
vaardiging werd gegeven in de jaren die volgden op de verlening van de eerste
officiële publieke eerbewijzen aan de keizerin in 43. Voor een bespreking van
de iconografie en de redenen dat de portretten als afbeeldingen van Messalina
worden beschouwd, zie Wood, 'Messalina, wife of Claudius: propaganda successes and failures of his reign'.

de keizerin te stijgen en verzekerd, en ze leek dat bovendien makkelijk voor elkaar te hebben gekregen. Achter de muren van het paleis op de Palatijn was en bleef de werkelijkheid echter veel weerbarstiger.

12

Intriges en angsten

'Alle andere mensen heersen over hun vrouwen; wij heersen over
alle andere mensen en onze vrouwen heersen over ons.'
Plutarchus, *Het leven van Cato de Oudere*, 8

In zijn beschrijving van haar bigamische huwelijk met Gaius Silius benadrukt Tacitus dat Messalina's voornaamste drijfveer haar angst was
dat ze haar '*potentia*' zou verliezen.[1] De geschiedschrijver koos zijn woorden zorgvuldig; 'potentia' had duisterdere en complexere connotaties
dan het Engelse '*power*', dat ervan is afgeleid. De betekenis van 'potentia',
dat vaak tegenover 'auctoritas' of 'gezag' werd gesteld, lag dichter bij de
macht die uitgaat van geweld. Dit was macht die de aan haar gestelde
grenzen overschreed, macht die de staat zelf zou kunnen uitdagen. In het
verslag dat hij over zijn eigen leven schreef, beweerde Augustus: 'Ik heb
steeds gedomineerd door persoonlijke invloed [auctoritas], maar ik heb
geen grotere macht [potestas] bezeten dan anderen die in de verschillende ambten mijn collega's zijn geweest.'[2] Als potentia al gevaarlijk kon zijn
wanneer een magistraat er te veel van bezat, dan was het zeker iets waar
een vrouw met haar handen van af moest blijven.

De bezorgdheid over Messalina's macht klinkt voortdurend door in
het historische narratief over het bewind van haar echtgenoot. 'Willoos
overgeleverd aan de vrijgelatenen en aan zijn vrouwen,' beweert Suetonius, 'gedroeg Claudius zich niet als een keizer, maar als een knecht. Afhankelijk van de belangen, of ook de voorkeur of de grillen van elk van
hen strooide hij kwistig met ambten, met militaire commando's, vrijspraak en terechtstelling, meestal, wel te verstaan, zonder precies te we-

ten wat er gaande was.'³ Dio is het met hem eens: Claudius liet zich meer dan enige keizer voor of na hem 'overheersen door slaven én vrouwen'.⁴ Volgens Dio ligt deze sinistere invloed ten grondslag aan alle zwakheden in Claudius' heerschappij en alle wreedheden tijdens zijn bewind.

Onze bronnen stellen Claudius voor als een man die een speelbal was in de handen van vrouwen. Na de dood van zijn vader was hij opgegroeid in een grotendeels vrouwelijk huishouden. Zijn moeder zag toe op alles wat hij deed en bespotte hem om dezelfde lichamelijke handicaps die hem beletten deel te nemen aan jongensspelen en de voor mannen gebruikelijke militaire training. Hij was ook lichamelijk verslaafd aan vrouwen; aan liefde en seks en van wijn doordrenkte zinnelijkheden die zijn geest vertroebelden en zijn spraak bemoeilijkten totdat hij zwichtte voor de insinuaties of eisen van zijn partner. De bronnen beweren ook dat de keizer vatbaar was voor angst en dat zijn paranoia hem gedwee maakte; de geringste suggestie van gevaar was genoeg om hem zijn vermogen tot rationele overwegingen te ontnemen en hem ontvankelijk te maken voor vrouwelijke influisteringen.

Als we de bronnen mogen geloven, buitte Messalina de zwakheid van haar echtgenoot tot op de laatste centimeter uit. Ze maakte hem tot een speelbal van haar liefde, wakkerde zijn angsten aan en had als gevolg van zijn schijnbaar eindeloze vergeetachtigheid de vrije hand om haar politieke manoeuvres naar éígen inzicht te plannen. Het was op zich al een gevaarlijke ontwikkeling dat een vrouw over zo'n onbeperkte macht beschikte, maar misschien nog wel sinisterder was dat de keizer daarmee blijk gaf van een gevaarlijke en onmannelijke zwakheid.

Deze diepgewortelde angsten kleuren bijna elke zin die we over Messalina's politieke activiteiten te lezen krijgen. In onze antieke verhalen wordt elke machtsuitoefening van de keizerin – ongrondwettig en dus ongecontroleerd en kwalijk, uitgevoerd door een vrouw en dus gepassioneerd en irrationeel – voorgesteld als een geval van misbruik, en bijna alle gevallen van machtsmisbruik onder Claudius worden Messalina in de schoenen geschoven. Vertekend als ze zijn door misogynie en de narratieve eisen van de antieke geschiedschrijving, vergen deze beschrijvingen een kritisch onderzoek.

Voordat Claudius naar Brittannië was gevaren, en voordat zij in zijn triomftocht had meegereden, zou Messalina het jaar 42 – haar eerste volledige jaar als keizerin – naar verluidt zijn begonnen met een ongekend stoutmoedige intrige. Julia Livilla en Seneca waren met succes van het toneel verwijderd, maar de Julio-Claudianen liepen nu al zo lang mee dat het een beetje afgezaagd begon te lijken om een keizerlijke vrouw van overspel te beschuldigen. Messalina's volgende project was – als we de bronnen mogen geloven – heel wat theatraler.

Haar tegenstander was in dit geval Appius Junius Silanus, een voorname man van midden vijftig, van oude familie, met een lange staat van dienst en een eervolle positie aan het hof.[5] In het kader van Messalina en Claudius' stabilisatieprogramma was deze Silanus het jaar ervoor in de echt verbonden met Messalina's moeder Domitia Lepida. Het had niet lang geduurd voordat de relatie tussen stiefdochter en stiefvader op spectaculaire wijze was verzuurd. Dio beweert weinig geloofwaardig dat Messalina zich seksueel tot haar stiefvader aangetrokken voelde en dat de keizerin, toen hij haar avances afwees, vanzelfsprekend uit was op zijn totale vernietiging.

Silanus was een lastiger doelwit dan Julia Livilla was geweest: een vrouw kon al met de geringste implicatie van overspel ten val worden gebracht, maar Silanus genoot alom respect en er schijnen hem opmerkelijk genoeg geen reeds bestaande geruchten over wangedrag te hebben aangekleefd waar Messalina gebruik van kon maken. De keizerin zou, bijgestaan door Narcissus, buiten de gebaande paden om moeten denken.

De scripts werden geschreven en de rollen verdeeld: het was Narcissus die de schertsvertoning moest beginnen. Op de afgesproken dag stormde hij nog vóór zonsopgang halsoverkop en zichtbaar in paniek de slaapkamer van de keizer binnen. Toen Claudius, die nog in bed lag en de slaap van zich af probeerde te schudden, hem vroeg wat er aan de hand was, vertelde de nu zichtbaar bevende Narcissus de keizer dat hij die nacht was geplaagd door gruwelijke dromen. Hij beweerde dat hij een visioen had gehad van Silanus die in het vroege ochtendlicht door de gangen van het paleis sloop, Claudius benaderde en zich met een brute aanval op de keizer stortte.

Daarop was het de beurt aan Messalina, die uit de gang naar haar eigen vertrekken verscheen of met warrige haren onder de lakens van haar echtgenoot vandaan kwam. Ook zij zag er oprecht geschokt uit. Ze had het ook gezien, zei ze. Hetzelfde afschuwelijke visioen had haar nu al dagenlang nacht na nacht bezocht. Ze had aangenomen dat het gewoon een nachtmerrie was en het had haar dwaas geleken er iets over te zeggen, maar nu ze Narcissus haar droom woord voor woord hoorde beschrijven, begon ze die in een ander licht te zien en leek haar dat het niet zozeer een droom was geweest als wel een voorgevoel.

Plotseling klonk er buiten de slaapkamerdeur een geluid, de wachters stapten opzij en Silanus liep naar binnen. Silanus' 'toevallige' verschijning was natuurlijk zorgvuldig georkestreerd. Messalina en Narcissus hadden hem de vorige avond laten weten dat de keizer hem de volgende ochtend vroeg metéén wenste te zien. Voor Claudius bewees de verschijning van Silanus vroeg in de ochtend dat de visioenen van de voorgaande nacht bewaarheid dreigden te worden. Silanus werd door de wachters gegrepen en onmiddellijk ter dood gebracht, zonder dat zelfs maar de schijn van een proces werd opgehouden. 'Zo verloor Silanus het leven door een droom,' eindigt Dio grimmig.[6]

De keizer verscheen de volgende dag voor de senaat en deed voor een geschokt huis verslag van de gebeurtenissen. Hij verklaarde dat de dromen waarschuwingen waren geweest voor een echte samenzwering en dat Silanus op heterdaad was betrapt toen hij zich met geweld toegang tot zijn vertrekken wilde verschaffen. Ten slotte zong hij de lof van Narcissus, een man die zelfs in zijn slaap waakte over de veiligheid van zijn keizer.

Zoals de bronnen het vertellen riekt deze hele episode verdacht naar het theater. De eerste helft van de affaire grenst aan een klucht, met die versmade avances en de ingewikkelde misleiding. Onze rolbezetting van typetjes lijkt rechtstreeks van het toneel van een Romeinse komedie te zijn gewandeld: Claudius, de oude zot; Narcissus, de listige slaaf; Messalina, die verschijnt in de rol van de jaloerse en dubbelhartige courtisane. De tweede akte loopt onvermijdelijk uit op een tragedie. In het verslag dat Claudius aan de senaat uitbrengt horen we zelfs een echo van de laatste zang van het koor, waarin het zich direct tot het publiek richtte, de gebeurtenissen van het stuk samenvatte en daaruit een morele les trok.

Dat wil niet zeggen dat het verhaal dat we bij Suetonius en Dio aantreffen geheel uit de lucht gegrepen is. Als Claudius inderdaad 'de volgende dag de toedracht van het gebeurde zonder een zweem van twijfel aan de senaat berichtte', zoals Suetonius ons vertelt, moet het relaas van de keizer zijn opgenomen in de senatoriale notulen, die onze bronnen later konden lezen en naslaan.[7] De hoofdpunten van de intrige zijn dus waarschijnlijk correct – Narcissus en Messalina hebben vermoedelijk echt beweerd dat ze gedroomd hadden over een aanslag op Claudius en Silanus werd zeker gedood –, maar de constructie van het verhaal en de toewijzingen van schuld zijn verdraaid door de angsten van het tijdperk.

De val van Silanus verschijnt in de bronnen als de sinistere hofintrige bij uitstek. Het verhaal begint 'vóór zonsopgang', in de beschutting van het donker, en de handeling vindt plaats in de beslotenheid van de keizerlijke slaapkamer; alles in de setting moet een sfeer van geheimhouding en samenzwering overbrengen. De hele affaire wordt aangezwengeld door de irrationele, onbeheerste hartstochten van een vrouw, door haar lust en haar jaloezie. De hoofdrolspelers, een vrouw en een voormalige slaaf, hebben geen recht op politieke macht maar hebben niettemin de controle overgenomen van de senatoren, die pas achteraf op de hoogte worden gesteld van de gebeurtenissen. Iemand beschuldigen via een gefingeerde droom, die thuishoort in het rijk van het mystieke en onverklaarde, ligt zo ver af van de redelijkheid en transparantie van senatoriale debatten, eerlijke processen en de publieke welsprekendheid als maar mogelijk is. In het verhaal van Silanus komen alle Romeinse angsten over de duistere mogelijkheden van de hofpolitiek samen.

Een bewustzijn van deze onderstromen dwingt ons datgene wat ons over Messalina's motieven wordt verteld opnieuw te evalueren. Dio's bewering dat 'Silanus zich de vijandschap op de hals had gehaald van de hoerigste en liederlijkste vrouw van haar tijd, Messalina, omdat hij niet op haar avances wilde ingaan', dient twee doeleinden: ze geeft voedsel aan het groeiende beeld van Messalina als nymfomane en ze draagt bij aan het beeld dat de hele affaire draait om intimiteit en corruptie.[8]

Appius Silanus werd vanaf het begin van Claudius' heerschappij als een bedreiging gezien. Silanus kwam uit een gevaarlijk vooraanstaande familie en had de voetangels en klemmen van een politieke carrière tot dusver succesvol weten te omzeilen. In het jaar 28 was hij consul geweest en hij had een beschuldiging van maiestas overleefd die verband hield met de val van Sejanus in het jaar 32.[9] Bij zijn troonsbestijging had Claudius niet geaarzeld om Silanus te ontheffen van zijn gouverneurschap van Hispania Tarraconensis, omdat hij bang was dat deze grootste van Romes zilverrijke Spaanse provincies zou kunnen uitgroeien tot een machtsbasis. Bij Silanus' terugkomst in Rome hadden Claudius en Messalina geregeld dat hij in het huwelijk trad met Messalina's moeder Domitia Lepida.* Oppervlakkig bezien was dit zowel een compliment als een kans; het huwelijk verschafte Silanus een eervolle positie aan het hof én de zo belangrijke toegang tot de vertrouwenskring van de keizer.

In werkelijkheid was het haastig gearrangeerde huwelijk een poging om elk potentieel risico dat Silanus voor het nieuwe regime zou kunnen vormen te neutraliseren. Door hem te laten trouwen met Domitia Lepida haalde Claudius weliswaar Silanus het keizerlijk kamp binnen, maar dan wel op afstand: in de generatie boven hem. Het was onwaarschijnlijk dat Domitia Lepida, nu achter in de dertig of begin veertig, een nieuw gezin met Silanus zou stichten. Bovendien leek Silanus als schoonvader van de keizer meer het luisterrijke verleden dan de nakende toekomst van het principaat te vertegenwoordigen.

Blijkbaar begon naarmate het jaar vorderde toch weer het gevoel te overheersen dat Silanus met al zijn prestige een gevaar vormde. De schertsvertoning met de droom werd waarschijnlijk opgevoerd ter rechtvaardiging van wat in wezen een standrechtelijke executie was, waardoor die buiten het zicht van de senaat kon plaatsvinden en zonder dat de keizer daar direct bevel toe gaf. Het is onduidelijk of deze schertsvertoning zelfstandig door Messalina en Narcissus werd gepland om Claudius te beschermen – en daarmee ook hun eigen positie – of dat de keizer er van meet af aan bij betrokken was. Wél duidelijk is dat het hier niet ging om een krankzinnige intrige die voortkwam uit losgeslagen vrouwelijke hartstocht.

De bronnen verdraaiden het verhaal van Silanus op dezelfde manier als ze de saga van het conflict tussen Messalina en Julia Livilla hadden verdraaid. Weloverwogen – zij het genadeloze – politieke zetten worden getransformeerd tot persoonlijke misdaden uit lust en jaloezie. De bronnen lijken per se te willen volhouden dat de macht van een vrouw als Messalina sinister en irrationeel móét zijn en een bedreiging vormt voor

---

* Van Domitia Lepida's vorige echtgenoot, Faustus Cornelius Sulla, ontbreekt ieder spoor in het decennium na zijn beladen consulaat in het jaar 31. Mogelijk was hij gestorven, maar het is niet ondenkbaar dat zijn stiefdochter en haar echtgenoot in het jaar 41 een scheiding tussen hem en Domitia Lepida regelden om de weg vrij te maken voor hun plannen.

de stabiliteit van de staat. Het verhaal van Silanus biedt een staalkaart van de diepgewortelde zorgen die het Keizerrijk beheersten: over de concentratie van macht op de Palatijn, de ondoorgrondelijkheid van de hofpolitiek, de neergang van de oude senatoriale aristocratie en de opkomst van voorheen buitengesloten groepen, en zelfs over de aard van vrouwen. Deze zorgen hebben – misschien meer dan welke van haar daden ook – bepaald hoe Messalina's heerschappij de geschiedenis in is gegaan.

Angsten over de macht van de keizerin bleven rondspoken naarmate het jaar vorderde. Niet lang na de executie van Silanus zette Scribonianus zijn kortstondige rebellie op touw. Hoewel de opstand zelf binnen een week werd neergeslagen, bleven de naweeën ervan nog geruime tijd voelbaar. Van een aantal vooraanstaande mannen werd ontdekt dat ze hun steun hadden toegezegd aan het complot van Scribonianus. Dit wees op staatsondermijnende activiteiten in de hoogste kringen, waar resoluut een einde aan moest worden gemaakt.

Dio beweert dat Messalina in de chaos van deze crisis haar kans schoon zag om haar eigen vijanden aan het hof te elimineren.[10] Hij beschrijft dat de keizerin, Narcissus en een topteam van vrijgelatenen onmiddellijk toesloegen door bewijs te verzamelen of te fabriceren om aanklachten wegens maiestas in te dienen. Ze maakten gebruik van een netwerk van verklikkers, betaalden de slaven en vrijgelatenen van de aangeklaagden voor informatie en zetten vrouwen onder druk om hun echtgenoten te verraden. De keizerin initieerde ook een drastischere 'datavergaringscampagne': rijke ridders, plebejers met goede connecties, verdacht uitziende buitenlanders, jonge aristocraten en oude senatoren werden zonder onderscheid des persoons opgepakt en onder foltering ondervraagd.

Nadat de informatie was verzameld, de zaken waren voorbereid en de aanklachten waren ingediend, begonnen de echte onderhandelingen. Degenen die het zich konden veroorloven, onder wie 'enkele leidende figuren' als we Dio mogen geloven, begonnen kapitaal te verzamelen voor het soort omkoopsom dat de keizerin tevreden zou kunnen stellen. Messalina deed voor deze mannen een goed woordje bij de keizer en probeerde hem te bewegen de aanklacht te laten vallen of een doodvonnis om te zetten in een verbanning. De minder gelukkigen of minder bemiddelden werden in de senaat berecht, niet alleen voor de senatoren en de keizer, maar ook, wat zeer uitzonderlijk was, voor de pretoriaanse prefecten en de vrijgelatenen.

'Justitia' was in het jaar 42 uitgesproken bloeddorstig. Een aantal van de beschuldigden zag in dat de uitkomst van de processen al vaststond en pleegde zelfmoord bij het ontvangen van de dagvaarding. Een van hen was Vinicianus (een verwant van Julia Livilla's echtgenoot Vinicius), die eerder een van de hoofdrolspelers was geweest bij de moord op Caligula. Van degenen die hun proces ondergingen en werden veroordeeld, kregen sommigen de gunst verleend om zelf een eind aan hun leven te mogen maken; anderen werden in de gevangenis vermoord of in het openbaar terechtgesteld, waarna hun lijk van de Gemonische trappen werd gegooid of hun afgeslagen hoofd werd tentoongesteld.

Een aantal van de vrouwen werd ook geëxecuteerd, waarbij ze volgens Dio als geketende gevangenen naar het schavot werden gevoerd. Zelfs mensen die rechtstreeks betrokken waren bij de samenzwering liepen gevaar. Een zekere Cloatilla werd voor het gerecht gesleept en ervan beschuldigd dat ze de begrafenis en laatste rituelen voor haar echtgenoot geregeld had terwijl hij als verrader was veroordeeld. Ze ontkwam maar ternauwernood, dankzij een keizerlijk pardon.

Dio erkent dat een van de slachtoffers van het jaar 42 zelfs door Messalina kan zijn betreurd.[11] Arria, een van Messalina's intiemste vrienden, was toegewijd aan haar echtgenoot Caecina Paetus. Hij had zich aangesloten bij de troepen van Scribonianus in het Adriatische kustgebied en was toen alles in duigen viel gearresteerd en geketend op een schip met bestemming Rome gezet. Arria had gesmeekt om zich bij hem te mogen voegen en zelfs aangeboden om op te treden als de gebruikelijke bediende die consulaire gevangenen werd toegestaan – om zijn maaltijden te serveren, zijn kleding op orde te houden, zijn schoenen te strikken. Toen dit werd geweigerd had ze een plaatselijke vissersboot gehuurd zodat ze achter het schip aan kon varen. Terug in Rome uitte ze felle kritiek op de vrouwen die, uit angst er zelf het leven bij in te schieten, informatie gaven aan Claudius' inquisitie. Naarmate het proces tegen haar echtgenoot vorderde, werd haar stemming suïcidaal. Haar vrienden, die met de dag ongeruster werden, probeerden haar eerst tot rede te brengen en hielden haar toen onder strikt toezicht om te voorkomen dat ze zich het leven benam. Toen Arria zich realiseerde dat ze alles hadden weggenomen waarmee ze zichzelf iets aan kon doen, verklaarde ze: 'Jullie verdoen je tijd, jullie kunnen hoogstens het sterven voor mij moeilijk maken, je kunt nooit verhinderen dat ik sterf,'[12] waarna ze haar hoofd tegen de muur sloeg. Toen ze bijkwam, constateerde ze voldaan dat ze haar punt duidelijk had gemaakt: 'Ik had jullie gewaarschuwd dat ik een weg naar de dood zal vinden, hoe hard die ook is, als jullie mij een makkelijke weg willen blokkeren.' Te midden van al dit drama werd haar echtgenoot Paetus schuldig bevonden door de senaat en hij kreeg de mogelijkheid geboden om zelfmoord te plegen. Het was een goede deal, want hierdoor kon hij ontkomen aan de vernedering, het ongemak en de schande van een executie, maar toen het cruciale moment aanbrak was Paetus als verlamd. Arria trok het zwaard uit zijn hand, stak het in haar borst en zei: 'Kijk, Paetus, het doet geen pijn.'[13] Arria ging de geschiedenisboeken in als het summum van vrouwelijke standvastigheid en huwelijkstrouw – en het is interessant om zo'n toonbeeld van deugdzaamheid te vinden onder de intimi van de keizerin –, maar op Messalina kan de lange martelgang en uiteindelijke zelfmoord van haar vriendin niet bijzonder stichtelijk zijn overgekomen.

Dat een van de hartsvriendinnen van de keizerin werd meegesleurd in een golf van vervolgingen die naar verluidt door Messalina zelf op gang was gebracht, zou ons aan het denken moeten zetten. Het is mogelijk dat Arria's val simpelweg nevenschade was, maar Dio's verslag van Messalina's rol in de zuiveringen van het jaar 42 is al met al hoogst verdacht. Hoewel de opstand nooit voldoende stuwkracht had bereikt om zich tot een serieuze militaire dreiging te ontwikkelen, wist Claudius dat hij van geluk mocht spreken. Scribonianus was erin geslaagd een aantal zwaargewichten aan zijn kant te krijgen, zowel in het buitenland als in Rome, en de opstand had bevestigd wat het keizerlijk paar al wist: dat de omstandigheden rondom Claudius' troonsbestijging een diepgewortelde rancune hadden achtergelaten bij hun senatoriale mede-aristocraten. De executies in het jaar 42 kunnen niet worden afgedaan als het resultaat van persoonlijke wrok van de keizerin, maar moeten worden bezien als onderdeel van een systematische campagne om de voornaamste en luidruchtigste tegenstanders van het regime te elimineren, van wie er velen daadwerkelijk betrokken kunnen zijn geweest bij Scribonianus' samenzwering.

Hoewel Messalina, wier lot als altijd nauw met dat van haar echtgenoot verweven was, deze politieke zuivering gesteund kan hebben, moet

Claudius de aanzet ertoe hebben gegeven. Het wachtwoord dat de keizer op het hoogtepunt van de crisis koos voor de pretoriaanse garde geeft inzicht in zijn gemoedstoestand. Het was een citaat ontleend aan de *Ilias* van Homerus: 'Neem wraak op degene die jou het eerst heeft beledigd.'[14] Bovendien zal Claudius de hulp van Messalina niet nodig hebben gehad voor de uitvoering van zijn plannen. Het betrof hier immers geen beschuldigingen van overspel, voortkomend uit roddels aan het hof. Mannen als Caecina Paetus hadden zich fysiek aangesloten bij Scribonianus met de duidelijke bedoeling om naar Rome op te rukken, zodat ze openlijk, terstond en met succes vervolgd konden worden. Als Messalina al betrokken was bij de vervolgingen van het jaar 42, was dat waarschijnlijk alleen als adviseur van haar echtgenoot of door het inzetten van haar sociale netwerk om informatie te verzamelen. Hoe onwaarschijnlijk een veelomvattender betrokkenheid ook is, het getuigt van een heilig ontzag voor de politieke macht van Messalina dat een dergelijke grootscheepse actie op regeringsniveau aan haar persoonlijk werd toegeschreven.

Voor het jaar daarop, in 43, zien we dat Messalina beschuldigd wordt van twee misdaden die veel plausibeler zijn: het uit de weg ruimen van de pretoriaanse prefect Catonius Justus en van de keizerlijke prinses Julia Livia (vanaf hier aangeduid als Julia).

Catonius was een beroepsmilitair die in de loop der jaren een roemrijke carrière had gemaakt. Hij was erbij geweest in Pannonië toen de troepen in de nasleep van Augustus' overlijden waren gaan muiten tegen Tiberius. De 'eersterangs centurio' Catonius was trouw gebleven aan zijn commandant en werd als lid van een delegatie afgevaardigd om te overleggen met de keizer in Rome.[15] In de daaropvolgende jaren was hij de keizerlijke familie onwankelbaar trouw gebleven, waarvoor hij ten slotte was beloond met het bevel over de pretorianen. Zijn promotie moet betrekkelijk recent zijn geweest – hij had die functie zeker nog niet ten tijde van de moord op Caligula.

Dio schuift de schuld voor Catonius' executie in het jaar 43 volledig in de schoenen van Messalina.[16] De historicus beweert dat de prefect het wilde gedrag van de keizerin op het spoor was gekomen – haar uitspattingen, haar gefeest en haar ontrouw – en van plan was de keizer in te lichten over wat hij allemaal te weten was gekomen, maar dat Messalina 'hem uit de weg liet ruimen' (Dio vermeldt niet hoe) voordat hij zijn plan kon uitvoeren.[17] Het verhaal van de eerlijke soldaat die het slachtoffer wordt van de konkelende keizerin voordat hij haar ware aard kan ontmaskeren spreekt tot de verbeelding, maar is uiteindelijk moeilijk te geloven. In het jaar 43 was Messalina goed beschermd tegen beschuldigingen van overspel. Aangezien een bericht over ontrouw zo snel na de geboorte van Britannicus twijfel zou hebben gewekt aan de legitimiteit van zijn erfgenaam, zou Claudius geneigd zijn geweest zijn vrouw te geloven en een beschuldiger zou weleens meer gevaar kunnen lopen dan de beschuldigde.

De val van Catonius was waarschijnlijk het gevolg van gebruikelijkere politieke spanningen. De moord op Caligula had duidelijk gemaakt hoe gevaarlijk een vijandig pretoriaans kamp voor een keizer kon zijn en hoe opportuun voor zijn tegenstrevers. Als er twijfel bestond over Catonius' loyaliteit, dan moest hij verdwijnen; Messalina kan haar contacten gebruikt hebben om de nodige geruchten te verspreiden of om een officiële aanklacht tegen hem in te dienen. Het regime maakte zich in deze periode duidelijk zorgen over de trouw van het pretoriaanse leiderschap: Catonius' collega in de prefectuur, Pollio, zou datzelfde jaar of begin volgend jaar worden terechtgesteld door Claudius.[18] Beide mannen lijken te zijn benoemd in de onmiddellijke nasleep van de moord op Caligula, toen Claudius zich door zijn nog zwakke positie misschien gedwongen zag genoegen te nemen met kandidaten van wie hij wist dat ze aanvaardbaar zouden zijn voor de senaat en de pretoriaanse samenzweerders.[19] Tegen het jaar 43 kan het keizerlijk paar hebben gevonden dat de tijd rijp was om 'hun eigen mannetjes' naar voren te schuiven.

Dat Messalina persoonlijk betrokken was bij het uit de weg ruimen van Catonius, en misschien ook Pollio, komt eveneens tot uiting in de keuze voor en het gedrag van hun opvolgers. De mannen die hen vervingen – Lusius Geta en Rufrius Crispinus – waren allebei verdacht fervente voorvechters van Messalina's zaak. Het was Rufrius Crispinus die in het jaar 47 de taak kreeg om Valerius Asiaticus te arresteren op instigatie van Messalina – en hij zou voor zijn trouw worden beloond met een gigantische premie in contanten. En bij de val van Messalina een jaar later achtte Narcissus het nodig om Lusius Geta tijdelijk het bevel van de garde te ontnemen om te voorkomen dat hij zou interveniëren. Beide mannen zouden binnen twee jaar na Agrippina's troonsbestijging uit hun functie ontheven worden, omdat werd gevreesd dat ze te trouw waren aan de nagedachtenis van de oude keizerin en de belangen van haar zoon.

In datzelfde jaar kwam ook een andere keizerlijke prinses ten val – op een manier die griezelig veel leek op de affaire van Julia Livilla in het jaar 41.[20] Julia, de prinses in kwestie, was (evenals Julia Livilla) een nicht van Claudius. Hoewel het bloed van Augustus niet door haar aderen stroomde, was ze zijn achterkleindochter door adoptie, via haar grootvader aan vaderskant Tiberius.

'Julia, zo'n vijftien jaar ouder dan Messalina, had gedurende ruim twee decennia naarstig haar best gedaan om niet verstrikt te raken in hofintriges. Haar eerste echtgenoot was een volle neef van haar geweest, Caligula's oudere broer Nero Caesar. Ze waren getrouwd toen ze beiden nog jonge tieners waren, onder grote publieke bijval in het jaar 20; het huwelijk schijnt kinderloos te zijn geweest, en toen Nero aan het eind van dat decennium ten slotte in ongenade viel, bracht Julia het er levend vanaf.[*21] Toen haar moeder Livilla werd beschuldigd van overspel met Sejanus en medeplichtigheid aan de moord op haar echtgenoot (Julia's vader Drusus) en het jaar daarop van de honger omkwam, overleefde Julia dat ook.

In het jaar 33 regelde Tiberius een nieuwe echtgenoot voor Julia. De gelukkige heette Rubellius Blandus, was midden vijftig en had zich aanzien verworven op een verstandige, bescheiden en volstrekt niet bedreigende wijze.[22] Als de kleinzoon van een leraar welsprekendheid uit Tibur (het moderne Tivoli), dat je zou kunnen beschouwen als het equivalent van een landelijk graafschap, was Rubellius de eerste man in de familie die een consulaat bekleedde. Dit was allemaal heel indrukwekkend en getuigde van ambitie, maar maakte de man amper tot een goede partij voor een keizerlijke prinses. Het volk vond dat blijkbaar ook: Tacitus plaatst het huwelijk bovenaan zijn lijst van de 'vreselijke gebeurtenissen die de burgerij verdriet deden', in een jaar waarin ook de dood van veel illustere mannen te betreuren was. Het paar trouwde desalniettemin en Julia ging het volgende jaar mogelijk scheep om haar nieuwe echtgenoot te vergezellen tijdens zijn gouverneurschap van Afrika.[23]

Als het Tiberius' bedoeling was geweest om Julia weg te houden van de gevaren van de hogere politiek, dan vervulde haar huwelijk een de-

---

* Nero Caesar werd in een brief die Tiberius in het jaar 29 aan de senaat schreef van verschillende misdaden beschuldigd en verbannen. Hij stief in het jaar 30 of 31 door verhongering of door gedwongen zelfmoord.

cennium lang zijn doel; ze verschijnt pas in het jaar 43 opnieuw in de geschiedenisboeken. Tegen die tijd naderde haar zoon Plautus (van keizerlijken bloede vermengd met dat van omhooggevallen landadel) zijn tiende verjaardag. Het is ook mogelijk dat haar echtgenoot onlangs was overleden, waardoor zij weer op de huwelijksmarkt belandde.*

Messalina zou naar verluidt jaloers zijn geworden op Julia. Precies die beschuldiging werd ook tegen haar ingebracht in het geval van Julia Livilla en waarschijnlijk weerspiegelt die ditmaal grotendeels dezelfde realiteit. Julia was net als Julia Livilla doorkneed in het spel van de hofpolitiek en Messalina kan ongerust zijn geworden dat Julia, als ze zich verbond met een nieuwe, roemrijkere echtgenoot, zich zou ontpoppen tot een geduchte concurrente op de Palatijn. Evenals Julia Livilla kon Julia bogen op een imposantere keizerlijke afstamming dan Messalina, wat haar zoon tot een potentiële toekomstige rivaal van Britannicus maakte. In het jaar 43 was Plautus nog te jong om voor zichzelf op te komen – het nu elimineren van zijn moeder zou hem beroven van zijn machtigste voorvechter op de Palatijn voordat hij de kans had een publieke carrière te beginnen. Het ging hier opnieuw om een zorgvuldig doordachte politieke moord, gepleegd om Messalina's eigen positie en de dynastieke toekomst van Britannicus te beschermen.**

---

* Rubellius Blandus wordt niet genoemd in de passages over de ondergang van zijn vrouw en we vernemen zelfs helemaal niets meer over hem na zijn benoeming in een raad die de schade na een brand in het jaar 36 onderzoekt (Tacitus, *Annalen*, 6.45), hoewel het feit dat het echtpaar vermoedelijk vier kinderen had suggereert dat hij daarna nog minstens een paar jaar leefde.

** Er is beweerd dat de dood van Julia en die van Catonius (die ooit met Julia's vader in Germanië had gediend) met elkaar verband hielden en dat beiden mogelijk betrokken waren bij een ontluikende samenzwering tegen het regime. Hoewel het altijd gevaarlijk is om argumenten te baseren op omissies in de antieke bronnen, lijkt het in dit geval onwaarschijnlijk dat, als er daadwerkelijk vermoedens van zo'n verband bestonden, daarover niet zou zijn geschreven in onze verslagen van de gebeurtenissen. Julia's moeder Livilla was ten val gekomen door een vermeende alliantie met een pretoriaanse prefect; als er ook maar de geringste verdenking was geweest dat de dochter de fout van haar moeder had herhaald, dan zou het verhaal voor de antieke commentatoren zeker te verleidelijk zijn geweest om te negeren.

Er wordt ons niet precies verteld van welke misdaad Messalina Julia besloot te beschuldigen, alleen dat de beschuldiging, toen ze daarmee kwam, 'ongefundeerd' was. Toch kunnen we op goede gronden aannemen dat ze zich opnieuw wendde tot die oude (ironisch genoeg) vertrouwde optie: overspel.* Als een misdaad die zich achter gesloten deuren afspeelde – tenzij de betrokkenen zich bijzonder avontuurlijk voelden – was overspel notoir lastig te bewijzen of te weerleggen. Julia had blijkbaar geen dubieuze reputatie waar Messalina haar voordeel mee kon doen, zodat de keizerin mogelijk gedwongen was om bewijs te fabriceren. Dit was geen onoverkomelijk obstakel. De keizerin beschikte over eindeloze mogelijkheden door alle gunsten die ze kon uitdelen: ze kon geld of ambten beloven aan iedereen die bereid was te getuigen dat ze geheime blikken, ontmoetingen of omhelzingen hadden gezien, of te bekennen dat ze namens Julia liefdesbrieven hadden bezorgd – misschien werden er zelfs belastende brieven vervaardigd, in een handschrift dat leek op dat van Julia zelf. Sommigen van deze getuigen waren misschien afkomstig uit Julia's eigen huishouden. Als gevolg van een maas in de wet, ingesteld door Augustus, konden slaven namelijk getuigen tegen hun eigen meesters en meesteressen in geval van overspel.[24]

Julia's vermeende minnaar was irrelevant. In tegenstelling tot getrouwde mannen, die ongestraft met prostituees of slaven konden slapen, maakte een vrouw die seks had met iemand anders dan haar echtgenoot zich schuldig aan overspel. Misschien koppelde Messalina Julia aan een of andere erudiete hoveling of rijke ridder; misschien maakte ze de schande nog groter door te suggereren dat ze met een plebejer uit de lagere klasse of een slaaf naar bed was geweest.

Messalina overhandigde het dossier met 'bewijzen' aan haar geduchtste aanklager, de schaamteloos zijn eigenbelang najagende Publius Suillius. Nadat de aanklacht ontvankelijk was verklaard door een zittende magistraat (in dit geval misschien een van de consuls, of Claudius zelf), ontving Julia een dagvaarding om voor de senaat te verschijnen om berecht te worden.[25] Hoewel de bronnen het erover eens zijn dat Julia onschuldig was, stond de uitkomst van haar proces vast. Julia

---

* De juridische complexiteiten van de overspelwetten zullen in het volgende hoofdstuk worden besproken.

werd terechtgesteld of, wat waarschijnlijker is, gedwongen tot zelf-moord.*

Haar aanval op Julia – een waardige en populaire prinses, moeder van drie of vier kinderen en inmiddels de middelbare leeftijd naderend – leverde Messalina geen algemene bijval op aan het hof. Pomponia Graecina – een voorname vrouw die aan het hof veel aanzien genoot als de echtgenote van Plautius, Claudius' betrouwbaarste generaal en de man met wie de keizer net was begonnen zijn invasie van Brittannië te plannen – hulde zich uit protest in rouwkleding en hield dat vol tot haar dood zo'n veertig jaar later. Het was een openlijke veroordeling van de handelwijze van de keizerin.[26] Tacitus laat ons weten dat Pomponia hiervoor niet werd gestraft, wat suggereert dat ze genoeg steun onder de aristocratie bezat om Claudius en Messalina ervan te weerhouden zich in dit wespennest te steken.

Na het jaar 43 lijkt Messalina's politieke activiteit significant te zijn afgenomen. Misschien schrok ze van de reactie op Julia's dood. Pomponia Graecina was een gerespecteerde vrouw, maar normaal gesproken zeker niet iemand die zomaar de macht van de keizerin kon trotseren. Dat zij het niettemin had aangedurfd zo openlijk haar overtuiging te verkondigen dat de dood van Julia een gerechtelijke dwaling was geweest, was een zorgwekkende ontwikkeling, maar misschien ook een tijdige waarschuwing dat haar macht als keizerin haar niet onkwetsbaar maakte voor kritiek en tegenstand. Messalina had hard gewerkt om invloedrijke netwerken op te bouwen op de Palatijn en zichzelf te bewijzen als een onmisbare aanwinst voor Claudius' regime. Ze kon het niet riskeren haar status van opinieleider aan het hof te verliezen – of, erger nog, het imago krijgen van een politiek blok aan het been voor haar echtgenoot.

---

* De bronnen zijn het er allemaal over eens dat de affaire eindigde met de dood van Julia, maar zijn niet eenduidig over hoe die zich voltrok. Alleen Tacitus merkt specifiek op dat Julia zichzelf het leven benam (Tacitus, *Annalen*, 13.43); Cassius Dio, 60.18.4 en Suetonius, *Leven van Claudius*, 29.1 vertellen ons dat ze ter dood werd gebracht, maar vermelden niet hoe. Alles in aanmerking genomen lijkt zelfmoord de waarschijnlijkste optie. De officiële straf voor overspel was verbanning; een executie zou waarschijnlijk specifiek vermeld zijn.

Toch zou het ook kunnen dat Messalina tegen de tijd dat Julia's as van de brandstapel werd geruimd het gevoel had dat haar werk grotendeels was voltooid. De trouw van de pretoriaanse garde was verzekerd; Silanus, degene die de hegemonie van haar echtgenoot het directst bedreigde, was dood; het regime had een opstand doorstaan en zijn soldaten aan de eigen kant weten te houden; en ze had zich ontdaan van de twee prinsessen die misschien wel het best geplaatst waren om haar suprematie en de toekomst van haar zoon te bedreigen. Door de rollen van strateeg, informant, adviseur en wetshandhaver te spelen had Messalina niet alleen haar eigen belangen beschermd, maar zich ook onmisbaar gemaakt voor het regime en zichzelf omgevormd tot een politieke partner die haar echtgenoot zich niet kon veroorloven te verliezen.

Er doemden nieuwe gevaren op die in de toekomst bezworen moesten worden. Er was de schoonzoon van het paar, Claudia Antonia's echtgenoot Pompeius Magnus, die naarmate hij ouder werd een serieuze mededinger voor de opperheerschappij zou kunnen worden. Daarnaast zou een ander 'onopgelost probleem' Messalina in beslag genomen kunnen hebben in de maanden na Julia's dood. Een van Claudius' nichten was nog in leven: Agrippina de Jongere, een directe afstammeling van Augustus, zus van Caligula en moeder van een zoon – destijds Lucius Domitius Ahenobarbus geheten, maar in de geschiedenis beter bekend als Nero.

Het lijkt ondenkbaar dat Messalina deze laatste keizerlijke prinses niet als een bedreiging beschouwde. Mogelijk deed de reactie op de dood van Julia haar besluiten om een eventuele aanval op Agrippina voorlopig uit te stellen, maar Messalina kan ook hebben gevonden dat daar nog tijd genoeg voor was. Nero was pas vijf of zes jaar oud en na haar terugkomst uit verbanning was Agrippina veilig gekoppeld aan Passienus Crispus, een spotzieke geest maar een oprechte favoriet van Claudius en een loyale aanhanger van het regime.[27] Misschien nog belangrijker was dat Agrippina gedurende een groot deel van de roerige beginperiode van het nieuwe regime fysiek vermoedelijk niet in Rome wás. In het jaar 42 werd Passienus benoemd tot proconsul van Asia, een van de rijkste en toonaangevendste provincies van Rome (omvat nu een gebied in het westen van Turkije), een post waarvan hij pas kort voor het einde van het jaar 43 zou terugkeren. Het is goed mogelijk dat Agrippina met hem meeging – het was inmiddels gebruikelijk dat de vrouwen van hooggeplaatste functionarissen hun echtgenoten vergezelden op hun post in de provincie en er waren slechtere plekken denkbaar dan het luxueuze stadsleven van Asia om de gouverneursvrouw te spelen. Een gegraveerde sokkel van een standbeeld in een tempel op Kos die haar roemt als Passienus' echtgenote getuigt wellicht van haar reizen naar het oosten.[28] Agrippina kan dus de hachelijkste jaren, tussen de moorden op Julia Livilla en Julia, in hun geheel hebben gemist. Toen ze aan het eind van het jaar 43 met haar echtgenoot terugkeerde in Rome had Messalina het hof veilig onder controle, waardoor Agrippina geen directe of existentiële dreiging meer leek te vormen.

Tussen 43 en 47 – het jaar waarin we Messalina opnieuw beschuldigd zien worden van een politiek gemotiveerde moord – bevond zowel de keizerin als het regime zich in een sterke positie. Er waren aan het hof nog maar weinig mensen overgebleven met de middelen om het gezag van de keizer of de keizerin te betwisten; Claudius had karakter getoond met zijn expansionistische campagne in Brittannië, wat hem brede steun had opgeleverd onder de bevolking en het leger; en in de nasleep van zijn triomf had Messalina eindelijk de publieke erkenning gekregen die bij haar persoonlijke macht hoorde. Hoewel de titel van Augusta die haar na de geboorte van Britannicus zo rakelings door de vingers was geglipt haar nog steeds ontging, had de senaat haar wel de eer bewezen van symbolische, zichtbare huldeblijken. Gedurende de middenperiode van de jaren 40 was Messalina's positie als keizerin veilig – en dat wist ze.

Dat Messalina het in de jaren na de val van Julia kalmer aan deed met haar intriges schiet flinke gaten in het beeld dat door de antieke bronnen wordt geschetst. Als de acties van de keizerin echt werden gedreven door haar onbedwingbare en irrationele passies – jaloezie, lust, hebzucht, trots en begeerte –, dan lijkt het onwaarschijnlijk dat ze die tijdens de middelste jaren van haar bewind zo goed onder controle kon houden.

Het fluctueren van Messalina's intriges wijst juist op een koelbloedige strategie, adequaat aangepast aan de omstandigheden. Tijdens die eerste, hectische jaren van het bewind van haar echtgenoot was haar handelen erop gericht de ernstige dreigingen voor haarzelf en het regime systematisch, meedogenloos en veelal onaangedaan te verwijderen. En na de dood van Julia, toen haar directste rivalen dood waren en er tegenstand broeide die haar positie leek te bedreigen – met andere woorden: op het punt dat haar activiteiten niet langer rationeel en politiek opportuun schenen – stopte ze. Het beeld van Messalina als slaaf van haar passies is niet geworteld in de feiten; het is een projectie, voortkomend uit de angst van mannen voor vrouwelijke macht en aangewakkerd door de geruchten over haar seksleven die al snel de ronde deden.

13

Politieke perversies

'De zonden uit genotzucht verdienen meer afkeuring dan die door pijn.'
Marcus Aurelius, *Persoonlijke notities*, 2.10

In het midden van de jaren 40 was Messalina's positie verhevener en zekerder dan ooit. Haar twee kinderen waren gezonde erfgenamen voor het principaat; ze had meegereden in de triomftocht van haar echtgenoot; haar beeltenis was wijd en zijd in het Keizerrijk verspreid; haar belangrijkste rivalen waren dood of verbannen (behalve misschien Agrippina, maar die kwam nog wel aan de beurt); haar netwerk van bondgenoten won aan invloed op de Palatijn. De titel van Augusta moet dichterbij dan ooit hebben geleken.

En toch was Messalina tegen het einde van het jaar 48 dood. Volgens onze mannelijke historici moeten we de reden daarvoor zoeken in een soort waanzin. Overspel, zeggen ze, was een koorts die geleidelijk bezit van de keizerin nam en haar toen in één keer van haar vermogen tot rationeel handelen beroofde en uitmondde in een allesverslindende cyclus van zelfvernietiging, met als slotakkoord een bigamisch huwelijk en een ongeëvenaard aantal executies.

Toen Messalina ten onder ging, sleepte ze een reeks vooraanstaande mannen in haar val mee. Gaius Silius, Titus Proculus, Vettius Valens, Pompeius Urbicus, Saufeius Trogus, Decrius Calpurnianus, Sulpicius Rufus, Juncus Vergilianus, Mnester en Traulus Montanus worden genoemd onder de geëxecuteerden.[1] Een zekere Helvius, Cotta en Fabius

kunnen ook ter dood zijn gebracht in diezelfde efficiënte slachtpartij.*
Plautius Lateranus en Suillius Caesoninus werden gespaard.² Sommigen van deze mannen werden ervan beschuldigd zelf overspel te hebben
gepleegd met de keizerin, anderen werden er misschien van beschuldigd
haar bij haar affaires te hebben geholpen. Claudius' vrijgelatene Polybius,
die volgens de bronnen ook een verhouding met de keizerin zou hebben
gehad, had het geluk dat hij al dood was.

De lijst van Messalina's minnaars is opmerkelijk lang – zelfs van de
beruchte Julia de Oudere zijn slechts vijf minnaars met naam en toenaam
bekend (van wie er slechts één werd geëxecuteerd) –, maar ook ongewoon
gevarieerd. Vettius Valens was een gerenommeerd arts, Sulpicius Rufus
leidde een trainingsschool voor gladiatoren, Juncus Vergilianus was een
senator, Decrius Calpurnianus stond aan het hoofd van de nachtwakers-
cohorten, Mnester was een pantomimedanser en Gaius Silius was de gekozen consul.

De Romeinen geloofden dat lusten nieuwe lusten opwekten en de bronnen zouden later beweren dat Messalina op een gegeven moment niet alleen
naar nieuwe minnaars begon te verlangen, maar ook naar nieuwe seksuele
ervaringen. Geruchten deden de ronde dat ze openlijk met haar affaires wilde pronken; toen dat ze wilde toekijken als haar vrienden toekeken hoe hun
vrouwen seks hadden met andere mannen; toen dat ze wilde meedoen aan
wedstrijden in seksueel uithoudingsvermogen; toen dat ze de prostituee
wilde spelen. Uiteindelijk, zo werd gezegd, werd de opwinding die overspel
haar verschafte zo sleets dat het huwelijk (zij het een bigamisch huwelijk
met haar minnaar Silius) het laatste taboe leek dat ze nog kon slechten.

In de jaren na Messalina's dood zouden de verhalen over haar seksuele
uitspattingen zich verspreiden tot ze de geabstraheerde belichaming was
geworden van vrouwelijke lust en alle angsten en fantasieën die daarmee
gepaard gingen. In het tiende boek van zijn *Naturalis historia* onderbreekt
Plinius de Oudere zijn systematische categorisering van vogelsoorten met
een abrupte uitweiding. 'Alle andere dieren hebben ieder jaar een vaste
paartijd,' stelt hij, 'maar de mens paart zoals gezegd op alle uren van de
dag en de nacht. Alle andere dieren vinden bevrediging door te paren; bij
de mens komt dat bijna niet voor.'³ Plinius draagt maar één bewijsstuk

---

* In de *Apocolocyntosis* (13) staat een lijst van slachtoffers die tegelijk met Messalina sneuvelden, waarin ook Helvius, Cotta en Fabius zijn opgenomen.

aan om zijn hypothese te ondersteunen: Messalina, beweert hij met genotvolle huiver, zocht de beruchtste prostituee van de stad op en daagde haar uit tot een duel. Ieder kreeg een volle dag en een volle nacht om met zo veel mogelijk mannen naar bed te gaan als ze kon – Messalina won met 25. Plinius merkt spottend op dat zij dit een overwinning vond die een keizerin waardig was. Nog geen 30 jaar na haar dood was haar seksleven al berucht genoeg om gepresenteerd te worden als onweerlegbaar wetenschappelijk bewijs.

Sekslevens zijn zelfs onder de beste omstandigheden al moeilijk te bestuderen. We weten amper wat onze vrienden – soms zelfs onze eigen geliefden – écht doen of verlangen. Deze zaken zijn moeilijker te bestuderen op 2000 jaar afstand. Ze zijn nóg moeilijker te bestuderen als ze vertekend zijn door roddel en mythologisering, en weinig sekslevens zijn zozeer gemythologiseerd als dat van Messalina.

De echt bizarre verhalen over Messalina's liefdesleven – waaronder Plinius' sekswedstrijd – moeten zonder meer worden verworpen, maar de situatie is ingewikkelder als het gaat om beweringen over alledaagser overspel. Hoezeer de beschuldigingen van overspel die Messalina in het jaar 48 ten val brachten ook politiek gemotiveerd kunnen zijn geweest (zoals ik zal betogen), het is moeilijk te geloven dat ze volledig ongegrond waren. Daarvoor zijn de geruchten te massaal en bovendien strookt het niet met de aard van bepaalde bijzonderheden die worden vermeld. Zo onderbreekt Tacitus af en toe zijn stroom namen van de geëxecuteerden om ons iets te vertellen over de man of de kwestie; en er is in deze verhalen over lust, geflirt, afwijzing en grilligheid weinig wat naar politiek ruikt. Sterker nog, hoe beter we de lijst van Messalina's echtbrekers bekijken, hoe onwaarschijnlijker het lijkt dat hier eigenlijk sprake is van een nauw verholen politieke proscriptielijst.* De jonge en knappe Traulus, de naamloze ridders, de danser Mnester en Sulpicius Rufus, die een of andere gladiatorenschool leidde, lijken allemaal merkwaardige kandidaten om betrokken te zijn bij een serieuze Palatijnse samenzwering. Als de reeks beschuldigingen aan het adres van Messalina niet louter was opgezet om de keizerin en haar factie te vernietigen, dan moeten we in overweging nemen dat we hier, op zijn minst in sommige van de gevallen, aankijken tegen de brokstukken van echte affaires.

---

* Op openbare plaatsen opgehangen lijst met personen die door de staat vogelvrij waren verklaard [noot van vertaler].

Tot 18 v.Chr. werd overspel niet beschouwd als een strafbaar feit onder het Romeinse recht. Gedurende meer dan 700 jaar Romeinse geschiedenis werd het hebben van buitenechtelijke affaires gezien als een kwestie van privémoraal, iets wat binnen de familie diende te worden afgehandeld. Er kon dan tot zeer zware straffen worden overgegaan: het vermoorden van een op heterdaad betrapte echtgenote schijnt onder bepaalde omstandigheden een toelaatbare, zij het afkeurenswaardige reactie te zijn geweest. Het duurde echter tot het bewind van Augustus voordat Rome het bestraffen van overspel als een taak van de staat begon te zien.

De Romeinen zagen de geschiedenis in de kern als een proces van cyclische neergang. Volgens hun mythologie was de wereld begonnen in een gouden tijdperk, dat na verloop van tijd aan glans verloor en werd gevolgd door achtereenvolgens een zilveren, bronzen en heldentijdperk om ten slotte af te glijden tot het rauwe ijzeren tijdperk. In het midden van de eerste eeuw voor Christus geloofden de mensen dat zij in hun eigen levensdagen een vergelijkbare neergang hadden meegemaakt, die ze toeschreven aan dezelfde onderliggende oorzaak: het verval van de Republiek was, net als het verval in mythologische tijden, te wijten aan menselijke ondeugd.

Toen Augustus aan de macht kwam, beloofde hij het volk een nieuw gouden tijdperk; een frisse start verstoken van de uitspattingen, het plichtsverzuim, de ontsporingen en de losbandigheid waarvan werd geloofd dat ze de Republiek hadden verwoest. De stabiliteit van het augusteïsche akkoord berustte voor een groot deel op de belofte van het staatshoofd om Rome terug te laten keren naar zijn traditionele wortels, naar de hoogstaande deugden van de *mos maiorum* of 'de zeden van de voorouders'. Centraal in dit waardenherstel stond een programma van seksuele hervormingen, en in 18 v.Chr. vaardigde Augustus de *Lex Iulia de Adulteriis Coercendis* uit ('De Julische wet ter beteugeling van overspel'), die de oude moraal moest afdwingen met nieuwe sancties.[4]

De wet definieerde de misdaad van *adulterium* volledig op grond van de status van de betrokken vrouw: in het Rome van Augustus betekende 'overspel' seks met een respectabele getrouwde vrouw.* Buitenechte-

---

* De afzonderlijke aanklacht van *strupum*, die betrekking had op seks met een ongetrouwde maar respectabele vrouw, voorzag in straffen om het bederven van maagden en het verleiden van weduwen tegen te gaan.

lijke stoeipartijtjes van een echtgenoot bleven geheel zonder gevolgen, op voorwaarde dat hij zorgvuldig was in de keuze van zijn partners: een getrouwd man kon straffeloos neuken met een prostituee, een bordeelhoudster, een veroordeelde echtbreekster of een slavin, maar een ongetrouwde man die sliep met de echtgenote van een andere man maakte zich schuldig aan overspel. Voor een getrouwde vrouw was de status van haar partner irrelevant – ze was hoe dan ook een echtbreekster.

Augustus richtte een permanent zittende rechtbank op die, zoals hij correct voorspelde, een gestage stroom van zaken voorgelegd zou krijgen. De straffen voor degenen die werden veroordeeld waren nauwkeurig voorgeschreven: de vrouw zou een derde van haar bezittingen en de helft van haar bruidsschat verliezen, de man de helft van al zijn bezittingen; beiden werden voor enige tijd verbannen naar afzonderlijke eilanden ver van de stad; en beiden werden onderworpen aan enige vorm van *infamia*.[5] De toepassing van infamia, een Romeinse juridische term die letterlijk betekent dat iemand geheel zonder goede naam is, ontnam een persoon veel van de privileges, onderscheidingstekens en plichten van het burgerschap. Degene over wie het infamia was uitgesproken, was onwaardig om volledig deel uit te maken van de staat en de maatschappij; het stigma moet in veel gevallen ondraaglijk zijn geweest.

Je situatie was (vanzelfsprekend) beroerder als je een vrouw was. Boven op de straffen die haar mannelijke tegenhanger te verduren had, mocht de veroordeelde echtbreekster nooit meer hertrouwen.[*6] Noch werd het haar toegestaan haar schande te vergeten. Van de echtbreekster werd mogelijk verwacht (althans in theorie, er is weinig bewijs dat het gebruik strikt werd gehandhaafd) dat ze de jurk en mantel van de matrone opgaf en de toga aantrok.[7] Deze drastische verandering in uiterlijk maakte het voor een vrouw onmogelijk haar veroordeling te verbergen – ze droeg haar nieuwe status als echtbreekster en *infamis* letterlijk met zich mee. Maar het bracht ook een specifiekere boodschap over de aard van haar misdaad over. De toga was het symbool bij uitstek van Romeinse mannelijkheid, het onderscheidende kledingstuk van de burger, dat jongens mochten aantrekken bij hun volwassenheid en dat

---

* Tenminste niet voor de wet en met een Romeins burger, tenzij ze gratie kreeg – zoals Julia Livilla en Agrippina moeten hebben gekregen na hun terugroeping uit ballingschap in het jaar 41.

werd gedragen door de advocaten in de rechtbank, de senatoren in de curia en de magistraten op de rostra. Bij de echtbreekster veranderde de toga van een symbool van mannelijke trots in een teken van vrouwelijke schaamte. Voor de Romeinen manifesteerde vrouwelijke deugdzaamheid zich in de privésfeer, terwijl de echtbreekster zich door de vastgestelde huiselijke grenzen van haar huwelijk te overtreden op de een of andere manier publiek had gemaakt. Ze had haar rol als echtgenote en moeder verloren, ze had de bescherming van haar huis en haar familie verloren, ze had haar plaats in de fatsoenlijke maatschappij verloren en daarmee had ze ook iets van haar vrouwelijkheid verloren.

Augustus was vastbesloten de medewerking van mannen aan deze campagne voor zediger vrouwelijk gedrag af te dwingen, goedschiks of kwaadschiks. Daartoe nam hij een bijzondere clausule op in zijn wet: iedere man die zich niet liet scheiden van zijn overspelige vrouw, stelde zich bloot aan vervolging als pooier.[8] De boodschap was duidelijk. Overspel was niet langer een privéaangelegenheid, een misdaad tegen je partner en een kwestie die het paar onderling moest uitvechten. Een affaire van een getrouwde vrouw was nu een misdaad tegen de staat Rome zelf.

Vrouwen vertellen dat hun seksuele gedrag een zonde was tegen de politieke gevestigde orde lijkt weinig te hebben bijgedragen aan het intomen van lusten of het veranderen van gedrag, zelfs binnen de keizerlijke familie. In de laatste jaren van de eerste eeuw voor Christus begonnen geruchten te circuleren over Augustus' enige dochter Julia de Oudere, destijds ongelukkig getrouwd met de afwezige Tiberius. Op 37-jarige leeftijd was ze een mode-icoon en een vrouw befaamd om haar esprit, die met een aan arrogantie grenzend zelfvertrouwen hof hield omringd door de jetset van de Romeinse aristocratie. Ze liet zich overal zien en er werd onophoudelijk over haar gekletst. Aanvankelijk deed Augustus de geruchten af als loos geroddel, maar het lijkt erop dat de keizer in 2 v.Chr. onomstotelijk bewijs kreeg voorgelegd van het wangedrag van zijn dochter. Zijn reactie was prompt en meedogenloos. Julia de Oudere werd verbannen naar het eiland Pandateria, vlak voor de Italiaanse kust aan de Tyrreense Zee. Hier stond ze onder continue bewaking en werd ze kort gehouden: geen wijn, geen luxe en zeker geen mannen.[9]

Augustus, te beschaamd om persoonlijk te verschijnen, stuurde een lange toelichtende brief aan de senaat waarin hij haar affaire tot in alle smakeloze details uit de doeken deed.[10] Meer dan een halve eeuw later konden mensen nog steeds met nauw verholen genoegen praatjes over haar rondstrooien. Zo beweerde de filosoof Seneca in een van zijn verhandelingen over moraal (geschreven na zijn terugkeer uit de verbanning waarvan Messalina de aanstichtster was) dat Julia de Oudere met 'hordes overspeligen' had geslapen, nachtelijke braspartijen door de stad had aangevoerd die eindigden in drankgelagen op het Forum Romanum en had deelgenomen aan orgieën met vreemdelingen op uitgerekend de rostra waar haar vader zijn overspelwetten had afgekondigd.[11] In het jaar 8 werd haar zwangere dochter – Augustus' kleindochter Julia de Jongere – ook beschuldigd van overspel, waarna ze haar moeder in verbanning volgde.[12]

De augusteïsche overspelwetten brachten nieuwe gevaren voor keizerlijke vrouwen met zich mee, maar ze boden ook nieuwe kansen. Augustus had affaires, buitenechtelijke verhoudingen en beschuldigingen getransformeerd van stof voor geroddel tot koude, harde politieke munitie. Zoals Messalina's vroege intriges hebben aangetoond was overspel op zichzelf nu genoeg om een eind te maken aan een politieke carrière – om de verbanning te bewerkstelligen van een hofdame of een consul.

Beschuldigingen van overspel werden het favoriete wapen voor keizerlijke vrouwen die hun rivalen wilden uitschakelen. Zo kon je twee – of meer als je in een avontuurlijke bui was – vliegen in één klap slaan. Een overspelige vrouw vereiste een overspelige man, of twee of drie, en als de vervolging succes had werden ze allemaal verbannen. Als je het handig aanpakte kon je op deze manier een hele factie uitschakelen. Bovendien was bewijs van overspel zoveel makkelijker te fabriceren dan bewijs van verraad of corruptie. Slaven van de beschuldigden mochten getuigen in overspelprocessen en konden gemakkelijk worden gedwongen om de juiste soort verklaringen af te leggen over de boodschappen die ze overbrachten en de rendez-vous waar ze glimpen van opvingen. Het zaadje voor een beschuldiging van overspel kon geplant worden dóór vrouwen – ingebed als ze waren in het sociale leven met alle gepraat aan het hof – tegen wie ze maar wilden; anders dan in de meeste gevallen van opruiing of verraad hoefde iemand geen magistraat te zijn of het bevel te voeren over een leger om geloofwaardig van overspel te kunnen worden beschuldigd. Augustus had, bewust of onbewust, een politiek instrument gecreëerd dat perfect geschikt was voor de nieuwe politiek, een politiek die geobsedeerd was met het persoonlijke en gecentreerd was rond het dynastieke hof. Vanaf het begin van haar heerschappij had Messalina zich bekwaamd in de kunst om de wetten rond adulterium in te zetten als wapen. In het jaar 41 gebruikte ze overspelbeschuldigingen tegen Julia Livilla en Seneca en in het jaar 43 tegen Julia; en in het jaar 47 zou ze naar dezelfde strategie grijpen in haar campagne tegen Poppaea Sabina de Oudere.

De wetten tegen overspel konden worden toegepast om de politieke macht van een van je rivalen te breken, maar je kon ook een buitenechtelijke affaire aangaan om politieke macht voor jezelf te creëren. Seks mocht dan een gevaarlijke onvoorspelbaarheid bezitten, het was een krachtig instrument om allianties te smeden en ondanks de kreten in de bronnen over 'Waanzin!' zouden Messalina's eerste uitstapjes naar ontrouw weleens pragmatisch kunnen zijn geweest.

Tegen het midden van de jaren 40 was Messalina's positie zo sterk dat ze kan hebben ingeschat dat als er geruchten over een affaire naar buiten zouden komen, het voor één keer de mannelijke partner zou zijn die er slechter uit kwam. Iedereen wist dat Claudius tot over zijn oren verliefd was. De keizer hoefde Messalina maar te zien bij een diner of de nacht in haar bed door te brengen of de ruzie tussen hen werd weer bijgelegd. De antieke schrijvers beweren bij hoog en laag dat de keizer niets afwist van de affaires van zijn vrouw, en misschien klopt dat wel. Liefde maakt nu eenmaal blind en weinigen zullen het hebben aangedurfd hun leven op het spel te zetten door de geruchten over Messalina's ontrouw over te brieven aan haar echtgenoot. Er speelden ook pragmatischer redenen mee. Messalina's twee kinderen – Claudius' erfgenamen – waren nog jong; de keizer zou bepaald ontstemd zijn over geruchten dat zijn vrouw hem ontrouw was, aangezien dat kon leiden tot gefluister onder het volk dat zijn erfgenamen helemaal niet van hem waren.

Nu ze zich veilig waande begon Messalina overspel misschien in een nieuw licht te zien – niet als een potentieel risico voor haar positie, maar als een middel om politiek dingen voor elkaar te krijgen. Illegale affaires boden duidelijk mogelijkheden tot overreding: Messalina was jong en mooi en mannen hebben altijd domme dingen gedaan voor seks. Belangrijker nog was dat een affaire kon dienen als een garantie van loyaliteit. Zodra een man met de keizerin had geslapen, was zijn lot verbonden met het hare. Overspel met de echtgenote van de keizer was een halsmisdaad; een ex-minnaar kon zich niet tegen Messalina keren zonder daarbij zelf ten onder te gaan. Haar minnaars waren aan Messalina gebonden door de ervaring van seksuele intimiteit, maar ook door de geheimen die ze deelden.

Misschien was dit ook de motivatie voor Messalina's vermeende relatie met Polybius, een van de machtigste vrijgelatenen rondom Claudius die de keizer als een soort literair adviseur diende. Polybius was zeer geleerd, ongelooflijk belezen en zelf ook een gewaardeerd auteur.[13] Hoewel zijn rol niet strikt politiek was, bezat de ex-slaaf enorme invloed aan het hof en was hij berucht om zijn gedrag. Bij openbare gelegenheden liep hij vaak tussen de consuls in, en toen een acteur eens in het theater het vers 'Onverdraaglijk is een omhooggevallen schurk' reciteerde, richtten alle aanwezigen hun blik op Polybius.[14] Hij riep een ander citaat van dezelfde toneelschrijver terug: 'Zelfs voormalige geitenhoeders hebben het tot koningen gebracht.' Dat was een extreem riskant antwoord, en het feit dat die uitspraak zonder gevolgen bleef voor Polybius toonde aan hoezeer hij bij de keizer in de gunst stond.

Helaas voor Messalina bleek ze Polybius met al zijn macht moeilijk voor zich te kunnen winnen. Hij had hoogstwaarschijnlijk al een aantal jaren onder Claudius gediend, misschien al sinds ze beiden nog jonge mannen waren en zijn meester bestemd leek te zijn voor een leven van literatuur, drinken, geschiedenis en gokken. Sindsdien waren de levens en het lot van de twee mannen onlosmakelijk met elkaar verbonden. Claudius had Polybius zijn vrijheid geschonken; Polybius had toegekeken bij, of misschien zelfs geadviseerd over, Claudius' troonsbestijging. Polybius kan Claudius' vorige echtgenote goed gekend hebben – de eerdergenoemde Aelia Paetina die hij had ingeruild voor Messalina; hij kan de geboorte van hun dochter Claudia Antonia omstreeks het jaar 27 hebben meegemaakt en gevierd; en hij kan niet meteen warme gevoelens hebben gekoesterd voor de jongere vervangster van zijn oude meesteres.*

---

* Vaststaat dat Polybius zijn vrijheid had gekregen van Claudius zelf – Seneca benadrukt hoeveel hij de keizer verschuldigd was in zijn troostbrief die hij aan de vrijgelatene schreef na de dood van diens broer –, wat impliceert dat ze al enige tijd voor zijn troonsbestijging hadden samengewerkt.

Claudius schatte Polybius' oordeelsvermogen blijkbaar hoog genoeg in om hem een zekere mate van vrijheid van denken en spreken toe te staan. Toen Seneca omstreeks het jaar 43 of 44 besloot om medestanders te gaan werven voor zijn terugkeer uit verbanning, wendde hij zich tot Polybius. Met de dood van diens broer als aanleiding stuurde hij hem een kruiperige, van zelfbeklag vervulde en beslist onstoïcijnse 'troost'-brief, waarin de troost al snel plaatsmaakte voor een doorzichtig verzoek aan Polybius om bij de keizer een goed woordje voor hem te doen.[15] Het was in de eerste plaats op instigatie van Messalina dat Seneca eerder was verbannen; zijn besluit om een beroep op Polybius te doen suggereert dat die in zijn ogen de zwakste schakel in Messalina's greep op het Palatijnse hof vormde – de man die het meest bereid en in staat was om zich te verzetten tegen de wil van de keizerin.

Misschien dat Polybius' onafhankelijkheid iets aantrekkelijks had voor Messalina – er waren er weinig overgebleven op de Palatijn die haar durfden tegen te spreken – en hij was absoluut een intelligente en geestige causeur. Toch was hun affaire, als geloof mag worden gehecht aan Dio's verzekering dat die plaatsvond, misschien eerder gebaseerd op politiek dan op chemie.[16] Messalina wilde Polybius aan haar kant krijgen, en seks leek wellicht een snelle manier om dat te bereiken. Zoals was te verwachten zou het allemaal slecht aflopen voor Polybius, maar de komende breuk lag nog enkele jaren in de toekomst en op dit moment overheerste de lonkende belofte van een geheime affaire. Seneca werd niet teruggeroepen en Messalina had een krachtige nieuwe bondgenoot erbij in de vertrouwenskring van haar echtgenoot.

Andere aanwinsten op de lijst van Messalina's overspelige minnaars en medeplichtigen zouden ook op zijn minst gedeeltelijk kunnen zijn gekozen met politieke redenen in het achterhoofd. Gaius Silius was de gekozen consul toen hij Messalina's 'tweede echtgenoot' werd en hij verkeerde in gezelschap van een stevige dosis andere senatoriale namen. Decrius Calpurnianus was prefect van de *vigilles*, de paramilitaire nachtwacht; Plautius Lateranus was de neef van de Plautius die met zijn overwinningen in Brittannië Claudius een triomftocht en zichzelf en zijn familie een onbetwistbare positie aan het hof had bezorgd; Suillius Caesonius was de zoon van de gevreesde Publius Suillius die voor Messalina een groot deel van het vuile werk in de rechtbanken en de senaat opknapte.

Deze mannen waren nuttige bondgenoten, en door hen in affaires te verwikkelen of hen als het ware medeplichtig te maken met het gevaarlijke medeweten erover, kon Messalina zich verzekeren van een mate van loyaliteit alsof het met hun eigen bloed ondertekende garanties betrof. Bij dit alles – hoe verkeerd het ook mag zijn geweest en hoe onwettig het zeer zeker was – vertoonde Messalina geen spoor van de seksueel geobsedeerde waanzin waar ze later zo mee geassocieerd zou worden.

Toch kan niemand de hele tijd door rationeel zijn.

14

Overspelige vrouwen hebben
meer plezier

'Doe mij maar duizend kusjes en daarna nog honderd,
Dan duizend nieuwe...'
Catullus, 5

Slechts een paar jaar nadat Augustus zijn wetten tegen overspel had uitgevaardigd, publiceerde de dichter Ovidius zijn *Amores*. Een oorspronkelijk uit vijf boeken bestaande verzameling elegieën (later teruggebracht
tot drie) werd gekopieerd, ingebonden en naar vrienden gestuurd, om
vervolgens hardop te worden voorgelezen in salons en bij diners. Hij
mocht ze dan zijn *Liefdes* hebben genoemd, maar als het al liefdesbrieven ergens aan zijn, dan zijn Ovidius' *Amores* liefdesbrieven aan de verleidingskunst van het overspel.

> *Zorg dat je eerder arriveert dan hij. Ik weet niet*
> *wat er dan valt te schikken, maar kom toch maar vroeg.*
> *Als hij aan tafel gaat, volg jij hem quasi-minzaam,*
> *maar ongemerkt stap je opzij en raakt mijn voet.*
> *Let verder goed op wat mijn ogen en gebaren*
> *Je heimelijk te melden hebben en sein terug.*
> *Ik spreek toonloze wenkbrauwtaal of woorden die*
> *Je van mijn vingers leest of die ik schrijf in wijn.*[1]

Dit relaas over de bekoring van een clandestiene affaire staat bijna aan
het begin van het eerste boek van de *Amores*. Al geeft de dichter te ken-

nen dat hij zijn rivaal dood wenst – 'Je man zal straks bij 't feestmaal aan dezelfde tafel/aanliggen (naar ik hoop zijn laatste avondmaal)' –, toch is de echtgenoot het cruciale element in Ovidius' verleidingskunst. Er is immers geen noodzaak om je woorden in wijn te schrijven als je aanbedene vrijgezel is,

> *Uw vrouw bewaken vindt u, dom genoeg, niet nodig?*
> *Wel, doe het toch. Voor mij! Ik word er nog*
> *Verliefder van. Iets wat niet mag, brandt wel zo spannend;*
> *Wat wél mag niet.*[2]

Ovidius, met zijn indiscreties op rijm en zijn innemende trouweloosheid, kwam aan het eind van een korte bloeiperiode in de Latijnse liefdespoëzie. Schrijvers als Propertius, Tibullus, Catullus en de dichteres Sulpicia hadden een liefdestaal geschapen die steunde op geheime brieven, gestolen blikken en de uitgestelde bevrediging van de gesloten deur. Ze waren jong, rijk en verveeld, mooi en goed thuis in de Griekse literaire canon, met zijn elegante liefdesballaden, tragedies over noodlottige aantrekkingskracht en epische verhalen over de lage lusten van de goden. Het politieke bestel om hen heen stortte in en hervormde zichzelf, maar geld en luxe bleven gewoon de stad binnenstromen: de oude Romeinse aristocratie was nog nooit zo rijk of overbodig geweest. Het roekeloze gevoel dat je morgen dood kon zijn, dat in de jaren van de burgeroorlogen overheerste, maakte plaats voor het ennui van de augusteïsche veiligheid: als je het maar uit de juiste hoek bezag konden beide een gerechtvaardigde reden lijken om een affaire te beginnen. Deze mannen en vrouwen hadden de tijd en het geld om zich over te geven aan sensuele genietingen en ze waren gewend aan overvloed en variatie. Het huwelijk was onder de hogere klassen vooral een socio-economische aangelegenheid. Wie hunkerde naar liefde, lust en genot, moest het noodzakelijkerwijs zoeken in overspel.

Toen Messalina aan Claudius werd uitgehuwelijkt, was zij in haar late tienerjaren en hij omstreeks 48. Hij stotterde en kwijlde en onderging de vernederende pesterijen van Caligula met lijdzame berusting. Hij kan nauwelijks de man van haar dromen zijn geweest. Maar wat haar persoonlijke gevoelens voor haar echtgenoot ook waren, het huwelijk had

Messalina pal in de maalstroom van Caligula's hof geplaatst. Dit was een wereld die gekenmerkt werd door sensualiteit, door banketten en plezierjachten, smaragden en parels en exotische parfums. Caligula was als keizer bezeten van het doorbreken van grenzen terwijl hij aftastte hoe ver zijn macht reikte: met zijn brug over de Golf van Napels vervaagde hij de scheidslijn tussen fantasie en werkelijkheid; in zijn kleding vervaagde hij de scheidslijn tussen het mannelijke en het vrouwelijke; in zijn gedrag vervaagde hij de scheidslijn tussen mens en god. Hij was er ook dol op seksuele barrières te overschrijden, onder meer door zijn vrouw naakt aan zijn vrienden te vertonen en door zijn hovelingen de hoorns op te zetten. Dat Messalina dit alles op zo jonge leeftijd aanschouwde moet een overweldigende ervaring voor haar zijn geweest, eentje die haar mede heeft gevormd.

Na Claudius' troonsbestijging ging het er wat kalmer aan toe, maar dat was eerder een kwestie van gradatie dan dat er echt een andere wind ging waaien. Dit was nog steeds een hof dat vól inzette op plezier maken. Claudius wist dat hij, gezien de ongebruikelijke manier waarop hij aan de macht was gekomen, extra zijn best moest doen om de gunst van het volk te winnen, en hij trakteerde het op een ongekend programma van publieke voorstellingen.[3] Naast alle gebruikelijke publiekstrekkers – gladiatorenspelen, beestenjachten, schijngevechten – werd voorzien in nieuwere schouwspelen. Sommige waren nooit eerder vertoond, andere had Claudius naar eigen zeggen in de oude archieven gevonden en nieuw leven ingeblazen. Hij organiseerde wagenrennen in een Circus Maximus dat hij had verfraaid met marmeren balustrades en vergulde keerpalen, hij importeerde panters uit Noord-Afrika die in de arena werden opgejaagd door bereden pelotons van de pretoriaanse garde, hij liet ruiters uit de Noord-Griekse vlakten van Thessalië overkomen die zich op wilde stieren wierpen door ze bij de hoorns te grijpen. Bij één groot spektakel vonden 300 beren en 300 Libische leeuwen de dood. Na de triomf in Brittannië liet Claudius reconstructies van Britse plaatsen bouwen en die belegeren en innemen zodat de stadsbevolking zijn successen kon bewonderen. Messalina, haar eigen glansrol in de triomftocht nog maar net achter de rug, moet hierbij gezeten op de eerste rij een stralend middelpunt hebben gevormd.[4]

Zo'n vijftig jaar eerder had Ovidius in zijn *Ars Amandi* – satirische 'lessen in de liefde' in versvorm (hoe haar te vinden, hoe haar te houden en, heel letterlijk, hoe haar te bedrijven) – zijn lezers geïnstrueerd hoe ze dergelijke evenementen maximaal konden uitbuiten.[5] De feestvreugde, het gedrang van de menigte, de muziek, de lekkernijen, de fraai geënsceneerde voorstellingen van de grote liefdesverhalen en de adrenalinegolf als je mannen voor je ogen zag vechten en sterven, droegen allemaal bij aan het soort geladen atmosfeer dat uitnodigt tot verleidingspogingen. Uiteraard zou geen enkele man Messalina kunnen benaderen zoals Ovidius dat bij zijn weerloze doelwitten deed, maar de sensuele intensiteit die de dichter hielp bij zijn verleidingskunsten moet ook de keizerlijke zitplaatsen hebben overspoeld – en kan rondom de persoon van de keizerin zijn blijven hangen wanneer ze zich met de rest van het hof terug naar de Palatijn begaf.

Deze publieke spektakels zullen zijn gevolgd door besloten feesten. Deze werden gehouden in de nieuwere, grotere zalen van het keizerlijk paleis en ze telden vaak meer dan 600 genodigden op de gastenlijst.[6] Op deze avonden – die feitelijk bijna élke avond plaatsvonden – lagen de gasten in pas gesteven toga's of doorschijnende zijden gewaden aan op gevoerde banken met vergulde of ingelegde poten. Ze kregen het ene gerecht na het andere opgediend in diepe gouden kommen, terwijl experts de beste wijnen mengden met precies de juiste hoeveelheid water en daar slavenjongens mee rond stuurden om ervoor te zorgen dat niemand droog kwam te staan. Vlammen flakkerden op de gouden kandelaars, wolken parfum hingen zwaar in de lucht en dansers en musici slingerden zich in een rij tussen de tafels door. Er was geen betere omgeving denkbaar voor het uitwisselen van steelse blikken en het schrijven van woorden in wijn.

Als dit een spel was waaraan Messalina wilde meedoen, dan bezat ze één duidelijk voordeel: de alom bekende liefde voor de fles van haar echtgenoot. Al sinds hij in zijn jeugd niet voor vol werd aangezien had Claudius troost gezocht in drank, en zijn dagen hadden zich lang en leeg voor hem uitgestrekt, zonder hoop op een carrière. Hij had destijds in tavernes gedronken, als een plebejer, of thuis in gezelschap van louche kameraden, of op banketten in het paleis, om zichzelf te verdoven tegen de vernedering het voortdurende mikpunt van spot te zijn.[7] Zulke gewoonten zijn niet gemakkelijk te doorbreken, zodat Claudius ook na zijn troonsbestijging regelmatig aan het eind van de avond de inhoud van zijn maag uitbraakte of bewusteloos zijn eigen banketzaal uit moest worden gedragen.[8] En op zijn minder benevelde avonden lagen er weer andere afleidingen op de keizer te wachten. Claudius' zwak voor vrouwen was berucht en er werd gezegd dat Messalina hem voorzag van een constante stroom knappe dienstmeisjes die in voorkomende gevallen haar plaats in het huwelijksbed innamen.[9] Met honderden mannen om uit te kiezen en een echtgenoot die buiten westen was – of met iemand anders lag te neuken – had de keizerin zowel de gelegenheid als het motief om zelf affaires te beginnen.

Het flirten en het overspel van Messalina – voor zover daar sprake van was – namen waarschijnlijk pas halverwege de jaren 40 serieuze vormen aan. Zelfs toen het onder Nero opportuun was geworden, slaagde niemand er ooit in echt twijfel te zaaien aan de legitimiteit van Messalina's kinderen. Inmiddels had de keizerin haar echtgenoot – van middelbare leeftijd, fysiek onaantrekkelijk en vaak volkomen bedwelmd door de drank – twee gezonde kinderen geschonken als erfgenamen voor zijn dynastie. Ze had samenzweringen op touw gezet, zelfs gemoord, om de stabiliteit van het regime te waarborgen, en eraan gewerkt om haar positie op de Palatijn en in het publieke bewustzijn te verstevigen.

Na al deze inspanningen, veelal met succes bekroond, was Messalina nog maar een vrouw van in de twintig en nog jong en mooi. Ze had kappers, kameniersters en onuitputtelijke fondsen om zijdezachte stoffen te kopen die haar lichaam streelden en edelstenen in kleuren die het best bij haar pasten. Haar lichaam werd soepel gehouden door dagelijkse stoombaden, haar lichaamshaar werd geschoren en ze werd gemasseerd met welriekende oliën. Ze was mooi van zichzelf en kon beschikken over alle sensualiteit die luxe met zich meebrengt. Met haar plichten en haar oude echtgenoot kan Messalina het gevoel hebben gekregen dat haar eigen passies te lang waren verwaarloosd.

De Romeinen geloofden dat de verlangens van vrouwen krachtiger waren dan die van mannen. 'Mannenlibido is niet zo sterk en heftig,' waarschuwde Ovidius, 'ons vuur blijft vlammen binnen een normale grens.' Daartoe hoefde je alleen maar te kijken naar de mythen – uitvergrotingen van alle menselijke eigenschappen, zowel sterke als zwakke – met hun verhalen over incest, overspel, bestialiteit en misdaden uit hartstocht. 'Al deze gruwelen werden door vrouwelijke lust bewogen,' luidde de conclusie van de dichter, 'een vrouw is feller dan een man en raast maar aan.'[10]

De vrouwen van Rome werden evenzeer door deze heftige lusten be-
kropen als hun mythologische zusters. Helemaal aan het begin van zijn
eerste boek met gedichten schetst Catullus een tafereel dat bol staat van
de dubbelzinnigheden:

> *Och musje, troeteldiertje van mijn meisje,*
> *waarmee zij steeds wil spelen, dat ze op haar schoot wil houden,*
> *waaraan zij steeds haar vingertopje geeft om in te pikken*
> *en dat ze steeds tot felle beetjes stimuleert,*
> *wanneer het stralend voorwerp van mijn hunkering*
> *er zin in heeft zich met iets dierbaars te vermaken,*
> *en wel als kleine troost voor 't lijden in haar hart,*
> *om dan, denk ik, haar hevig liefdesvuur tot rust te laten komen.*[11]

Deze onbevredigende afleiding kon niet eeuwig blijven werken en al snel
stapte degene naar wie Catullus' verlangen uitging – de getrouwde en
aristocratische Clodia – over de drempel van een huis dat een vriend van
de dichter hem ter beschikking had gesteld voor hun geheime ontmoetingen.[12] Een andere dichter, Tibullus, stelt zich voor dat zijn maîtresse
de zaken veel drastischer aanpakt. Ze misleidt haar bewakers, ontgren-
delt de deur van haar echtgenoot, glipt het echtelijk bed uit en vermijdt
de vloerplanken die gewoonlijk kraken, stuurt haar geliefde geheime tekens en bedenkt geloofwaardige leugens, bereidt kruidenzalfjes om de
pijn van liefdesbeten te verzachten.[13]

Dit is vrouwelijke passie zoals die door hoopvolle mannen wordt verbeeld, maar heel af en toe horen we een Romeinse vrouw haar verlangens
uiten in haar eigen woorden. De gedichten van de edelvrouw Sulpicia, die
leefde in de eerste eeuw voor Christus, zijn bij uitzondering bewaard gebleven doordat ze waren opgenomen in het corpus van Tibullus. In haar
regels laait de passie net zo heftig op als in het werk van haar mannelijke
tegenhangers:

> *Ik brand het felst, Cerinthus; dat ik brand schenkt mij genoegen,*
> *Wanneer ook jou die vlam ontsteekt in antwoord op mijn vuur.*
> *Laat liefde wederzijds zijn, vraag ik jou bij onze zoetste geheimen,*
> *bij jouw ogen, bij jouw eigen Genius.*[14]

Sulpicia laat er geen misverstand over bestaan dat haar liefde (althans zoals ze die poëtisch vormgeeft) zinnelijk en buitenechtelijk van aard is. Na al die brandende hartstocht schrijft ze een nieuw gedicht waarin ze Venus bedankt dat zij haar Cerinthus heeft gebracht, dat zij hem fysiek in haar armen heeft gelegd. Ze gaat ook tekeer tegen de dwangbuis van de conventie. 'Ik heb geen spijt van mijn faux pas,' verklaart ze, 'geef niet om reputatie: vertel maar dat ik heb bemind in waardig evenwicht.'[15]

Sulpicia schrijft haar verzen, brengt haar plengoffers aan de godin en wacht tot Venus haar geliefde naar haar toe brengt. Messalina, gewend aan het toepassen van aardser methoden om haar zin te krijgen, was niet bereid haar zaken toe te vertrouwen aan goddelijke interventie.

Traulus Montanus was een jonge man afkomstig uit een goede, maar niet bijzonder vooraanstaande familie.[16] Zijn ouders uit de ridderstand zaten er warmpjes bij en hoopten wellicht te kunnen genieten van de Julisch-Claudische welvaart zonder verstrikt te raken in de gevaren van de hoge politiek. Ze hadden veel aandacht besteed aan de opvoeding van hun zoon en ernaar gestreefd hem goede manieren en ouderwetse waarden bij te brengen. Hun inspanningen hadden succes gehad: Traulus had zich ontwikkeld tot een jongeman van bescheiden gedrag en gematigde voorkeuren. Ongelukkigerwijs had hij zich ook ontwikkeld tot een uitzonderlijk knappe jongeman.

Toen op een avond het donker was ingevallen, vertelt Tacitus ons, ontving Traulus een plotselinge oproep van Messalina om naar het paleis te komen. Hij gaf daar uiteraard gevolg aan en werd bij zijn aankomst meteen naar haar slaapkamer geleid. Ze brachten samen de nacht door en hij werd er de volgende ochtend voor zonsopkomst weer uit gezet. Dat Messalina hem zo gebruikte en daarna achteloos terzijde schoof kan niet goed zijn geweest voor zijn ego, maar dat zou de minste van zijn zorgen blijken: ondanks zijn jeugd en passiviteit zou Traulus met de overige minnaars van de keizerin worden geëxecuteerd. Het was een onenightstand die hem duur kwam te staan.

In Messalina's kortstondige affaire met Traulus, zoals Tacitus deze beschrijft, draait het onbeschaamd om lust in plaats van liefde. Blijkbaar bestond er ook een wat luchthartiger houding ten opzichte van overspel dan de ernst waarvan de vurige passie van Sulpicia of het puritanisme van de augusteïsche wetten getuigt. Hoezeer de oude moralisten er ook tegen tekeergingen, er lijkt in bepaalde kringen de opvatting te hebben geheerst dat het vreselijk burgerlijk was om zo benepen te doen over een beetje overspel. In zijn *Amores* steekt Ovidius (natuurlijk zonder énige bijbedoelingen) de draak met bekrompen provincialen die prijs stellen op huwelijkstrouw:

Een man die zich door ontrouw van zijn vrouw laat krenken
Is stijf en on-Romeins; niet passend bij een stad
Die al niet deugdzaam was toen Romulus en Remus,
De zonen van Mars, hun nieuwe Troje stichtten.[17]

Toch bleek Ovidius de stemming niet helemaal goed te hebben aangevoeld. Het was nu de tijd van Augustus, niet die van Catullus, en de fatsoensnormen waren veranderd. Hij werd in het jaar 8 verbannen wegens, zoals hij zelf zei, 'een gedicht en een misstap'.[18] Het gedicht was de *Ars Amandi*, de 'misstap' was waarschijnlijk overspel, misschien zelfs met Augustus' kleindochter Julia de Jongere, die in hetzelfde jaar verbannen werd. Als Ovidius inderdaad deels was verbannen vanwege de *Ars Amandi*, dan had de keizer de gelegenheid aangegrepen om zichzelf ook een grapje te veroorloven. In boek 3 had Ovidius een zucht van opluchting geslaakt dat hij niet in het woeste Kaukasusgebergte of in het weinig verfijnde Mysia aan de noordwestkust van het huidige Turkije leefde, maar in Rome, waar de meisjes ervoor zorgden dat hun oksels fris roken en hun benen gladgeschoren waren.[19] Nu zat hij opgesloten in Tomis, een provinciale uithoek aan de westkust van de Zwarte Zee; Mysia lag honend in het zuiden en de Kaukasus rees ten oosten van hem op, aan de overkant van het water. Ovidius had dan misschien de regels overtreden, maar hij was niet zozeer in moeilijkheden gekomen door zijn houding of daden, als wel door zijn speelse, schaamteloze openhartigheid.

Het was nu minder acceptabel om overspel zo openlijk te verheerlijken als Ovidius had gedaan, maar dat betekende niet dat overspel zelf uit de mode was geraakt. Integendeel: er heerste steeds meer ongerustheid dat de ontrouw van vrouwen toenam. Omstreeks het begin van de tweede eeuw voerde Juvenalis' bijtende satire over de zedeloosheid van de Romeinse hogere klassen Messalina – 'de keizerin-hoer' – op als een van de voornaamste voorbeelden daarvan, maar er was een lange stoet van anderen. Eppia, die haar senator-echtgenoot ontvluchtte om haar minnaar-gladiator te volgen naar Egypte; de rijke Caesennia, die met haar liefdesbrieven pronkte ten overstaan van haar echtgenoot; Tucia, Apula, Thymele, allen minnaressen van de pantomimedanser Bathyllus.[20]

Bovendien gold in de nieuwe wereld van het keizerlijk hof een gedragscode die slechts gedeeltelijk overlapte met de wet. Geheime intriges en dynastieke planning waren hier aan de orde van de dag, zodat seks nooit simpelweg een kwestie van ouderwetse moraal kon zijn. Bovendien had de absolute macht van de keizer korte metten gemaakt met persoonlijke scrupules – als de keizer besloot dat hij jou wilde hebben, kon je daar maar heel weinig aan doen. Dat gold vooral voor Caligula. Een zekere mate van seksuele losbandigheid was een belangrijk aspect van de hofcultuur – sensueel, jong en niet gebonden aan de 'zeden van de voorouders' – die de jonge tiran had geprobeerd te creëren. Voor een bepaalde minderheid onder de hovelingen die net als Messalina onder zijn auspiciën volwassen waren geworden, vormde overspel wellicht gewoon een aspect van het sociale leven van de kosmopolitische bovenklasse.

Dat lijkt in elk geval de houding te zijn geweest van de groep die zich rond de jonge keizerin verzamelde. Cassius Dio komt met de beschuldiging dat Messalina haar vriendinnen dwong hun promiscuïteit te bewijzen door met andere mannen naar bed te gaan terwijl hun echtgenoot toekeek. Voor de mannen die dat helemaal niets kon schelen, beweert Dio, had ze een zwak.[21] Het is de vraag of zulke orgiastische ontgroeningen echt hebben plaatsgevonden, maar Dio's verhaal is misschien wel kenmerkend voor de overheersende sfeer in Messalina's milieu. Terwijl deze groep jonge edelen – die elkaar al eeuwen kenden en allemaal als tiener of jonge twintiger waren uitgehuwelijkt om de familieambities te verwezenlijken – zich van het ene feest in het andere stortte, met geld smeet en aan verbanning of executie probeerde te ontkomen, kunnen buitenechtelijke flirtpartijen (zelfs als ze niet tot de daad zelf kwamen) weleens aan de orde van de dag zijn geweest.

Traulus was een kortstondige, luchthartige bevlieging geweest, maar bij andere liefdesaffaires lijkt Messalina alle pijn en vreugde waarover de dichters verhalen te hebben ervaren.

Mnester had voor het eerst op het Romeinse toneel geschitterd tijdens het bewind van Caligula. Hij was een pantomimedanser, een Griekse kunstvorm waarbij één mannelijke danser alle rollen danste, mannelijke en vrouwelijke, op de maat van de muziek en een soms gezongen en soms gesproken verhaal. Bij elk volgend personage veranderde hij van uiterlijk, zijn bewegingen waren expressief en balletachtig, de stof was ontleend aan tragedies en mythen.

Pantomime was onder Augustus razend populair geworden en sterdansers hadden een grote schare fanatieke aanhangers. In het jaar 15 zag Tiberius zich genoodzaakt om in te grijpen na een vechtpartij tussen twee groepen fans die was geëindigd met de dood van een aantal burgers, soldaten en een centurio.[22] Tot de nieuwe maatregelen van de keizer behoorden onder meer dat het senatoren voortaan verboden was de huizen van pantomimespelers te betreden en dat leden uit de ridderstand niet meer om hen heen mochten drommen wanneer ze zich op straat vertoonden. Uit deze wetten spreekt een bezorgdheid om iets anders dan roerige menigten. Tiberius was duidelijk bang dat omgang met pantomimedansers zijn aristocratie zou kunnen corrumperen.

Net als de veroordeelde overspelige vrouw, de pooier en de prostituee was de professionele podiumartiest een infamis: op zijn best een soort halve burger, te onbetrouwbaar geacht om te getuigen voor de rechtbank en uitgesloten van huwelijken met de hogere standen. In het Romeinse recht hadden deze mannen zo'n lage status dat je een danser straffeloos mocht aftuigen, hem misschien zelfs mocht doden, als je kon aantonen dat je daarvoor een gegronde reden had. Infamia was een levenslang vonnis. Hoe hoog een artiest ook steeg, hoezeer zijn kleding, zijn huis of de uitnodigingen die zijn slaven hem elke ochtend brachten ook leken op die van zijn senatoriale kennissen, hij kon de genoemde beperkingen nooit van zich afschudden.

Toch bezaten de pantomimesterren nog steeds een gevaarlijke, dubbelzinnige bekoring. Deze dansers, veelal als slaafgemaakte (ook Mnester was dat geweest) uit het Griekse Oosten naar Rome gehaald en voorzien van een romantische toneelnaam, groeiden uit tot sekssymbolen. Ze verschenen op het podium in nauwsluitende zijden kleding en leken elke spier van hun sterke maar lenige lichaam afzonderlijk te kunnen bewegen. Op commando van een noot konden ze veranderen van held in schurk, van mens in god, zelfs van mannelijk in vrouwelijk. Ze waren academisch opgeleid en werden geacht vertrouwd te zijn met de volledige canon van Griekse mythen en homerische epen, alsook de historische verhalen en de Latijnse poëzie die de stof vormden voor de nieuwere libretto's, maar eenmaal op de planken leken ze de pure belichaming van rauwe emotie. Hun bewegingen waren soepel, sensueel en ritmisch, vaak op het gewaagde af, maar hun onderwerpen waren verheven: de pantomimedanser verhief iets vleselijks tot het niveau van tragedie en mythe.[23]

In al deze dubbelzinnigheid school iets gevaarlijks en romantisch. In de tweede eeuw riep een bezorgde echtgenoot de hulp in van de beroemde arts Galenus om zijn vrouw te onderzoeken. Ze kon niet meer slapen, sprak nauwelijks een woord en haar polsslag was wild en onregelmatig. Galenus' diagnose was helder: de vrouw was smoorverliefd op Pylades de pantomimedanser.[24] De tweede-eeuwse schrijver Lucianus van Samosata oordeelde dat deze mannen erger waren dan sirenen – sirenen zongen alleen, maar de pantomimedanser hield zijn publiek gevangen 'van oor tot oog, van lichaam tot ziel'.[25]

Welke bijzondere kwaliteiten een pantomimedanser ook nodig had om zijn publiek te boeien, Mnester bezat ze in overvloed. Caligula was bezeten van hem geweest: de twee waren naar verluidt minnaars geweest en de keizer had de danser openlijk gekust in het theater. Iedereen die het waagde tijdens een van zijn favoriete uitvoeringen te praten, werd uit zijn stoel gesleurd en ter plekke afgeranseld.[26] Ook Messalina viel blijkbaar als een blok voor hem. Dio zegt snibbig dat de keizerin betoverd werd door Mnesters knappe uiterlijk, maar de affaire was zo heftig en ging kennelijk zo lang door dat er meer moet hebben gespeeld.[27] Misschien was het zijn scherpe humor die hij later ten koste van Messalina zou tentoonspreiden of het gemak waarmee hij zijn conversatie lardeerde met verwijzingen naar gedichten en mythen. Misschien was het omdat ze wist dat iedereen hem begeerde, dat ze kon zien dat andere adellijke vrouwen (en mannen) groen van jaloezie aanzaten bij het diner. Misschien was het de opwinding van het verbodene, zij een keizerin en hij een infamis. Misschien was het de manier waarop hij bewoog, zo moeiteloos en zo elegant – zo ánders dan Claudius.

Zeggen dat Messalina zich niet ongenaakbaar opstelde zou als we de bronnen mogen geloven het understatement van de eerste eeuw zijn.[28] Mnester beweerde dat hij aanvankelijk niet op haar avances inging. Hoe aantrekkelijk Messalina ook mocht zijn, het was nogal een risico om de koffer in te duiken met de echtgenote van de heerser van de bekende wereld – al helemaal voor een voormalige slaaf die alleen maar probeerde zijn acteercarrière voort te zetten nadat zijn vorige keizerlijke minnaar

Caligula een kopje kleiner was gemaakt. Bovendien kon je niet zeggen dat Mnester om aandacht verlegen zat. Hij was een affaire begonnen met Poppaea Sabina de Oudere. Zij was rijk, werd alom erkend als de grootste schoonheid van haar tijd en ging over de tong vanwege haar promiscuïteit.[29] Er leek voor een man weinig meer te wensen over – Mnester had er geen behoefte aan zich alle risico's en complicaties van een affaire met Messalina op de hals te halen.

Toch wenste de keizerin geen genoegen te nemen met een nee. Ze probeerde het met beloften, ze probeerde het met dreigementen en uiteindelijk probeerde ze het met de gewoonlijk onverstandigste verleidingsstrategie van allemaal: ze schakelde haar echtgenoot in.[30] Naar verluidt beklaagde ze zich bij Claudius dat Mnester weigerde haar bevelen op te volgen, waarbij ze gemakshalve naliet om aan te geven wat die bevelen precies inhielden. Claudius, er altijd op gebrand zijn vrouw te behagen en ongetwijfeld een beetje verbijsterd waarom hij bij zo'n triviale kwestie betrokken werd, riep Mnester bij zich en beval hem de instructies van de keizerin zonder tegenstribbelen op te volgen. Mnester, die geen andere keuze had dan de keizer te gehoorzamen, deed wat er van hem werd gevraagd. Het verhaal, hoe grandioos ook, is te kluchtig om geloofwaardig te zijn. Toch bevat het wel een kern van waarheid: als Messalina het bed met Mnester wilde delen, had hij amper de mogelijkheid haar af te wijzen. Later, toen hij in ongenade viel, zou Mnester de littekens tonen die hij had overgehouden aan de afranselingen uit zijn tijd als slaaf en betogen dat hij in tegenstelling tot Messalina's senatoriale minnaars gedwongen was tot een relatie met haar.[31] Het was een argument dat Claudius bijna overtuigde, en Mnester had het er wellicht levend vanaf gebracht als Narcissus niet tussenbeide was gekomen.

Messalina's bezetenheid van Mnester nam blijkbaar niet af nadat ze hem had veroverd – en deze affaire lijkt minstens enige tijd te hebben geduurd.* Ze overlaadde haar nieuwe minnaar met geschenken; mensen beschuldigden haar ervan dat ze zich meester had gemaakt van alle bron-

---

* In Dio's relaas komt de affaire met Mnester op twee verschillende plaatsen aan de orde: 60.22 en 60.28. Tussen de twee passages in staan de gebeurtenissen van een aantal jaren beschreven, wat suggereert dat de affaire van Messalina en Mnester, of althans de geruchten daarover, een behoorlijke tijd kan hebben geduurd.

zen munten van Caligula, die op bevel van Claudius opnieuw moesten worden gemunt om ze van de beeldenaar van de oude keizer te ontdoen, en dat ze die had laten omsmelten om er standbeelden van Mnester van te laten gieten.[32] Als tegenprestatie eiste de keizerin dat de danser steeds meer tijd bij haar doorbracht. Ze wilde elk moment van de dag bij hem zijn en de praatjes over Mnesters voortdurende aanwezigheid in het paleis werden steeds hardnekkiger, net zoals zijn afwezigheid op het podium steeds opvallender werd.[33] Eenmaal zou Claudius zich zelfs gedwongen hebben gevoeld publiekelijk te verklaren dat Mnester níét in het paleis was toen hij niet kwam opdagen in het theater, wat bijzonder vernederend moet zijn geweest. Een andere keer zou Mnester zijn gehoor hebben verteld dat hij niet kon optreden omdat hij 'met Orestes in bed' lag.[34] Hiermee verwees hij naar de mythologische zoon van Clytaemnestra en Agamemnon, een lid van het gedoemde Huis van Atreus, die meedogenloos wordt achtervolgd en uiteindelijk tot waanzin gedreven door de furiën nadat hij zijn moeder had gedood om de moord op zijn vader te wreken. Op deze uiterst erudiete wijze noemde Mnester zijn vriendin feitelijk een psychopaat.

De affaire met Mnester lijkt anders te zijn geweest dan die welke eraan voorafgingen. Het had niets van de zorgvuldige geheimhouding van Messalina's politieke verwikkelingen, noch van de speelse onbekommerdheid van haar affaire met Traulus. Het leek erop dat de keizerin verliefd was, en daarin lag de kern van het probleem. In haar geobsedeerdheid ontwaren we de kiem van alle gedragingen die zo rampzalig zouden uitpakken toen ze haar laatste affaire begon, die alle overige in de schaduw stelde: haar verhouding met Silanus. Messalina was niet waanzinnig, maar ze was misschien te openhartig over haar wensen, te agressief in haar streven, te antagonistisch tegenover haar rivalen. Ze was te overweldigend in haar genegenheid, te gretig om die vervuld te zien; ze had overduidelijk niet geleerd haar passies in te tomen en die te verpakken op een manier die voor mannen aanvaardbaarder was. Maar het ergste van alles was dat ze haar affecties te openlijk toonde – en dat was niet alleen in strijd met de wet, maar ook met de regels.

Dit alles was vernederend voor Claudius, die er als enige geen weet van leek te hebben, en het ondermijnde de waardige, bijna onmenselijke ontoegankelijkheid die vereist was voor een keizerin als ze aanspraak wilde maken op de titel Augusta. Het debacle met Mnester mocht dan gênant zijn, Messalina's affectie voor een acteur en een infamis vormde echter geen echte bedreiging voor de stabiliteit van het regime, dus de geruchtenstroom bleef gewoon aanhouden. Dit waren de geruchten die na de dood van de keizerin aanleiding zouden geven tot de verhalen over 'waanzin', nymfomanie en 24 uur durende sekswedstrijden, maar ze zouden pas serieuze consequenties voor de keizerin krijgen in het jaar 48, toen haar affaire met Silanus de bom deed barsten.

15

Een tuin om een moord voor te doen

'Hele dynastieën zijn ten onder gegaan doordat de goden aan de wensen van hun leden tegemoetkwamen.'
Juvenalis, *Satiren*, 10.7-8

In de lente van het jaar 47 nam Claudius het ambt van censor op zich. Ooit had dit ambt het meeste aanzien van de oude republikeinse magistraturen, maar het was met de komst van het principaat in onbruik geraakt. Nu blies Claudius het als de historicus die hij was nieuw leven in, na een onderbreking van zo'n 68 jaar.[1]

Het was de taak van de censor om te waken over de publieke moraal.[*] Hij had de zeggenschap over de lijsten van burgers, ridders en senatoren en bezat de bevoegdheid om aantekeningen te plaatsen bij de naam van iedere man die zich volgens hem – in het openbaar óf privé – ongepast had gedragen. Burgers kon het stemrecht worden ontnomen; ridders en senatoren konden uit hun respectievelijke standen worden gestoten. Aan het eind van hun ambtsperiode gingen de censors de hele gemeenschap voor in een zuiveringsritueel dat bekendstond als het *lustrum*. Hiermee werd de wedergeboorte van de natie gevierd – het dode hout was weggekapt, het gif van het bederf was uit de stad gezogen.

Dat Claudius deze rol nú op zich nam, terwijl Messalina's stormachtige affaire met Mnester voortduurde en daarover werd geroddeld van

---

[*] Oorspronkelijk had de censor nog een aantal andere taken, waaronder de aanbesteding van publieke werken en de gelederen van het leger aanvullen, maar die waren compleet achterhaald door de vele bevoegdheden van de keizer.

de Palatijn tot het theater, was vreselijk ironisch. De keizer probeerde
niet belachelijk ver door te slaan in hypocrisie. Toen een man die berucht
was om zijn corruptie en overspeligheid voor het tribunaal van de censor
verscheen, waarschuwde Claudius hem slechts dat hij het aantal van zijn
uitspattingen moest terugbrengen, of ze althans met wat meer terughoudendheid moest beoefenen. 'Immers,' zei de keizer schouderophalend,
'waarom moet ik weten wie jouw maîtresse is.'[2]

Terwijl het voorjaar plaatsmaakte voor de zomer en Claudius de lijsten van zijn burgers afwerkte, wees niets erop dat Messalina's passie voor
Mnester verflauwde. Noch kon ze de kwellende gevoelens van jaloezie
die ze tegenover zijn ex-geliefde Poppaea Sabina koesterde helemaal van
zich afschudden. Maar er waren andere dingen die haar aandacht vroegen. Eerder dat jaar, of in het jaar daarvoor, was Messalina zich na een
ingelaste rustpauze weer gaan toeleggen op moord. Misschien vond ze
dat er genoeg tijd was verstreken sinds de weerstand die haar aanval op
Julia had opgewekt; ze had haar ondersteunende netwerken verstevigd
en kon het zich nu veroorloven om het programma van het preventief
en systematisch uitschakelen van rivalen, dat ze zo efficiënt had door-
gevoerd in de vroege jaren van het bewind van haar echtgenoot, weer op
te pakken. Of misschien kreeg ze het idee dat het tijd was voor nieuw
elan. Er waren een paar jaar verstreken sinds de triomf in Brittannië en
de eerbewijzen die daarmee gepaard waren gegaan, en Messalina wist
dat stilstand achteruitgang betekende in de extreem competitieve wereld van het Palatijnse hof. Uit het feit dat Claudius het ambt van censor
op zich had genomen sprak zelfvertrouwen en doelgerichtheid. Het was
derhalve ook de perfecte gelegenheid om nieuwe eerbewijzen te verlenen
aan een keizerin, zodat Messalina kan hebben gevonden dat het moment
was aangebroken om haar eigen positie te consolideren.

Iemand die sinds enige tijd aanleiding gaf tot serieuze zorg was Pompeius Magnus, de stamhouder van de lijn van Pompeius de Grote, de republikeinse leider die Caesars laatste rivaal was geweest. Caligula had de
eretitel 'Magnus' bedreigend genoeg gevonden om Pompeius het gebruik
ervan strikt te verbieden. Zoals we hebben gezien koos Claudius voor
een andere aanpak door Pompeius te herstellen in zijn waardigheid van
'de Grote' en hem te laten trouwen met Claudia Antonia, de dochter uit
zijn eerdere huwelijk met Aelia Paetina. Hiermee verzekerde Claudius
zich misschien van de loyaliteit van Pompeius, maar Messalina was er

niet mee geholpen, aangezien hij nu alleen maar een groter gevaar vormde voor haar eigen kinderen, zowel voor Britannicus als voor het toekomstige gezin van haar dochter Claudia Octavia, die was verloofd met Lucius Silanus in hetzelfde jaar als Claudia Antonia met Pompeius was getrouwd. Met zijn oude naam en zijn onafhankelijke band met de keizer had hij geen enkele reden om loyaal aan Messalina te zijn. Kortom, hij was een resterende zwakke schakel in het netwerk waarmee de keizerin haar dynastieke aspiraties zeker probeerde te stellen, dus moest hij vervangen worden.

Het bleek niet bijzonder moeilijk om Pompeius Magnus te elimineren – het was in dit geval niet nodig om dromen te fingeren. De schoonzoon van de keizer werd doodgestoken terwijl hij in bed lag met zijn mannelijke geliefde.[3] Deze standrechtelijke executie werd gerechtvaardigd met valse beschuldigingen wegens samenzwering, waarbij het niet eens vaststaat of die voor of na het voltrekken van de daad werden gefabriceerd.[4] Voor zijn familie betekende Pompeius' dood de ondergang – zijn vader (zo dom, merkt de schrijver van de *Apocolocyntosis* op, dat hij keizer had kunnen worden) en zijn moeder werden vermoord of gedwongen om zelfmoord te plegen –, maar voor Messalina creëerde zijn dood een gelegenheid om de banden tussen haar familie en de dynastie te versterken.[5] Haar stiefdochter Claudia Antonia werd onmiddellijk weer uitgehuwelijkt aan Faustus Sulla Felix, Messalina's halfbroer, wat haar en de eventuele kinderen die ze zou krijgen stevig binnen de invloedssfeer van de keizerin bracht.

Nu richtte Messalina het vizier op een nieuw doelwit – een onderneming van een heel ander kaliber, wat zowel de eraan verbonden gevaren als de beloning betrof. Decimus Valerius Asiaticus was geboren in Vienne, een welvarende Gallische stad in de buurt van Lyon. Het was ooit de versterkte hoofdstad geweest van de stam van de Allobroges, maar noemde zich nu de *Colonia Iulia Augusta Florentia Vienna* en kon bogen op een tempel gewijd aan Livia en Augustus. Asiaticus' familie had waarschijnlijk ooit koningen of stamhoofden van de Allobroges geteld, maar was zo slim geweest om met de Romeinen samen te werken zodat Asiaticus bij geboorte Romeins burger was, en nog een rijke ook. Als jongeman was hij naar Rome gestuurd om een publieke carrière op de bouwen en een prominente provincienaam bekendheid te verschaffen door het hele rijk.

Het was een missie waarin hij meer dan geslaagd was. Aan zijn uitge-strekte landgoederen in Zuid-Frankrijk voegde hij grondbezittingen in Italië en Egypte toe.[6] Asiaticus – populair, trots, dapper, slim en atle-tisch – klom op tot de rang van senator en verwierf daarna in het jaar 35 het consulaat, waarmee hij de eerste man uit Gallië werd die het hoogste ambt van de staat bekleedde.[7]

Tegen de tijd van Caligula's troonsbestijging was Asiaticus een zo vooraanstaand man dat hij zowel tot de naaste kring van de keizer be-hoorde als in ernstig gevaar verkeerde. Hoewel de keizer Asiaticus' naam niet meteen op een van zijn proscriptielijsten zette, ging hij er wel toe over hem in zijn waardigheid aan te tasten. Bij één gelegenheid, tijdens een groot drinkgelag, richtte Caligula zich ten overstaan van het aanwe-zige gezelschap tot Asiaticus en bekritiseerde vervolgens op luide toon de prestaties van zijn echtgenote in bed.[8] Asiaticus zei niets – wat had hij immers moeten zeggen? –, maar het was geen belediging die hij snel zou vergeten.

Asiaticus had naast Caligula gezeten in de keizerlijke loge van het theater op de dag dat hij werd vermoord. Toen het nieuws zich verspreid-de, duurde het niet lang voordat er met een beschuldigende vinger naar de Gallische consul werd gewezen. Asiaticus stond op om zich tegen de beschuldigingen in de senaat te verweren: hij had het niet gedaan, zei hij, maar hij wou dat het wel zo was. Het was een boude uitspraak, maar een waar de situatie om vroeg – de wereld buiten de curia verkeerde in chaos, er was behoefte aan een leider. Het leek erop dat Asiaticus zich kandidaat stelde.

Nadat hij zijn positie had veiliggesteld, ondernam Claudius geen po-gingen om Asiaticus te straffen voor zijn opmerkingen over Caligula of voor de ambities die daaruit leken te spreken. Hij volgde in plaats daar-van zijn gebruikelijke beleidslijn en haalde Asiaticus meer dan ooit het keizerlijk kamp binnen. Toen de keizer naar Brittannië ging bevond Asi-aticus zich aan zijn zijde, en in het jaar 46 schoof Claudius hem voor de tweede keer naar voren als consul.[9] Dat was een buitengewone eer – het consulaat verwerven was al de bekroning van een senatoriale loopbaan, het een tweede keer bekleden was extreem uitzonderlijk.

In de eerste helft van het jaar 47 moet Asiaticus zich inderdaad geze-gend hebben gevoeld. Hij had net een geslaagd tweede consulaat achter de rug, met alle privileges en het prestige dat het met zich meebracht. Hij

had onlangs de uitgestrekte Tuinen van Lucullus verworven en een begin gemaakt met het extravagante renovatieprogramma om ze naar zijn
smaak in te richten. Er werd zelfs gezegd dat hij het bed deelde met Poppaea Sabina, de voormalige vlam van Mnester en de befaamdste schoonheid in de stad.[10] Het leek erop dat Asiaticus zich een heel gelukkig man
mocht noemen.

Hij was ook machtiger dan ooit, dus het is niet helemaal duidelijk
waarom Messalina ervoor koos om uitgerekend nu actie tegen hem te
ondernemen, maar in de zomer van het jaar 47 werd Asiaticus gearresteerd op beschuldiging van seksueel wangedrag en verraad, berecht voor
een keizerlijk tribunaal en tot zelfmoord gedwongen. Tacitus wijst Messalina aan als de drijvende kracht achter de zaak en schrijft haar twee
motieven toe, die geen van beide helemaal overtuigend zijn.[11] Ten eerste
vertelt hij ons dat de keizerin zich tegen Asiaticus keerde vanwege zijn
relatie met Poppaea Sabina. Messalina had Poppaea al sinds lang benijd
om haar schoonheid en haar verleden met Mnester; nu boden de nieuwe
geruchten dat ze overspel met Asiaticus pleegde haar de perfecte gelegenheid om zich van haar te ontdoen zonder Mnester ergens in te betrekken. Ten tweede beweert hij dat Messalina een begerig oog wierp op
de Tuinen van Lucullus. Het woord dat hij gebruikt, *inhians*, of 'hunkeren
naar', heeft een onmiskenbare seksuele connotatie.

De tuinen die Asiaticus pas had gekocht, waren in de jaren 50 en 60
v.Chr. ooit aangelegd door Lucullus, een man die even vermaard was om
zijn hang naar luxe en de extravagantie van zijn banketten als om zijn militaire veroveringen. In het midden van de eerste eeuw voor Christus was
er onder aristocratische Romeinen een rage ontstaan voor het aanleggen
van uitgestrekte particuliere lustgronden, ironisch genoeg bekend als
horti of 'moestuinen'. Deze terreinen – enorme groene open plekken in
het stedelijke landschap – waren een mix van natuur en kunstmatigheid.
Geïmporteerde planten werden geteeld op grond die mechanisch werd
bevloeid; hele terreinen werden opgehoogd tot trapsgewijze terrassen
afgewisseld door 'wilde' rotspartijen en grotten; enorme kuilen en kanalen werden uitgegraven en gevuld met water om kunstmatige meren
en beken te creëren. Moralisten – of degenen die het zich niet konden
veroorloven om hierin te wedijveren – klaagden dat deze tuinen gevaarlijk en on-Romeins waren. Ze legden beslag op schaarse ruimte in een
al overvolle stad en sloten met hoge muren grote percelen af voor geen

ander doel dan privégenoegens. Ze kwamen ook onrustbarend oosters over, leken veel te veel op de weelderige 'paradijzen' die voor de Perzische satrapen waren geplant. Het waren schendingen van de natuur, met die hangende terrassen en kasbloemen en door de mens gemaakte grotten en rivieren – aantastingen van het volmaakte Italiaanse landschap, ingrepen die het *equilibrium* van de dingen verstoorden.

Lucullus, zich ervan bewust dat hij een reputatie hoog had te houden, zorgde ervoor dat zijn tuinen tot de chicste (en meest bekritiseerde) in Rome behoorden. Vanaf de top van de Pincische Heuvel liepen ze glooiend omlaag, met uitzicht over de hele stad en verder langs de Tiber helemaal tot Ostia.[12] De heuveltop werd bekroond door een halfronde binnenplaats, omringd door muren met nissen waarin standbeelden waren geplaatst. Van daaraf voerden monumentale stenen stappen van terras tot terras omlaag totdat ze uitkwamen op een kunstmatig meer, dat er gewoonlijk stil bij lag maar breed genoeg was voor het opvoeren van nagespeelde zeeslagen om de gasten na het diner te vermaken.[13] Zijn terrassen waren beplant met bomen gesnoeid in bijzondere vormen, en verder waren er gazons en wildernissen, boomgaarden en bloembedden met gespreide bloei zodat de tuinen het hele jaar door leken te leven.[14] Sommige planten werden gekozen om hun schoonheid, andere, zoals verbena of saffraan, om hun geur.[15] Sommige kwamen van nature voor op Italiaanse bodem, andere waren exotische, geïmporteerde soorten. Zo had Lucullus tijdens zijn campagnes in het oosten de zure kers ontdekt en deze plant als eerste in Italië geïntroduceerd.[16] Zaden en stekjes waren niet het enige wat Lucullus in de loop van zijn overwinningen had verzameld: de tuinen stonden vol met meesterwerken van de Griekse beeldhouwkunst in marmer en brons, zorgvuldig zo neergezet dat ze het omringende landschap verrijkten of dat ze door hun interactie met elkaar erudiete verbeeldingen vormden van mythologische verhalen. Mensen die de tuinen zagen, grapten dat Lucullus de Perzische koning Xerxes in een toga was.

Asiaticus ging aan de slag om deze befaamde tuinen nog verder te verfraaien – waarmee hij, zo vertelt Tacitus, een 'opmerkelijke pracht' realiseerde.[17] Misschien liet hij nieuwe priëlen, zuilengangen en fonteinen bouwen, legde hij nieuwe wandelpaden aan, voegde hij nieuw verworven beelden toe, plantte hij nieuwe soorten bomen en borders met bloeiende planten, kruiden en heggen in nieuwe patronen aan, met een mate van imperiale overdaad die de oude republikeinse nog overtrof.

Zo'n vijftig jaar later schreef Plutarchus: 'Zelfs nu, in onze veel luxueuze-
re tijd, worden de Tuinen van Lucullus gerekend tot de kostbaarste van
alle imperiale tuinen.'[18]

Als het lukte Asiaticus te veroordelen wegens hoogverraad, zou hij
worden terechtgesteld en kon zijn hele bezit – inclusief tuinen – worden
geconfisqueerd door de staat. Volgens Tacitus was het een wanhopig, bijna wellustig verlangen om de Tuinen van Lucullus te verkrijgen – dezelfde tuinen waar ze gewelddadig aan haar eind zou komen – dat Messalina
ertoe dreef haar beschuldigingen te uiten. Dio is dezelfde mening toege-
daan: vooral door die tuinen, beweert hij, 'had ze haar eigen ondergang
teweeggebracht'.[19]

Jaloezie op Poppaea of verlangen naar een tuin – geen van beide vormt
een afdoende verklaring voor Messalina's handelingen in het jaar 47. Als
Messalina alleen maar Poppaea weg wilde hebben, hoefde ze daartoe niet
Asiaticus van zowel verraad als overspel te beschuldigen. Bovendien:
zelfs als de geruchten over zijn affaire met Poppaea waar waren, maakten
Asiaticus' populariteit en positie hem tot een riskante medeverdachte.
Messalina had duidelijk weinig scrupules als het op het fabriceren van
juridisch bewijs aankwam en het zou waarschijnlijk gemakkelijker voor
haar zijn geweest om haar beschuldigingen te uiten tegen een minnaar
die onschuldig maar onbeduidend was dan tegen een die schuldig maar
machtig was. Ook als de keizerin gewoon de tuinen wilde bezitten, waren
er eenvoudigere, legale manieren om dat voor elkaar te krijgen. De financiële moeilijkheden waaronder Claudius en zij de eerste jaren van hun
huwelijk gebukt waren gegaan, waren allang voorbij; Messalina was in
het jaar 47 op het hoogtepunt van haar invloed en wist zich verzekerd van
de steun van de keizerlijke schatkist. Asiaticus kon ongetwijfeld worden
overgehaald of gedwongen om zijn renovatieproject op te geven en de
boel te verkopen. Hoewel vaststaat dat de tuinen in bezit van de keizerin kwamen na Asiaticus' ondergang, kunnen ze amper de voornaamste
drijfveer hebben gevormd voor haar actie tegen hem.

De bewering dat Messalina moordde voor een lusttuin ondersteunde
het narratief dat de mannelijke schrijvers om haar heen construeerden.
Van tuinen waren in de Romeinse verbeelding altijd seksuele prikkelin-
gen uitgegaan. De weelde van de lusttuinen had iets van verboden genoegens; hun bevloeide gebladerte sprak van natte vruchtbaarheid; de
geuren van hun planten, de aanblik van hun muren, de geluiden van hun

fonteinen en vogels waren zwanger van een intense sensualiteit. Dit waren ruimten waar ontspanning gemakkelijk kon omslaan in begeerte. Tacitus' beschrijving van Messalina die 'hunkert' naar een tuin past veel te keurig in het beeld van de keizerin als een onverzadigbare nymfomane die zich louter laat leiden door haar onmiddellijke verlangens. Die kan niet kritiekloos geaccepteerd worden.

Vanzelfsprekend kwam Messalina zelf, toen ze de tijd rijp achtte om zich tegen Asiaticus te keren, met een heel andere rechtvaardiging voor haar optreden.[20] Ze beweerde dat Asiaticus een complot tegen de troon beraamde. Op papier had Asiaticus de middelen om een greep naar de macht te doen. Hij was rijk genoeg om de troepen om te kopen, was populair in de senaat en had door zijn razendsnelle opkomst bekendheid door het hele rijk verworven. Messalina voerde aan dat hij op het punt stond een bezoek aan de legers in het noorden te brengen. Hij rekende erop, zo beweerde ze, dat hij deze legioenen kon overhalen zich achter hem te scharen, vooral omdat zijn familie uitgestrekte landerijen bezat rondom Vienne, waar de mensen nog herinneringen bewaarden aan de loyaliteit die ze hun oude stamhoofden verschuldigd waren. De andere stammen van Gallië zouden hem ook steunen: zij waren door eeuwenoude tradities verbonden met zijn familie en wisten dat het beslist ook praktische voordelen zou opleveren als er een landgenoot van hen op de troon zat. Met de strijdmachten van Gallië aan zijn kant zou Asiaticus dan zijn zaak bepleiten bij de legers in Germanië. Zodra hij die voor zich had gewonnen met een combinatie van charisma, dreigementen en beloften, zou hij naar Rome oprukken. Asiaticus had openlijk verklaard dat hij keizer Caligula had willen vermoorden; het leek erop dat hij deze oude ambitie alsnog met Claudius hoopte te vervullen.

De echte reden voor Messalina's aanval op Asiaticus lag waarschijnlijk tussen deze beide uitersten in – aan de ene kant de oprechte angst voor een complot die Messalina zelf uitsprak en aan de andere kant de kleingeestige jaloezie die de bronnen haar aanwrijven.

Het is onwaarschijnlijk dat Asiaticus echt van plan was zelf de macht te grijpen. Hoe succesvol hij ook was, hij bleef een nieuwkomer uit Vienne. Hij was de eerste senator in zijn familie, had geen lange lijn van consulaire voorouders waarop hij zich kon beroemen en hij was zeer zeker niet verwant aan Augustus. Het Romeinse Rijk was nog niet gewend aan een regelmatige wisseling van dynastie – het had nog nooit een keizer gehad die niet uit de Julisch-Claudische dynastie afkomstig was. Bovendien zou Asiaticus, als hij echt van plan was geweest om zich het bevel over de noordelijke legioenen toe te eigenen, pogingen hebben ondernomen om een netwerk van machtige medestanders achter zich te krijgen die dan in Rome zijn streven naar opperheerschappij zouden steunen. Maar Asiaticus sleepte in zijn val slechts twee leden van de ridderstand met zich mee; als er daadwerkelijk een complot gaande was geweest, dan had dat nooit met zo weinig slachtoffers kunnen worden ontmanteld.

Hoewel de afkomst van Asiaticus hem waarschijnlijk belette om zelf een gooi naar het principaat te doen, vormde hij wel degelijk een bedreiging. Met zijn rijkdom, zijn relaties in het noorden en de banden met andere senatoren die hij in zijn tweede jaar als consul had aangehaald, bezat Asiaticus aanzienlijke invloed, ook al bleef de opperheerschappij voor hem buiten bereik. Hij zou een machtige bondgenoot zijn voor elke pretendent voor het principaat, terwijl hij als een man die publiekelijk zijn steun had betuigd aan de laatste tirannenmoord een voor de hand liggende persoon was om te polsen in de verkennende fasen van een ontluikende samenzwering. Als Asiaticus geen rotsvaste steunpilaar was voor Claudius, Messalina en hun kinderen, dan was hij een gevaar.

Naarmate het jaar 47 vorderde, kan Messalina zich steeds meer zorgen zijn gaan maken over de mogelijke heropleving van rivaliserende facties aan het hof. Ergens tussen het jaar 45 en begin 47 was Agrippina's tweede echtgenoot Passienus Crispus overleden.* Crispus was rijk maar loyaal geweest en als gevolg van zijn dood liep er nu een gevaarlijk rijke en gevaarlijk ongebonden weduwe rond. Zijn overlijden kwam voor Agrippina op zo'n gunstig moment dat er geruchten begonnen te circuleren dat ze hem had laten vergiftigen. Agrippina, die in de hofintriges van de jaren 40 schittert door afwezigheid, gooide zich nu weer in de strijd.

De Seculiere Spelen werden naar goed gebruik eens per *saeculum* gehouden – een periode van 100 of 110 jaar, wat als de maximale levensduur van een mensenleven werd beschouwd. Augustus had ze in 17 v.Chr. laten

---

* Crispus was consul in het jaar 43 en als zijn dood meer aan het eind van 47 (waar boek 11 van Tacitus verdergaat) of later had plaatsgevonden, zou dat ongetwijfeld zijn vermeld.

houden als symbool van het herstel na de burgeroorlogen, maar Claudius, die hechtte aan academische precisie, was vastbesloten ze in het jaar 47 weer te organiseren. Het was dan pas 64 jaar geleden sinds de vorige keer dat ze werden gehouden, maar wel precies 800 jaar geleden dat de stad volgens de overlevering was gesticht. Deze spelen stonden bol van symboliek rondom vruchtbaarheid, vernieuwing en voorspoed, en waren interessant genoeg van oudsher geassocieerd geweest met Messalina's familie, de gens Valeria.[21] De festiviteiten strekten zich uit over drie dagen en een van de evenementen was het zogeheten Spel van Troje, een ruiterdemonstratie die werd uitgevoerd door jonge, adellijke jongens. De zesjarige Britannicus deed mee, evenals Agrippina's negenjarige zoon Nero. Het publiek juichte voor beide jongens, maar sommige mensen dachten dat er voor Nero net iets harder werd gejuicht.[22] Messalina was geschokt en er verspreidde zich een gerucht, waarschijnlijk in omloop gebracht door Agrippina, dat de keizerin moordenaars op pad had gestuurd om Nero in zijn slaap te wurgen. De moordenaars waren gevlucht, zo ging het verhaal, nadat hen de stuipen op het lijf was gejaagd door iets wat eruitzag als een slang die onder het kussen van het kind vandaan kwam glijden. Toen er later een afgeworpen slangenhuid in de kamer werd gevonden, liet Agrippina deze verwerken in een gouden armband in de vorm van een slang, die Nero als een amulet ter bescherming aan zijn rechterarm moest dragen.[23]

Als Messalina bang was dat zich rondom Agrippina en Nero een factie zou vormen of dat er een senatoriale samenzwering zou oplaaien zoals in het jaar 42 was gebeurd, dan was iemand als Asiaticus, wiens trouw wankelde en die zich zou kunnen laten overhalen om zich met al zijn invloed achter een betwister van de kroon te scharen, een gevaarlijk man. Waarschijnlijk was het deze vrees dat Asiaticus als een katalysator voor opruiing zou kunnen fungeren die de keizerin uiteindelijk tot actie aanzette.

Toen de lente van het jaar 47 overging in de zomer en er van de heuvels een ongezonde, vochtige smog neerdaalde op het forum, vertrok iedereen die het zich kon veroorloven tijdig uit Rome. De echte chic ging naar Baiae, waar villa's met terrastuinen en privéstranden de kliffen rond de Golf van Napels omzoomden. Onder hen was ook Asiaticus, en met zijn afwezigheid zag Messalina haar kans schoon om toe te slaan.[24]

De trouwe en standvastig amorele Publius Suillius werd gerekruteerd om als aanklager op te treden, maar eerst werd Britannicus' huisonderwijzer Sosibus ingeschakeld om het zaadje van twijfel in Claudius' geest te planten. Zijn waarschuwing was vermengd met vriendelijke bezorgdheid. Claudius zou er goed aan doen, zei hij, 'om op te passen voor macht en rijkdom die zich tegen vorsten keren'.[25] Het Latijnse woord voor 'macht' dat Tacitus hem laat gebruiken – *vis* – heeft een sterke connotatie van fysiek geweld. Vervolgens somde Sosibus de vele voordelen op die Asiaticus genoot – zijn roem in de stad en de provincies, zijn connecties in Gallië, zijn uitgebreide politieke netwerk – en herinnerde Claudius aan het gemak waarmee Asiaticus eerder de moord op een andere caesar, Claudius' eigen neef Caligula, had goedgekeurd. Ten slotte schotelde hij de keizer Asiaticus' 'plan' voor zoals Messalina dat had geconstrueerd: zijn voornemen om steun in Gallië te werven, het bevel over de legers in het noorden over te nemen en ten slotte naar Rome zelf op te rukken.

Misschien nam Claudius de hem voorgelegde beschuldigingen helemaal voor waar aan, of misschien vond hij ook dat Asiaticus' invloed gevaarlijk groot was geworden en hij maar beter van het toneel kon verdwijnen. Hoe dan ook, de zaak was in gang gezet. Zonder op tastbaarder bewijs te wachten ontbood Claudius Crispinus, de prefect van de pretoriaanse garde, en beval hem Asiaticus op te sporen en te arresteren. De prefect verliet de stad aan het hoofd van zijn soldaten alsof hij een opstand moest neerslaan. Toen hij Asiaticus vond, zomervakantie vierend aan de Golf van Napels, sloeg hij hem als een gewone crimineel in de boeien en sleepte hem terug naar Rome.

Asiaticus kreeg niet de kans om zich te verantwoorden voor zijn gelijken in de senaat. Het proces werd gehouden in de slaapkamer van de keizer, voor Claudius, zijn adviseurs en Messalina. De zitting begon en de aanklachten werden geformuleerd: verraad, aanzetten tot rebellie, overspel met Poppaea Sabina. Als extraatje werd hier nog een beschuldiging aan toegevoegd: dat Asiaticus in zijn seksuele omgang met mannen de passieve rol innam (een verboden genieting voor respectabele mannelijke burgers). Hoewel het minst ernstig, krenkte die laatste beschuldiging Asiaticus' trots. 'Vraag het je zonen, Suillius,' kaatste hij terug, 'zij zullen erkennen dat ik een man ben.'[26] Dit was een kinderachtige belediging aan het adres van Publius Suillius (wiens zonen een zekere reputatie schijnen te hebben gehad), maar het was ook een aanval op Messalina. Een van de zonen van Publius Suillius was namelijk een goede vriend van de keizerin, die in het jaar 48 samen met haar medestanders zou worden aangeklaagd.*

De zitting ontaardde al snel in een ware klucht. Asiaticus beweerde geen van de door de aanklager geleverde getuigen te kennen en dus werd een van de soldaten die waren opgeroepen om tegen Asiaticus te getuigen gevraagd om de persoon aan te wijzen met wie hij naar verluidt had samengezworen. Hij wees naar een kale man die toevallig naast hem stond, aangezien kaalheid het enige uiterlijke kenmerk van Asiaticus was waarover hij van tevoren was ingelicht. De rechtbank barstte in lachen uit.[27]

Zodra de orde in de rechtszaal was hersteld, begon Asiaticus aan zijn eigenlijke verdediging. Hij beweerde dat hij van niets wist en niemand kende van de mensen die tegen hem getuigden. Hij sprak buitengewoon goed – zo goed dat Claudius in een mildere stemming leek te raken en Messalina zelfs de tranen in de ogen leken te schieten. Misschien werd de keizerin echt door emotie overmand, raakte haar vastberadenheid aan het wankelen door schuldbesef en medelijden. Misschien voelde ze angst; als Asiaticus het pleit won, zou ze vanaf nu te maken hebben met een dodelijke vijand op een nog onaantastbaardere positie dan voorheen. Hoe dan ook, Messalina wist dat dit geen goed moment was om zwakte te tonen. Toen de keizerin voor een ogenblik de kamer verliet, schijnbaar om de tranen van haar gezicht te vegen, nam ze haar oude bondgenoot Vitellius apart en beval hem alles te doen wat in zijn vermogen lag om een veroordeling te bewerkstelligen.

Toen de zitting werd geschorst voor beraadslaging, richtte Messalina haar aandacht op het tweede doelwit. Ze had de aanklacht wegens verraad tegen Asiaticus aangevuld met een beschuldiging van overspel met Poppaea. Als Asiaticus en Poppaea écht het bed met elkaar deelden, zou de toevoeging van een reële aanklacht geloofwaardigheid verlenen aan de valse beschuldigingen. Bovendien bood het de keizerin een niet te missen kans om zich van een oude rivale te ontdoen.[28]

---

* De zoon van Publius Suillius kreeg gratie van de keizer. Tacitus beweert dat hij feitelijk gered werd door zijn 'ondeugden', om er vervolgens nogmaals een toespeling op te maken dat zijn voorkeur uitging naar de passieve rol in homoseksuele relaties.

Als een schoonheid die het stralende middelpunt vormde van het Romeinse uitgaansleven van de hogere kringen, kende Poppaea de regels omtrent overspel maar al te goed. Ze wist precies hoe erg het kon worden als het misliep. Toen de mannen die Messalina had gestuurd haar beschreven welke verschrikkingen haar te wachten stonden in een gevangenis in de stad en daarna op een gevangeniseiland voor de kust, duurde het niet lang voordat ze Poppaea ervan overtuigd hadden dat zelfmoord haar beste optie was.

Het schijnt dat Claudius niet op de hoogte was van dit onderdeel van het plan. Een paar dagen later vroeg hij tijdens een diner op het paleis aan Poppaea's echtgenoot Scipio waarom hij zonder zijn vrouw was gekomen. Scipio antwoordde eenvoudigweg dat het noodlot haar had achterhaald. Toen Scipio later voor de senaat zijn mening over de kwestie moest geven, antwoordde hij: 'Over Poppaea's vergrijpen denk ik hetzelfde als iedereen. Ziet u het dus zo: ik ben voor hetzelfde als iedereen.'[29] Scipio bevond zich in een onmogelijke positie en Tacitus beoordeelt zijn antwoord als een 'gulden middenweg tussen echtelijke liefde en senatoriale noodzaak'.

Nu Poppaea dood was en haar nagedachtenis tot in de hoogste kringen van de staat was besmeurd, verschoof de aandacht van overspel terug naar verraad. De toespraak die Asiaticus had gehouden ter verdediging van zichzelf hing zwaar in de lucht terwijl de keizer en zijn adviseurs bijeenkwamen om tot een vonnis te komen. Even leek het erop alsof Claudius zich in de richting van vrijspraak liet sturen. Uiteindelijk nam Vitellius, in wiens oren het bevel van Messalina nog naklonk, het woord. Hij was jarenlang bevriend geweest met Asiaticus – ze waren beiden lievelingen geweest van Claudius' moeder Antonia, en ondanks alles zou de zoon van Asiaticus ooit trouwen met de kleindochter van Vitellius. Maar Vitellius, die al tot zijn nek in Messalina's intriges zat en nu dus geassocieerd was met een bekend iemand die voor hoogverraad terechtstond, was niet in de positie om bevelen van de keizerin te negeren. Hij huilde terwijl hij sprak – krokodillentranen, of misschien betreurde hij elk woord. Hij vertelde over zijn eigen vriendschap met Asiaticus, vermeldde zijn lange en respectabele staat van dienst aan de gemeenschap en smeekte toen, alsof dat het beste was waarom zelfs vrienden van de beschuldigde konden vragen, om Asiaticus de vernedering en schande van een executie te besparen en hem toe te staan zichzelf het leven te benemen. Claudius stemde genadig toe.

Asiaticus' andere vrienden hadden hem niet in de steek gelaten, maar nu zijn situatie uitzichtloos bleek, drongen ze er bij hem op aan zelfverhongering te overwegen als zijn vredigste en minst pijnlijke optie. Asiaticus bedankte hen voor hun raad, maar weigerde omdat zo'n langzame dood hem niet aantrok. In plaats daarvan deed hij zijn gebruikelijke lichaamsoefeningen, baadde en dineerde in opgewekte stemming, waarbij hij alleen opmerkte dat hij liever aan zijn eind zou zijn gekomen door een van Tiberius' complotten of Caligula's waanzin dan door het verraad van Vitellius en de bedriegerij van een vrouw. Toen de maaltijd voorbij was, inspecteerde hij de brandstapel die hij had laten bouwen en beval die iets te verplaatsen opdat de bomen in de buurt geen vlam zouden vatten. Toen sneed hij zijn aderen door en bloedde dood.

Messalina had haar doel bereikt: Poppaea en Asiaticus waren allebei dood. Het zou echter blijken dat ze haar overwinning boekte tegen een hoge prijs. De populariteit, het respect en de connecties waaraan Asiaticus bij leven zijn invloed te danken had, gaven hem nog steeds invloed na zijn dood. Een aantal van Asiaticus' naaste metgezellen had hem tot het einde bijgestaan. Dit was een gerechtelijke dwaling die hen persoonlijk raakte.

De val van Asiaticus had repercussies tot ver buiten zijn hechte kring van rouwende vrienden. Vóór het jaar 47 had Messalina zich grotendeels beperkt tot aanvallen op leden van de keizerlijke familie (Appius Silanus, Julia Livilla, Julia) of mannen buiten de top van de senatoriale elite (iemand als Seneca relatief aan het begin van zijn carrière en de pretoriaanse prefect Catonius Justus uit de ridderstand). Maar Asiaticus was van een ander kaliber: hij had zich nooit ingetrouwd in de keizerlijke familie, met alle bekende risico's van dien, terwijl hij zijn senatoriale ambt perfect leek te hebben vervuld en het jaar ervoor nog voor de tweede keer consul was geweest. Met haar preventieve aanval op Asiaticus overschreed Messalina alle grenzen die ze behoedzaam in acht had genomen tijdens die lastige eerste jaren van haar regeerperiode. Iedere senator besefte terdege dat als dit Asiaticus kon overkomen, hij de volgende kon zijn.

Paranoia grijpt snel om zich heen, wakkert zichzelf aan, en het schijnt dat de senaat nu beducht begon te worden voor de keizerin. In deze periode stak waarschijnlijk het gerucht de kop op dat Messalina Vinicius had laten vergiftigen.[30] De onberispelijke weduwnaar van Julia Livilla had de

val van zijn vrouw in het jaar 41 overleefd en toen hij vijf jaar later aan
ogenschijnlijk natuurlijke oorzaken overleed, had hij een staatsbegrafenis gekregen. Nu begonnen mensen te fluisteren dat zijn dood helemaal
niet natuurlijk was geweest, maar dat de keizerin hem had vergiftigd uit
wraak dat hij haar seksuele avances had afgewezen of omdat hij haar ervan verdacht (waarschijnlijk terecht, maar heel controversieel was dat
niet) de dood van zijn vrouw in ballingschap te hebben geregeld. Het verhaal is vrijwel zeker ongegrond – deze motieven worden ongeloofwaardig vaak van stal gehaald en de modus operandi past niet bij Messalina –,
maar het ontstaan van deze geruchten wijst op een groeiende nervositeit
in senatoriale kringen. Ze geloofden dat het gedrag van de keizerin onvoorspelbaar werd en haar methoden misdadig werden. Wat voorheen
werd toegeschreven aan de natuurlijke gang van zaken, was nu het dui-
velse werk van Messalina.

Nog gevaarlijker was dat de zaak-Asiaticus tweedracht had gezaaid
binnen Messalina's eigen vertrouwenskring. Haar senatoriale bondgenoten waren er diep verdeeld over. Publius Suillius had duidelijk geen
wroeging over zijn aandeel in de affaire, maar de huilerige Vitellius kan
hevige wrok hebben gekoesterd over de rol die hij gedwongen was geweest te spelen bij de dood van zijn oude vriend.[31] Toen het in het jaar
48 Messalina's beurt was om de feiten onder ogen te zien, hield Vitellius
zich in zijn uitspraken zorgvuldig op de vlakte, maar hij schoot zijn alou-
de bondgenote zeker niet te hulp.

Ten slotte kan de affaire de positie van de keizerin hebben verzwakt
bij haar sterkste machtsbasis van allemaal: de keizerlijke vrijgelatenen.
Merkwaardig genoeg vinden we de anders zo alomtegenwoordige Narcissus in Tacitus' dramatische verslag van het proces nergens vermeld;
dit lijkt een van de weinige intriges van de keizerin te zijn waarbij Narcissus niet betrokken was. Misschien had hij het risico te groot gevonden.
Asiaticus was een machtig man en ook iemand met veel overtuigingskracht; zijn verdediging was op een haar na succesvol geweest, en nu had
Messalina een echte crisis boven het hoofd hangen. Het was uitgedraaid
op een puinhoop, die zelfs nu hij dood was nog voor beroering zorgde.
En waarvoor? De uitschakeling van een man die nooit genoeg macht had
kunnen verwerven om de troon op te eisen? Als Narcissus het idee had
dat Messalina haar gevoel voor risico's had verloren – dat ze geen goed
zicht meer had op waar ze wel en niet mee kon wegkomen –, dan moet

hij hebben aangevoeld dat hij zelf gevaar liep. Hij zat tot zijn nek in de complotten van de keizerin en kon niet lijdzaam toezien hoe zij in een ongeleid projectiel veranderde.

16

Herinterpretatie van een einde

'Ik besef wel dat het allemaal onbestaanbaar lijkt...'
Tacitus, *Annalen*, 11.27

De kwestie-Asiaticus zat de senaat dwars. Zozeer zelfs dat ze voor het eerst in lange tijd besloten dat er echt iets moest gebeuren. De senatoren waren niet in de positie om de keizerin rechtstreeks aan te vallen, maar ze konden wel actie ondernemen tegen haar handlangers in hun eigen rangen.

Er bestond een oude wet, de *lex cincia*, die het advocaten verbood betaling in de vorm van honoraria of geschenken aan te nemen in ruil voor het bepleiten van iemands zaak.[1] De bepaling stamde uit een tijd waarin van de aristocratie werd verwacht dat ze de verdediging van hun vrienden en cliënten louter uit een streven naar eer en een plichtsbesef jegens de gemeenschap op zich namen. De wet, die in 204 v.Chr. was aangenomen, was al lange tijd een dode letter.

Niettemin maakte de lex cincia nog steeds deel uit van het geschreven recht en de handelingen van Publius Suillius, de prominentste onder Messalina's favoriete aanklagers, waren zonder meer in strijd met deze wet. Nog onlangs had een vooraanstaande ridder met de naam Samius zichzelf doodgestoken in Publius Suillius' atrium. Hij had het torenhoge honorarium van 400.000 sestertiën betaald voor Publius Suillius' diensten als advocaat om vervolgens tot de ontdekking te komen dat hij met de tegenpartij samenspande.[2] Nu stelde Gaius Silius – een jonge glamoureuze aristocraat, verklaard vijand van Publius Suillius en een ambitieuze rijzende ster aan het politieke firmament – voor de lex cincia weer te handhaven.

Publius Suillius en zijn medestanders probeerden het voorstel van tafel te vegen, maar Silius hield voet bij stuk.[3] Hij herinnerde hen aan het illustere voorbeeld van beroemde republikeinse redenaars die het alleen om de eer en blijvende roem was gegaan in ruil voor hun arbeid. Wat ooit de edelste en mooiste van de vrije kunsten was geweest, werd bezoedeld door de laagheid van de huidige beoefenaars. Hij had ook argumenten van praktischer aard: als er minder winst te behalen viel, zou het aantal vervolgingen afnemen. Zoals de zaken er nu voor stonden werden 'vijand- schappen, aanklachten, haatgevoelens en krenkingen gekoesterd. Zoals dokters geld verdienen aan heftige ziekten willen advocaten geld binnen- halen door juridische misstanden.'[4]

Silius kreeg veel bijval en het huis begon een motie voor te bereiden dat de corruptste advocaten berecht dienden te worden op grond van de wet tegen afpersing. Publius Suillius en de senatoren die soortgelijke praktijken hadden gehanteerd raakten in paniek. Hun schuld was zo evi- dent en zo goed gedocumenteerd, vertelt Tacitus ons, dat ze het gevoel hadden dat het hier niet om een proces tegen hen ging, maar dat hun bestraffing werd geregeld. Wanhopig wendden ze zich rechtstreeks tot de keizer.

De argumenten waarmee ze kwamen waren pragmatisch. In de vroe- gere jaren van de Republiek kon je als senator veel makkelijker in je levensonderhoud voorzien met de opbrengst van een landgoed. Toen het rijk groeide en de burgeroorlogen hadden gewoed, waren er enor- me fortuinen te verdienen op het slagveld. De situatie was nu anders en senatoren moesten hun brood verdienen. Als advocaat optreden kostte tijd, tijd die anders besteed had kunnen worden aan lucratievere bezig- heden. Als elke mogelijke beloning aan het beroep werd ontnomen, zou het beroep zelf wegkwijnen; goede advocaten zouden moeilijk te vinden zijn en mannen zouden voortaan zichzelf moeten verdedigen tegen ge- rechtelijke dwalingen en de grillen van de machtigen. Natuurlijk werd er met geen woord gerept over het feit dat Publius Suillius en anderen zoals hij vaker geld verdienden door die grillen te verwoorden dan door mensen ertegen te beschermen. De keizer, vertelt Tacitus ons, vond deze argumenten minder fraai dan de door Silius naar voren gebrachte, maar niet onredelijk. Misschien speelden hierbij ook de diensten mee die met name Publius Suillius hem en Messalina had bewezen. Claudius besloot tot een compromis: advocaten mochten honoraria tot een bedrag van

10.000 sestertiën aannemen; alles daarboven zou hun op een aanklacht wegens afpersing komen te staan.

Misschien was het Silius' openlijke aanval op haar naaste senatoriale bondgenoot die de jongeman voor het eerst serieus onder de aandacht van de keizerin bracht. Maar wat de omstandigheden ook waren, het beviel haar blijkbaar wat ze allemaal zag. Silius was slim, welbespraakt en niet bang om zijn verbale gaven in te zetten tegen degenen die machtiger waren dan hijzelf, zelfs tegen handlangers van de keizerin. Hij had een aangeboren aristocratische zelfverzekerdheid, van het soort dat de veel gepeste Claudius ondanks zijn hoge afkomst en zijn allerhoogste positie nooit echt zou bezitten. Het hielp ook dat hij woest aantrekkelijk was – Tacitus noemt Silius de mooiste van de Romeinse mannen.[5]

Tegen het einde van de zomer schijnt de affaire tussen Messalina en Mnester te zijn uitgedoofd. Misschien had de moord van Messalina op Mnesters ex, Poppaea, voor spanning in de relatie gezorgd; of misschien raakte de keizerin ironisch genoeg verveeld bij de afwezigheid van een waardige liefdesrivale. Of wellicht werd Mnester simpelweg naar de achtergrond verdrongen toen Silius de gedachten van Messalina in beslag begon te nemen. Hoe dan ook, er was een plek vrijgekomen in het bed van de keizerin en ze was vastbesloten dat Silius die zou opvullen.

Mogelijk had Messalina's besluit om een affaire met Silius te beginnen aanvankelijk deels een pragmatische reden. Met zijn smetteloze afkomst, natuurlijke leiderschap en verbale gaven was Silius een rijzende politieke ster; een van de consulaten van het jaar 48 was al voor hem gereserveerd, zodat hij dat ambt kon bekleden zodra hij de vereiste leeftijd had bereikt. Hij had zich bereid getoond Publius Suillius aan te pakken – de machtigste en gevaarlijkste van alle bondgenoten van Messalina – en was daar bijna in geslaagd. Aan zijn lot overgelaten zou hij zich tot een gevaarlijke vijand kunnen ontpoppen. Als Messalina's relatie met Silius echter begon als onderdeel van een plan om haar vijanden in de buurt te houden – om hem aan haar belangen te binden door middel van een overspelige verhouding die als politiek onderpand fungeerde –, dan zou het niet lang duren voordat die veranderde in iets veel minder planmatigs. In iets wat meer weg had van een obsessie.

In bewoordingen die uitdrukking geven aan alle sluimerende Romeinse angsten over vrouwelijke seksualiteit vertelt Tacitus ons dat Messalina nu 'brandde met een nieuwe hartstocht die grensde aan razernij'.[6] De keizerin was indiscreet geweest met Mnester, maar met Silius sloeg ze alle voorzichtigheid in de wind. Messalina was altijd in zijn huis te vinden en ze bezocht hem nooit alleen en in het geheim, maar sleepte een permanente stoet van vrienden en metgezellen met zich mee. Ook in het openbaar volgde ze Silius op de voet, waar hij maar heen ging. Tacitus gebruikt het woord *adhaerescere*, dat letterlijk 'vastzitten aan' betekent.[7] Ze overstelpte Silius met rijkdommen, eerbewijzen en politieke steun in de rug; ze had voor Mnester hetzelfde gedaan met de standbeelden van hem, maar je kon een aankomend consul heel wat meer meegeven dan een acteur. Ze ging daar zo ver in, vertelt Tacitus ons, 'dat de slaven, de vrijgelatenen en zelfs de dure meubels van de keizer te zien waren bij de echtbreker'.[8] Het was alsof 'het fortuin van de keizer al was overgedragen op een ander'.[9]

Er was al veel overgebracht naar Silius' huis, nu moest daar nog één ding uit verwijderd worden. Op instigatie van Messalina scheidde haar minnaar van zijn echtgenote Junia Silana, een adellijke vrouw met een onberispelijke stamboom en een heel goede vriendin van Agrippina.[10] Silana werd gezwind 'het huwelijksbed uit gewerkt', zoals Tacitus het stelt, zodat de keizerin Silius geheel en volledig voor zichzelf had.[11] Messalina had nu alle regels van het beschaafde overspel overtreden. Ze had niet alleen haar echtgenoot vernederd, maar tevens een ander aristocratisch huwelijk verwoest.

Natuurlijk kan Silius' aandeel in de scheiding van Junia Silana actiever zijn geweest dan Tacitus het doet voorkomen. Tacitus vertelt ons dat Silius zich terdege bewust was van de gevaarlijke positie waarin hij verkeerde en van de omvang van de overtreding die hij tegenover de keizer beging, maar Messalina afwijzen zou hem in haar ogen tot een potentiële bedreiging hebben gemaakt en haar accepteren kon hem grote politieke voordelen opleveren. Bovendien had een relatie met Messalina ook onmiddellijk voordelen, die erom vroegen genoten te worden. Silius, zo vertelt Tacitus ons, 'troostte zichzelf door niet aan de toekomst te denken en nu te profiteren van wat het heden bood'.[12]

Met haar passie voor Silius maakte Messalina zich bijzonder kwetsbaar – in theorie althans. De onbeschaamdheid waarmee ze zich in de genietingen van deze nieuwe liefdesaffaire stortte, weerspiegelt misschien minder 'vrouwelijke waanzin' dan een zekere mate van 'mannelijke arrogantie'. Met haar gedrag beging Messalina een misdaad en haar slachtof-

fer was de machtigste man ter wereld: door zo openlijk vreemd te gaan
gaf ze haar vijanden een wapen in handen waarmee ze haar ondergang
konden bewerkstelligen. Het enige wat tussen haar en die ondergang
stond, was haar gewaagde gok dat niemand het risico zou durven nemen
een aanklacht tegen haar in te dienen, zelfs als de bewijzen tegen haar
onweerlegbaar waren. Messalina vertrouwde op de onaantastbaarheid
van haar eigen positie – haar positie als favoriet van Claudius en haar
positie aan het hoofd van een netwerk van machtige bondgenoten.

De keizerin, verliefd en zeker van haar eigen macht na zeven jaar op
de troon, vond het duidelijk de moeite lonen om deze gok te wagen. Haar
bondgenoten onder de vrijgelatenen van haar echtgenoot, Narcissus en
Polybius, kunnen daar anders over hebben gedacht. De roekeloze intensiteit van Messalina's affaire was romantisch, maar bracht geen voordelen
voor de vrijgelatenen met zich mee. Voor Polybius, die naar verluidt zelf
ooit het bed van de keizerin had gedeeld, kan het zelfs een kwelling zijn
geweest om het allemaal te moeten gadeslaan. Bovendien kon de keerzij-
de van de affaire van de keizerin voor de vrijgelatenen net zulke ernstige
consequenties hebben als voor Messalina zelf. De keizerin beschuldigen
van overspel zou, vooral gezien het feit dat de keizer nog steeds zo gek op
haar was, een gevaarlijke stap zijn: als iemand – wellicht een senatoriale
vriend van Asiaticus – besloot dat toch te doen, was het onwaarschijnlijk
dat hij zich tot overspel zou beperken. Iedere mogelijke aanklager zou
vrijwel zeker ook met andere beschuldigingen komen, zoals samenzwering of corruptie, bedoeld om Claudius zoveel angst aan te jagen dat hij
de geruchten over de ontrouw van zijn echtgenote serieus zou nemen. Dit
waren aanklachten die zich makkelijk ook konden uitstrekken tot Messalina's langdurige bondgenoten onder de vrijgelatenen. Als Messalina's
ondergang in werking werd gezet door haar vijanden in de senaat of de
keizerlijke familie, dan was de kans klein dat haar favoriete vrijgelatenen
– Narcissus voorop – dat ongeschonden zouden overleven.

Dit risico leek alleen maar toe te nemen naarmate het contingent
bondgenoten op wie Messalina voor haar bescherming vertrouwde begon te slinken. Met haar aanval op Asiaticus had ze een groot deel van
de senaat van zich vervreemd, wellicht met inbegrip van haar oude favoriet Vitellius. Nu leek het erop dat haar relatie met de aanklager Publius
Suillius, haar andere grote senatoriale bondgenoot, ook aan het verzuren
was. Hij had geen scrupules gehad om de keizerin te helpen Asiaticus uit

de weg te ruimen, maar Messalina's nieuwe affaire was een heel andere zaak. Haar nieuwe minnaar Silius was zijn aartsvijand; de jongere man had hem openlijk aangevallen in de senaat en zelfs geprobeerd hem voor het gerecht te dagen op grond van vernederende en schadelijke beschuldigingen van corruptie. Tacitus zinspeelt er zelfs op dat de twee mannen misschien een persoonlijke wrok koesterden, die al dateerde van lang voordat Silius er politiek gestalte aan gaf in de senaat. Toen de affaire tussen Messalina en Silius serieuze vormen aannam, kan Publius Suillius zich niet alleen verraden hebben gevoeld, maar ook steeds nerveuzer. In slechts een paar maanden tijd was zijn grootste vijand de belangrijkste man geworden in het leven van de vrouw die voorheen zijn grootste bondgenoot was geweest. De loyaliteit die er tussen Messalina en Publius Suillius had bestaan, zoals eerder die tussen haar en Vitellius, was tanende.

Vóór het eind van het jaar 47, of misschien in de vroege maanden van het jaar 48, zou Messalina nóg een grote fout maken. Ze bewerkstelligde de dood van Polybius.[13] Dio laat ons grotendeels in het ongewisse over hoe ze hierbij te werk ging en vertelt ons alleen dat ze haar toevlucht tot de gebruikelijke methode nam: een valse aanklacht. We weten niet waarvan ze Polybius, naar verluidt ooit haar minnaar, liet beschuldigen, noch weten we wat de breuk in hun relatie veroorzaakte. Gezien alle verwikkelingen in de winter van 47/48 is het mogelijk dat hij haar oordeelsvermogen in twijfel trok – aangaande Asiaticus misschien, of de affaire met Silius. De keizerin kan daarin een gevaarlijke oprisping van persoonlijke jaloezie hebben gezien.

Wat haar redenen ook waren, de moord van de keizerin op Polybius was een ernstige vergissing. De keizerlijke vrijgelatenen waren altijd Messalina's natuurlijkste bondgenoten geweest. Ze hadden haar geholpen haar van haar gevaarlijkste vijanden in het Palatijnse hof te verlossen en hadden hun succes, hun lot zelfs, in veel opzichten verbonden met het hare. Maar dit was een aanval op een van hen. Als Messalina's vernietiging van Asiaticus de senatoren had aangetoond dat geen van hen veilig was, dan had de aanval op Polybius dezelfde boodschap aan de vrijgelatenen overgebracht.

Tegen de lente van het jaar 48 moet bij Narcissus het besef zijn doorgebroken dat het zo niet langer kon doorgaan. Zijn relatie met Messalina bracht hem nu op twee fronten in gevaar: als ze van buitenaf werd aangevallen zou ze hem in haar val kunnen meeslepen, maar als ze haar macht behield moest hij nu voor het eerst de mogelijkheid onder ogen zien dat ze die macht op een dag tégen hem zou kunnen keren.

Als we Tacitus mogen geloven kwam de keizerin als eerste in actie. Silius, die misschien bespeurde dat de positie van de keizerin minder stabiel was dan voorheen, begon zich te roeren. Ogenschijnlijk voor de eerste keer in hun relatie kwam hij nu met eigen plannen. Hij drong er bij haar op aan de stoutmoedigste gok van allemaal te wagen: het laatste restje van hun dekmantel laten vallen en sámen een gooi doen naar de keizerlijke troon.[14] Tacitus reconstrueert zijn argumentatie als volgt:

> Nee, ze konden nu niet gewoon wachten tot de keizer oud werd. Alleen onschuldigen konden straffeloos blijven wikken en wegen, bij openlijke schanddaden hielp alleen de vlucht voorwaarts. En ze hadden medeplichtigen evenzeer bevreesd. Hijzelf was ongetrouwd en kinderloos, klaar voor een huwelijk met Messalina en adoptie van Britannicus. En zij, Messalina, zou even machtig blijven en extra veilig zijn, zolang ze Claudius voor waren. Zo argeloos als die zich liet belagen, zo vlug werd hij kwaad.[15]

Tacitus overweegt twee mogelijke redenen waarom Silius zo'n plan kan hebben voorgesteld. Ofwel hij was blind voor de risico's vanwege zijn groeiende obsessie voor Messalina – een 'algehele waanzin', noemt Tacitus het –, ofwel hij had eindelijk ingezien in welk gevaar hij door zijn positie verkeerde.[16] De situatie had zich zo ontwikkeld, dacht hij, dat er nu geen weg terug meer was: het paar had hun kaarten op tafel gelegd. Het uitspelen ervan was riskant, maar niets doen stond gelijk aan een doodvonnis.

Aanvankelijk was Messalina niet overtuigd, vertelt Tacitus ons. Het was zeker niet uit liefde voor haar echtgenoot dat ze aarzelde en ook niet omdat ze de politieke situatie had ingeschat en het plan ontoereikend vond (het betreft hier tenslotte de dwaze, sletterige, bijna apolitieke Messalina van Tacitus). In feite had ze weinig bezwaren tegen de coup zelf; wat haar dwarszat was wat er daarna zou gebeuren. Als ze Silius zijn zin gaf, met hem trouwde en hem op de troon installeerde, was ze er dan echt zeker van dat ze hem op haar beurt kon vertrouwen? Volgens Tacitus was ze vooral bang dat als Silius eenmaal alles had bereikt wat hij wilde, hij haar als een baksteen zou laten vallen. Het overspel dat zo aanlokkelijk en onschuldig had geleken toen ze nog andermans echtgenote was zou plotseling afstotelijk lijken. 'Hij zou neerkijken op zijn partner in overspel,' laat Tacitus Messalina denken, 'want spoedig zou hij die misdaad, graag begaan in gevaren, schatten op zijn werkelijke waarde.'[17]

Silius kon echter overtuigend zijn en uiteindelijk, aldus Tacitus, liet de keizerin zich meeslepen door haar eigen perverse obsessie voor het doorbreken van taboes. Net zoals Ovidius 'wat wel mag' niet 'spannend' had gevonden, zo was Messalina 'het gemak van het overspel gaan vervelen' en nu 'dreef ze door naar ongekende lusten'. Haar begeerte werd het meest gewekt door 'het begrip "huwelijk", zodat er een enorm schandaal zou ontstaan – bij losgeslagen lieden de laatste vorm van genot'.[18] Deze motivatie past perfect bij het karakter dat Tacitus voor Messalina creeerde, en bij de plaats die hij haar toewees in zijn verhaal over tirannieke losbandigheid en moreel verval. Het idee dat de keizerin het blozende bruidje speelde om een soort kinky behoefte van haar te bevredigen en dat ze bereid was om daartoe al het andere opzij te zetten, fungeert als een samenvatting van haar immoraliteit en alle gevaren die ze voor de traditionele orde vormde. Dit is een vrouw die alleen geïnteresseerd is in het directe en het zintuiglijke, een vrouw zó slecht dat haar begrip van goed en kwaad volkomen omgekeerd is. Messalina maakte van het huwelijk, de geruststellende lijm die de samenleving stabiel hield en seks verhief tot een respectabele activiteit voor de voortplanting, iets smerigs, verbodens en prikkelends – en al snel zou een bruiloft het hele regime daadwerkelijk bijna destabiliseren.

Zodra Messalina besloten heeft alles op het spel te zetten, ontvouwt Tacitus' versie van het verhaal zich grotendeels zoals in het eerste hoofdstuk van dit boek is beschreven.[19] Het paar wachtte tot Claudius voor zaken naar Ostia werd geroepen en begon voorbereidingen te treffen voor de bruiloft die hun coup zou inluiden. Ze kozen een gunstige dag uit; Messalina liet het paleis versieren en het huwelijksbed behangen met bloemenslingers; ze overlegde over een menu voor het banket en stelde een gastenlijst op van vrienden die haar greep naar de macht zouden ondersteunen en die garant stonden voor een levendige conversatie. Het was herfst, dus er waren verse producten van het land en de wijn was goed. Ze baadde, liet haar huid inwrijven met oliën en zat geduldig op een stoel terwijl haar haar werd gescheiden, geparfumeerd, gevlochten en hoog werd opgestoken. Misschien keuvelde ze wat terwijl ze wachtte, of werkte ze haar make-up bij – een beetje rode oker op de wangen, een beetje kohl rond de ogen – voor een handspiegel van gepolijst zilver. Toen alles klaar was, deed ze de geelrode sluier van de bruid om, het type sluier dat ze sinds haar huwelijk met Claudius een decennium eerder niet meer had gedragen, en ging op weg.

Tacitus beweert dat Messalina en Silius de conventies van de huwelijksceremonie tot op de letter volgden. Niets (behalve dat het bigamie betrof) mocht in strijd zijn met de traditie. De getuigen drukten hun zegels in de was op het huwelijkscontract; Messalina luisterde naar de toespraken en gelukwensen van hun uitverkoren vrienden en bracht de gebruikelijke offers aan de goden. Nu kon het plezieriger deel van de avond beginnen. Messalina nam haar plaats in tussen haar gasten, op het aanligbed naast haar nieuwe 'echtgenoot'; ze kusten, vlijden zich openlijk tegen elkaar aan en genoten met volle teugen van hun 'huwelijkse staat'.[20] Nieuwe vaten wijn werden aangeslagen en Messalina en Silius dansten samen, 'het hoofd in de nek gooiend', op de obscene liederen die gespeeld werden door de talloze orkestjes op de tuinterrassen. Dit was het moment waarop Vettius Valens in de boom klom en een storm boven Ostia zag opsteken.

In Tacitus' relaas is het pas op dit punt, wanneer Messalina's daden al 'het huis van de keizer hebben geschokt', dat Narcissus en de vrijgelatenen zich realiseren dat ze geen andere keuze hebben dan in te grijpen.[21] Hun ongerustheid betrof niet Messalina's immorele gedrag, noch zelfs haar bigamie, maar de gevolgen van de politieke coup die hieruit wel moest voortvloeien. Silius had alle kenmerken van een princeps in spe – een aristocraat, de gekozen consul, gezegend met een knap uiterlijk en een scherp verstand – en het sluiten van een huwelijk ging vele malen verder dan een indiscretie. Ze waren zo ver gegaan dat er geen weg terug meer was; dit stond gelijk aan zowel een ontbinding van Messalina's huwelijk met Claudius als het uitroepen van een opstand. Deze mannen dankten hun positie, hun welvaart, ja zelfs hun vrijheid aan de keizer – ze hadden een heleboel te verliezen bij een dreigende staatsomwenteling. Maar Messalina was een machtige vrouw, en uiteindelijk bleek alleen Narcissus bereid de keizer de waarheid te vertellen: het was zijn onthulling van de samenzwering door de keizerin die de gebeurtenissen van haar val in gang zette.

Dit relaas voldoet aan de eisen voor een goed verhaal – en Tacitus is een boeiend verteller –, maar het staat op gespannen voet met de historische geloofwaardigheid. In de slotmaanden van het jaar 48 was Messalina tien jaar getrouwd en bijna acht jaar keizerin. Gedurende die tijd had ze voor zichzelf een spilpositie gecreëerd in een politieke wereld die bijna een millennium lang door mannen was gedomineerd. Door haar gevaarlijkste politieke vijanden met beheerste, zorgvuldig geplande, korte salvo's uit te schakelen, had ze die positie bijna een decennium lang behouden. Ze had het afgelopen jaar ernstige beoordelingsfouten gemaakt, maar voor het overige had Messalina getoond te beschikken over een vooruitziende blik en een scherp instinct voor de handhaving van zichzelf en haar kinderen. Dat ze voor het najagen van een kortstondige bevlieging alles waar ze zo hard voor gewerkt had op het spel zou zetten – haar eigen leven en dat van haar kinderen – is niet aannemelijk. Misschien nog moeilijker te geloven is dat een vrouw die de chaotische nasleep van de reeds lang geplande coup tegen Caligula had meegemaakt zo'n onherroepelijke stap zou hebben gezet als het publiekelijk sluiten van een huwelijk – een stap die alleen maar rebellie kon betekenen – zonder een duidelijk plan voor wat er daarna zou komen.

Tacitus weet dat zijn verhaal de grenzen van de geloofwaardigheid aftast. 'Ik besef wel dat het allemaal onbestaanbaar lijkt,' erkent hij, 'maar er staat hier niets om sensatie te wekken. Ik geef weer wat ik van ouderen hoor of lees.'[22] Tacitus' versie voelt aan als een poging om de verhalen die hij had gehoord, verhalen die aansloten bij zijn karakterisering van Messalina en haar tijd, in een raamwerk te wringen waar ze simpelweg niet in passen. Suetonius vermeldt een nog fantastischer gerucht: Messalina haalde de keizer over om het huwelijk te steunen en had hem zelfs zover gekregen zelf de huwelijksvoorwaarden te ondertekenen, door hem wijs te maken dat voortekens de dood van de keizer hadden voorspeld en dat een ramp alleen kon worden afgewend door tijdelijk een andere man (Silius) op de troon te installeren. Zelfs Suetonius – doorgaans niet iemand die zich omwille van de geloofwaardigheid een goede anekdote laat ontgaan – erkent dat het verhaal 'te vreemd is om waar te zijn'.[23]

Dus wat moeten we ervan denken? Sommige historici hebben betoogd dat Messalina inderdaad in het jaar 48 met Silius trouwde als onderdeel van een complot om haar echtgenoot omver te werpen. In tegenstelling tot Tacitus beweren zij echter dat Messalina de drijvende kracht achter het plan was en zij daar niet zozeer door de waanzin van de liefde als wel om politieke redenen toe overging. Sinds de Seculiere Spelen waren Agrippina en Nero steeds meer op de voorgrond getreden, betogen zij, en nu was Messalina doodsbang dat Agrippina een complot smeedde om haar plaats in Claudius' bed en op de keizerlijke troon in te nemen. De keizerin raakte ten einde raad, ze vreesde het ergste voor haar eigen positie en de toekomst van Britannicus en kwam tot de conclusie dat er nog maar één optie overbleef om Agrippina te slim af te zijn: Silius op de troon installeren in plaats van haar echtgenoot.

Deze theorie is op een aantal punten problematisch. Er is geen bewijs waaruit blijkt dat Agrippina al op de positie van keizerin aasde vóór Messalina's val – was dat er wel geweest, dan zouden de antieke historici, erop gebrand om Agrippina af te schilderen als een mateloos ambitieuze intrigante, het ongetwijfeld ten volle hebben benut. Zelfs áls Agrippina zulke plannen smeedde, blijft overeind dat Messalina onverklaarbaar onbezonnen handelde. Het is niet goed denkbaar dat Agrippina in het jaar 48 meer macht bezat dan de keizer zelf; als Messalina zich zorgen maakte over haar eigen veiligheid in het licht van Agrippina's groeiende invloed, dan zou ze een snelle en directe actie tegen haar hebben ondernomen – zoals ze in het jaar 41 tegen Julia Livilla had gedaan, of in het jaar 43 tegen Julia – in plaats van te proberen Claudius omver te werpen.

We kunnen de gebeurtenissen van het jaar 48 alleen echt begrijpen als we de rollen omdraaien. Er vond inderdaad een staatsgreep plaats, alleen was Messalina niet de aanstichter ervan, maar het slachtoffer. Narcissus was zich er al enige tijd van bewust dat de keizerin meer een gevaar voor hem aan het worden was dan een waardevolle bondgenoot: haar gedrag in de affaire met Asiaticus was niet zonder risico voor hem geweest en de moord op Polybius had haar doen overkomen als een regelrechte dreiging. Eerst overwogen Narcissus en de andere vrijgelatenen of een paar handig geformuleerde dreigementen Messalina zouden kunnen bewegen haar gedrag te veranderen en haar affaire met Silius te beëindigen, maar tegen de vroege maanden van het nieuwe jaar werd duidelijk – in elk geval voor Narcissus – dat ze van het toneel moest verdwijnen.

Een keizerin afzetten, zelfs een die recentelijk een hoop vijanden had gemaakt, was een gevaarlijke onderneming. Messalina had een opmerkelijk groot publiek aanzien verworven en het was bepaald verontrustend hoe makkelijk Claudius zich door haar liet beïnvloeden. Er werd besloten geen laatste poging te ondernemen om Messalina tot rede te brengen. Dit leek toch tot mislukken gedoemd, zodat het de keizerin alleen maar op haar hoede zou maken voor de komende aanval of haar mogelijk zou aansporen om zelf als eerste toe te slaan. Narcissus moest zorgvuldig het geschikte moment afwachten en, wanneer dat zich aandiende, de gebeurtenissen perfect regisseren.

De maanden tussen de moord op Polybius en de val van Messalina in de herfst moeten een heftige tijd zijn geweest op de Palatijn. Narcissus en zijn kliek zochten naarstig naar medestanders. Callistus en Pallas, de twee machtigste onder Narcissus' overlevende collega-vrijgelatenen, lijken ermee te hebben ingestemd dat Messalina uit de weg moest worden geruimd. Tacitus beschrijft hun verwoede discussies met Narcissus (al dateert hij deze na Messalina's 'huwelijk'), en beide mannen bleken zonder meer bereid om zich, zodra ze dood was, onmiddellijk te belasten met de taak een vervangster voor haar te vinden. Maar ze waren niet bereid om zelf tot actie over te gaan. Per slot van rekening waren ze niet zo nauw betrokken bij Messalina als Narcissus of eerder Polybius en hadden ze minder van de hele zaak te duchten, ongeacht of ze ten onder ging of het overleefde.

De medewerking die Narcissus uit andere hoeken werd beloofd was waarschijnlijk van soortgelijke voorwaardelijke aard. Hij rekruteerde twee van Claudius' maîtresses, Cleopatra en Calpurnia, om de keizer als eerste het nieuws te vertellen – dit waren inwisselbare vrouwen die konden worden ingezet om de klap te verzachten en te peilen hoe de vlag erbij hing. Turranius, de prefect die al zo lang toezag op de uiterst belangrijke graanvoorziening, gaf aan dat hij genegen was Narcissus' verhaal te bevestigen. Dat gold ook voor Lusius Geta, een van de pretoriaanse prefecten en een man die zijn baan waarschijnlijk te danken had aan Messalina's machinaties. Het was iedereen echter duidelijk dat zijn steun niet verder ging dan dat: uit angst dat zijn loyaliteit weer zou omslaan naar de keizerin als de affaire eenmaal losbarstte, besloot Narcissus Geta tijdelijk het bevel van zijn soldaten te ontnemen totdat zijn oude beschermvrouwe veilig dood was. Haar oude senatoriale bondgenoot Vitellius, die misschien nog steeds wrok koesterde over de rol die Messalina hem had laten spelen bij het uit de weg ruimen van zijn vriend Asiaticus, kan ook hebben laten doorschemeren dat hij zich niet zou verzetten tegen een aanval op de keizerin. Tijdens de terugrit met de koets van Ostia naar

Rome, toen de spanning te snijden moet zijn geweest, zou Narcissus continu druk op Vitellius uitoefenen om zich aan te sluiten en Messalina onomwonden ten overstaan van de keizer te veroordelen. Vitellius weigerde, en hoewel het te billijken valt dat hij zijn opties open wilde houden, deed hij stellig niets om de vrouw te verdedigen wier schoen hij ooit gesmeekt had te mogen kussen.

Narcissus wist dat alle steun die hij kon werven niet zou baten als hij er niet in slaagde Messalina uit de buurt van Claudius te houden. Messalina kon overtuigend zijn, manipulatief zelfs, en Claudius was gek op haar. Op een pragmatischer niveau was de keizer zich er misschien van bewust hoeveel hij zijn keizerin verschuldigd was. Het paar had, op allerlei manieren, hun dynastieke macht samen opgebouwd. Messalina had zijn imago opgekrikt met haar vruchtbaarheid, haar jeugd en haar uitstraling; ze had het risico op zich genomen toen ze vijanden uit de weg ruimde die niet alleen haar positie maar ook die van haar echtgenoot bedreigden; ze had hem een zoon, een pr-offensief en de belofte van een nalatenschap geschonken – een koninklijke afstammingslijn van Claudius zelf. Dit waren geen ondergeschikte zaken, zeker niet in combinatie met de fysieke aantrekkingskracht van de keizerin, en Narcissus lijkt vóór alles hebben willen voorkomen dat Messalina haar zaak persoonlijk kon bepleiten.

Het was waarschijnlijk deze bezorgdheid die bepalend was voor de timing van de gebeurtenissen. In de herfst moest Claudius in de havenstad Ostia zijn om de graantoevoer te inspecteren en offers te brengen voor een behouden levering ervan. Hij zou een aantal dagen, misschien zelfs weken, weg zijn, terwijl Messalina in de stad achterbleef. Dit was de perfecte kans voor Narcissus om te handelen: de afstand tussen de twee schiep een ideale voedingsbodem voor wantrouwen en zou de keizerin beletten om de keizer op enigerlei wijze te beïnvloeden.

Daarmee was de vraag nog niet beantwoord wát de keizerin precies ten laste moest worden gelegd. Narcissus kan hebben vermoed dat alleen beschuldigingen van overspel, hoe waar en goed onderbouwd ze ook waren, niet genoeg zouden zijn om de keizerin ten val te brengen, en daarin lijkt hij gelijk te hebben gehad. De bronnen stemmen erin overeen dat de angst voor een staatsgreep en de vernedering om zijn bezittingen uitgestald te zien liggen in Silius' huis uiteindelijk zouden bewerkstelligen dat de keizer zich tegen zijn vrouw keerde – niet de schandelijkheid van haar vermeende ontrouw. Claudius kon geflirt en indiscreties misschien door de vingers zien, maar hij was altijd panisch geweest voor aanslagen op zijn leven. Zijn angsten waren begrijpelijk gezien de manier waarop hij op de troon gekomen was, en ze zaten diep. Dus als Narcissus de keizer ervan kon overtuigen dat Messalina hem zijn heerschappij en zelfs zijn leven kon kosten, dan had hij een kans om haar ten val te brengen.

De herfst was in Rome altijd een goede tijd voor een feest. De aristocraten die de zomer aan de kust hadden doorgebracht waren naar de stad teruggekeerd, de wijndruiven waren in september binnengehaald en oude festivals die het korter worden van de dagen markeerden en een veilige oogst afsmeekten boden traditioneel excuses om de bloemetjes buiten te zetten. Met Claudius in Ostia restte Messalina weinig anders dan er het beste van te maken.

Het feest dat Messalina in de herfst van het jaar 48 hield – met alle overvloed en muziek en dans – was misschien helemaal geen bruiloft. In werkelijkheid kan de ceremonie een festival zijn geweest ter ere van Bacchus, de god van de wijn.[24] Tacitus vertelt ons dat de keizerin het keizerlijk paleis omtoverde tot een wijnmakerij. Bedienden persten druiven voor de ogen van de gasten en de grote vaten die overal in het huis van de caesars stonden opgesteld waren tot de rand toe gevuld met wijn van de beste kwaliteit. De gasten waren gekleed voor een bacchanaal; Messalina voorop, met haar loshangende haren en een thyrsus in de hand geklemd – de kenmerkende staf, met wijnranken omwikkeld en een dennenappel op de punt, die werd gedragen door Bacchus en zijn stoet volgelingen. Bacchus was een god met een dubbel karakter: hij bood vermaak, bracht verwarmende geneugten, versoepelde het lichaam, maar hij bracht zijn volgelingen ook tot aan, en soms over, de rand van een gewelddadige, barbaarse waanzin. Zelfs de thyrsus die Messalina droeg was tweesnijdend: gewoonlijk was deze een dansstaf die tussen de maenaden werd gegooid en werd gebruikt om de maat mee te slaan, maar soms diende hij als dodelijk wapen.

Deze samenloop van omstandigheden bood Narcissus de perfecte gelegenheid om toe te slaan. Het gedrag van Messalina en Silius had al eerder tot opgetrokken wenkbrauwen geleid, maar deze nieuwste vertoning was iets wat Narcissus kon uitbuiten. De mysterieuze festiviteiten rondom Bacchus schijnen bepaalde overeenkomsten te hebben vertoond met de rituelen van een Romeinse bruiloft, en híer zou de oorsprong kunnen liggen van het ongeloofwaardige verhaal van Messalina's bigamische huwelijk. Als Narcissus het deed voorkomen dat de ceremonies in Rome geen onderdelen van een uit de hand gelopen feest waren geweest, maar van een bruiloft, dan kon hij de keizerin niet alleen beschuldigen van overspel, maar ook van samenzwering. Ver weg in Ostia was Claudius afhankelijk van Narcissus en zijn andere adviseurs voor informatie daarover – 'informatie' die Narcissus nu besloot te verstrekken.

Nadat hij Claudius door zijn maîtresses Calpurnia en Cleopatra op de hoogte had laten brengen, zette Narcissus zijn zaak uiteen. Eerst vroeg hij vergiffenis omdat hij de buitenechtelijke affaires van de keizerin zo lang verzwegen had. Het was een weloverwogen bekentenis – hij stond zo dicht bij de keizerin dat hij onmogelijk kon beweren helemaal van niets te weten, en het toegeven van enige beperkte medeplichtigheid aan het begin gaf hem een schijn van berouwvolle oprechtheid. Dat waren kleine schandalen, maar dit was iets van een volkomen andere orde: geen kwestie van overspel, benadrukte hij, maar van rebellie. 'U bent gescheiden!' zei hij. 'Beseft u dat? Silius' huwelijk is gezien door volk, senaat en leger. Komt u snel in actie, anders is de stad van haar echtgenoot.'[25]

Die woorden waren perfect gekozen om Claudius de gewenste kant op te krijgen. Hij had altijd al een neiging tot paranoia gehad en nu – geïsoleerd in Ostia, verraden door zijn vrouw, ver weg van de stad waarin de stemming zoals hij wist in één nacht kon omslaan, afhankelijk van Narcissus en onzeker wie hij verder kon vertrouwen – gingen zijn gedachten meteen uit naar het ergste. Was Silius nog zijn onderdaan? De keizer bleef maar vragen stellen. Bezat hij nu nog de macht? Er werden extra getuigen binnengebracht, onder wie de pretoriaan Lusius Geta en de graanprefect Turranius, en de adviseurs van de keizer werden bijeengeroepen. Zij bevestigden de angsten van de keizer, zoals gepland, en adviseerden hem rechtstreeks naar het pretoriaanse kamp te gaan en de stad te beveiligen.

Narcissus hield de touwtjes in handen terwijl het keizerlijk konvooi op weg ging naar Rome. Hij eiste en kreeg een plaats in het rijtuig van de keizer en stuurde het gesprek in de gewenste richting. Hij zette Vitellius onder druk om Messalina expliciet te veroordelen – zoals hij misschien had beloofd te doen in de maanden na de dood van Asiaticus –, maar de senator hield zich wijselijk op de vlakte. Gefrustreerd richtte hij zijn aandacht op de kwestie van de pretorianen. Eerder was Lusius Geta wel-iswaar overgehaald om zich in Ostia tegen Messalina uit te spreken, maar Narcissus twijfelde eraan of hij in Rome op zijn medewerking en die van zijn collega Rufrius Crispinus kon vertrouwen. Voor de zekerheid over-reedde Narcissus daarom Claudius om hem tijdelijk het bevel over de pretoriaanse troepen te geven. Nog voor het rijtuig van Claudius Rome bereikte, had Narcissus zowel een gewillig oor bij de keizer gevonden als het bevel verworven over de troepen die de stad controleerden.

Messalina moet nog enkele vrienden in de kringen rond haar echtge-noot hebben gehad, want ruim vóór de keizer en zijn konvooi arriveerden er boodschappers bij het Palatijnse paleis. Ze waarschuwden de keizerin: 'Claudius weet alles! De keizer zal spoedig op weg zijn om wraak te ne-men!' Wat Claudius precies dacht te weten was op dit moment misschien niet helemaal duidelijk.[26]

Uit wat Messalina en Silius vervolgens deden blijkt meer dan uit al het andere dat het hier niet ging om een samenzwering van hun kant. Ze deden geen pogingen om steun te mobiliseren, de senaat voor zich te winnen, de pretorianen om te kopen of de stad in handen te krijgen. In plaats daarvan gingen ze uit elkaar: Messalina vluchtte naar de Tuinen van Lucullus, haar veilige haven op de Pincische Heuvel, terwijl Silius zich naar het forum begaf en de taken van een gekozen consul weer op zich nam. Ze hadden er duidelijk nog vertrouwen in dat het schandaal ge-sust kon worden, dat Claudius wel zou bijdraaien en dat ze hun normale leven weer konden opnemen.

In de kalme weidsheid van haar tuin overwoog Messalina wat haar nu te doen stond. Zelfs nu duidt niets erop dat ze bezig was met een sa-menzwering – in plaats daarvan vroeg ze zich af wat ze kon doen om haar echtgenoot te vermurwen. Ze bereidde een verdediging voor waarin beeldvorming en emotie centraal stonden, in plaats van politiek.

Ze riep de hulp in van Vibidia. Als de oudste van de vestaalse maag-den kon Vibidia op elk gewenst moment om een audiëntie bij de princeps vragen, terwijl haar positie haar ook tot de hoogste autoriteit maakte in kwesties omtrent vrouwelijke kuisheid. Steun van haar zou een goe-de indruk maken. Messalina besloot ook haar kinderen naar Claudius te sturen. De zevenjarige Britannicus en de acht- of negenjarige Claudia Octavia zouden hem herinneren aan het gezin dat ze vormden en de dy-nastieke toekomst die zij hem geschonken had.

Ten slotte besloot de keizerin dat ze haar echtgenoot zelf tegemoet zou gaan en onder ogen moest komen. Ze was er zeker van, vertelt Tacitus ons, dat als ze hem maar kon zíén, hij kon worden overtuigd – een strategie die eerder altijd had gewerkt. De tocht door de stad, van de Pincische Heuvel naar de Via Ostiensis, was vernederend. Deze voerde Messalina omlaag langs het forum en langs haar huis op de Palatijn. Intussen had ze nog maar drie man begeleiding en reisde ze te voet. De carpentum, het speciale rijtuig dat haar na de triomf van haar echtgenoot als een bijzondere eer was toegekend, was nergens te bekennen.

Toen ze de poort bereikte die het begin van de weg naar Ostia markeerde, vond ze een wagen die bereid was haar mee te nemen. Tacitus' bewering dat het een wagen voor tuinafval was lijkt te mooi symbolisch om waar te zijn. Even dubieus is zijn mededeling dat 'haar schanddaden zo wanstaltig waren dat bij niemand een spoor van medelijden te zien was'. Messalina had jarenlang aan haar publieke imago gewerkt. Ze was aan de zijde van haar man verschenen bij de triomftocht, in het circus en bij de spelen; ze had banketten gegeven en de vrouwenstoet geleid bij processies tijdens de festivals; ze had schenkingen gedaan en offers gebracht; ze had het volk twee koninklijke baby's geschonken; ze had geposeerd voor portretten waarop ze glamoureus maar moederlijk, kuis maar vruchtbaar was afgebeeld. De keizerin had misstappen begaan die haar vijanden hadden bezorgd, maar die vijanden bevonden zich in de senaat en op de Palatijn. Er is geen reden om aan te nemen dat ze haar populariteit in de straten van Rome verloren had.

Terwijl zijn rijtuig de stad naderde, was Claudius ten prooi aan twijfel. Soms sprak hij harde woorden over zijn vrouw en haar verraad, dan weer hadden herinneringen aan hun huwelijk en jonge gezin de overhand. Daarbij speelden stellig gedachten aan liefde door zijn hoofd, maar misschien ook aan politiek – aan het werk dat zij had verricht om hun bewind te stabiliseren en aan de dynastieke toekomst die hun kinderen vertegenwoordigden.

Intussen kwam Messalina in zicht, die zodra ze binnen gehoorsafstand was haar zaak begon te bepleiten. Ze smeekte haar echtgenoot de moeder van zijn kinderen aan te horen.

Nu dreigde toch te gebeuren wat Narcissus had gevreesd. Om deze reden had hij gewacht met in actie komen tot Claudius ver weg in Ostia zat, en hij wist dat het fataal kon blijken als hij er niet in slaagde de controle over het narratief dat hij had gecreëerd te herwinnen. Dus begon Narcissus de keizerin letterlijk te overstemmen door, zoals Tacitus het stelt, 'luid te bulderen' over haar huwelijk met Silius en de daaraan verbonden samenzwering.[27] Daarnaast overhandigde hij Claudius het ene na het andere document met belastende feiten om zijn blik af te leiden van de vrouw die voor hem op de weg stond.

Vanaf dit punt zag Narcissus als een waakhond toe op de toegang tot Claudius, op wie hij te zien kreeg en welke informatie hij ontving. Toen Claudia Octavia en Britannicus probeerden bij het rijtuig van hun vader te komen, liet Narcissus hen onmiddellijk verwijderen; toen Vibidia verscheen en eiste dat de keizer onbevooroordeeld naar zijn vrouw luisterde, loog Narcissus haar gewoon voor – Messalina zou nog de kans krijgen zichzelf te verdedigen, beloofde hij. Intussen, vervolgde hij nogal onheilspellend, zou Vibidia er goed aan doen zich te kwijten van haar verplichtingen als vestale.

Vervolgens dirigeerde Narcissus het rijtuig van de keizer rechtstreeks naar Silius' huis, waar hij hem de geschenken toonde die zijn vrouw aan haar minnaar had gegeven – dingen weggenomen uit het keizerlijk paleis, zelfs erfstukken van de dynastie, die alleen afkomstig konden zijn van Messalina. Hij wees ook nadrukkelijk op het standbeeld dat Silius van zijn vader had bewaard, wat tegen de wet was omdat Silius de Oudere in het jaar 24 was veroordeeld op beschuldiging van corruptie en rebellie. De implicatie was duidelijk: zo vader, zo zoon.

Van hieruit gingen ze rechtstreeks naar het pretoriaanse kamp, waar Narcissus de soldaten die tijdelijk onder zijn bevel stonden bijeen had geroepen. Op instigatie van en ingefluisterd door zijn vrijgelatene sprak de keizer hen kort toe, waarna de aangeklaagden, die conform instructies van Narcissus al waren gearresteerd en naar het kamp gebracht, een voor een werden voorgeleid en geëxecuteerd, met Silius als eerste. Toen de keizer aarzelde over Mnester, die aanvoerde dat hij niet in de positie was geweest om de avances van de keizerin af te wijzen, wilde Narcissus daar niets van weten: na de executie van zoveel senatoren kon een acteur die de keizer de hoorns had opgezet niet met goed fatsoen in leven worden gelaten. Dat zou simpelweg voor een te slechte beeldvorming zorgen. Slechts twee van de aangeklaagden kregen gratie: Plautius Lateranus en Suillius Caesoninus. De eerste waarschijnlijk dankzij de bemiddeling van zijn militaire oom bij de keizer, maar de tweede misschien omdat zijn vader, Messalina's gevreesde aanklager Publius Suillius, ermee had inge-stemd zijn oude bondgenote niet te steunen tegen Narcissus. Nadat de executies waren voltrokken, bracht Narcissus de keizer naar huis voor het avondmaal.

Na Narcissus' interventie op de Via Ostiensis was Messalina terug-gegaan naar de Tuinen van Lucullus. In deze tijd van het jaar moeten ze prachtig zijn geweest met alle herfstkleuren en de slaperige zwaarte die over de bloemen en de bladeren begon te komen. De keizerin was in paniek en werd heen en weer geslingerd tussen hoop en verontwaardig-de woede terwijl ze smeekbedes aan haar man opstelde en herschreef. Haar moeder Domitia Lepida was bij haar. De twee waren van elkaar vervreemd geraakt – wellicht had ze bezwaar gemaakt tegen Messalina's moord op haar echtgenoot Appius Silanus in het jaar 42 –, maar nu stond ze haar dochter bij in deze laatste crisis.

Domitia Lepida raadde zelfmoord aan. Het spel was uit, betoogde ze, en het enige wat haar dochter restte was sterven met het soort waardige standvastigheid dat goed staat in de geschiedenisboeken. Messalina was het daar niet mee eens: ondanks alles was ze er zeker van dat als ze haar echtgenoot nu maar kon zien, met hem kon spreken, het allemaal nog goed kon komen. Het is niet onmogelijk dat ze daar gelijk in zou heb-ben gekregen als Narcissus niet op het laatste moment had ingegrepen. Naarmate het diner vorderde op de Palatijn raakte Claudius met elk glas weemoediger en milder gestemd. Hij riep ten slotte een dienaar en beval dat ze 'die arme vrouw' de boodschap moesten sturen dat zij morgen naar hem toe moest komen om haar kant van het verhaal te vertellen.[28]

Dit was een risico dat Narcissus zich niet kon veroorloven. Tot nu toe was alles goed voor hem gegaan doordat hij strikt de regie had gevoerd over wie toegang tot de keizer had en welke informatie hij kreeg. Alles was zo gechoreografeerd dat er geen ruimte overbleef voor twijfel, noch voor het opperen van alternatieve versies van de gebeurtenissen. Mes-salina kon heel overtuigend zijn en als ze de kans kreeg haar zaak voor te leggen aan haar echtgenoot – vooral natuurlijk dat haar 'huwelijk' met Silius, met alle implicaties van een samenzwering, niet meer dan een verzinsel van Narcissus was –, dan zou ze weleens als winnaar uit de strijd kunnen komen. Narcissus wist dat als Messalina zou overleven, 'juist de aanklager eraan onderdoor was gegaan', zoals Tacitus het uit-drukt.[29]

Narcissus glipte uit de eetzaal en sprak met de soldaten die bij de deur waren geposteerd. Ze moesten de executie van Messalina onmiddellijk voltrekken, zei hij, op 'orders van de keizer'. Hij stuurde een collega van hem mee, de vrijgelatene Evodus, om erop toe te zien dat de klus werd geklaard.

Volgens Tacitus huilde Messalina toen ze haar in de tuin vonden. Pas toen ze de soldaten zag en hoorde hoe Evodus, een voormalige slaaf, tegen haar sprak – tegen zij die bijna een decennium lang de machtigste vrouw ter wereld was geweest –, drong het onherroepelijke van haar situatie eindelijk tot haar door. Nu probeerde ze zichzelf om te brengen, zette een zwaard tegen haar keel, toen tegen haar borst – maar ze kon het niet. Uiteindelijk bracht een tribuun de stoot toe die haar het leven benam. Het was een dood die Tacitus laf, onwaardig en onstoïcijns vond, bewijs van 'een hart zo door ontucht bedorven dat er niets van fatsoen meer in zat'.[30]

Het is moeilijk dat nu nog op die manier te zien.

17

De keizerin-hoer

'Denk hoe onlangs een vrouw de spot dreef met onze legers:
[...] Ja, die slet met een kroon, koningin van de liederlijke Nijl.'
Propertius, *Elegieën*, 3.11.39

Claudius zat nog steeds aan de maaltijd toen hem het nieuws van de dood van zijn vrouw werd gebracht. Niemand specificeerde of Messalina door eigen of andermans hand was gedood en hij vroeg er niet naar. In plaats daarvan, als we onze bronnen mogen geloven, vlijde hij zich weer neer en riep om nog een glas wijn. In de dagen erna was de keizer als een gesloten boek. Niets leek hem te raken – de blijdschap van de vrijgelatenen niet, het verdriet van zijn kinderen niet, hij toonde geen enkele menselijke emotie. Tacitus noemde het 'een vergetelheid'.[1]

Als Claudius zich goed voelde bij vergetelheid, dan kwam de senaat hem te hulp. Ze verordonneerden dat Messalina's 'naam en beeltenis overal, privé en openbaar, moesten worden verwijderd'.[2] Het was pas de tweede keer in de Romeinse geschiedenis dat een dergelijke maatregel, bekend als damnatio memoriae, officieel werd uitgevaardigd.[3] In het hele rijk werden standbeelden die de afgelopen acht jaar waren opgericht van hun sokkels gehaald.[*4] Van sommige werd het hoofd ingeslagen, andere werden op een kar geladen en terug naar de werkplaats gebracht. Hun

* De Noord-Afrikaanse stad Lepcis Magna bijvoorbeeld verwijderde het beeld van Messalina uit het keizerlijk groepsportret dat in de Tempel van Roma en Augustus aldaar stond en kraste haar naam uit de ere-inscriptie die de sokkel had getooid.

gelaatstrekken werden opnieuw gebeeldhouwd totdat ze eruitzagen als portretten van Agrippina of Octavia en je geen idee had dat ze ooit Messalina's waren geweest.*5 Ook inscripties werden aangepast, vooral de grote openbare op het forum in Rome en de centrale pleinen van provinciesteden. Maar ook privé-inscripties moesten het ontgelden, zoals in de Romeinse necropolis waar 'Valeria' werd weggebeiteld van de grafsteen van een van Messalina's vrijgelatenen.**6 Het decreet van de senaat reikte zelfs tot in de zakken van de mensen: in de stad Tralles (aan de westkust van Turkije) werd van afzonderlijke munten de naam van de keizerin weggekrast.7

Zelfs nadat haar standbeelden waren vernield en haar naam was uitgewist, spraken de mensen echter nog steeds over Messalina. De ondergang van grote en machtige vrouwen heeft altijd garant gestaan voor een goed schandaal, helemaal wanneer er seks in het spel was, en het grote aantal mannen dat de keizerin in haar val meesleepte, gecombineerd met de beschuldiging van bigamie, maakte dit tot een schandaal zonder weerga. Claudius mocht dan de graantoevoer naar de stad hebben veiliggesteld, maar Messalina had haar genoeg roddels gevoerd om de winter door te komen.

Het verhaal veranderde terwijl het werd verteld – zoals altijd gebeurt – en dit verhaal werd vaak genoeg verteld om een bijna totale gedaanteverandering te ondergaan. Dit deel van het boek behandelt niet meer de geschiedenis van Messalina: het behandelt de geschiedenis van haar reputatie.

*

---

* Het beeld van Agrippina in het keizerlijk groepsportret dat in de basilica van de Noord-Italiaanse stad Velleia stond, had oorspronkelijk Messalina voorgesteld. Hierbij was het hoofd verwijderd en vervangen, maar een ander portret uit Napels werd simpelweg bewerkt tot de gelaatstrekken er voldoende anders uitzagen.

** Dit was de grafsteen van een barbier die Antiochus heette. 'Valeria' is er zorgvuldig afgekrabd, maar interessant genoeg is de tweede naam van de keizerin, 'Messalinae', met rust gelaten.

Rond het begin van de tweede eeuw schreef de dichter Juvenalis zijn *Zesde satire*, misschien wel het onaangenaamste en beroemdste werk uit zijn hele oeuvre. Bijna 700 regels lang adviseert een uitzinnig misogyne spreker zijn vriend om nooit te trouwen in een gedicht waarin hij elke vorm van vrouwelijkheid en elke vrouw die hij zich maar kan voorstellen over de hekel haalt. Als je echtgenote mooi is, zal ze ijdel zijn; als ze lelijk is, heb je niks aan haar; als ze rijk is, zal ze de baas over je spelen; als je van haar houdt, zal ze je kwellen; als ze op de lier kan spelen, is ze te handig; als ze Grieks spreekt, is ze te emotioneel; als ze sportief is, is ze te mannelijk; als ze godsdienstig is, zal ze aan hekserij doen; en als ze intelligent is, zal ze uiteraard een volstrekt ondraaglijke nachtmerrie blijken te zijn. Zelfs de perfecte vrouw – mooi, vruchtbaar, rijk, aristocratisch en maagdelijk – weet Juvenalis' toorn op te wekken. Precies die perfectie, waarschuwt hij, zal haar trots maken, en wie kan dát in een echtgenote verdragen?

Het zij je vergeven als je dacht dat de lijst van Juvenalis' aanmerkingen op de vrouw hiermee was uitgeput, maar zijn belangrijkste bezwaar is nog niet genoemd: de neiging van de vrouw tot vreemdgaan. Er was in het Rome van zijn tijd niet één kuise vrouw te vinden, beweerde Juvenalis – daarvoor was de stad gewoonweg te zeer doordrenkt van zonde en sensualiteit – en Messalina was het ergst van allemaal. Om zijn betoog te staven vertelt Juvenalis een verbazingwekkend verhaal over de keizerin dat vele malen verder gaat dan alledaags overspel.[8]

Dit was dus in privé het lief en leed
van Eppia. Hoe zullen haar rivalen
aan 't hof van onze goddelijke keizer
dan wel niet zijn? En wat heeft Claudius
niet meegemaakt? Wanneer zijn keizerin
hem slapend wist, ruilde ze haar paleisbed
graag voor een oud matras; een blonde pruik
over het zwarte haar, in cape vermomd
en met nooit meer dan één gezelschapsdame
sloop Hare Hoer-en-Majesteit de straat op
naar een bedompt bordeel, waar zij haar eigen
kleine hokje had met een versleten sprei.
De borsten goudombiesd en verder naakt verkocht

zij zich onder de naam Lycisca
en pronkte met haar buik, waarin een prins
gelegen had. Ze lonkte allerliefst
naar wie haar opzocht en bedong haar loon.
En als de hoerenbaas zijn meisjes zei
de zaak te sluiten, kwam zij altijd spijtig
het allerlaatst naar buiten, stijf en brandend
in 't onderlijf en wel vermoeid door mannen,
maar niet verzadigd nog. De oliewalm
had haar gezicht besmeurd met zwarte vegen...
Zo kwam zij met de geur van 'Rood Paleis'
ten slotte terug in 't Palatijnse praalbed.

Het is een opmerkelijk verhaal dat Juvenalis hier weeft. Het voert ons van het keizerlijk paleis naar een bordeel in een achterbuurt en weer terug, waarmee het in zijn gang de geruststellende grenzen vernietigt waarop de Romeinse samenleving was gebouwd. De scheiding tussen keizerin en slavin, echtgenote en hoer bestaat hier niet meer. De passage voorziet Messalina ook van de bijnaam die misschien wel het bepalendst was voor haar blijvende imago in de westerse cultuur: *meretrix augusta* – de keizerin-hoer. De hele passage is treffend, maar als we willen begrijpen hoe schokkend deze zal zijn geweest voor een Romeinse lezer, dan moeten we een omweg maken langs Pompeji.

*

Het is ergens vóór het jaar 79 en je nadert Pompeji vanaf de kust, passeert de baden in de buitenwijken en gaat onder het tongewelf van de Porta Marina door, de opening in de stadsmuren die hier al zo'n 700 jaar staan. Ze zijn nu achterhaald, maar de dubbele versterkingen met de vele door katapulten geslagen gaten getuigen van een tijd vóór het stabiele Romeinse bewind zijn vleugels over het hele schiereiland uitsloeg, toen Italië minder vreedzaam en welvarend was dan vandaag de dag. Tegenwoordig draait het in deze luxueuze kuststeden aan de Golf van Napels niet om oorlog, maar om handel, vermaak en pronken met rijkdom.

Direct aan je rechterhand als je de stad binnenkomt zie je een tempel gewijd aan Venus, de godin van liefde en seks, en de beschermster van

Pompeji, omringd door fraai aangelegde tuinen op kunstmatige terrassen die uitkeken over de vallei daaronder. Je vervolgt je weg langs het heiligdom van Apollo en de overdekte basiliek waar rechtszaken worden gehouden, terwijl de Via Marina zich verbreedt en je naar het centrum van de stad en de open ruimte van het forum leidt.

Je laat de grote vloertegels van gepolijst travertijnmarmer achter je en loopt verder door de Via dell'Abbondanza tot je bij de Stabische baden links afslaat en in de minder heilzame zijstraatjes van Pompeji terechtkomt. De wegen zijn hier smaller, waardoor de balkons die vanaf de tweede verdieping uitsteken veel van het licht tegenhouden. Op de hoek van twee van zulke steegjes – de Vicolo del Balcone Pensile en de Vicolo del Lupanare – staat een lomp, smal wigvormig gebouw van twee verdiepingen, met een terras dat zich als een boeg om de gevel wikkelt.

Afhankelijk van het tijdstip van de dag of nacht dat je arriveert, kan het op de tweesprong rondom dit gebouw erg druk zijn. Mannen lopen in en uit de twee ingangen van het gebouw, vrouwen leunen tegen de deurposten of over het balkon en roepen naar voorbijgangers. Je bent aangekomen bij een bordeel of *lupanar*, zoals je Latijn sprekende medereizigers het noemen. In het Nederlands zou je de term kunnen vertalen als 'wolvenhol'.

Je glipt naar binnen door de ingang aan de Vicolo del Lupanare en bevindt je dan in een brede gang.[9] De muren zijn versierd met eenvoudige fresco's die bestaan uit rode patronen met griffioen- en zwanenfiguurtjes. Deze muurschilderingen, die luxeuzere stoffen wandtapijten moeten nabootsen, raken aan een vloer van aangestampte aarde. Vijf smalle kamers komen uit op de centrale hal: sommige zijn raamloos, sommige hebben kleine ramen die hoog in de muur zijn aangebracht, allemaal hebben ze een smal platform van metselwerk tegen de achterwand, dat is versierd met geverfde rode 'linten' en stenen 'kussens'. De vloer rondom de deuropeningen in het bordeel is verrassend glad; er zijn geen groeven, geen paalgaten, niets wat wijst op de aanwezigheid van deuren. Het is mogelijk dat er enige privacy werd geboden door gordijnen, maar het is ook mogelijk dat privacy niet nodig werd geacht.

De ruimte boven alle deuropeningen is verfraaid met paneelschilderingen waarop koppels van mannen en vrouwen zijn afgebeeld. De scènes zijn niet bijzonder grensverleggend, de standjes niet bijzonder gevarieerd. Hoewel het soms wordt gesuggereerd, is dit geen 'menu' van de seksuele opties die de klant worden aangeboden. Zo laat geen van de afbeeldingen orale of homoseksuele seks zien – terwijl wel naar beide diensten wordt verwezen in de graffiti waarmee de bordeelmuren zijn bedekt. Deze voorstellingen roepen een geabstraheerd, zuiver, intiem, erotisch ideaal op van knappe, hecht ogende koppels die de liefde bedrijven op versierde bedden die zijn opgemaakt met dikke matrassen, kussens en kleurrijke lakens. Als je je blik zou laten zakken om door de deuropeningen onder deze schilderijen te kijken, zou je meteen door hebben gehad dat ze in het geheel niet verwijzen naar de werkelijkheid van het bordeel.

De stukken muur zonder fresco's staan vol met graffiti; namen, schetsen, seksuele opschepperijen. Een krabbel verdraait Caesars beroemde uitspraak dat hij kwam, zag en overwon: 'Ik kwam hier, ik neukte en ik ging toen terug naar huis.' De lagen graffiti – met hun wanhopige geldingsdrang, de kreten van 'die-en-die was hier' – herinneren ons eraan dat de nu lege ruimte ooit voortdurend en intensief in gebruik was.

In de brede gang tussen de kamers bieden naakte prostituees hun lichaam aan, maken klanten hun keuze en ziet de madam erop toe dat er volledig wordt betaald. In de toiletruimte helemaal aan het eind wassen meisjes de laatste man van zich af, scheren hun benen en werken hun make-up bij. In de kamers liggen haastig weggeworpen kleren verspreid over de vloer; een glas wijn staat bij het 'bed'; later op de avond kleurt een brandende olielamp de muren gestaag zwart met roetsporen; en op de gemetselde richel achter in de kamer handelen de prostituee en haar klant het financiële gedeelte af.

Als we een beeld willen krijgen van het soort etablissement dat Juvenalis zich voor Messalina voorstelde, komt het bordeel in Pompeji aardig in de richting. Het lupanar heeft dezelfde aparte kamertjes die Juvenalis beschrijft; we kunnen ons een oud matras zoals dat van Messalina voorstellen dat op de koude stenen van de Pompejische bedplatforms wordt gelegd, en de zwarte vegen waarmee Messalina's gezicht is besmeurd moeten afkomstig zijn van een olielamp zoals de exemplaren die in het lupanar zijn gevonden. In de voorstelling van Juvenalis is het toevluchtsoord van de keizerin vervallen, oncomfortabel en armoedig, wat in sterk contrast staat met de materiële luxe van het keizerlijk paleis waar ze overdag verblijft. De satiricus accentueert de stank en benauwde hitte in Messalina's bordeel, en met vijf slecht geventileerde kamers die in een ruimte van omstreeks tien bij tien meter in gebruik waren, moet in het Pompejische lupanar dezelfde atmosfeer hebben gehangen.

Als we ons Messalina voorstellen in dít bordeel, visualiseren hoe ze daar in de gang staat en ligt te neuken op het gemetselde platform dat dienst deed als bed, kunnen we eindelijk begrijpen hoe schokkend Juvenalis' satire moet zijn geweest. Een tafereel dat verder af staat van het paleis, of van de waardigheid en grootsheid van het keizerlijk bewind, is niet denkbaar.

Messalina's fysieke verschijning verandert met haar omgeving. Juvenalis stelt zich voor dat ze zich vermomt door haar zwarte haar te bedekken met een blonde pruik. Blond haar gold in het antieke Rome als gewild en aantrekkelijk, maar was zeldzaam onder de inheemse bevolking. Blondheid werd vooral geassocieerd met de Noord-Europese gevangenen die uit Germanië of zelfs Brittannië werden meegevoerd: deze tot slaaf gemaakte meisjes werden verkocht en vaak gedwongen tot prostitutie. Verderop in zijn *Zesde satire* heeft Juvenalis het over een '*flava lupa*' – een 'blonde hoer' – die in de buitenlucht werkt tussen de verwoeste graven langs de weg.[10] Haar nieuwe blondheid gaf Messalina het uiterlijk van een prostituee, maar het impliceerde misschien ook nóg een belediging voor haar als echtgenote van Claudius. Het lijkt bijna een omkering van de triomftocht die het paar na de overwinning op Brittannië hield: Juvenalis' Messalina heeft zichzelf getransformeerd van de vrouw die in haar met bloemenslingers behangen carpentum de stoet aanvoerde tot een van de blonde Britse gevangenen die geketend achteraan liepen. Messalina's fysieke transformatie gaat de hele nacht door: tegen de ochtend zit haar gezicht onder de zwarte vegen door de walm van de goedkope olielamp die ze gebruikt om zich tijdens haar werk bij te lichten. Riekend naar het 'Rood Paleis', vies en bijna onherkenbaar glipt ze ten slotte weer tussen de lakens van het keizerlijk bed.

Een Romeinse vrouw draagt haar familiegeschiedenis met zich mee in haar naam, en als de ultieme uitwissing van haar identiteit overdag verandert Juvenalis' Messalina de hare. 'Lycisca' is de vrouwelijke verkleinvorm van het Griekse woord λύκος; het betekent ongeveer iets als 'Wolvinnetje'. Het was duidelijk de bedoeling dat deze enkelvoudige naam van buitenlandse oorsprong werd geïnterpreteerd als een slavennaam. We weten uit Pompejische graffiti dat prostituees vaak werkten onder zulke soortgelijke enkelvoudige namen. Veneria, Fortunata, Successa, Lucunda.[11] Veel ervan hadden seksuele ondertonen, en dat geldt ook voor Lycisca.

In de Romeinse wereld was een overvloed aan seks te koop en de Latijnse taal had een overvloed aan woorden voor mannen en vrouwen die het verkochten.[12] De neutraalste term – *meretrix* – kan eenvoudig worden vertaald als 'prostituee'. Letterlijk betekende het 'een vrouw die verdient'. Als je geneigd was iets beledigender te zijn, kon je het licht denigrerende *scortum* gebruiken. Dit ruwer klinkende woord werd gebruikt voor zowel mannelijke als vrouwelijke sekswerkers en had een sterkere morele lading. In zijn connotaties is het min of meer vergelijkbaar met het Nederlandse woord 'hoer', maar letterlijk vertaald betekent het 'leer' of 'huid'. Er zijn meerdere verklaringen voor de oorsprong van de term, die allemaal iets onverkwikkelijks hebben. Het kan een zinspeling zijn op de relatie tussen de 'huid' van een dier en het 'vel' van een persoon, waarmee de prostituee wordt geobjectificeerd tot weinig meer dan een zak vlees. Een andere mogelijkheid is dat de term een vermeend verband weerspiegelt tussen het bewerken van leer, het herhaald hameren, slaan, rollen en manipuleren van huiden, en de geslachtsdaad, waarmee het bedrijven van de liefde wordt gereduceerd tot een gewelddadige en mechanische handeling.

Helemaal onderaan de ladder van de Romeinse sekswerkers stond de *lupa*. Deze term, die letterlijk 'wolvin' betekent, was gereserveerd voor de aan lager wal geraakte, moreel verdorvenste, gemakkelijkst beschikbare prostituees van allemaal: tippelaarsters, verloederde bordeelmeisjes en vrouwen die zich aanboden in de necropolissen die zich uitstrekten aan weerszijden van de wegen in en uit de stad. De term was zo gangbaar dat het Latijnse woord voor bordeel ervan werd afgeleid: het lupanar. De geschoolde Romein sprak zowel Grieks als Latijn en hij kan onmogelijk Messalina's pseudoniem 'Lycisca' hebben gezien zonder daarbij te denken aan de betekenis van het Griekse stamwoord. Door de keizerin om te dopen tot 'Wolvinnetje' presenteert Juvenalis Messalina als de archetypische hoer en de personificatie van ongeremde, dierlijke seksualiteit.

De Romeinse prostituee liep standaard het gevaar van objectificatie, dwang, geweld, diefstal en dood, en Juvenalis geeft geen verklaring waarom de keizerin alles zou riskeren – haar macht, haar rijkdom, haar respectabiliteit – om een van de vernederendste rollen in de Romeinse maatschappij op zich te nemen. Door zijn zwijgen hierover en door zijn nadruk op de zintuiglijke aspecten van het bedompte, louche bordeel lijkt Juvenalis te suggereren dat het bordeel juist door deze materiële en seksuele ontaarding een fetisjistische aantrekkingskracht uitoefende op Messalina.

Juvenalis' verhaal ontbeert geloofwaardigheid. Het is onwaarschijnlijk dat de echtgenote van de keizer, hoe machtig ze in die hoedanigheid ook was, 's nachts weg had kunnen glippen uit een paleis dat zwaarbewaakt werd door mannen die direct verantwoording schuldig waren aan haar echtgenoot. En als Messalina op de een of andere miraculeuze wijze voorbij de paleismuren was gekomen, zou de blonde pruik waarvan Juvenalis haar voorziet amper toereikend zijn geweest om haar anonimiteit te waarborgen. In de jaren 40 was Messalina de herkenbaarste vrouw ter wereld. Als keizerin moet haar beeltenis alomtegenwoordig zijn geweest; vastgelegd in de meer dan levensgrote marmeren beelden die in de heiligdommen en basilica's stonden, op de schilderijen van de keizerlijke familie die in winkels en atria hingen en zelfs op de munten die in de zakken van de mensen rinkelden en waarmee ze hun eerste levensbehoeften betaalden. Iedereen kende haar gezicht; ze had er simpelweg nooit mee kunnen wegkomen.

Satire gedijt bij de gratie van herkenning. Hoe ongeloofwaardig Juvenalis' verhaal ook is, het staat in een omvattende en hardnekkige traditie die de keizerin associeerde met prostitutie. Tegen de tijd dat Cassius Dio omstreeks het begin van de derde eeuw zijn geschiedeniswerk schreef, hadden deze geruchten het aanzien van historische feiten gekregen. Hij bericht ons dat de keizerin haar eigen bordeel bínnen de muren van het paleis runde, daar zelf werkte en andere vrouwen aan het hof dwong dat ook te doen.*13 Het gerucht wordt herhaald in *Epitome de Caesaribus*, een verzameling korte biografieën van Romeinse keizers, geschreven aan het eind van de vierde of het begin van de vijfde eeuw, waarbij de anonieme auteur de bijzonderheid toevoegt dat Messalina zowel de echtgenotes als de maagdelijke dochters van de adel tewerkstelde en edelen strafte die weigerden de klanten te betalen.[14]

Het verhaal van Plinius de Oudere over de wedstrijd van de keizerin met een courtisane is een andere variatie op hetzelfde thema. Dat er drie

---

* Interessant genoeg was een soortgelijke beschuldiging geuit tegen Caligula.

versies van hetzelfde gerucht bewaard zijn gebleven, suggereert een roddeltraditie à la het Chinese fluisterspel.

Messalina was niet de eerste machtige vrouw die werd uitgemaakt voor een prostituee. Minder dan een eeuw vóór Messalina's opkomst op de Palatijn had de dichter Propertius Cleopatra betiteld als 'meretrix regina canopi' – die slet met een kroon, koningin van de liederlijke Nijl – en Juvenalis verwees vrijwel zeker opzettelijk naar deze beroemde formulering.[15] Hoewel deze neiging om vrouwelijke heersers te associëren met prostituees vooral voortkomt uit een behoefte om te choqueren, is de achtergrond ervan minder verrassend dan het lijkt. In de antieke zienswijze had zowel de prostituee als de vrouwelijke politicus de grens overschreden die de vrouwelijke sfeer van het private huishouden scheidde van de mannelijke wereld van het maatschappelijke leven. De prostituee had haar lichaam toegankelijk gemaakt voor de gemeenschap, de politieke vrouw had zich gemengd in staatsaangelegenheden, maar beiden hadden hun aan het huishouden ontleende vrouwelijke identiteit afgeworpen en een nieuw publiek leven geëntameerd; het een was in zekere zin een voor de hand liggende allegorie op het ander.

De verhalen over de keizerin die de prostituee speelt zijn slechts één aspect van het mythologiseringsproces waaraan de geschiedenis van Messalina werd onderworpen na haar val in het jaar 48. Tijdens haar leven had Messalina zich een geduchte politieke kracht getoond. Ze had publieke bekendheid voor zichzelf verworven, nieuwe wegen ontwikkeld om hofpolitiek te bedrijven en systematisch een aantal tegenstanders uitgeschakeld – belangrijke spelers in de senaat en de keizerlijke familie, die een bedreiging leken te vormen voor haar eigen positie of het bewind van haar echtgenoot. In de jaren na haar dood werd dat allemaal uitgewist. Van een vrouw met seksuele verlangens, die konden bestaan naast de ambities die ze voor zichzelf en haar gezin koesterde, werd ze getransformeerd tot de onvervalste belichaming van alles omtrent vrouwelijke seksualiteit wat de Romeinen angst aanjoeg. Alles – Messalina's plannen, haar mislukkingen, haar prestaties, haar innovaties – werd ondergeschikt gemaakt aan het groeiende verhaal van de 'keizerin-hoer'.

*

Hoe kwam dit nu allemaal, en waarom overkwam het juist Messalina? Ze was lang niet de eerste keizerlijke vrouw die door beschuldigingen van seksuele verdorvenheid ten val kwam, dus waarom raakte alleen haar naam zo onverbrekelijk verbonden met seksuele losbandigheid? De keizerin was duidelijk minder kuis dan het absolutistische ideaal van Romeinse vrouwelijkheid vereiste. Ze kan meer seksuele partners hebben gehad dan gebruikelijk was, zelfs onder haar vrienden uit de hogere kringen die wellicht wat vertrouwder waren met overspel, en ze flirtte zeker met minder discretie. Toch moeten we de echte sleutel tot de mythologisering van Messalina niet zoeken in haar leven, maar in de jaren die volgden op haar dood: in de handelingen en de visie van haar opvolgster Agrippina, en in de oordelen die over het bewind van haar echtgenoot geveld zouden worden.

Nadat Claudius die herfst in het pretoriaanse kamp de executies van Messalina's minnaars en bondgenoten had aanschouwd, wendde hij zich tot de verzamelde cohorten en droeg hen op hem te doden als hij ooit nog opnieuw probeerde te trouwen.[16] Tegen de winter was hij van idee veranderd en op nieuwjaarsdag van het jaar 49 trouwde hij met zijn vierde echtgenote en tweede keizerin, zijn nicht Agrippina. Toen zij keizerin werd, kreeg Agrippina een gevestigde positie aan Claudius' hof in de schoot geworpen – een positie met een reeks privileges en een mate van invloed die Messalina met veel inspanning gedurende bijna een decennium had opgebouwd. Binnen het jaar werd haar de titel 'Augusta' toegekend.[17]

Aan het begin van dat jaar was Claudius' hof, nog niet bekomen van de val van Messalina, het strijdtoneel van rivaliserende facties. Agrippina was niet de enige kandidaat geweest om met Claudius in het huwelijk te treden. Haar aanspraken waren met succes gesteund door de vrijgelatene Pallas, maar twee andere vrouwen – Claudius' ex-vrouw Aelia Paetina en Caligula's derde vrouw Lollia Paulina – waren naar voren geschoven door respectievelijk Narcissus en Callistus.[18] Messalina's kinderen Claudia Octavia en Britannicus bleven ook aan het hof en behielden blijkbaar de gunst van hun vader. Ze konden rekenen op de loyaliteit van alle aanhangers van de oude keizerin die nog in leven waren en zelfs sommigen van haar vroegere vijanden – onder wie Narcissus – zouden zich later bereid tonen de aanspraken van haar kinderen te ondersteunen. Ook buiten de Palatijn zullen er waarschijnlijk mensen zijn geweest die gehecht bleven aan Messalina's nagedachtenis; velen in Rome kan het aan het hart zijn gegaan om te zien hoe haar standbeelden werden omgevormd tot die van Agrippina. Ook Claudius zelf leek nog steeds verscheurd; hoewel hij publiekelijk de uitwissing van Messalina's nagedachtenis had gesteund, had hij Narcissus minder rijkelijk beloond voor de 'dienst' om haar uit de weg te ruimen dan de vrijgelatene had gehoopt.[19]

Agrippina's wankele positie in die eerste jaren van haar heerschappij zette haar aan tot een golf van activiteiten waarmee ze haar eigen factie op de Palatijn beoogde te versterken. Ze regelde dat Seneca – een oude bondgenoot van haar en haar zussen en geen fan van de vorige keizerin – werd teruggeroepen uit de ballingschap die Messalina hem in het jaar 41 had geflikt en tot huisleraar voor haar zoon Nero werd benoemd. Ze arrangeerde dat Lollia Paulina, de gevaarlijkste van haar twee rivalen voor de hand van Claudius, werd veroordeeld op beschuldigingen van tovenarij (ze zou naar verluidt astrologen hebben geraadpleegd over haar kansen op een huwelijk met de keizer), uit Rome werd verbannen en tot zelfmoord werd gedwongen.[20] Ze beschuldigde Lucius Silanus, die sinds het jaar 41 verloofd was met Claudia Octavia, ervan incest te hebben gepleegd met zijn mooie zus Junia Calvina – hij pleegde zelfmoord op de dag dat Agrippina met de keizer trouwde.[21] Deze gebeurtenissen maakten de weg vrij om Claudia Octavia te verloven met Nero, wat Agrippina's dynastieke banden met Claudius versterkte.

In deze woelige omstandigheden was het van cruciaal belang een idealisering van de vorige keizerin te voorkomen waarbij de nieuwe ongunstig kon afsteken. Indien op de juiste manier gebracht, zou de vergelijking echter een nuttig hulpmiddel kunnen zijn. Als de echte of veronderstelde tekortkomingen van Messalina – haar vermeende overspeligheid, gewelddadigheid en irrationaliteit – breed konden worden uitgemeten, zou Agrippina haar eigen positie bij Claudius, het hof en het volk kunnen versterken. Het is niet ondenkbaar dat de geruchten die in de nasleep van de plotselinge en met schandalen omgeven val van Messalina de kop hadden opgestoken vervolgens werden aangewakkerd door haar vervangster. Leden van Agrippina's kring kunnen ook hebben gemerkt dat het aandikken van de oude roddels hun meer welwillendheid op de Palatijn opleverde. Sommige van deze nieuwe verhalen zullen zich van mond tot mond hebben verspreid en net zo vaak zijn herhaald tot ze als 'feit' werden aangenomen. Andere zijn misschien opgeschreven. We weten uit citaten in Tacitus en Plinius de Oudere dat Agrippina een reeks *commentarii* schreef – 'aantekeningen' die een terugblik vormen op 'haar eigen leven en de lotgevallen van haar familie'.²² Als het verslag ergens aan het eind van de jaren 50 werd samengesteld, zoals waarschijnlijk lijkt, moet Agrippina het grillige leven aan het hof van de vorige keizerin en de omstandigheden van haar ondergang hebben beschreven.

Vermoedelijk moeten we het dubieuze verhaal over Messalina's moordaanslag op de jonge Nero in 48 dan ook toeschrijven aan Agrippina's autobiografie of de praatjes in haar kring. Het komt allemaal veel te goed uit; Messalina die wordt voorgesteld als een losgeslagen maniak en Agrippina als een beschermende moeder terwijl Nero in verband wordt gebracht met helden uit de mythen (Hercules, Oedipus, Romulus, enzovoort) die als klein kind worden belaagd door vijanden die hun voorbestemde grootsheid hopen te verijdelen. De kring kan ook andere verhalen in omloop hebben gebracht. Verhalen over ongeremde promiscuïteit waren niet alleen voer voor roddels op eetpartijtjes, maar vormden ook een mooi contrast met het beeld dat Agrippina na de dood van Claudius van zichzelf probeerde te cultiveren: dat van een uiterst toegewijde moeder en een kuise weduwe. Het kwam Agrippina ook goed uit om de beschuldiging van Narcissus te herhalen dat Messalina en Silius een regelrechte samenzwering op touw hadden gezet. Dat narratief overschaduwde alle herinneringen aan het feit dat Agrippina zelf in het jaar 39 was veroordeeld wegens verraad (al had ze dan later gratie gekregen) én diende als rechtvaardiging voor de moord die Agrippina tot keizerin had gemaakt.

De nieuwe keizerin en haar kring mogen dan wellicht obscene geruchten over Messalina hebben verspreid, maar ironisch genoeg heeft Agrippina's eigen val misschien wel de grootste schade aan de reputatie van haar voorgangster toegebracht. Agrippina werd in het jaar 59 vermoord door toedoen van haar eigen zoon, bijna een decennium na de dood van Messalina, en in het jaar 69 maakte een opstand een eind aan de Julisch-Claudische dynastie. In de daaropvolgende jaren leefden vijandige historici zich helemaal uit in hun karakteriseringen van Agrippina. Ze had hun stof te over gegeven om tekeer over te gaan: ze had de troonsbestijging van haar zoon bekokstoofd (een keizer die zeer impopulair was bij senatoriale auteurs), naar verluidt via de dubbele moord op Claudius en Britannicus. En, erger nog, naar hun maatstaven: ze had zichzelf vervolgens openlijker in het centrum van het politieke leven geplaatst dan

Messalina of enige andere Romeinse vrouw ooit had durven doen. Terwijl Messalina haar macht hoofdzakelijk achter de schermen had uitgeoefend op de Palatijn, was Agrippina wat minder terughoudend geweest. Het eerste pretoriaanse wachtwoord van het nieuwe bewind was 'allerbeste moeder', er werden munten uitgegeven waarop haar profiel neusaan-neus met dat van Nero te zien was, ze verscheen in het openbaar in een gouden veldheersmantel en probeerde zelfs in haar officiële hoedanigheid buitenlandse afgezanten te ontvangen.[23]

De Ouden beschouwden het beoefenen van geschiedschrijving als een combinatie van literatuur scheppen en onpartijdig verslag doen van historische feiten. Argumenten konden net zo legitiem ontleend worden aan plot, structuur en personages als aan analyse – en voor Romeinse historici bood het contrast tussen de twee keizerinnen van Claudius een ideale gelegenheid om zich uit te leven in een literaire constructie. Hoe ambitieuzer, slimmer, rationeler, konkelender en sekslozer ze Agrippina maakten, hoe stuurlozer, dommer, irrationeler, hartstochtelijker en zinnelijker ze Messalina portretteerden. Dit contrast toonde beide figuren met filmische scherpte, als uitersten die de lezers voorzagen van drama en variatie, maar er werd ook een politieke boodschap mee overgebracht.

Al had Augustus dan het traditionele gezinsleven verheerlijkt, zijn vestiging van een erfelijke dynastie had de vrouwen van de Domus Augusta mogelijkheden tot machtsuitoefening gegeven die in Rome zonder precedent waren en de institutionalisering van de hofpolitiek in de daaropvolgende jaren had hun nieuwe kansen gegeven om die macht daadwerkelijk te ontplooien. Deze verandering had zich pas onder Claudius openlijk gemanifesteerd: Livia had haar macht zorgvuldig verhuld onder een sluier van ouderwetse bescheidenheid, Tiberius had geregeerd als een verstokte vrijgezel en Caligula was zo vaak van echtgenote gewisseld dat geen van hen echt een stempel had kunnen drukken. Dat de vrouwen die onder Claudius opkwamen over zoveel macht beschikten – eerst Messalina en daarna Agrippina – kwam op degenen onder de senatoriale waarnemers die de geschiedenis van de eerste dynastie schreven over als een onheilspellende ontwikkeling. Ze beschouwden het als een symptoom van de nieuwe quasimonarchale politieke structuur en als een teken dat de natuurlijke orde van de dingen op gevaarlijke wijze dreigde te worden aangetast.

Met het contrast dat ze aanbrachten tussen Messalina en Agrippina presenteerden deze schrijvers (met name Tacitus) twee visies op vrouwelijke macht: tegengesteld van karakter, maar even afgrijselijk in hun uitwerking. Messalina, hypervrouwelijk in haar sensualiteit en hartstocht, feminiseert het politieke domein, waardoor de staatszaken op irrationele wijze gaan draaien om lust, geheime intriges, jaloezie, dromen en liefdesaffaires. Agrippina krijgt daarentegen een onnatuurlijke, monsterlijke masculiniteit door haar obsessie met het verwerven van pure politieke macht. In zijn inleiding op het nieuwe tijdperk van Agrippina werkt Tacitus deze vergelijking expliciet uit: 'Vanaf dat moment stond de politiek op haar kop, alles gehoorzaamde aan een vrouw. En dan niet een die uit lichtzinnigheid, zoals Messalina, een spel met Rome speelde. Nee, een strakke, welhaast mannelijke tirannie, met strengheid en vaker arrogantie in het openbaar en privé geen spoor van ontucht, tenzij het een pad naar overheersing effende.'[24] Op basis van deze twee afschrikwekkende uitersten beargumenteert Tacitus dat vrouwelijke macht – en in het verlengde daarvan een dynastie in Julisch-Claudische stijl – altijd een plaag voor de staat moet zijn.

Het beeld van Messalina kreeg niet alleen vorm in relatie tot dat van Agrippina, maar ook in relatie tot dat van Claudius. De historici die de balans opmaakten van Claudius' bewind, beschouwden zwakheid als zijn karakteristieke tekortkoming. De keizer was een man die slim en scherpzinnig kon zijn, die het heil van de staat kon bevorderen en dat soms ook deed, maar hij was zwak: vatbaar voor zowel de overmatige invloed die degenen zonder recht op macht op hem uitoefenden als, door zijn eigen gebrek aan zelfbeheersing, allerlei verleidingen waarvan vrouwen en wijn de voornaamste waren. Messalina en haar wangedrag dragen op cruciale wijze bij aan dit beeld.

Controle was misschien wel hét wezenlijke aspect van de ideale Romeinse mannelijkheid. De mannelijke burger werd geacht op drie niveaus controle uit te oefenen. Over zichzelf, door matigheid te betrachten door middel van de rede. Over zijn gezin, door zijn rol als pater familias oftewel hoofd van het huishouden te vervullen. En over de staat, door zijn politieke betrokkenheid te tonen door te stemmen of ambten te bekleden. Vrouwelijk overspel ondergroef de tweede pijler van deze mannelijke controle. Door buiten de grenzen van haar huwelijk te treden, legde de overspelige vrouw het falen van haar man bloot om zijn vrouw in het gareel te houden. Met andere woorden: ze dreef de spot met zijn mannelijkheid.

Deze verwachtingen over mannelijkheid wogen dubbel zo zwaar voor de princeps. Voor hem waren de grenzen tussen persoon, huishouden en staat vervaagd. Zijn persoon en zijn huishouden waren immers politieke entiteiten, en op symbolisch niveau werd van hem verwacht dat hij als een vader voor het rijk fungeerde. Als de keizer de zaken op enig gebied niet onder controle had, was dat meer dan een persoonlijke tekortkoming – het was een crisis van de staat.

De bizarste verhalen over Messalina, de extreme vormen van haar overspel en haar avonturen in de prostitutie spelen allemaal in op deze obsessie met mannelijke controle en de vrees dat Claudius er niet in slaagt deze te handhaven. Als overspel al vernederend was voor de bedrogen echtgenoot, dan vormde een vrouw die zich gretig op sekswerk stortte een vernedering van een onvoorstelbare orde. Overspel was in strijd met de huwelijksband, maar prostitutie was als de negatie ervan; prostituees werden in de Romeinse samenleving beschouwd als een van de weinige vrouwen die onafhankelijk, buiten de structuur van de familie functioneerden en niet onder controle van een vader of een echtgenoot stonden. Door Messalina van prostitutie te beschuldigen, maken de bronnen Claudius tot een soort bedrogen echtgenoot in het kwadraat, die totaal niet in staat is zijn echtgenote onder gepaste mannelijke controle te houden. Met sprekende details maken ze dat punt volkomen duidelijk. In Juvenalis' vertelling overschrijdt de keizerin letterlijk de grenzen van het paleis door 's nachts weg te glippen naar de stad en 's ochtends terug te keren met het vuil waarmee ze haar echtelijke bed bezoedelt, terwijl ze in Dio's relaas de heiligheid van de huiselijke ruimte vernietigt door een bordeel te vestigen binnen de muren van de keizerlijke domus zelf. Deze verhalen roepen ook een grotere vraag op: kan Claudius eigenlijk wel de staat besturen als hij niet eens bij machte is zijn eigen huis op orde te houden?

Geruchten over een zich prostituerende keizerin speelden ook in op een andere zorg omtrent Claudius' leiderschap. De Romeinse prostituee was een gevaarlijk symbool van sociale mobiliteit. Ze was een vrouw die haar eigen geld verdiende, wier positie in de samenleving niet werd bepaald door de status van een vader of echtgenoot. Ook was ze een infamis die vermoedelijk een achtergrond had als slaafgemaakte, maar die niettemin op zeer intieme en vrije voet kon omgaan met mannen uit de allerhoogste kringen. Door van Messalina een dergelijke vrouw te maken, voegden de roddelaars, satirici en later ook de historici een nieuwe risicofactor toe aan Claudius' gebrek aan controle. Ze gaf met haar gedrag niet alleen het slechte voorbeeld, maar vormde daarmee ook een destabiliserend element midden in het hart van de staat.

Tijdens de regeerperiode van Messalina en Claudius hadden velen het onbehaaglijke gevoel dat er een verschuiving gaande was. Het Romeinse establishment had bijna driekwart eeuw lang voorgewend dat de dingen min of meer bij het oude waren gebleven, dat de augusteïsche revolutie helemaal geen revolutie was geweest, maar eerder een restauratie of misschien een hervorming, en dat de keizer eigenlijk slechts de eerste onder senatoriale gelijken was. Naarmate de dynastie echter vaster in het zadel kwam te zitten, werd het voor de keizers minder cruciaal om deze fictie vol te houden terwijl het de senatoren steeds moeilijker viel zichzelf erin te laten geloven. Aan het eind van Tiberius' periode was de façade weggevallen en tegen de tijd van Caligula's troonsbestijging werd er de spot mee gedreven. Het lot van zijn voorganger indachtig bewees Claudius zorgvuldig lippendienst aan de eerbiedwaardige senatoriale orde, maar dieper dan dat ging het niet en het duidelijkste blijk dat het om een schijnvertoning ging was de onmiskenbare macht van Messalina en de vrijgelatenen.

De verslagen over Messalina's optreden als prostituee laten niet na constant de nadruk te leggen op normoverschrijdende verschuivingen in status. Elke regel in de passage van Juvenalis is doordrenkt van dit thema. Het zit in de voortdurende verwijzingen naar de slonzigheid van het door Messalina gekozen bordeel, in haar nieuwe naam, in haar nieuwe uiterlijk en in het vuil dat ze 's ochtends mee terug neemt naar het paleis. Ook Dio wekt de indruk dat Messalina de gepaste maatschappelijke hiërarchieën ondermijnt, namelijk met de vermelding dat de andere vrouwen die Messalina werft om in haar bordeel te werken ook van adel waren, en het thema is eveneens te herkennen in de schimpscheut van Plinius de Oudere dat Messalina de overwinning op een prostituee beschouwde als 'een zegepalm die een keizerin waardig was'.[25]

De beschuldigingen van prostitutie die Messalina te verduren kreeg na haar dood hoefden niet eens waar te zijn om tot een vast bestanddeel van de volksherinnering aan de keizerin te worden – ze hoefden alleen maar in te spelen op wijdverspreide en onuitgesproken angsten die een uitlaatklep nodig hadden. En dat was precies wat ze deden: ze voedden de vrees voor overspel en de eindeloze onbeheersbaarheid van vrouwelijke seksualiteit; ze versterkten de typeringen van Claudius als een zwak man en leider; en ze gaven lijfelijk gestalte aan de bestaande zorgen over verschuivingen in wie de macht had, van senatoren naar vrijgelatenen, van mannen naar keizerinnen.

Het is een historische dwaling dat uitgerekend de aspecten van Messalina's imago die het minst teruggaan op de realiteit van haar bewind, haar nagedachtenis het blijvendst zouden bepalen. Het beeld van het onbesuisde, dwaze meisje dat werd gemodelleerd in contrast met Agrippina als slimme, complotterende vrouw, en de onverzadigbare 'keizerin-hoer' die in het leven werd geroepen als een kritisch oordeel over de regeerperiode van haar en Claudius – dat waren de typeringen van Messalina die haar door de eeuwen heen zouden achtervolgen.

18

De tragedie van Claudia Octavia en Britannicus

'Ik ben overgebleven, in de schaduw van een grote naam...'
Pseudo-Seneca, *Octavia*, 71

Op een avond in januari of februari van het jaar 55, iets meer dan zes jaar na de dood van hun moeder, dineerden Claudia Octavia en Britannicus zoals gewoonlijk op de Palatijn. Britannicus was bijna veertien; dit was het jaar waarin hij, als alles volgens plan verliep, de toga virilis zou aantrekken en de publieke loopbaan zou aanvangen waarvoor hij in de wieg was gelegd.

Hun vader was slechts een paar maanden eerder overleden, in het midden van afgelopen oktober.[1] Met zijn 63 jaar had Claudius een mooie leeftijd gehaald voor iemand die nooit een goede gezondheid had genoten, maar toch werd er gefluisterd over vuil spel. Zoals te verwachten was de verdenking gevallen op Agrippina, de stiefmoeder van Claudia Octavia en Britannicus. Het gerucht deed de ronde dat ze haar echtgenoot vergiftigd had – voor de zekerheid tweemaal. De eerste dosis was toegediend via een bord paddenstoelen, het favoriete gerecht van Claudius, maar het gif bleek traag te werken en Claudius had alleen maar nog dronkener geleken dan normaal. Om elk mogelijk risico uit te sluiten werd een tweede dosis op een van de lange veren gesmeerd die de artsen van de keizer gebruikten om hem te laten braken als hij zich weer eens overat; ditmaal trad het gewenste effect meteen op.

Of Agrippina de dood van de keizer nu had beraamd of niet, ze was zeker de drijvende kracht achter de gebeurtenissen die volgden. Bij hun huwelijk in het jaar 49 was haar zoon Nero door Claudius geadopteerd, en in de tussenliggende jaren had de keizer zijn stiefzoon overladen met alle eerbewijzen die traditioneel waren bestemd voor mogelijke opvolgers. Nu was hij bijna zeventien, dus in tegenstelling tot de nog dertienjarige Britannicus een jongeman en waarschijnlijk wel oud genoeg om het principaat te bekleden.

Agrippina regelde de opvolging door haar zoon tot in de puntjes. Terwijl ze de dood van Claudius verzweeg tot alles in orde was en Britannicus en Claudia Octavia troostte op de Palatijn, stuurde ze Nero eerst naar de pretorianen en vandaar naar de senaat. Op 13 oktober 54 werd Nero zowel in het kamp als in de curia tot keizer uitgeroepen, waarmee hij in één klap alle bevoegdheden en eerbewijzen van het principaat verwierf. Claudius' testament werd nooit voorgelezen. De inhoud ervan, vooral met betrekking tot de vraag of hij Nero en Britannicus als gezamenlijke erfgenamen van zijn nalatenschap had aangewezen, was al irrelevant geworden.

De aanligbedden bij het diner die avond begin 55 waren gevuld met de intimi van het keizerlijk hof: de nieuwe keizer Nero, Agrippina, Claudia Octavia en Britannicus waren allemaal aanwezig.[2] Aangezien hij de toga virilis en daarmee zijn volwaardige plaats in de volwassen samenleving nog niet had aangenomen, lag Britannicus aan bij een tafel met jongens van zijn eigen leeftijd (onder wie zijn beste vriend, de toekomstige keizer Titus), die iets minder luxueus was ingericht dan de rest. Dat vereiste de traditie, en gezien zijn positie moest zijn familie vooral niet de indruk wekken hem te verwennen. Het hoorde ook bij zijn positie dat Britannicus een voorproever in dienst had, een slaaf die tot taak had een hapje te nemen van elk gerecht dat hem werd voorgezet om te testen op symptomen van vergif. Die avond kreeg de prins een glas wijn geserveerd op de gebruikelijke Romeinse manier, aangelengd met warm water. De wijn werd geproefd en als veilig doorgegeven, maar hij was te heet, veel heter dan gewoonlijk, en hij werd teruggestuurd voor een scheut koud water. Bij terugkomst werd hij niet opnieuw getest.

Nadat hij zijn glas had leeggedronken, kreeg Britannicus een soort toeval, waarbij hij niet meer bij machte was om te spreken en naar adem hapte. Het gezelschap raakte in paniek; sommigen snelden weg om hulp te halen, maar degenen die sneller van begrip waren keken naar Nero. De jonge keizer was niet verontrust – hij zei dat Britannicus dit soort epileptische aanvallen al had gehad sinds zijn kindertijd en verzekerde het gezelschap dat hij spoedig weer bij bewustzijn zou komen. Britannicus werd de zaal uit gedragen en het diner werd hervat.

Ondanks Nero's geruststellingen was Britannicus – ooit 'de hoop van de caesars' genoemd – dood voordat de avond voorbij was. Er werd haast gemaakt met de voorbereidingen voor de begrafenis, die de volgende dag bij het eerste ochtendgloren plaatsvond op de Campus Martius. Tijdens de begrafenis stak er volgens Tacitus zo'n heftige storm op dat het volk zei dat de hemel hiermee een of ander oordeel moest uitspreken.[3] Het slechte weer deed echter meer dan een teken van de goden geven. Toen het lichaam van Britannicus op de lijkbaar over het forum werd gedragen, zo beweert Dio, spoelde de zware regenval een laagje wit makend gips weg dat op zijn huid was aangebracht, waaronder een afstotelijke, blauwachtige verkleuring zichtbaar werd. Dit werd als een symptoom van vergif beschouwd en iedereen dacht dat Nero degene was die het had toegediend.

Het is heel goed mogelijk dat de zoon van Messalina en Claudius een natuurlijke dood is gestorven, zoals Nero beweerde. Britannicus kan overleden zijn aan een epileptische aanval, of misschien aan een tetanus-infectie die zowel de toevallen als de huidverkleuring kan hebben veroor-zaakt.[4] Uiteindelijk doet de werkelijke oorzaak van zijn dood er weinig toe voor de geschiedenis. Britannicus had door zijn status als zoon van Claudius altijd al een risico voor Nero's hegemonie gevormd, terwijl dat risico alleen maar kon toenemen zodra hij binnenkort de toga virilis zou dragen met alle nieuwe publieke prominentie die dat met zich meebracht.

Vanaf het moment dat Claudius hertrouwde met Agrippina en hij Nero adopteerde, stond vast dat een van beide jongens zou moeten ster-ven. Voor de regerend keizer bood de aanwezigheid van twee erfgena-men aanzienlijke voordelen. Jongemannen konden in Rome door tal van oorzaken sterven (zoals Augustus' eindeloze geworstel voor geschik-te opvolgers had laten zien); als je maar één opvolger benoemde en die kwam te overlijden, kon het ontstane machtsvacuüm achter de keizer een prikkel vormen voor factiestrijd of zelfs regicide. Zoals tijdens de late Republiek duidelijk was gebleken toen het ene triumviraat na het andere afgleed in burgeroorlog, kon het rijk echter niet worden gedeeld. En dus moest de tweede kandidaat, hoe nuttig hij bij leven van de laatste keizer ook mocht zijn geweest, het veld ruimen bij de troonsopvolging van zijn mededinger. Dit scenario had zich snel en duidelijk afgespeeld in de winter van 37/38 toen Caligula zich had ontdaan van Tiberius Gemellus (genoemd als zijn mede-erfgenaam in het testament van Tiberius) door hem op beschuldiging van samenzwering tot zelfmoord te dwingen. Als Britannicus in die eerste maanden van het jaar 55 niet was gestorven, hetzij door vergif hetzij door ziekte, zouden er waarschijnlijk soortgelijke aanklachten tegen hem zijn ingediend voor het jaar ten einde was.

Britannicus' enige kans, vanaf het moment dat Claudius met Agrippina trouwde, lag erin om Nero in de race naar de top te verslaan en hem daarbij te vernietigen. Dat Claudius overleed voordat Britannicus een volwassen leeftijd bereikte maakte een dergelijke uitkomst echter onwaarschijnlijk. Het feit dat Claudius op zo'n gunstig tijdstip voor Nero stierf, wakkerde de geruchten aan dat Agrippina haar echtgenoot had laten vermoorden om te voorkomen dat hij zijn plannen om Messalina's zoon binnenkort naar voren te schuiven ten uitvoer zou brengen. Nero mocht zich verheugen in de standvastige steun van de machtigste vrouw op de Palatijn; sinds de dood van zijn eigen moeder was Britannicus voorgoed verstoken geweest van een dergelijke bondgenoot.

Ongeacht of Britannicus vergiftigd was, zijn lot was al bezegeld door een tweevoudige tragedie: het feit dat zijn moeder overleed en het tijdstip waarop zijn vader overleed.

Bij Claudia Octavia was de situatie minder duidelijk. Als meisje was ze geen directe concurrent van Nero, en Agrippina wist dat als ze haar kaarten goed speelde, Messalina's dochter een troef kon zijn voor het succes van haar zoon.

Ten tijde van de dood van haar moeder was Claudia Octavia ongeveer acht jaar oud en al zo'n zeven jaar verloofd met Lucius Silanus, een jongeman uit een oud aristocratisch geslacht en een achterachterkleinzoon van Augustus. Zijn verloving met de pasgeboren Claudia Octavia was een van de stabiliserende maatregelen geweest die Messalina en Claudius tijdens die eerste, hectische maanden van hun gezamenlijke bewind hadden genomen. Het was de enige die de hele duur van Messalina's heerschappij had standgehouden. In de loop van die tijd had Lucius Silanus kalm maar gestaag carrière gemaakt. Hij had Claudius vergezeld naar Brittannië en was gekozen als keizerlijke gezant om de senaat het bericht van Romes overwinning te brengen. Hij had meegereden in Claudius' triomftocht en was ook zelf onderscheiden met eerbewijzen en overwinningsinsignes. Vóór Messalina's dood in het jaar 48 had hij het pretorschap bekleed en het recht en de financiële middelen gekregen om het soort overdadige gladiatorenspektakels te organiseren waarmee mannen de gunst van het volk wonnen.[5]

Voor Agrippina was deze verloving een belemmering en ze maakte er dan ook korte metten mee.[6] Lucius Silanus werd beschuldigd van incest met zijn zus Junia Calvina – mooi, wild en vroegrijp, met als gevolg dat haar reputatie een prettige schijn van waarachtigheid aan de beschuldigingen verleende.[7] Junia werd verbannen, terwijl Lucius Silanus niet toevallig zelfmoord pleegde op de ochtend dat Agrippina en Claudius in het huwelijk traden.

De weg was nu vrij voor de verloving van Claudia Octavia en Nero. Dat was een cruciale stap in het proces om Nero de status van troonsopvolger te bezorgen – hij was nu in dubbel opzicht erfgenaam van de keizer, als zijn stiefzoon én zijn schoonzoon. Het paar trouwde in het jaar 53, toen de bruid ongeveer dertien was, en de bruiloft werd luister bijgezet met publieke festiviteiten, uitbundige gladiatorenspelen en beestenjachten in het Circus Maximus.[8]

Toen Claudia Octavia anderhalf jaar later aanzat aan het diner dat haar broer niet zou overleven, bezette ze een plek die ooit door haar moeder was ingenomen: die van de keizerlijke echtgenote. Als ze haar man verdacht van de moord op haar broer op die avond, dan liet Claudia Octavia dat niet merken. 'Ondanks haar jonge jaren,' beweert Tacitus, 'had ze al geleerd verdriet en liefde, ja alle gevoelens te verbergen.'[9]

Claudia Octavia had dan misschien geleerd haar emoties te verhullen, maar het lijdt geen twijfel dat haar huwelijk met Nero bijzonder ongelukkig was. Niettegenstaande haar eigen reputatie had Messalina haar dochter opgevoed als een toonbeeld van ouderwetse deugdzaamheid, 'adellijk en allerwegen erkend als eerzaam'.[10] Ze was geliefd bij het volk, haar schoonmoeder Agrippina en het hof, maar ze was niet Nero's type. 'Vanwege een soort noodlot,' merkt Tacitus op, 'of omdat het verbodene uiteindelijk altijd sterker is, vond hij haar afstotend.'[11]

In de jaren na zijn huwelijk begon Nero een reeks hartstochtelijke affaires; eerst met de vrijgelaten vrouw Acte Claudia en daarna met de om haar schoonheid vermaarde, elegante en manipulatieve Poppaea Sabina de Jongere – dochter van de even aantrekkelijke Poppaea Sabina de

Oudere die tot zelfmoord gedwongen was door Messalina vanwege haar vermeende affaires met Mnester en Valerius Asiaticus.[12] Dit waren het type vrouwen dat Nero begeerde: minder 'eerzaam' en meer in voor plezier; minder geremd door hun fatsoensnormen en standsbesef; minder gebukt, wellicht, onder jeugdtrauma en voortdurende afwijzing in haar huwelijk. Claudia Octavia's gegriefdheid was duidelijk zichtbaar voor iedereen om haar heen. Op een keer probeerden Nero's vrienden het voor haar op te nemen en drongen er bij de keizer op aan zijn vrouw wat beter te behandelen. Ze was de echtgenote van de keizer, wierp Nero tegen, was dat niet al mooi genoeg voor haar?[13]

Ondanks alle vijandschap tussen haar en Messalina in het verleden lijkt Agrippina echte genegenheid voor Claudia Octavia te hebben gevoeld. Ze stond haar schoondochter bij in de begindagen van Nero's affaire met Acte, troostte haar en zette haar eigen positie op het spel door het gedrag van haar zoon openlijk af te keuren.[14] Zoals wellicht te verwachten was, had de kritiek van zijn moeder niet tot effect dat de tienerkeizer minder bezeten raakte van zijn minnares of dat hij zijn aandacht weer op zijn wettige echtgenote richtte, maar het verschafte Claudia Octavia wel een zekere mate van bescherming.

Toen Agrippina in het jaar 59 stierf door toedoen van de zoon voor wiens keizerschap zij zich zo had ingespannen, was Claudia Octavia kwetsbaarder dan ooit.[15] Nero voelde zich gevangen in zijn huwelijk, en hoe onberispelijker Claudia Octavia haar rol van goede echtgenote en keizerin vervulde, hoe meer hij haar verfoeide. Ze was pretentieloos en bescheiden, legde geen verlangen aan de dag om zich in staatszaken te mengen, zoals haar moeder had gedaan, maar toch voelde haar echtgenoot zich 'beklemd', zegt Tacitus, door haar persoonlijke populariteit bij het volk en door haar vaders naam.[16] Hij was zich ervan bewust dat hij de macht die hij bezat deels aan haar te danken had en koesterde daar wrok over.

Suetonius beweert dat Nero verschillende vergeefse pogingen deed om Claudia Octavia te laten wurgen.[17] Tegen het begin van de jaren 60 schijnt Nero, daartoe aangemoedigd door zijn ambitieuze nieuwe maîtresse Poppaea Sabina de Jongere, te hebben besloten zich op een conventionelere en betrouwbaardere wijze van haar te ontdoen.[18]

Gezien het hoge aantal echtscheidingen in Rome en Nero's nagenoeg totalitaire bewind is het een opmerkelijk blijk van Claudia Octavia's persoonlijke faam dat er zo'n crisis uitbrak toen de keizer haar aan de kant zette. In het jaar 62 scheidde Nero van Claudia Octavia, aanvankelijk wegens onvruchtbaarheid, waarna hij snel hertrouwde met Poppaea Sabina. Deze manoeuvre viel echter zo slecht bij het publiek dat er algauw nieuwe aanklachten wegens overspel werden gefabriceerd om Claudia Octavia voorgoed de stad uit te krijgen.

Opvallend genoeg mislukte de eerste vervolging volkomen. Claudia Octavia werd ervan beschuldigd een verhouding te hebben met een slaafgemaakte Alexandrijns-Egyptische fluitspeler die Eucaerus heette, maar zelfs onder foltering weigerden Claudia Octavia's bedienden het spel mee te spelen. Een van haar jonge slavinnen viel fel uit tegen Tigellinus, de pretoriaanse prefect die haar ondervroeg: de vagina van haar meesteres, beet ze hem toe, was puurder dan zijn mond. Toen bleek dat er niet genoeg getuigen te vinden waren om een proces te voeren, gaf de keizer het op en dwong hij haar in plaats daarvan 'vrijwillig' in afzondering te gaan leven op een reeks goed bewaakte landgoederen in Campanië.

Er steeg onmiddellijk een storm van publieke verontwaardiging op en toen het gerucht zich verspreidde dat Nero voor de druk van het publiek was gezwicht en Claudia Octavia weer als echtgenote en keizerin had teruggeroepen, was de feestvreugde al even uitbundig. De mensen liepen te hoop op het forum en bij de Capitolijnse tempel, waar ze de goden dankten voor Claudia Octavia's veilige terugkeer. Ze trokken standbeelden van Poppaea Sabina omver en haalden de oude portretten van Claudia Octavia tevoorschijn, die ze met bloemenkransen tooiden, in processie ronddroegen en op het forum en in de tempels opstelden.

Dat Claudia Octavia zoveel steun genoot kan erop wijzen dat het publiek nog bepaalde positieve herinneringen aan haar moeder bewaarde. Claudia Octavia was pas 22 en lijkt in de 7 jaar dat ze keizerin was bewust te hebben vermeden om zelf meer macht en aanzien te verwerven. Als het volk van Rome Messalina echt had gehaat, haar echt had verafschuwd als de 'keizerin-hoer' en echt had geloofd dat ze haar ondergang had verdiend, was het naar alle waarschijnlijkheid niet geneigd geweest het zozeer voor haar dochter op te nemen.

De viering van Claudia Octavia's veronderstelde terugkeer culmineerde in luid geapplaudisseer voor Nero en huldeblijken aan zijn in ere herstelde keizerin. Dat bleek voorbarig. Toen een deel van de uitgelaten menigte het keizerlijk paleis probeerde binnen te stormen, werd deze door de wachters uiteengeslagen. Het werd snel duidelijk dat Claudia Octavia helemaal niet was teruggeroepen en dat Poppaea Sabina keizerin bleef.

Terwijl de keizerlijke garde de menigte met moeite in bedwang hield, drong het tot Nero door dat Claudia Octavia zolang ze leefde een bedreiging voor het regime zou vormen. Deze keer nam hij niet de moeite getuigen te verzamelen. In plaats daarvan ontbood hij Anicetus, de bevelhebber van de keizerlijke vloot bij Napels, die een sleutelrol had gespeeld bij de moord op Agrippina. Nu chanteerde Nero hem met zijn eerdere dienst; de keizer eiste dat Anicetus onder ede zou zweren dat hij Claudia Octavia had verleid tot een buitenechtelijke affaire en dreigde hem wegens moord te laten terechtstellen als hij zijn medewerking weigerde. Niet verrassend stemde Anicetus in met de voorwaarden en legde zijn 'bekentenis' af tegenover een adviesraad van getuigen. Nero vaardigde een edict uit waarin hij de ontrouw van zijn echtgenote gedetailleerd beschreef en voegde daar de beschuldiging aan toe dat haar affaire had geleid tot een zwangerschap en een abortus.

Anicetus werd 'verbannen' naar een luxueus verblijf op Sardinië; Claudia Octavia werd op een schip gezet naar het eiland Pandateria in de Tyrreense Zee. Ondanks alle beschuldigingen van Nero bleven de mensen haar steunen, zegt Tacitus.

> Geen andere ballinge wekte ooit meer het mededogen van kijkers op. Sommigen herinneren zich nog Agrippina, uitgezet door Tiberius. Recenter, meer voor ogen staand, was Julia, verdreven door Claudius. Maar die beiden waren volwassen, hadden goede tijden gezien, konden de wreedheid van het heden verlichten door terug te denken aan hun ooit betere lot. Maar zij? Het begon al met haar huwelijksdag, een soort begrafenis, en het huis waar zij werd binnen gevoerd, voor haar een plaats van louter rouw vanwege gifmoord op haar vader en kort erna haar broer. Dan de slavin die machtiger werd dan meesteres, en Poppaea als bruid, alleen ter vernietiging van de wettige vrouw. En ten slotte die valse aanklacht, erger dan elke ondergang.[19]

De mensen die haar vertrek gadesloegen vreesden dat ze haar nooit zouden zien terugkeren van Pandateria, het beruchte barre gevangeniseiland waar veel andere keizerlijke vrouwen het leven hadden gelaten, en die vrees was terecht. Er waren pas een paar dagen in ballingschap verstreken toen Claudia Octavia een brief van Nero ontving waarin hij haar beval zelfmoord te plegen. Net zoals eerder haar moeder weigerde ze. Ze beriep zich op haar afkomst, haar plichtsbetrachting, haar zwijgen, zelfs op haar band met Agrippina; ze was ongelukkig geweest in haar huwelijk, erkende ze, maar ze was niet bereid om te sterven.

Het mocht niet baten – aan het bevel van de keizer viel niet te tornen. De soldaten bonden haar stevig met koorden vast en sneden de aderen in haar armen door en voor de zekerheid ook die in haar benen. Het bloed vloeide nog steeds te langzaam, meldt Tacitus – hij zegt dat het 'stokte van angst' –, zodat er een gloeiend heet bad werd klaargemaakt waarvan de stoom het proces zou versnellen.[20] Eenmaal dood, zo zeiden de mensen, werd haar hoofd afgehakt en naar Poppaea Sabina in Rome gebracht. Claudia Octavia, Messalina's eerste kind en de laatste van haar directe afstammelingen, was op haar tweeëntwintigste dood.

De lotgevallen van de andere hoofdrolspelers in Messalina's verhaal waren wisselender dan die van haar kinderen.

Narcissus kreeg minder dan hij gehoopt had als loon voor alle risico's die hij had moeten nemen om Messalina uit de weg te ruimen. Claudius kende hem de quaestor-eretekens toe (een van de lagere senatoriale ambten) bij een publiek vertoon van eensgezindheid na de val van de keizerin, maar schijnt hem privé amper zijn dank te hebben betuigd; de affaire had de politieke geloofwaardigheid van de keizer aangetast en verdeeldheid gezaaid in zijn familie. Agrippina vertrouwde Narcissus ook al niet, aangezien hij zich had verzet tegen haar huwelijk met Claudius en de keizer in plaats daarvan had aangeraden om zijn voormalige echtgenote Aelia Paetina terug te nemen, die geen bedreiging vormde.

Narcissus raakte nu langzaam maar zeker uit de gratie bij de keizer en zijn loopbaan vertoonde een dalende lijn, zeker in vergelijking met Agrippina's favoriete vrijgelatene Pallas; in het jaar 52 werden Pallas de insignes van het pretorschap toegekend, twee stappen boven Narcissus' quaestorschap in de *cursus honorum*.[21] Narcissus had ook met andere problemen te kampen. Hij had de leiding gekregen over een van Claudius' prestigieuze constructiewerken: de drooglegging van het Meer van Fucine. Toen een deel van het drainagestelsel instortte, gaven mensen Narcissus daar de schuld van. Ze beweerden dat de vrijgelatene fondsen had weggesluisd en de bewijzen vervolgens had geprobeerd te vernietigen.[22]

Tegen de tijd van Claudius' dood waren de spanningen tussen Narcissus en Agrippina zo hoog opgelopen dat hij naar verluidt overwoog om Britannicus te steunen als de erfgenaam van de keizer in plaats van Nero, ondanks al zijn vijandschap jegens de moeder van de jongen en het risico dat Britannicus de dood van zijn moeder zou wreken mocht hij aan de macht komen.[23] Als de vrijgelatene echter opnieuw een gewaagde zet had gepland, dan was hij daar te laat mee. In de herfst van 54 was Narcissus weg uit Rome, met als aangegeven reden dat hij ging kuren voor zijn jicht, maar hij was mogelijk met een of ander voorwendsel door Agrippina op reis gestuurd. Tegen de tijd dat hij terugkeerde was Claudius dood en zat Nero op de troon. Het was überhaupt onverstandig van Narcissus om terug te keren: hij kreeg huisarrest en nog voor het jaar om was werd hij geëxecuteerd of tot zelfmoord gedwongen. Naar verluidt was Narcissus' laatste daad voor zijn dood het verbranden van alle keizerlijke correspondentie die hij als Claudius' secretaris in bezit had gekregen.[24]

Messalina's moeder, Domitia Lepida, was eerder in datzelfde jaar ten val gekomen. Vanwege haar relatie met Messalina zal Agrippina geen warme gevoelens voor haar hebben gekoesterd, maar de problemen tussen de twee vrouwen stamden misschien al uit de tijd van het naar verluidt ongelukkige huwelijk van Agrippina met de broer van Domitia Lepida, Domitius Ahenobarbus. Het ergst van alles was dat Domitia Lepida de kleine Nero onder haar hoede had genomen toen Agrippina onder Caligula verbannen was en ze een zekere invloed op haar neef had behouden. Ze was blijkbaar nog steeds dol op hem en vertroetelde hem, wat Agrippina zowel ergerde als verontrustte.[25]

De keizerin liet Domitia Lepida aanklagen voor een dubbele misdaad: ze werd er ten eerste van beschuldigd hekserij tegen Agrippina te hebben ingezet en ten tweede stond ze terecht voor het minder sinistere maar beter bewijsbare feit dat ze de discipline onder de enorme slavenploegen die op haar landgoederen in Calabrië werkten gevaarlijk uit de hand had laten lopen. Domitia Lepida werd ter dood veroordeeld en stierf in het jaar 54, hetzij door executie hetzij door zelfmoord.

Messalina's oude bondgenoten in de senaat verging het ietwat beter. Vitellius, de man die haar schoen had gekust maar haar later op de weg vanuit Ostia weigerde te steunen, stierf aan natuurlijke oorzaken in het jaar 51. Met zijn drie consulaten en een ambtstermijn als censor had hij kunnen bogen op een opmerkelijk illustere carrière en hij werd geëerd met een staatsbegrafenis. De senaat richtte op de rostra in het forum een standbeeld op met het opschrift: 'Een man van onwankelbare trouw aan keizer Claudius'.[26] Later, na de ondergang van Nero, zou Vitellius' gelijknamige zoon kortstondig het rijk regeren in het Vierkeizerjaar.

De beruchte aanklager Publius Suillius hield het langer vol. Na Messalina's dood wist hij zich nog een decennium lang te handhaven met alle pracht en praal die hij tijdens haar leven had genoten. Maar in het jaar 58 kreeg hij uiteindelijk een koekje van eigen deeg.[27] Opnieuw werd de lex cincia – dezelfde wet waarmee Messalina's minnaar Silius hem in het jaar 47 had geprobeerd uit te schakelen – tegen hem in het veld gebracht, maar ditmaal combineerde zijn aanklager, de filosoof Seneca, dit met beschuldigingen over afpersing. Het lag niet in Publius Suillius' aard om zich neer te leggen bij deze aanklachten. Hij was een man, zo zegt Tacitus, die 'liever schuldig dan smekeling leek'.[28] Publius Suillius ging in de aanval: hij haalde de beschuldiging van Messalina dat Seneca overspel met Julia Livilla had gepleegd weer van stal, beschuldigde hem van corruptie en dreef de spot met zijn opmerkelijk dure smaak voor een filosoof.

Toen hem bewijzen werden voorgelegd van laakbare handelingen die hij in zijn loopbaan als aanklager had begaan, veranderde Publius Suillius van tactiek en zei hij dat hij alleen maar bevelen van de keizer had opgevolgd. Nero kapte hem af door te zeggen dat dergelijke instructies nergens in Claudius' papieren waren terug te vinden. Nee, verduidelijkte Publius Suillius, de bevelen waren niet afkomstig geweest van Claudius, maar van Messalina. Hier begon 'de verdediging te wankelen', aldus Tacitus. 'Waarom was hij dan gekozen als spreekbuis voor die *hysterische immorele vrouw*?' wilde de aanklager weten.[29] Uiteindelijk berustte Publius Suillius in de onvermijdelijkheid van zijn veroordeling; de helft van zijn bezit werd geconfisqueerd en hij werd verbannen naar de Balearen, waar Messalina's laatste bondgenoot de rest van zijn dagen comfortabel in een staat van weelde zou hebben doorgebracht.

Terwijl Publius Suillius genoeg van zijn enorme rijkdommen bijeensprokkelde om er goed van te kunnen leven in zijn van rechtswege gedwongen pensionering en Rome voor de laatste keer verliet, werd de aanduiding van Messalina als 'hysterische immorele vrouw' door de aanklager opgenomen in de notulen van de senaat.

19

Epiloog: de Messalina's

'De dood heeft een einde kunnen maken aan haar uitspattingen, maar kan ze niet uit het geheugen wissen.'

Francesco Pona, *La Messalina*

De menigte die op de avond van 21 maart 1899 de Place du Casino overstak naar de Opéra de Monte-Carlo moet een bonte aanblik hebben geboden. Europese aristocraten en Amerikaanse nouveaux riches, society-debutantes en de courtisanes die met hun verloofden sliepen, mannen die dik gewonnen hadden aan de speeltafels en mannen die weinig meer te verliezen hadden. Op het programma van die avond stond de wereldpremière van een nieuwe opera door de Engelse componist Isidore de Lara, getiteld *Messaline*.

Terwijl het orkest inzette ging het doek open en werd een victoriaanse verbeelding van Rome onthuld. Een monumentale stenen trap werd geflankeerd door Ionische zuilen, bogen waren versierd met vergulde fakkels, zware bloemenslingers en halfnaakte beelden. Het was een en al overdaad. Zelfs het koor van slavinnen droeg kleurrijke verfraaide tunieken, driedubbele halskettingen en gouden armbanden. Toen Messalina eindelijk verscheen, gespeeld door de beroemde Belgische sopraan Meyrianne Héglon, stelde ze niet teleur: haar rijkelijk opgesmukte zijden jurk was onder haar borsten vastgeknoopt met een brede, met juwelen bezette ceintuur en haar zware fluwelen sluier werd op zijn plek gehouden door een kroon van gouden bladeren.

Dat alles moest het jaar 45 voorstellen – toen Messalina op het hoogtepunt van haar macht was –, maar de librettisten Silvestre en Morand hadden een loopje met de geschiedenis genomen. Hun plot draait om een fictieve driehoeksverhouding tussen de keizerin en een verzonnen broederpaar, de dichter Hares en de gladiator Hélion. Beiden beginnen een affaire met Messalina, jaloezie laait op en uiteindelijk leiden persoonsverwisselingen tot een tragische ontknoping wanneer Hélion eerst zijn broer en dan zichzelf doodt. De keizerin blijft ongedeerd. Als er die avond enkelingen onder het publiek in de Salle Garnier waren die zich genoeg van hun klassieke scholing herinnerden om op te merken hoe volslagen historisch inaccuraat *Messaline* was, deed dat niets af aan hun plezier. Misschien kenden sommigen haar vooral uit een exemplaar van Didots boek uit 1798, met zijn pornografische gravures van Messalina als Lycisca, dat ze in de bibliotheek van hun overgrootouders hadden gevonden. Hoe dan ook, de opera bood alles wat ze zich maar konden wensen: Romeinse decadentie, seksuele verdorvenheid en meerdere doden.

Na in Monte Carlo juichende kritieken te hebben gekregen, vierde *Messaline* triomfen elders in Europa. Henri de Toulouse-Lautrec zag de voorstelling de winter daarop in het Grand Théâtre in Bordeaux en keerde avond na avond terug om schetsen te maken. De zes op *Messaline* gebaseerde schilderijen die Toulouse-Lautrec vervaardigde, ademen allemaal dezelfde vreemde, enigszins droomachtige en vagelijk dreigende atmosfeer. De figuren, in kleding die het midden houdt tussen Romeins en belle époque, baden in het groenige licht van de gaslampen die het podium beschenen. In elke scène springt Messalina eruit, zelfverzekerd en hooghartig in een choquerend rood.

Messaline speelde ook in het Royal Opera House in Londen en werd in 1901 de eerste opera door een Engelse componist die in La Scala in Milaan werd opgevoerd. Tegen januari 1902 had het succes van *Messaline* haar over de Atlantische Oceaan gebracht naar de Metropolitan Opera in New York.

Maar wat in fin de siècle-Europa een doorslaand succes was geweest, sloeg in New York niet aan. De recensie die op de ochtend van 23 januari 1902 verscheen in *The New York Times* liet aan duidelijkheid niets te wensen over.[1]

De productie van een nieuwe opera in het Metropolitan Opera House kan met recht een 'event' worden genoemd [...] Het libretto van Messaline is onbeschaamd gedurfd, zo niet ronduit obsceen. Het is volledig gebaseerd op de luidruchtige passie van een vuilbekkende, van vleselijke lusten bezeten, ontaarde vrouw [...] [De librettisten] hebben jammerlijk gefaald in hun poging om de gedachten van deze Messaline te hullen in 'poëzie'. Hun verzen verbergen hun eigen betekenis niet en die betekenis is onaangenaam [...] het beleefde publiek dat gisteravond de voorstelling uitzat kon niet de gebruikelijk onwetendheid van de operabezoeker omtrent plot en dialoog voorwenden. Er was geen vergissing mogelijk over de betekenis van deze scène.

De recensent deelt nog enige bedenkelijke lof uit aan de eerste sopraan voor haar vertolking. 'Gezien het recente operaverleden hier in New York is het nauwelijks nodig,' schrijft hij,

om enige lezer van de kranten te vertellen dat Mme. Calvé een noodlottig talent heeft voor het uitbeelden van verleidelijke charmes. Degenen die haar Carmen hebben gezien – en wie heeft dat niet? – weten dat ze een volmaakte intuïtie heeft voor het spelen van het type vrouw dat profiteert van de zwakte en dwaasheid van mannen, dat allereerst uit is op bevrediging van de eigen behoeften en dat haar afgedankte slachtoffers zonder gewetenswroeging in het verderf of de dood stort [...] Maar als we de dode Messaline per se moeten zien herrijzen en vleselijk gestalte krijgen, laten we dan meteen bekennen dat ze gisteravond tot leven kwam en haar kwaadaardige invloed in het Metropolitan voor het voetlicht heeft gebracht.

Klaarblijkelijk niet geheel bevredigd in zijn boosheid zou dezelfde recensent nog geen drie weken later terugkeren om een tweede uitvoering van *Messaline* te zien.

*

Zo'n 800 jaar voordat *Messaline* de verontwaardiging (en de interesse) wekte van de operacriticus van *The New York Times*, had de twaalfdeeeuwse theoloog Honorius van Autun zorgen van heel andere aard: nonnen waren zich volgens hem slecht gaan gedragen. Honorius beweerde dat de duivel de slaapzalen van het klooster was binnengedrongen en de meisjes tot allerlei vormen van losbandigheid had aangezet. Deze vrouwen, zei hij, namen niet meer de Maagd Maria als hun voorbeeld, maar spiegelden zich aan de Griekse courtisane Phryne, en aan Messalina.[2] Een millennium na haar dood werd Messalina omgevormd tot een soort antichrist van de vrouwelijke seksualiteit.

Weer een millennium later, in 2013, zou de Deense regisseur Lars von Trier het seksuele wangedrag van Messalina opnieuw mystificeren. Aan het begin van 'Volume II' van zijn controversiële, uit twee delen bestaande film *Nymphomaniac* ondergaat een twaalf jaar oude Joe (de *nymphomaniac* uit de titel), in een perverse draai op het verhaal van de transfiguratie van Jezus op de berg, een visioen van Messalina en de hoer van Babylon wanneer zij haar eerste orgasme krijgt. Messalina verschijnt zoals ze te zien is in het Louvre-beeld, gesluierd en met de baby Britannicus in haar armen. Als Joe tientallen jaren later het verhaal over haar verschijning vertelt in het huis van de vrijgezel van middelbare leeftijd Seligman, merkt ze op dat de vrouw eruitzag als de Maagd Maria. 'Nou, het was niet de Maagd Maria, dat kan ik je wel vertellen,' antwoordt de belezen Seligman. 'Te oordelen aan je beschrijving moet het Valeria Messalina zijn geweest, de vrouw van keizer Claudius, de beruchtste nymfomane uit de geschiedenis.'

Hoe verschillend de bedoelingen van Lars von Trier en Honorius ook waren, beide mannen gebruiken Messalina op dezelfde manier, doordat ze haar van een vrouw transformeren in een allegorie van seksuele buitensporigheid. Terwijl Messalina eerst tot een demonische afgod wordt gemaakt en vervolgens tot een pseudo-heilige in een visioen, wordt ze ontdaan van haar historische werkelijkheid en van elk niet seksueel aspect van haar identiteit. Zowel de middeleeuwse theoloog als de eenentwintigste-eeuwse filmregisseur vereenvoudigt de complexe geschiedenis van de keizerin totdat ze alleen nog maar functioneert als een symbool van onbeheerst vrouwelijk verlangen.

In hun gebruik van Messalina als archetype sluiten Honorius en Von Trier aan bij een lange traditie. Messalina's verhaal fungeerde als een thema in kunst en literatuur, en haar naam werd veralgemeniseerd tot een zelfstandig naamwoord, een bijvoeglijk naamwoord, een waarschuwing, een grap, een belediging, een compliment en een ijkpunt. De figuur van 'de Messalina' of 'de Messaline' houdt betrekkelijk weinig verband met specifieke verhalen die in de antieke bronnen over Valeria Messalina worden verteld; in plaats daarvan is haar naam een verkorte uitdrukking geworden voor de seksuele vrouw – en meer in het algemeen voor de sléchte vrouw.

Auteurs die goed bekend zijn met de antieke verhalen over de seksuele avonturen van de keizerin grijpen telkens weer op Messalina terug als een model voor de openlijk seksuele vrouw. Vrouwen worden vergeleken met Messalina wanneer ze verlangen naar seks, wanneer ze veel seks hebben, wanneer ze er goed in zijn of wanneer ze ervan genieten. Een Franse roman uit 1830 beschrijft 'het woeste verlangen naar genot dat deze Messalina's teistert'.[3] De uitgeputte madam die in de behoeften voorziet van het geheime genootschap van aristocraten in André Robert Andréa de Nerciats Les Aphrodites uit 1793, vraagt zich over een van haar klanten af: 'Heb ik deze zekere Messalina niet van maar liefst drie Zwitserse gardisten op een dag voorzien? Ze houdt nooit op!'[4] Een andere achttiende-eeuwse Franse romanschrijver, Restif de La Bretonne, roemt de manier waarop een vrouw 'met haar heupen wiegde als Cleopatra en Messalina', en in Juliette van Markies de Sade belooft een minnaar de titelheldin dat hij haar 'zal laten klaarkomen als een Messalina'.[5]

Het idee van 'de Messalina' als een belichaming van ongeremd vrouwelijk seksueel verlangen deed ook opgang in Groot-Brittannië. Al in de jaren zeventig van de zeventiende eeuw was Messalina's reputatie als het hoerachtige archetype bij uitstek voldoende gevestigd om speels onderuitgehaald te worden door de beroemde libertijn John Wilmot, graaf van Rochester. In een satirische ode aan Hortense Mancini, de Franse maîtresse van koning Karel II, schrijft hij: 'Wulpse Messalina was naast u slechts een doorsneemeid/In u toont zich het summum van losbandigheid.'[6]

Soms was 'de Messalina' een prostituee of een demi-mondaine, maar vaker was ze een eigenzinnig lid van de respectabele samenleving.[7] In de jaren zeventig van de achttiende eeuw werd de zeer overspelige Caroline Stanhope, gravin van Harrington, aangeduid als 'de Messalina van het stalerf', wat verwees naar de bijnaam voor haar huis in St James.[8] Een decennium later zou de zus van haar schoondochter, Seymour Fleming en vanaf haar huwelijk Lady Worsley, over wie in haar beroemde proces wegens 'criminal conversation'* werd gezegd dat ze 27 minnaars zou heb-

---

* Hierbij spande een echtgenoot een proces aan waarin hij financiële genoegdoening eiste wegens overspel van zijn echtgenote; 'conversation' is een verouderde term voor geslachtsgemeenschap [noot van de vertaler].

ben, worden bestempeld als 'de Messalina van onze tijd'.[*9] Zelfs nog hal-verwege de twintigste eeuw zou de hertog van Argyll zijn aanstootgevend overspelige echtgenote Margaret 'een Messalina in de familie' hebben genoemd.

De associatie tussen de overspelige vrouw uit de bovenklasse en de culturele herinnering aan Messalina wordt bevestigd door de publicatie van een brief die een anonieme 'Lady of the Ton' in oktober 1781 zou heb-ben geschreven aan *The London Courant* en die het monogame huwelijk over de hekel haalt en overspel aanprijst in de verhevenste bewoordin-gen. 'Moeten we aannemen,' vraagt de schrijver zich af,

> dat een vrouw met smaak en karakter, diep doordrongen van de ga-lanterieën van dit tijdperk, zichzelf kan verzoenen met de gedachte al haar kostbare momenten te moeten vergooien aan een afgeleefde oude kwezelaar van een echtgenoot, wiens bezielde pols niet langer klopt met warme, liefdevolle hartslagen, wiens uitdovende vonken het verlangen slechts prikkelen en verder niet [...]? [...] Kunnen deze worden vergeleken met de zaligheden van zwervende vrijages en de verrukkingen die onlosmakelijk zijn verbonden met een onbeperkte variatie op het fluwelen pad van lichtzinnigheid en frivool vermaak?

Het door de schrijver gekozen pseudoniem is veelzeggend: de brief is on-dertekend met 'Messalina'.[10]

Slechts twee jaar voordat 'Messalina' naar *The London Courant* schreef, had een brievenschrijver naar een andere Londense krant – *The Morning Post* – de keizerin eveneens aangeroepen in diens pseudoniem. In juli 1779 schreef een man die zichzelf de 'Anti-Messalina' noemde tweemaal naar de krant om te klagen over het bestaan van vrouwen in het algemeen en hun gedrag in het bijzonder. Zijn eerste brief brengt overspel ter sprake,

---

* Verwijzingen naar Seymour Fleming als Messalina komen voor in verschil-lende populaire satirische gedichten die rond de tijd van het proces verschijnen. 'What though for thee I'm styl'd in ev'ry page/The Messalina of the present age;/Be it my praise, my chief delight, to own,/Of all mankind I love not thee alone.' In een ander vers, zogenaamd zijn repliek, luidt het vinnig: 'O thou, whom our young nobles hail divine/Unrivall'd priestess at Priapus' shrine,/Immortal W—Y, or if yet more dear/The name of Messalina greet thine ear.'

maar gaat vooral over de spilzucht en extravagantie van vrouwen, waarin hij de oorzaak ziet voor een golf van faillissementen, berovingen, moorden en zelfmoorden. In zijn tweede brief beschuldigt hij Franse prostituees die zich voordoen als gouvernantes ervan dat ze Engelse dochters 'lichtzinnige manieren en leeghoofdig, bizar gedrag' bijbrengen en hen opzadelen met 'de mannelijke uitstraling van een amazone, de wulpse blik van een Laïs en nonsensicale bagatelles waar een kamermeid zich nog voor zou schamen'.[11] Gezien zijn pseudoniem lijkt het misschien opmerkelijk dat overspel nauwelijks aan bod komt in het gefulmineer van deze 'Anti-Messalina', maar tegen die tijd was het epitheton 'Messalina' niet alleen een synoniem geworden voor een overspelige vrouw, maar ook voor een slechte echtgenote en een slechte vrouw in het algemeen. Naarmate het victoriaanse tijdperk steeds geobsedeerder raakte door het ideaal van de goede vrouw, de 'engel in huis', veranderde de 'Messalina' steeds meer in haar tegenpool. Wanneer Mr Rochester uit *Jane Eyre* uitlegt hoe ondraaglijk zijn eerste huwelijk was, schrijft hij een waslijst aan gebreken en ondeugden toe aan zijn half-Jamaicaanse vrouw Bertha. Hij beëindigt zijn litanie ermee haar als 'mijn kleine Messalina' te bestempelen.[12]

De transformatie van Messalina tot een zinnebeeld van ongeremde vrouwelijke lust, aristocratisch overspel en gevaarlijke onhuiselijke feminiteit borduurt voort op haar reputatie, maar gaat vrijwel voorbij aan het feitelijke verhaal van haar leven. Vanaf de eerste eeuw erkenden toneelschrijvers, dichters, romanschrijvers, componisten, schilders en beeldhouwers echter het dramatische en symbolische potentieel van Messalina's levensverhaal.[13] Dat deze kunstenaars zich intensiever met de details van haar leven bezighielden maakte hun voorstellingen van de keizerin niet per se veel genuanceerder dan die waarbij haar naam simpelweg synoniem stond voor promiscuïteit en hoererij. In plaats daarvan gebruiken deze kunstenaars de opkomst en ondergang van Messalina om eeuwig vrouwelijke 'types' te verkennen: het slachtoffer, de heks, de politieke boosdoener, het seksobject, de nymfomane en de femme fatale.

Messalina's verhaal had zijn debuut op het toneel zo'n 1800 jaar vóór de première van De Lara's opera in Monte Carlo gemaakt. De tragedie *Octavia*, geschreven omstreeks de tijd van de val van de Julisch-Claudische dynastie en de opkomst van hun Flavische opvolgers, vertelt het verhaal

van het ongelukkige huwelijk van Messalina's dochter met Nero, culmi-
nerend in haar verbanning en dood.* Messalina is dood voordat het verhaal begint, maar haar aanwezigheid is vanaf de eerste pagina nadrukkelijk voelbaar:

> *Ik zal altijd rouwen om mijn moeder*
> *De oorsprong van al mijn ongeluk [...]*
> *Huilend keek ik naar je wonden en zag ik je gezicht*
> *Vlekkig en korstig van je eigen geronnen bloed.*[14]

In *Octavia* is Messalina een bewerkstelliger van het tragische. Haar daden
en haar val (die, net zoals in het echt, de weg vrijmaakt voor de opkomst
van Agrippina en Nero) hebben een intergenerationele vloek gelegd op
het huis van Claudius. Die vloek, van hetzelfde type dat in Griekse tragedies zo gebruikelijk is, heeft al geleid tot de dood van Britannicus en
Claudius en Claudia Octavia zal er voor het eind van het stuk ook aan ten
onder gaan.

Toch wordt Messalina ook zelf als slachtoffer van het tragische voorgesteld. Claudia Octavia's beschrijving van het verminkte lijk van haar
'onfortuinlijke' moeder wekt ons medeleven op, en later in het stuk
schaart het koor Messalina onder een reeks onschuldige slachtoffers
van de Julisch-Claudische tirannieën. Het antwoord op de vraag van wie
Messalina precies het slachtoffer wás, is minder duidelijk. Claudia Octavia legt de schuld bij de machinaties van Agrippina, het koor geeft Narcissus de schuld, maar de interessantste en blijvendste suggestie komt
van het personage van Claudia Octavia's voedster. 'Laat je weeklagen
nu maar achterwege, droog je vrome tranen/en verstoor de geest van je
moeder niet,' adviseert ze, 'ze betaalde een hoge prijs voor haar waanzin.'[15] Messalina wordt zowel schuldig verklaard als vrijgesproken: haar
ondergang is het gevolg van haar daden, maar die daden zijn het gevolg

---

* Het auteurschap is onbekend. Het is soms toegeschreven aan Seneca, maar
hoewel de auteur een aantal formuleringen en attitudes ontleent aan Seneca,
wordt zijn auteurschap tegenwoordig onwaarschijnlijk geacht om zowel stilisti-
sche als contextuele redenen. Het stuk is ons enige bewaard gebleven voorbeeld
van een *fabula praetexta*, een genre van de Latijnse tragedie dat zijn stof ontleent
aan de Romeinse geschiedenis in plaats van aan Griekse mythen.

van een 'waanzin' die inherent in haar aard zit. Messalina's seksualiteit wordt een voorbestemde 'fatale zwakte', wat haar dood onvermijdelijk en gepast maakt, maar ook tragisch.

Dit idee wordt 1200 jaar later opgepikt door de grote veertiende-eeuwse Italiaanse humanist Boccaccio in zijn boek *Over de lotgevallen van beroemde mensen*. Als hij op een dag in zijn studeerkamer zit, stelt Boccaccio zich voor dat hij wordt bezocht door een reeks visioenen van grote mannen en vrouwen uit de geschiedenis die over hun leven vertellen en proberen hun gedrag te verklaren of zich willen verontschuldigen. In Boek zeven bevindt Boccaccio zich te midden van een menigte Romeinen uit de oudheid. Zijn aandacht wordt getrokken door een discussie tussen Tiberius, Caligula en Messalina.[16] De twee keizers gispen Messalina om haar overspel. Ze verdedigt zich door haar verhaal te presenteren als een tragedie en haar seksueel losbandige beschuldigers te wijzen op hun hypocrisie. Ze schaamt zich voor haar overspel, bekent ze, maar ze werd daartoe gedreven door verlangens waarover ze geen controle had. Toen haar vader bij haar geboorte een astroloog raadpleegde, licht ze toe, verklaarde deze dat alle hemeltekens van het kind samenvielen in de sfeer van Venus. 'Ik werd dus geboren,' zegt ze, 'onder deze dwingende constellatie, en hoe afkeurenswaardig mijn daden ook mogen zijn geweest, ze lagen nu eenmaal in mijn aard. Iedereen zou hopen en waarlijk wensen zo'n aard te overwinnen door wilskracht, maar zelfs Hercules zal een jong meisje vergeven dat ze daarin faalde [...] want hij werd overwonnen door de kracht van de liefde, net als ik.' Een Frans manuscript van Boccaccio's werk, omstreeks 1415 geïllustreerd door de Boucicaut-meester en nu in bezit van het Getty Museum in Los Angeles, toont Messalina – mooi, blond en rijkelijk gekleed in de trant van een middeleeuwse koningin –geflankeerd door een bozige Tiberius en een al overdonderde Caligula.[17] Messalina lijkt opmerkelijk kalm, gezien het feit dat de vlammen van de hel tot voorbij haar knieën reiken. Op een andere illustratie die omstreeks 1400 is vervaardigd wordt Messalina levend verslonden door een satanisch beest dat, zo lijkt het, geen trek heeft in Caligula of Tiberius.[18]

Boccaccio vraagt ons om mee te leven met Messalina, maar door de manier waarop hij dat doet, berooft hij haar net als de schrijver van *Octavia* grotendeels van haar vermogen tot zelfstandig handelen. Deze mannen moedigen ons aan Messalina te vergeven omdat ze van nature niet in staat was om zich beter te gedragen. Haar daden kwamen niet voort uit vrije keuze, betogen zij, maar uit het noodlot en vrouwelijke zwakte. Deze tragische constructies van Messalina zijn volledig gebaseerd op haar ondergang. Alleen omdat we weten dat Messalina haar gepaste straf heeft gekregen voor haar seksualiteit – door haar afschuwelijke dood en, in de geïllustreerde interpretaties van Boccaccio, door eeuwige verdoemenis – voelen we ons gerechtigd om haar te vergeven.

Messalina verschijnt ook als tragisch slachtoffer in de beeldende kunst. Helemaal aan het begin van de achttiende eeuw gaf Gerolamo Canale, Venetiaans aristocraat en eerste in rang na de doge, de beroemde Napolitaanse kunstenaar Francesco Solimena de opdracht om een reeks scènes uit de mythologie en de antieke geschiedenis te schilderen, waaronder *De dood van Messalina.** Op dit monumentale schilderij van bijna 2 meter hoog en ruim 2,5 meter breed is de dramatische climax van Tacitus' verhaal uitgebeeld: Messalina is gevonden in de Tuinen van Lucullus en een centurio maakt zich op de doodsteek toe te brengen.

Solimena heeft zijn hele trukendoos opengetrokken om de dramatiek van het moment weer te geven. De soldaat, die we van opzij zien, stapt schuin naar voren terwijl hij zijn rechterarm met het zwaard naar achteren beweegt. Met zijn andere hand grijpt hij Messalina bij haar pols, waarbij zijn vingers zichtbaar in haar vlees drukken, om haar op haar plaats te houden. De indruk van beweging en de spanning die zichtbaar is in elke spier van zijn lichaam attenderen ons op de kracht van de klap die zal volgen.

Op de grond onder hem biedt Messalina, de ogen naar de toeschouwer gewend, een gouden diadeem op het hoofd en gekleed in rijk gekleurde zijden gewaden, enig vergeefs verzet. Met haar linkerhand probeert ze hem weg te duwen terwijl ze haar rechterhand met gespreide vingers uitstrekt, open en kwetsbaar als een smeekbede naar de centurio, maar tevens naar de toeschouwer.

Messalina ziet er jong uit, met ronde wangen en een wijkende kin, en doodsbang. Haar huid lijkt bijna blauwwit, vooral waar die afsteekt

---

* Interessant is dat de serie waarschijnlijk werd gemaakt ter gelegenheid van een huwelijk. Messalina was er vermoedelijk in opgenomen als voorbeeld van wat je níét moest doen. Het schilderij bevindt zich nu in het J. Paul Getty Museum in Los Angeles (72.PA.24).

tegen de roze huid van de centurio, alsof het levensbloed al uit haar is weggetrokken. Haar mond is open, haar wenkbrauwen zijn gefronst, haar ogen opgeheven naar haar beul en opengesperd van angst. Boven Messalina leunt Domitia Lepida, die met haar hand het haar van de centurio vastgrijpt in een poging hem van haar dochter weg te duwen. Haar aanwezigheid biedt de toeschouwer een model voor hoe medelijden met Messalina er op dit moment zou kunnen uitzien.

Dit medelijden waartoe wordt aangemoedigd gaat echter gepaard met een voorbehoud. Achter de hoofdgroep op de voorgrond staat een vierde figuur – waarschijnlijk de vrijgelatene Evodus die door Narcissus was meegestuurd om erop toe te zien dat de executie werd voltrokken. Kaarsrecht en roerloos rijst hij op de achtergrond op, in sterk contrast met de wervelende dynamiek van het centrale trio. Hij draagt militaire kledij en laat zijn rechterhand met arrogante waardigheid rusten op een korte staf, terwijl hij met onbewogen gelaat letterlijk neerkijkt op de gevallen keizerin. Deze figuur lijkt ons in zijn kalme zekerheid gerust te stellen dat Messalina's einde, hoe tragisch en meelijwekkend het ons misschien ook voorkomt, het enige passende einde voor een dergelijke vrouw is.

Een heel andere visie op Messalina als slachtoffer werd in 1797 op het doek gezet door de Deense hofschilder Nicolai Abildgaard.[19] Hij toont ons niet de climax van Tacitus' drama, maar de nasleep ervan: Messalina is dood, haar moordenaars zijn verdwenen en alleen haar moeder treurt aan haar zijde. Messalina's lichaam strekt zich in de onderste helft van het schilderij over de hele breedte uit. Haar hoofd hangt achterover, haar donkere haar is een warboel en haar kroon is weggerold. Hoewel haar open ogen recht naar de toeschouwer gericht zijn, kíjken ze niet – haar gezicht is een dodenmasker geworden. Boven Messalina drukt een knielende Domitia Lepida de rug van haar hand tegen de borst van haar dochter alsof ze naar een hartslag voelt. Zij, oud en bescheiden gekleed, kijkt de toeschouwer wel echt aan en toont ons een uitdrukking van berustende wanhoop. Het schilderij is verstild en toont geen sporen van geweld afgezien van een klein plasje bloed op de grond. Het zachte, bleke lichaam van de keizerin lijkt zelfs ongeschonden.

Abildgaard heeft zijn Messalina moreel en seksueel ambigu voorgesteld. Er is iets madonna-achtigs aan Messalina's eenvoudige witte kleed en blauwe mantel, en toch zijn er ook ondertonen van het erotische waarneembaar in de manier waarop Messalina's arm achter haar hoofd ligt uitgestrekt, de naaktheid van haar borst, haar bijna extatische gezichtsuitdrukking met de strak gekantelde nek en de geopende mond. Als Messalina er op het moment van sterven beklagenswaardig uitzag, heeft ze nu ze dood is een uitstraling van romantische tragiek gekregen.

Pogingen om Messalina voor te stellen als slachtoffer bereikten hun hoogtepunt in het toneelstuk *Valéria* van Auguste Maquet en Jules Lacroix, dat aan het eind van februari 1851 voor het eerst werd uitgevoerd door de Comédie-Française. Om Messalina aanvaardbaar te maken voor hun publiek splitsten Maquet en Lacroix hun hoofdpersonage letterlijk in tweeën. We hebben de keizerin 'Valeria', slim, hoogstaand, gepassioneerd en toegewijd aan haar kinderen, en we hebben de promiscue, verloren gewaande identieke tweelingzus, de courtisane 'Lycisca'. Valeria pleegt alleen overspel met Silius; hun tragische liefdesaffaire wordt voorgesteld als waarachtig, romantisch en edel. Alle wildere seksuele uitspattingen van Messalina worden toegeschreven aan de – hoe handig – geheel immorele Lycisca. Beide personages werden gespeeld door dezelfde actrice, de beroemde Mademoiselle Rachel, die destijds de leidende tragédienne van de Comédie-Française was en wier minnaars in het echte leven onder anderen een graaf, een prins en een keizer telden. De echte boosdoener van het stuk is de doortrapte Agrippina, en wanneer Valeria uiteindelijk de hand aan zichzelf slaat, doet ze dat om haar eer en de toekomst van haar zoon te beschermen. Deze herziene versie van Maquet en Lacroix was uiterst controversieel en in Parijs deden geruchten de ronde dat de Assemblée overwoog de overheidssubsidie aan de Comédie-Française in te trekken als gevolg van Mademoiselle Rachels schandalige vertolking van Lycisca.[20]

Weinig uitbeeldingen van Messalina waren zo vergevingsgezind. In Engeland voerde de Company of his Majesty's Revels in het midden van de jaren dertig van de zeventiende eeuw een nieuw stuk op van Nathanael Richards. In *The Tragedy of Messallina, the Roman Empresse* ontmoeten we een Messalina die zo onverbloemd boosaardig is als maar kan. Deze Messalina is de 'koningin der lichtekooien, dé Lichtekooi, heks, helleveeg; de onverzadigbaarste hoer die ooit de lendenen van geilaards omklemde'.[21] Ze is ook gewelddadig: ze martelt haar aanstaande minnaars, doodt voor de lol eerbiedwaardige burgers en eist van Silius dat hij zijn vrouw ombrengt en de moord op Claudius beraamt. Op een gegeven moment (voor het geval de boodschap nog niet duidelijk genoeg was) verschijnt Messalina op het podium met een pistool dat er verdacht zeventiende-eeuws uitziet.

Het stuk is doordrenkt van anachronistische christelijke ideologie en wemelt van begin tot eind van verwijzingen naar zonde en heiligheid, hemel en hel, engelen en duivels. Binnen dit kader transformeert Richards Messalina tot een soort satan, die niet alleen zwelgt in haar eigen verdorvenheid, maar ook anderen meesleurt met haar zondigheid. In de keuze van haar minnaars richt Messalina zich op de deugdzamen, die ze corrumpeert met beloften, dreigementen, verleidingskunsten, bedriegerij en zelfs, zoals we zullen zien, het bovennatuurlijke. Door zich met Messalina in te laten ondertekenen deze mannen een soort faustiaans pact, dat aan het hof wordt gepropageerd en sensuele genoegens in het vooruitzicht stelt, maar hen op een pad brengt dat leidt naar ontucht, moord en uiteindelijk de dood. De keizerin beperkt zich niet tot het verleiden van mannen; we zien haar ook pogingen doen om toonbeelden van vrouwelijke kuisheid ten verderve te voeren. Drie deugdzame Romeinse matrones laten zich liever vermoorden in plaats van naar het hof te worden meegenomen om daar in mooie kleren te worden gehuld en 'op donzen liefdesnestjes te worden gegooid'.[22] Messalina vat zelfs het plan op om het bruiloftsfeest van Silius en haar te beëindigen met de verkrachting en moord op honderd vestaalse maagden.[*23]

Misschien wel de opzienbarendste vernieuwing van Nathanael Richards is echter dat hij Messalina tot een heks maakt. 'Ik kan niet naar de gewoonte van het hof mijn minnaars vermoorden,' klaagt de prostituee die zojuist door Messalina is verslagen in de 24 uur durende sekswedstrijd, 'noch hen lokken met hekserij, Circeaanse toverspreuken.'[24] In de loop van het stuk komen we erachter dat dit geen loze beschuldigingen zijn. De keizerin dient Silius een brouwseltje toe dat het midden houdt tussen een liefdes- en een slaapdrankje en dat ervoor zal zorgen dat hij 'bij het ontwaken in vurige bewondering zal ontsteken/en zich dol van liefde overgeeft aan genot met ons'.[25] Later, wanneer Messalina het verleiden en moorden naar een nog hoger plan wil tillen, wendt ze zich tot

---

* Een opmerkelijk aantal, gezien het feit dat er altijd maar zes vestaalse maagden tegelijk waren.

de 'grote Opperheerser van de peilloze Hellediepte' (Hades getransformeerd tot satan) en roept ze drie furiën op (die in Richards' versie zijn
getransformeerd in geesten die rechtstreeks uit de hel komen). 'Komt tot
mij,' bezweert Messalina, 'laat Circe en de sirenen hun kunsten tonen,
hun toverspreuken uitstorten.'[26]

De uitwerking die Messalina op mannen heeft lijkt inderdaad bedreigend en bovennatuurlijk. 'O, ik sta in vuur en vlam,' roept Silius. 'Een
verzengende, betoverde vlam en ik zal van verrukking/opbranden tot
sintels.'[27] Zijn interacties met de keizerin drijven Silius onontkoombaar
tot zelfvernietiging: 'O, dat heerlijke smeltende kusje zegeviert,' jam-
mert hij een moment later, 'Vergiftigt mijn bloed en brein, en zet me ertoe aan/Een misdaad te begaan te afschuwelijk om te noemen.'[28]

Richards' Messalina is gevaarlijk voor mannen, wellustig, heult met
de duivel en roept geesten op. Daarmee is ze de vleesgeworden zeventiende-eeuwse heks – het ultieme symbool van feminiene dreiging in de
jaren die volgden op de protestantse Reformatie.

Het publiek van Richards zal hebben geweten dat zijn karakterisering
van Messalina niet alleen een interpretatie van de antieke geschiedenis
was, maar ook was bedoeld als een commentaar op de politiek van die
tijd. Gezien haar verkeerde religie en haar bedenkelijke invloed op de
koning lijkt het erop dat Messalina moest worden opgevat als een alter
ego van de toenmalige katholieke koningin Henriëtta Maria, echtgenote
van koning Karel I, die omvergeworpen zou worden in de burgeroorlog
die in 1642 zou uitbreken, slechts twee jaar na de publicatie van Richards'
toneelstuk.

Messalina is een interessante keuze voor een aanval op Henriëtta
Maria, die bekendstond als een liefhebbende en klaarblijkelijk trouwe
echtgenote van de koning. Deze incongruentie weerspiegelt de hardnekkige drang om de politiek problematische vrouw ervan te beschuldigen
een hoer te zijn. De associatie lag voor de hand – mannen vonden het
moeilijk te geloven dat een vrouw een politieke invloedssfeer kon op-
bouwen zonder haar toevlucht te nemen tot seksuele gunsten. Zowel de
vrouwelijke politicus als de courtisane/overspelpleegster doorbrak de
grenzen die de gepaste plaats voor de vrouw binnen de privésfeer afba-
kenden: de een door de huishoudelijke taken te verruilen voor de publieke zaak, de ander door haar lichaam 'publiekelijk' beschikbaar te stellen

aan andere mannen dan haar echtgenoot. Messalina was als de 'keizerin-hoer' het perfecte symbool voor dit soort zondig gedrag.

In zijn openingspleidooi voor het revolutionaire tribunaal in 1793 legde Marie Antoinettes aanklager, Antoine Quentin Fouquier, het drama
er dik op. 'Op de manier van de Messalina's, Brunhildes, Fredegondes en
Medici's,' fulmineerde hij, 'die in andere tijden koningin van Frankrijk
werden genoemd en wier voor immer gehate namen nooit uit de historische annalen zullen worden gewist, is Marie Antoinette sinds haar tijd
in Frankrijk de plaag en bloedzuiger van de Fransen geweest.'[29] Later in
hetzelfde proces werden Marie Antoinette en haar schoonzus opnieuw
'Messalina's' genoemd, ditmaal in verband met de bizarre beschuldiging
dat ze incest hadden gepleegd met de jonge dauphin.

Het koppelen van Marie Antoinette en Messalina in de juridische
smaadrede stamt rechtstreeks uit de venijnige pamfletcultuur die levendig bloeide in de turbulente jaren voorafgaand aan de Franse Revolutie.*[30]
In deze pamfletten met aanvallen op de koningen, die van de persen
rolden in populaire drukkerijen in Londen, Duitsland of Amsterdam en
sneller werden gedistribueerd dan de agenten van de koning ze konden
opkopen en verbranden, werden lange theoretische verhandelingen over
revolutie afgewisseld met lange pornografische passages. In deze pamfletten wordt seks gebruikt als een middel om de chaos, corruptie en onnatuurlijkheid van het ancien régime uit te drukken. Het lichaam van de
koningin wordt een ideologisch strijdperk. Marie Antoinette wordt afgeschilderd als een nymfomane, die door onnatuurlijke en onverzadigbare
verlangens wordt gedreven tot losbandigheid in alle vormen: overspel,
lesbianisme, voyeurisme, exhibitionisme, sadisme en groepsseks. Voor
deze 'geheime geschiedenissen' over het seksleven van de koningin dient
Messalina als model: ze is 'een nieuwe Messalina', 'de moderne Messa-

---

* Andere machtige vrouwen uit die tijd kregen soortgelijke aanvallen te
verduren. Marie Antoinettes zuster, Maria Carolina van Napels, werd ervan
beschuldigd 'alle wellustigheden van een Messalina te hebben verenigd met de
gevarieerde voorkeuren van een Sappho'. Zelfs de nooit getrouwde maar politiek invloedrijke Adélaïde van Orléans werd door haar tegenstanders in de pers
het pseudoniem 'Madame Messalina' opgeplakt gedurende de Julimonarchie.
Keizerin Joséphine wordt geassocieerd met Messalina in een prent van James
Gillray uit 1805.

lina', 'de koninklijke Messalina', 'die Messalina zonder schaamte'. Toen 'Messalina' in 1793 ten slotte werd geëxecuteerd, lieten pamfletschrijvers zich de kans niet ontgaan om 'Messaline' te laten rijmen op 'guillotine'.

De lange (en vaak geïllustreerde) pornografische scènes als onderdeel waarvan Marie Antoinette een Messalina werd genoemd, hadden uiteraard een ideologische strekking. Ze portretteerden Marie Antoinette als verderfelijk, de aristocratie als losbandig en koning Lodewijk XVI als te zwak om te regeren. Toch kunnen hun uitvoerige zinnenprikkelende beschrijvingen nauwelijks alleen politiek gemotiveerd zijn. De mannen die over Marie Antoinette schreven hadden ontdekt wat Juvenalis aan het begin van de tweede eeuw al wist: dat er een bepaald soort opwinding werd teweeggebracht door het als hoer voorstellen van een grande dame, door het wegnemen van de barrières die haar beschermden zodat ze toegankelijk werd voor de verbeelding van de gewone man. Juvenalis' beschrijving van Messalina in de *Zesde satire* – met zijn nadruk op vuiligheid in zowel fysiek als seksueel opzicht – was een masterclass geweest in het schrijven van een dergelijke fantasie en had voor Messalina een toekomst bereid waarin ze literair en artistiek zou worden ontkleed.

In het midden van de zeventiende eeuw maakte de Nederlandse genreschilder Nicolaes Knüpfer een schilderij waarvan nu wordt aangenomen dat het bruiloftsfeest van Messalina en Silius erop wordt afgebeeld.[31] Op het eerste gezicht lijken we ergens rond 1650 laat op een vrijdagavond een van de duurdere bordelen in de buurt van Knüpfers werkplaats in Utrecht te zijn binnengestapt. Een deels met een gouden zijden gordijn afgeschermd hemelbed staat tegen de achterwand van een zeventiende-eeuws interieur; verschillende glazen en een gepolijste tinnen schaal met fruit staan op een rijk damasten kleed. Speelkaarten en een pijp zijn van de tafel op de grond gevallen. Het gezelschap is stomdronken en bijzonder uitgelaten. Een vrouw speelt op een luit, een man valt over de bank op de voorgrond, twee anderen zijn op de tafel geklommen om naar iets buiten het raam te kijken. Drie figuren dartelen op het bed in de achtergrond, een van de vrouwen laat de veren hoed van de man op haar omhooggestoken voet bungelen.

Pas bij nadere inspectie ontdekken we dat dit geen eigentijdse scène is: de man op het bed draagt een soort Romeins militair uniform, terwijl de man op de voorgrond een antieke tuniek aanheeft zoals die er in de zeventiende-eeuwse verbeelding uitzag. Dit lijkt een herinterpretatie van Tacitus' beschrijving van het bruiloftsfeest van Messalina en Silius.*

De gasten aan het raam nemen de eerste tekens waar van de 'storm' die in Ostia opsteekt, de man die languit op de bank in de voorgrond ligt trekt zijn zwaard in een loos gebaar om Claudius' soldaten af te weren, en de wijnrank en de flessen in de grote gouden pot links in de compositie verwijzen naar de viering van de nieuwe oogst. Silius is de dronken soldaat in rode en gouden kleren die languit tegen de kussens op het bed aan ligt en het glas heft naar zijn nieuwe bruid. Messalina zit naast hem, mooi, met blosjes op de wangen en blond, en leunt voorover terwijl ze lacht om een of andere schunnige grap die Silius maakt. De kunstenaar heeft de intimiteit tussen het pasgetrouwde stel benadrukt door ze elkaars hand te laten vasthouden, waarbij Silius' arm verstrikt is in Messalina's rokken. Opvallend is daarnaast Messalina's seksuele beschikbaarheid: haar gouden haar valt los om haar gezicht, haar jurk is opengeknoopt en naar beneden getrokken om haar borsten volledig te onthullen, een rijpe rode appel is naar het eind van de tafel gerold waar hij suggestief voor haar kruis ligt. Knüpfer heeft de keizerin – machtig, veeleisend en potentieel gevaarlijk – getransformeerd in een ordinaire, vrolijke en gemakkelijk toegankelijke deerne.

Leek Messalina in Knüpfers weergave al seksueel toegankelijk voor de kijker en zijn verbeelding, dat was nog niets vergeleken met de ontkleding van de keizerin die op de Parijse salon van 1884 werd gepresenteerd. Eugène Cyrille Brunets *Messaline*, een marmeren beeld op ware grootte, ligt uitgestrekt op een fraai bewerkt matras.[32] Ze is helemaal naakt, afgezien van een smalle brassière die onder haar tepels is gegleden en haar vormen meer benadrukt dan verhult. Het beeld is volledig rondom bewerkt zodat de beschouwer die eromheen loopt uit alle hoeken visuele toegang heeft tot de keizerin. Eén been is gestrekt, het andere is gebogen achter haar en opgetrokken om ons zicht te geven tot bijna bovenaan haar licht gespreide dijen. Messalina's bovenlichaam kromt zich naar achteren, tot over de kussens waarop ze rust, de ene arm, waarvan

---

* Knüpfer kan de stof voor zijn onderwerp indirect hebben ontleend aan een tragedie die over Messalina werd geschreven door de grote Nederlandse toneeldichter Joost van den Vondel, maar die voor de première werd geannuleerd uit angst voor mogelijke politieke controversen en nu voor het nageslacht verloren is.

de hand door haar haren woelt, is gebogen achter haar hoofd, de andere
grijpt onder haar de zijkant van het matras vast. Haar hoofd is achterover
geworpen, haar haren zijn los, haar hals ligt bloot. Ze lijkt de ontlading
van een orgasme te beleven.

Bijna veertig jaar eerder was er op de Parijse salon van 1847 een ander
marmeren werk tentoongesteld. Auguste Clésingers *Vrouw gebeten door
een slang* stelde een vrouwelijk naakt voor, dat op vergelijkbare wijze haar
lichaam in extase spant.[33] Het model was Apollonie Sabatier, de jonge
maîtresse van de Belgische industrieel die het werk had besteld en de
gastvrouw van een beroemde Parijse artistieke salon. De beeldhouwer
had gewerkt met afgietsels van zijn model en had Apollonies lichaam
levensecht weergegeven tot op de plooien bij haar middel en de putjes
van haar cellulitis. Vóór de expositie werd inderhaast een kleine slang
toegevoegd die zich om de pols van het standbeeld kronkelde, als een ex-
cuus voor wat ongetwijfeld een uitbeelding van het vrouwelijke orgasme
was. Het standbeeld veroorzaakte grote consternatie. 'Het is verontrustend,' schreef de componist Chopin naar zijn familie thuis, 'hoe dit beeld
kronkelt.'[34] Clésingers sculptuur was bijzonder invloedrijk en is duidelijk
het voorbeeld geweest voor Brunets *Messaline*. Dat het lichaam van een
keizerin op dezelfde manier behandeld kon worden als dat van een demi-mondaine – en aanzienlijk mínder stof deed opwaaien – getuigt deels
van de veranderde zeden in het Second Empire, maar het getuigt ook van
de mate waarin Messalina werd beschouwd als een vrij speelterrein voor
artistieke verkenningen en exploitaties van vrouwelijke seksualiteit.

Messalina werd niet alleen tentoongesteld in galeries. Ze was en werd
ook uitgekleed tussen de pagina's van boeken. In 1633 schreef de veelzijdige geleerde Francesco Pona in Venetië een historische roman die zou uitgroeien tot een van de populairste – en vaakst verboden – boeken van de
eeuw. Pona beweerde dat *La Messalina* een stichtelijk werk was, een verhaal
met een morele les bedoeld om vrouwen te waarschuwen tegen de gevaren
van promiscuïteit. In werkelijkheid is het een schaamteloos erotisch werk,
dat duidelijk is afgestemd op de literaire blik van de mannelijke lezer.

Uit Pona's beschrijvingen van de lichamelijke bekoorlijkheden van de
tienerkeizerin is op te maken voor wie het boek eigenlijk is geschreven:
'Messalina gaf haar haar een gouden kleur* en stak het in golvende lok-

---

* Geverfd blond haar was een handelsmerk van de zeventiende-eeuwse Venetiaanse courtisane.

ken op, aldus een schitterende schijn van orde verlenend aan wellustige weelde. [...] Op zichzelf was haar gezicht al bewonderenswaardig mooi, maar achter die schoonheid verborg zich iets adembenemends wat zich openbaarde als je naar fonkelende ogen van hemels water keek.'[35] Claudius zelf gaat ons voor in onze verlangens: hij had 'haar bewonderd als een bloem', vertelt Pona ons, en nu wenste hij haar 'te proeven als een vrucht'.[36]

Is de manier waarop Pona de uiterlijke verschijning van de keizerin beschrijft er al volkomen op gericht begeerte op te wekken, haar innerlijke leven wordt evenzeer bepaald door seks. Pona's Messalina is van nature seksueel, is het kind van immorele ouders en wordt door haar echtgenoot bekendgemaakt met galeries vol pornografie in het keizerlijk paleis, zodat ze zowel is voorbestemd als wordt opgevoed om zich volledig door haar verlangens te laten voortdrijven. Deze verlangens beheersen haar gedachten overdag en vullen haar dromen in de nacht. 'Messalina, woelend in bed, bestookt door turbulente gedachten, sliep 's nachts niet,' schrijft Pona in een passage die geschreven had kunnen zijn als bijschrift bij Brunets standbeeld, 'en als ze wel sliep, lag Morpheus naast haar en wekte haar opwinding door het verhullen en onthullen van wel duizend beelden die haar seksuele fantasieën gedurende de dag hadden opgeroepen. Hoe vunziger en walgelijker ze waren, hoe aandachtiger ze was.'[37]

Messalina's seksualiteit beperkt zich niet tot het rijk van de fantasie. Pona beschrijft een eindeloze reeks uitspattingen, waarvan sommige canoniek en andere nieuw bedacht zijn. Messalina neemt de ene minnaar na de andere, prostitueert zichzelf in één nacht aan veertig mannen, kijkt toe bij de ontmaagding van jonge meisjes en organiseert extravagante orgieën op haar landgoed. Pona beschrijft in deze scènes uitvoerig de omgeving, kleding en zintuiglijke details, waarmee hij de lezer uitnodigt om zich de keizerin voor te stellen, over haar te fantaseren en zich met haar te wanen. Als Messalina bijvoorbeeld uit het paleis wegglipt naar het bordeel, beschrijft Pona haar als volgt: 'Ze was slechts gekleed in een hemd van zeer fijn linnen dat perfect was voor haar liefdesavonturen, terwijl ze zich zorgvuldig had geparfumeerd met een exquise essence van amber [...] Onder haar mantel liet ze de welving van haar kleine borsten uitkomen, die omhoog werden gehouden door een gouden doek.'[38] Pona's Messalina lijkt een wezen dat is ontworpen voor de mannelijke fantasie:

een mooie vrouw die alleen aan seks denkt en die gedachten onvermoeibaar in daden omzet.

Het is dan ook niet verwonderlijk dat déze versie van Messalina drie eeuwen later in Hollywood zou opduiken. Soms bezitten verwijzingen naar de keizerin op het witte doek dezelfde veelbetekenende lading als op de pagina. In Fellini's semiautobiografische *Roma* wordt de losbandige vrouw van een hedendaagse chemicus uitgebeeld als Messalina wanneer ze, gekleed in een doorschijnende rode tuniek en omringd door minnaars in toga's, verleidelijk danst op de achterklep van een cabriolet. In andere producties zien we dat Messalina's karakter meer wordt uitgediept, zij het niet noodzakelijk met meer historische accuratesse. Een reeks films gebruikt fictieve verhalen over verlossende liefdes tussen christelijke slavinnen en hun stoere bekeerde minnaars als aanleiding om Messalina als tegenspeler op te voeren.* Het contrast tussen de onschuld van de kuise christelijke geliefde en de heidense seksualiteit van de keizerin gaf de regisseurs de vrije hand om regelrechte verleidsters te maken van hun Messalina's. De slavenmeisjes zijn mooi, maar het is altijd Messalina die door de echte ster wordt gespeeld en centraal op het affiche staat.

Eén film, getiteld *Messalina, Messalina!* en geproduceerd door Penthouse in 1977, vermijdt het cliché van de christelijke romance. De tagline belooft ons dat we getrakteerd zullen worden op 'De gevarieerde liefdesavonturen van de onverzadigbaarste mannenverslindster aller tijden'; de film bevat echte seks en in het geheel geen plot. Messalina werd ook het onderwerp van pulpromans. Eén omslag roept haar uit tot 'De verdorvenste vrouw van Rome', een ander maakt haar 'dochter van de duivel, godin van alle verrukkingen, keizerin van heel Rome', een derde vertelt ons: 'Ze was mooi, sadistisch, uitdagend en dodelijk... van de top van haar gouden hoofd tot het puntje van haar zilveren zweep.'

Deze boeken en films nodigen ons uit om over Messalina te fantaseren, maar deze fantasieën blijken keer op keer te zijn vermengd met een gevoel van gevaar. 'Een jonge vrouw die bezeten is van haar verlangens,' schrijft Pona, 'deinst nergens voor terug. De wereld kan vergaan; ze

---

* Bijvoorbeeld Guazzoni's *Messalina or The Fall of an Empress* (1923); Gallones *Messaline* (1951) en het door 20th Century Fox uitgebrachte *Demetrius and the Gladiators* (1954).

moeten bevredigd worden. Haar wanhopige, verterende hartstocht zou afgronden kunnen openen die complete steden zouden kunnen verzwelgen.'[39] Sommige van Pona's uitingen van afgrijzen zijn geveinsd en slechts een dekmantel voor erotiek, maar andere lijken voort te komen uit een oprecht conflict tussen verlangen en angst. Deze spanning is deels de sleutel tot Pona's verlangen; Messalina belichaamt een bepaald type fantasie – de fantasie van de femme fatale.

De keizerin is bij uitstek geschikt om die rol te spelen. Ze gebruikt haar seksualiteit om te verleiden en te intrigeren, en ze stort bijna alle mannen met wie ze omgaat in het ongeluk: Appius Silanus en Asiaticus sterven op haar politieke instigatie, Silius en Mnester worden tegelijk met haar terechtgesteld, Claudius' geloofwaardigheid wordt ondermijnd door haar overspel. Het belangrijkst bij dit alles is misschien wel dat de leemten in het verhaal haar die zweem van mysterieuze ongrijpbaarheid verlenen die zo cruciaal is voor de constructie van de femme fatale.

Nathanael Richards liet de editie uit 1640 van zijn *The Tragedy of Messallina* voorafgaan door een citaat uit de *Tiende satire* van Juvenalis: *Optimus hic et formosissimus idem/gentis patriciae rapitur miser extinguendus/ Messalinae oculis.* 'Deze Silius, de beste en knapste aristocraat die er bestaat, wordt door Messalina's blik meegesleurd naar een ellendig einde.' In deze regels suggereert Juvenalis dat Messalina iets in zich heeft, iets in haar lichaam, wat intrinsiek gevaarlijk is voor mannen, voor de beste mannen en dus voor *álle* mannen. Met andere woorden: ze is een natuurlijke femme fatale. Deze visie op Messalina doet opgeld vanaf de renaissance (sterker nog, we zijn die al tegengekomen in Richards' karakterisering van Messalina als heks), maar komt pas echt tot haar recht in de negentiende eeuw en bereikt een spectaculair hoogtepunt tijdens de decadentie van het fin de siècle.

In april 1872 vermoordde een Franse man met de naam Arthur Dubourg zijn overspelige echtgenote.[40] De in een klooster opgeleide Denise Dubourg kon amper een Messalina worden genoemd. Vóór haar door de familie gearrangeerde huwelijk met de rijke Dubourg was ze verliefd geweest op een jonge beambte die werkte bij de prefectuur van de Seine. Het was geen gelukkig huwelijk: Dubourg was ontrouw, Denise deed een zelfmoordpoging, verbleef enige tijd in een inrichting en hervatte na haar terugkeer haar relatie met de beambte. Dubourg volgde haar naar het appartement van haar minnaar, betrapte hen samen en vermoordde Denise ter plekke. Voor crimes passionnels was geen speciale behandeling voorzien in de Franse wetboeken, maar ze kregen die wel in de Franse juridische cultuur. De verwachting was dat Dubourg zou worden vrijgesproken, dus toen hij werd veroordeeld tot vijf jaar gevangenisstraf maakte dat een heftig publiek debat los.

Een van de deelnemers aan dit debat was Alexandre Dumas fils. Dumas had de figuur van de courtisane geromantiseerd en gerehabiliteerd in zijn geruchtmakende roman *La Dame aux Camélias* uit 1848 (de basis voor Verdi's opera *La traviata*), maar hij zou zich persoonlijk veel minder vergevingsgezind tonen tegenover de overspelige echtgenote. Zijn pamflet over de affaire-Dubourg, *L'Homme-Femme*, zou 35 drukken beleven. Alleen al in het halfjaar na de publicatie ervan werden er 50.000 exemplaren verkocht.[41] 'Sinds de affaire-Dubourg,' begint Dumas, 'jeukt mijn pen om erover te schrijven.'[42] Wat volgt is een traktaat (van meer dan 100 pagina's) over de aard van de man, de vrouw, het huwelijk, de maatschappij en religie waarin Dumas Messalina opvoert als de ergste van alle kwaden van de niet geredde heidense samenleving – de ultieme kleindochter van Eva's erfzonde. Aan het slot van het pamflet verkondigt Dumas als een moderne Mozes de wet aan een denkbeeldige zoon op een denkbeeldige berg. Probeer je vrouw in bedwang te houden, adviseert hij, en als dat niet lukt – als ze van nature zo slecht is dat 'niets haar ervan kan weerhouden jouw naam met haar lichaam te prostitueren' – dan mag je, moet je, 'haar doden!'[43]

De affaire-Dubourg, stelde Dumas aan het begin van *L'Homme-Femme*, had een helder licht geworpen op vraagstukken die hem al enige tijd bezighielden – vraagstukken die, zo deelt hij ons in een opportunistische vlaag van schaamteloze zelfpromotie mee, zullen worden uitgediept in zijn binnenkort te verschijnen toneelstuk, *La Femme de Claude*. Dit stuk, belooft Dumas, zou een nieuwe, moderne verbeelding zijn van de relatie tussen Messalina en Claudius.[44] Sommige zaken behoefden verandering. 'Het spreekt vanzelf,' schrijft Dumas, 'dat mijn Claudius een moderne Claudius zal zijn, gewetensvol, christelijk; en niet de historische en zwakzinnige Claudius die zijn echtgenote laat vermoorden door Narcissus.' Andere zouden hetzelfde blijven: 'Wat de vrouw betreft, zij blijft de eeuwige Messalina, zowel voor als na Christus.'

Zoals beloofd verscheen *La Femme de Claude* het volgende jaar op de Parijse planken. Het stuk speelt zich af in het grote huis in de provincie

van Claude, een eerlijke, vaderlandslievende, deugdzame man die onlangs een krachtig nieuw model kanon heeft uitgevonden dat hem naar
verwachting een fortuin en roem zal opleveren. In de openingsscène zien
we de vrouw des huizes bij zonsopgang heimelijk terugkeren na een afwezigheid van zo'n drie maanden waarin ze zich heeft overgegeven aan
overspel, ongenoemde misdaden en misschien prostitutie in Parijs. De
ochtendlijke terugkomst van Claudes echtgenote is een duidelijke verwijzing naar Juvenalis' voorstelling van Messalina die terwijl het vuil van
het bordeel haar nog aankleeft terug in het keizerlijk bed glipt. Ook de
naam van Claudes echtgenote verbindt haar met de keizerin: ze heet
Césarine – een vrouwelijke Caesar.

Zoals Dumas in *L'Homme-Femme* had beloofd, beantwoordt Césarine
volledig aan het beeld van de volstrekt verdorven en verderfelijke Messalina dat rond de negentiende eeuw gemeengoed was geworden. Als
kind van een overspelige (en Duitse) moeder heeft Césarine 'die vreemde
prikkelende schoonheid die voor een man zo moeilijk te weerstaan is',
maar ze is ook 'opstandig, frivool, wild en veil'.[45] Ze 'kon geen man zien
zonder hem verliefd [op haar] te willen maken', ze lijdt aan 'liefdesrazer-
nij'.[46] Ze is grillig, onvoorspelbaar, wispelturig, irrationeel en onbeheerst:
'Ik ben in alles extreem,' waarschuwt ze haar man, 'ik moet liefhebben of
ik moet haten.'[47] Ze is een 'charmant monster' en een 'wezen uit de hel'.[48]

Césarine is de ondergang van alle mannen om haar heen. Geweten-
loos en uitsluitend gedreven door eigenbelang bespeelt ze hun emoties,
liegt ze, manipuleert ze en verstrikt en corrumpeert ze hen. 'Ze maakt
iemand te schande of pleegt een moord,' zegt haar echtgenoot, 'tussen
twee glimlachen.'[49] Binnen een dag na haar terugkeer in het familiehuis
heeft Césarine de veiligheid en stabiliteit ervan vernietigd. Ze verleidt
de geliefde protegé van haar man en beraamt een plan om de geheimen
van zijn uitvinding te stelen in opdracht van een schimmig buitenlands
conglomeraat dat het tegen Frankrijk wil gebruiken. Met haar ongeremde seksualiteit brengt Césarine – net als Messalina – beide wezenlijke
patriarchale structuren in gevaar: het gezin en de natiestaat. Het stuk
eindigt zoals het hoort: met de moord op Césarine door Claude.

Door de Romeinse keizerin te transponeren naar het Frankrijk van
de *haute bourgeoisie* demonstreerde Dumas de blijvende kracht van haar
mythe. De 'eeuwige Messalina' functioneert even goed in een negentiende-eeuwse salon als in een eerste-eeuws paleis omdat ze de angsten

rondom onbedwingbare, destructieve vrouwelijke lust blootlegt die in elke patriarchale samenleving leven.

De negentiende eeuw was dol op systematiseren, en zo vanaf 1870 waren de artsen begonnen met hun pogingen om de menselijke seksualiteit in te delen in categorieën. Deze mannen maakten onderscheid tussen 'normaal' seksueel verlangen, dat maar in één vorm kon bestaan (heteroseksueel, monogaam en gericht op voortplanting), en 'abnormaal' seksueel verlangen, dat zich kon voordoen in alle vormen die je maar kon bedenken, die allemaal geïdentificeerd, gedefinieerd en behandeld moesten worden. Elk van deze nieuwe klassen van seksuele pathologie had illustratieve voorbeelden nodig en voor een aantal vrouwelijke perversies bleek Messalina de ideale kandidaat.

In zijn baanbrekende werk *Psychopathia Sexualis* uit 1886 introduceerde de Duitse psychiater Richard von Krafft-Ebing de term sadomasochisme. Sadisme, betoogde hij, was een overwegend mannelijke pathologie, die volgens hem ontstond wanneer de van nature mannelijke rol van seksuele agressor zich in buitensporige mate versterkte. Hij merkte op dat er echter enkele zeldzame voorbeelden van sadisme bij vrouwen waren. Hij beschrijft twee moderne gevallen en gaat dan in op het voorbeeld van twee historische vrouwen met 'sadistische neigingen'. 'Deze nymfomanes,' zegt hij, 'worden vooral gekenmerkt door hun zucht naar macht, lust en wreedheid.'[50] Het ene voorbeeld dat hij aanvoert is Catharina de' Medici, het andere 'Valeria Messalina zelf'. In deze passage vereeuwigt Krafft-Ebing het beeld van Messalina als een femme fatale in de wetenschap.

In het Italië van de late negentiende eeuw was er een andere nieuwe discipline in opkomst. De criminele antropologie stelde dat misdaad voortkwam uit de biologische eigenschappen van het individu en dat de ontaarde neigingen van 'geboren misdadigers' daarom konden worden vastgesteld via het bestuderen van de gelaatstrekken. In 1893 publiceerden twee van de kopstukken van deze nieuwe 'wetenschap' een boek met de titel *La donna delinquente, la prostituta e la donna normale*, oftewel *De delinquente vrouw, de prostituee en de normale vrouw*. De titelprent was een tekening van een Romeinse buste uit de Uffizi, met als bijschrift 'Messalina'. De buste verscheen later in het werk nogmaals – naast foto's van contemporaine vrouwelijke moordenaars, gifmengsters, prostituees en brandstichters – als voorbeeld van de 'anatomie, pathologie en antropo-metrie van de vrouwelijke misdadiger en prostituee'. Het portret van de jonge keizerin mag er misschien aantrekkelijk uitzien, verklaren de auteurs, maar het verraadt tekens van aangeboren misdadigheid: een laag voorhoofd en een zware kaak, dik en golvend haar. Jammer genoeg is bij nader onderzoek gebleken dat de buste in kwestie een portret van Agrippina was.[51]

De gemedicaliseerde Messalina was niet alleen een gevaar voor mannen en de maatschappij; ze was ook een gevaar voor zichzelf. 'Excessief' vrouwelijk seksueel verlangen was al sinds het antieke Griekenland als een ziekte gedefinieerd, maar rond de negentiende eeuw werd de oude diagnose *furor uterinus* (baarmoederwoede) – een ziekte die zou ontstaan door het opstijgen van dampen uit de baarmoeder naar de hersenen of door demonische bezetenheid – steeds vaker vervangen door de nieuwe en eerder psychologisch georiënteerde diagnose 'nymfomanie'. Messalina werd van meet af aan de rol van ambassadrice toebedeeld voor deze nieuwe medische trend. Artsen verwezen regelmatig naar hun nymfomane patiënten als 'Messalina's' en een enkele maal komen we de ziekte zelf tegen onder de naam 'Messalina-complex'.

De associatie van Messalina met nymfomanie was niet zozeer gebaseerd op haar reputatie van een op seks beluste vrouw als wel op haar reputatie van seksuele onverzadigbaarheid. '*Lassata viris necdum satiata*', 'vermoeid door mannen maar niet verzadigd nog' – zo laat Juvenalis Messalina het bordeel verlaten wanneer dat in de ochtend sluit. Het lijkt haast een omschrijving van het wezenskenmerk van de negentiende-eeuwse nymfomane. Een vrouw die aan 'acute nymfomanie' leed, zo geloofden artsen, werd plotseling getroffen door een 'onbegrensd verlangen naar seksuele bevrediging, een obsceen delirium' dat binnen slechts enkele dagen kon leiden tot 'dood door uitputting'. Deze patiënt wordt een extreme versie van Juvenalis' Messalina: ze mat zich onverzadigbaar af tot de dood erop volgt. Artsen waren in zekere zin een stap verder gegaan dan Dumas: Messalina hoefde niet meer gedood te worden, omdat haar eigen begeerte haar van binnenuit vergiftigde.

Sed non satiata. Deze kleine variatie op Juvenalis' beschrijving van Messalina is de titel van een van de gedichten in Baudelaires bundel *Les Fleurs du mal* uit 1857. Onderwerp van het gedicht is Jeanne Duval, de Haïtiaanse maîtresse van de Parijse dichter, en zij wordt in 'Sed non satiata' voorgesteld als exotisch, mystiek, onkenbaar en – het verontrustendst van alles – onverzadigbaar. De dichter merkt 'in je helse bed' dat hij niet in staat is het 'verzet' van zijn maîtresse 'te breken' noch haar 'te bedwingen'.[52] We begrijpen dat dit een vrouw is die misschien nooit tevreden zal zijn met wat een man haar kan bieden, of het nu gaat om seks, rijkdom of macht, en dat het voeden van haar verlangens hem kan verteren voordat het haar ooit zou kunnen bevredigen. Het is deze messalinische kwaliteit die Baudelaire zowel obsedeert als vrees aanjaagt.

Baudelaire stond aan de wieg van de omstreden artistieke beweging van het decadentisme. Voor deze beweging, die bepalend was voor het fin de siècle, zou Messalina uitgroeien tot een zinnebeeld en een obsessie. Die obsessie was zelfs zo hevig dat ze de literair criticus Ernest-Charles tegen 1902 in een soort journalistieke crisis bracht. 'Er zijn te veel van deze romans,' schreef hij. 'Véél te veel! [...] Al jaren is het Messalina wat de klok slaat... Wiens beurt is het nu? Wie heeft er níét over Messalina geschreven?'[53] Voor Ernest-Charles mocht het onderwerp dan zijn bekoring verloren hebben, maar het valt gemakkelijk te begrijpen dat Messalina een aantrekkelijk thema was voor de schrijvers en kunstenaars van deze periode. Deze mannen geloofden (misschien terecht) dat ze de langdurige doodsstrijd meemaakten van een beschaving die aan zichzelf ten onder ging omdat ze te zoet en te zwaar was geworden.

In tegenstelling tot de romantische beweging die eraan was voorafgegaan, hield de decadente beweging staande dat de menselijke natuur niet van nature goed was. In plaats daarvan geloofden ze dat de mens, van nature zondig, intrinsiek werd aangetrokken (zij het ook afkeer ingeboezemd) door verval, verdorvenheid en dood. De successen van de Europese imperia en de industrialisatie hadden voor ongekende welvaart gezorgd in de Europese samenleving; in de moderne stedelijke centra als Parijs, Londen, Wenen en Berlijn was elke luxe, elk bedwelmend middel en elke seksuele dienst onmiddellijk beschikbaar voor wie bereid was ervoor te betalen. Gedacht werd dat deze toegankelijkheid leidde tot verveling of ennui die mensen – van nature aangetrokken door verval – ertoe aanzette op zoek te gaan naar nieuwe luxes en nieuwe ondeugden. Deze cyclus van bederf en achteruitgang, zo geloofde de decadente beweging, kon slechts eindigen met de dood: de dood van het individu en uiteindelijk die van de beschaving zelf. Het morele en sociale verval dat optrad toen de samenleving zich ontwikkelde naar nieuwe uitersten van de moderniteit vroeg om nieuwe vormen van artistieke expressie, die voorrang gaven aan ornamentatie, vorm en symboliek. Er was schoonheid te vinden, opperde de decadente beweging, zowel in het macabere proces van het verval zelf als in het artificiële waarmee werd getracht dit verval te verhullen of te overstijgen.

Het antieke Rome werd aangehaald als het klassieke voorbeeld van 'decadentie', en het verhaal van Messalina oefende een bijzondere symbolische aantrekkingskracht uit op de kunstenaars van de decadente beweging.* Juvenalis' keizerin 'lassata [...] necdum satiata' was een perfect alter ego voor de decadente samenleving die leed aan ennui als gevolg van overdaad: vermoeid maar onbevredigd. Messalina's status als een archetypische femme fatale droeg ook bij aan haar aantrekkingskracht. De figuur van de dodelijke maar verleidelijke vrouw was prominent aanwezig in de decadente kunst: ze personifieerde de verbindingen die de beweging trok tussen dood en seks, schoonheid en verval, aantrekkelijkheid en walging. In de details van de over Messalina vertelde verhalen komen de hoofdthema's van de decadente beweging samen. Er is de hang van de keizerin naar opschik en het artificiële; haar vermogen tot misleiding, haar vermomming, de valse identiteit van Lycisca en haar obsessie met de namaaknatuur geboden door de Tuinen van Lucullus. En er is de karakteristieke combinatie van weelde en vuiligheid als ze van paleis naar bordeel gaat, en van bruiloftsfeest naar vuilniskar. Juvenalis' beschrijving van een onverzadigbare, moordzuchtige keizerin die onder een valse naam in een bordeel werkt, een blonde pruik draagt en haar tepels met goud heeft bedekt maar wier wangen met vuil zijn besmeurd, is misschien wel het decadente tafereel bij uitstek.

---

* Achttiende-eeuwse historici zoals Montesquieu en Gibbon hadden moreel, artistiek, politiek en statelijk verval met elkaar in verband gebracht in hun analyses van de ondergang van het Romeinse Rijk. Augusteïsche zelfdiscipline maakte plaats voor de verdorvenheid en weelde van de latere keizers, de ingetogen gouden eeuw van de Latijnse welsprekendheid en poëzie was kapotgemaakt door steeds gekunstelder stijlen en de idealen van sociale en maatschappelijke plicht werden sleets totdat, zo stelden zij, het rijk onder zijn eigen gewicht was ingestort. De kunstenaars van de decadente beweging probeerden opnieuw uit dit proces van 'verval' te putten als een bron voor artistieke schoonheid.

De grote Britse illustrator van estheticisme en decadentie, Aubrey Beardsley, maakte in opdracht van de controversiële uitgever Lionel Smithers twee afbeeldingen van Messalina voor speciale edities van de *Satiren* van Juvenalis. De eerste – waarschijnlijk gemaakt rond 1895 – toont de keizerin die het paleis verlaat op weg naar het bordeel. Het is nacht en ze baant zich een weg door een geometrisch aangelegde tuin; een kluitje hangende bloemen en een zeshoekige cascadefontein steken af tegen een pikzwarte achtergrond. Haar kleine metgezel, voorovergebogen en met een doodshoofdgezicht, kijkt ons aan, maar Messalina heeft geen aandacht voor de toeschouwer. Ze houdt haar blik gericht op haar bestemming terwijl ze voortstapt met een vastberaden trek om de mond. Beardsley beeldt zijn keizerin af in een potsierlijk overdadige uitdossing. Haar lijfje in rococostijl is naar beneden getrokken om haar borsten te onthullen en de kap van haar zwarte mantel is versierd met veren. Ze draagt de beroemde gele pruik, maar Beardsley heeft die naar achteren geschoven zodat daar dikke zwarte krullen onderuit komen die het gezicht van de keizerin omlijsten en de kunstmatige aard van haar blondheid verraden.

Een paar jaar later zou Beardsley een tweede illustratie maken over hetzelfde thema. Deze keer is Messalina alleen terwijl ze terugkeert naar het paleis. Al haar opschik is verdwenen; ze draagt enkel een jurk van fijne stof, die tot haar middel is opengescheurd, en haar donkere haar is onbedekt en in de war. Ze heeft duidelijk een drukke nacht gehad, maar haar uitdrukking is onveranderd. Ze heeft wallen onder haar ogen, maar haar blik blijft vastberaden, de mondhoeken omlaaggetrokken en haar vuist gebald aan haar zij – dit is een vrouw die gefrustreerd is, of zelfs wraakzuchtig, omdat ze geen bevrediging heeft gevonden.

Rond de tijd dat Beardsley deze tweede tekening vervaardigde, richtte de Belgische dichter Iwan Gilkin zich tot 'ongetemde Messalina' in zijn gedicht uit 1897 met de ironische titel 'Gebed'.

U, de eeuwige liefde, U, de eeuwige vrouw,
Absurde verslindster, schandelijk en statig,
Die het leven uit ons zuigt en onze hersenen leegt,
[...]
En met uw lelietanden, dronken van wreedheid,
[...]

En met uw bezeten nagels, blozend rood met rozen,
Openrijt, vaardig en verrukkelijk ongehaast,
[...]
Mijn spieren en mijn zenuwen, eeuwig onbevredigd,
Tot die dag, Madonna, wanneer uw al te lustige lippen
Vergeefs de lippen van mijn wonden zullen beroeren.[54]

Gilkins Messalina is de ultieme femme fatale van het fin de siècle. Onverzadigbaar, sadistisch en vampierachtig dreigt ze de kunstenaar te
vernietigen, of misschien wel de mens in het algemeen. Daarmee stelt ze
de dichter echter ook in staat zijn eigen pretentieuze decadente fantasie
uit te leven; hij kan het baudelaireaanse beeld van de wond met lippen
lenen, seks en dood in elkaar laten opgaan en toegeven aan zijn maso-
chistische aantrekkingskracht tot het destructieve en macabere.* Deze
Messalina is zowel muze als moordenares, maar ze blijft in dienst van de
kunstenaar.

In een van de straten op de heuvel die naar Montmartre in Parijs leidt,
staat een herenhuis dat iets terug ligt van de straat. De kamers op de
eerste verdieping zijn van een huiselijke burgerlijkheid, klein en druk ingericht in de stijl van de late negentiende eeuw, maar als je de trap naar
de tweede verdieping neemt, kom je in een enorm kunstenaarsatelier van
twee etages. Dit was het atelier, en is nu het museum, van de symbolistische schilder Gustave Moreau. Elke centimeter muur is bekleed met zijn
schilderijen van Bijbelse en mythische onderwerpen, waaronder twee afbeeldingen van Messalina.

De eerste afbeelding, die veel gedetailleerder is afgewerkt dan de
tweede, toont Messalina in het bordeel. Rechts in de compositie staat
een hemelbed, waarvan de lakens gekreukt zijn en de rode sprei op de
grond is gegleden. Aan de linkerkant, onder een vreemd vleermuisach-
tig wezen, slapen twee ineengekrompen figuren – een ander koppel
wellicht, of twee van Messalina's uitgeputte minnaars. Boven hen biedt
een raam zicht op een keizerlijk Rome met monumentale gebouwen en
ruiterstandbeelden. Een zuil met daarop een beeld van Romulus en Remus die worden gezoogd door de wolvin licht op in het schijnsel van de

---

* Baudelaire gebruikt het beeld van de lippen van een wond in 'À celle qui est
trop gaie'.

vollemaan. Binnen houdt een oudere vrouw met ontblote borsten maar met het hoofd omlaag gewend en gesluierd een rokende fakkel vast. Ze verlicht de kamer in het bordeel, maar lijkt door hoe ze is geplaatst ook het uitzicht op de stad buiten in brand te steken. Gezien de schaar die om haar middel hangt zou ze de kamenierster van Messalina kunnen zijn, maar ze zou evenzogoed een van de schikgodinnen kunnen voorstellen, die Messalina's levensdraad weeft en zich voorbereidt om deze op het onontkoombare moment door te knippen.

Op de voorgrond zien we de keizerin en een van haar minnaars. Messalina staat met één voet op een opstapje naar het bed, terwijl ze met de knie van haar andere been op het matras steunt. Ze is naakt op een dunne strook witte stof na die onwaarschijnlijk toevallig precies tussen haar benen blijft hangen. Haar minnaar, gebruind, gespierd en naakt tot zijn middel, staat onder haar op de vloer. Hij heeft zijn arm om haar middel geslagen en zijn hoofd naar achteren gekanteld om naar haar op te blikken. Hoewel de keizerin een hand op zijn schouder laat rusten, lijkt ze hem niet op te merken. In plaats daarvan is Messalina's hoofd, getooid met een kunstig kapsel en een diadeem, van hem afgewend en heeft ze haar hand opgeheven naar haar kin alsof ze in gedachten is verzonken terwijl ze het donker van het hemelbed in staart. Moreau heeft zijn keizerin het aanzien van een standbeeld gegeven: haar gezicht is in volmaakt klassiek profiel afgebeeld, haar huid heeft de vlakke witheid van marmer. 'Ik stel me deze dochter van de keizers voor,' schreef Moreau in een berichtje aan zijn moeder over zijn laatste werk in wording, 'als de personificatie van het onbevredigde verlangen van vrouwen in het algemeen, maar ook van de feminiene perversiteit, immer zoekend naar haar idee van sensualiteit.' Haar minnaar tintelt van leven en gevoel, zijn gezicht blozend met wanhopige passie, maar Moreau's Messalina is ondoorgrondelijk, onbevredigbaar en onbereikbaar – sterker nog: ze lijkt al dood te zijn.

*

In 1937 sloeg de Anglo-Indiase Hollywood-filmster Merle Oberon met haar hoofd door de vooruit van een auto. Oberon was in Londen om de rol van Messalina te spelen in een epische verfilming van Robert Graves' *I, Claudius*, een project dat al met moeilijkheden te kampen had. Oberon overleefde het ongeluk ternauwernood, maar duidelijk was dat het maanden zou duren voordat ze weer aan het werk kon. Het leek alsof er een vloek rustte op de productie, en de rol van Messalina in het bijzonder; het project werd stopgezet en nooit voltooid.

In plaats daarvan werd de roman van Graves, na bijna veertig jaar stilte, in de herfst van 1976 bewerkt tot een miniserie voor de BBC. De serie maakte furore. Mijn eigen overgrootvader zette naar verluidt telkens afkeurend de tv uit zodra de openingstitels over het scherm begonnen te rollen, maar hij was ongetwijfeld in de minderheid. *I, Claudius* zou een van de best bekeken BBC-producties aller tijden worden en een hele generatie de (niet geheel onjuiste) visie voorschotelen dat de Julisch-Claudische dynastie een door seks geobsedeerde koninklijke maffia was. 'I, *Claudius* wordt elke aflevering beter,' luidde op 14 november 1976 een korte aankondiging in de televisierubriek van *The Sunday Telegraph*. 'Zet de tv op tijd aan als je de orgie niet wilt missen.' Blijkbaar stelde de orgie niet teleur; de volgende ochtend beoordeelde de recensent van de *Telegraph* het als 'de eerste fatsoenlijke orgie die we sinds het begin van het seizoen hebben gehad'. Precies in deze scènes maken we voor het eerst kennis met Graves' Messalina. Tot nu toe zijn we Messalina hoofdzakelijk tegengekomen als een symbool of type. Ze is een slachtoffer geweest van vrouwelijke zwakte en een embleem van de verwoestende kracht van het vrouwelijke, maar ze was zelden bijzonder menselijk. Dat veranderde tot op zekere hoogte met de publicatie van Robert Graves' romans uit 1934: *I, Claudius* en *Claudius the God and His Wife Messalina*. In deze boeken, gepresenteerd als een autobiografie die is geschreven door de keizer zelf, geeft Graves ons het gevoel dat niets echt belangrijks ons scheidt van de mensen die over de forums liepen. Zij deelden, zo stelt hij zich voor, onze zwakheden, onze vooroordelen, onze verlangens en onze emoties.

We komen Messalina in *I, Claudius* voor het eerst tegen als een vijftienjarig slachtoffer van seksueel misbruik. Caligula heeft haar uit het huis van haar vader gehaald en naar het paleis laten brengen, waar hij haar dwingt naakt voor zijn gasten te verschijnen als onderdeel van een theateruitvoering. Als de voorstelling voorbij is, geeft Caligula commentaar op de schoonheid van het meisje en haar maagdelijkheid. Hij geeft toe dat hij had overwogen haar zelf te verkrachten, maar hij is zijn voorliefde voor minderjarige meisjes kwijt sinds hij Caesonia heeft ontmoet.

Hij stelt daarom voor dat Claudius van zijn vrouw scheidt en met Messalina trouwt.

Claudius erkent dat de affectie die zijn jonge echtgenote aanvankelijk voor hem voelt voor een groot deel voortkomt uit haar opluchting dat ze aan Caligula ontsnapt is. Binnen twee maanden na hun huwelijk is ze zwanger. 'Wanneer een niet bijster slimme, niet bijster aantrekkelijke man van vijftig verliefd wordt op een heel aantrekkelijk en heel slim meisje van vijftien,' merkt Claudius met de wijsheid achteraf op aan het eind van het eerste boek, 'dan voorspelt dat gewoonlijk weinig goeds voor hem.'[55]

In de loop van het vervolg, *Claudius the God and His Wife Messalina*, zien we deze voorspelling uitkomen. Claudius vergunt ons een bijzonder inkijkje in de keizerlijke slaapkamer, zodat we er getuige van kunnen zijn hoe Messalina stap voor stap zijn vertrouwen wint en daar gebruik van maakt voor haar eigen doeleinden. Graves laat Messalina zich tot een onmisbare steun voor de keizer maken, maar toch ook haar vrouwelijke kwetsbaarheid uitspelen wanneer dat haar uitkomt. Hij maakt zich een voorstelling van de gesprekken die resulteren in de politieke moorden en verbanningen waarvan Tacitus, Suetonius en Dio verslag doen: we zien hoe de keizerin adviezen vermengt met grappen en geflirt terwijl ze terloops of met veel drama haar insinuaties uit, afhankelijk van waar de situatie om vraagt. Deze Messalina krijgt geen controle over Claudius door mysterieuze of zelfs magische verleidingskunsten, maar door haar intelligentie, goede instinct en opportunisme. De schuld ligt evenzeer bij zijn zwakheid, bekent Claudius, als bij haar opportunisme.

Graves' Messalina is ongetwijfeld een boosdoener – of ze lijkt dat in elk geval te zijn in de ogen van onze verteller Claudius. Ze liegt, manipuleert en moordt. Ze is een slechte echtgenote, en als moeder weinig beter. Ze vernedert Claudius en laat hem ontgoocheld achter, hoewel ze hem niet compleet vernietigt.

Toch krijgen we, ondanks haar rol als een antagonist en ondanks de eenzijdige aard van Claudius' relaas, wel de indruk dat Graves' Messalina menselijk is. Ze is gecompliceerd: slim, rationeel, grappig en machiavellistisch, maar ook mooi, sensueel en grillig. Ze komt minder over als duister en allesverslindend dan als geteisterd door verveling en wanhopig verlangend naar vertier; minder als onverzadigbaar dan als simpelweg onbevredigd. Graves laat Messalina een vrouw zijn die zowel door politiek als door seks gedreven wordt, die zowel in haar geest als in haar lichaam bestaat.

Dat Graves' karakterisering van de keizerin als slecht maar menselijk eruit springt als bijzonder fijngevoelig spreekt boekdelen over hoe Messalina eraan voorafgaand is behandeld. 2000 jaar lang heeft Messalina model gestaan voor alles wat met vrouwelijkheid te maken heeft. Zelfs de sympathiekste weergaven, die ons oproepen medelijden met haar te hebben op het moment van haar ondergang, baseren hun mededogen op de overtuiging dat Messalina's fout lag in haar onbeheerste vrouwelijkheid, met alle sensualiteit en irrationaliteit van dien, en op hun vertrouwen dat ze haar straf niet zal ontlopen. Vaker was de reactie op Messalina er een van angst, woede, verontwaardiging – of alle drie tegelijk. Dit was een vrouw die de spot met mannen leek te drijven door haar keizerlijke macht en haar seksuele onverzadigbaarheid; in ruil daarvoor maakten ze van haar een heks, een scheldwoord voor politieke tegenstanders, een onbeschrijflijk seksobject, een femme fatale, een medische aandoening en zelfs een visioen van de dood zelf.

Besluit

In veel opzichten is Messalina's verhaal het verhaal van de Julisch-Clau-dische dynastie. Ze belandde in een machtspositie door afkomst en hu-welijk en behield die positie door meedogenloos gebruik te maken van de geraffineerde hypocrisie en tolerantie voor geweld aan het Julisch-Clau-dische hof. Ze spande zich in om haar eigen familielijn te creëren én te beschermen, en was zich er terdege van bewust dat falen de dood van haarzelf en haar kinderen zou betekenen. De veranderingen die ze in het politieke landschap aanbracht waren niet openlijk en constitutioneel, maar bestonden uit het geleidelijk verleggen van grenzen, het openen van nieuwe wegen en het scheppen van precedenten. Haar leven speelde zich af in een weelde die honderd jaar eerder nog ondenkbaar zou zijn geweest, in een sociale wereld die zich intens bezighield met beeld-vorming en spektakel, met het 'theater' van de politiek. In het hele rijk projecteerde ze een imago van zichzelf als toonbeeld van ideale vrouwe-lijkheid en traditionele moraal, maar mensen fluisterden geruchten over haar overspel en geheime, verderfelijke perversies, over dingen die zich achter gesloten deuren op de Palatijn afspeelden en die wezen op gevaar-lijke scheuren in de fundamenten van de staat. Deze impulsen, angsten en omstandigheden bepaalden Messalina's leven, maar ze bepaalden ook de cultuur en de politiek van haar tijd: weinig in Messalina's verhaal of in haar wereld was wat het leek.

Een verhaal als dat van Messalina dwingt ons om ons rekenschap te geven van de processen van mythologisering waaraan de hele antieke geschiedenis onderhevig is. We weten dat de keizerin niet echt als een volkse prostituee kan hebben gewerkt of kan hebben verwacht een bi-gamisch huwelijk met Gaius Silius te sluiten en daarmee weg te komen – en dus vragen we ons af waar deze verhalen vandaan komen, hoe ze zich ontwikkelen en wat ze betekenen. Het ontrafelen van deze verhalen helpt ons het echte verleden van Messalina bloot te leggen, maar het onthult ook iets van het wezen van een tijdperk waarin de kloof tussen ideologische façade en politieke realiteit steeds wildere verhalen over intriges, moorden en seksuele uitspattingen voortbracht.

Dat deze geruchten vooral over vrouwen gingen is niet verrassend. De nieuwe macht van keizerlijke vrouwen was een symbool van het nieuwe politieke systeem en de nieuwe hofpolitiek – alleen al het bestaan van een 'keizerin' volstond om alle angsten op te roepen die de geruchtenmachine aanzwengelden. Bovendien leidden de vrouwen van de Julisch-Claudische familie een geïsoleerder leven en waren ze meer achter de schermen politiek actief dan hun mannelijke tegenhangers; er was minder bekend of aantoonbaar. Er was meer ruimte voor roddels, terwijl vrouwen als Messalina geen podium hadden om die te weerleggen.

Het verhaal van Messalina en haar mythologisering vormen een perfecte casestudy voor zowel de hachelijke positie van de Romeinse vrouw als de eigenaardige, sensuele en paranoïde wereld van Romes eerste dynastie. Dat betekent echter niet dat ze louter als symbool benaderd moet worden. Dat is veel te vaak en veel te lang gebeurd, zoals haar associatie met seks aantoont.

De westerse samenleving is altijd bezeten geweest van de drang om vrouwen te categoriseren. Om ze netter te maken, makkelijker consumeerbaar als objecten of culturele symbolen. Om ze te rangschikken in types die beknopt beschreven kunnen worden, waaraan een waarde kan worden toegekend en die tegen elkaar kunnen worden uitgespeeld. Deze categoriseringen waren vaak, zoals ook in Messalina's geval, geconcentreerd op seksualiteit.

Een Romeins meisje werd geen vrouw door het verstrijken van de tijd, maar door haar eerste huwelijk en het verlies van haar maagdelijkheid. Ze was hetzij een *virgo* hetzij een *matrona*, en deze status bepaalde haar rechten, het ritme van haar leven, haar kleding, haar dagelijkse activiteiten en de manier waarop ze door anderen werd bejegend. Als ze een seksuele grens overschreed, kwam ze in weer nieuwe categorieën terecht. Nu was ze een overspelige vrouw, of misschien een prostituee. Haar wettelijke rechten en de bescherming die ze genoot veranderden; de samenleving behandelde haar anders en vond dat ook gerechtvaardigd.

De drang om vrouwen in te delen op basis van hun seksualiteit is in de jaren na de ondergang van Rome nauwelijks afgenomen. Met de komst van het katholicisme werd een vrouw ofwel een 'madonna' ofwel een 'hoer'. Met de komst van de cinema werd ze 'het sekssymbool' of 'het leuke buurmeisje', of 'de moeder', of 'de slet', of 'het naakte moordslachtoffer', of 'de femme fatale'. De seksuele aantrekkelijkheid van een vrouw, haar keuze van seksuele partners, de omstandigheden waarin ze seks heeft, het feit dat ze überhaupt seks heeft gehad: al deze zaken zijn in de geschiedenis gebruikt om de identiteit van een vrouw te definiëren en de grenzen van haar bestaan in te perken – wat bij mannen nooit het geval is geweest.

Messalina's associatie met seks – zowel met verleidelijkheid en begeerte als met losbandigheid – heeft de manier waarop ze ons wordt gepresenteerd in alle opzichten vertroebeld. De carrière van Messalina's opvolgster Agrippina verschilde niet zoveel van die van Messalina. Ze voerde een vergelijkbaar beleid en was (hoewel ze iets langer wist te overleven) bijna precies even lang een politieke machtsfactor. Toch is Agrippina de geschiedenis in gegaan als opmerkelijk ambitieus, rationeel, vooruitziend en begiftigd met een scherp politiek instinct. De antieke bronnen belasteren haar weliswaar, maar met hun nadruk op haar onnatuurlijke, immorele mannelijkheid verraden ze tegen wil en dank een zeker respect voor haar intelligentie en succes. Messalina's behandeling is anders. Hoewel evenzeer belasterd, krijgt zij geen greintje van het aan Agrippina toegekende respect. Zelfs moderne historici hebben de neiging vragen over wat haar bewoog terzijde te schuiven, haar impact op het tijdperk over het hoofd te zien en haar af te doen als een bijfiguur die geen serieus onderzoek verdient. De carrières van de twee vrouwen lopen onvoldoende uiteen om het enorme contrast in hoe ze ons gepresenteerd worden te rechtvaardigen. De echte bron van deze discrepantie is niet moeilijk vast te stellen: het grote verschil in de karakterisering van Messalina en Agrippina heeft alles te maken met seks.

In Messalina's geval heeft een seksuele reputatie elk aspect van haar geschiedenis doordrenkt, elke prestatie overschaduwd, elke andere karaktertrek overvleugeld. De Messalina van onze bronnen is waanzinnig en wordt beheerst door haar passies. Grillig, onbekwaam tot strategisch denken en onderworpen aan haar directe, vluchtige impulsen. Haar daden zijn onverklaarbaar voor rationele mannen. Ze wordt louter gedreven door haar sensuele, tastbare verlangens naar schoonheid, geld, luxe en seks. Messalina's seksuele reputatie heeft haar niet alleen rollen toe-bedeeld in renaissancistische zedenlessen, victoriaanse melodrama's en pornofilms uit de jaren zeventig, maar is ook van invloed geweest op de door antieke *én moderne* historici gemaakte analyses van haar motivaties, haar persoonlijke capaciteiten en haar waarde als onderzoeksobject.

Het ergst van alles is dat deze narratieven Messalina hebben getrans-formeerd tot een sekssymbool en daardoor een veel complexer en inte-ressanter verhaal aan het zicht hebben onttrokken. Zeven jaar lang, van 41 tot 48, was Messalina de machtigste vrouw ter wereld. Sinds Livia had geen enkele andere vrouw het zo lang op zo'n machtige positie volgehou-den. Ze gaf vorm aan het politieke landschap van haar tijd en bereidde de weg voor nieuwe methoden van hofpolitiek bedrijven – nieuwe modellen voor het uitoefenen en tentoonspreiden van vrouwelijke macht – die nog lang na haar dood zouden blijven bestaan. Messalina transformeerde de Romeinse opvatting van wat het betekende om keizerin te zijn, maar ze was niet onfeilbaar: haar uiteindelijke val was niet het gevolg van een of andere seksuele 'waanzin', maar kwam voort uit een reeks politieke en persoonlijke misrekeningen.

We kunnen Messalina niet 'goed' noemen: te veel bedrog, te veel moord. Noch kunnen we haar neerzetten als een soort feministisch rolmodel: ze werkte binnen patriarchale structuren en gebruikte die evenzeer tegen haar vrouwelijke vijanden als ze er zelf tegen vocht. Maar we kunnen wel zeggen dat ze machtig, interessant, onverschrokken, vernieuwend en in-telligent was, en dat ze bijna een decennium lang met succes regeerde. Geen van deze kwaliteiten staat op gespannen voet met haar aantrekke-lijkheid en seksualiteit – en met de mogelijkheid dat ze beslissingen nam die niet altijd verstandig waren en verlangens had die niet altijd rationeel waren.

Ik vraag de lezer niet om te geloven dat Messalina een indrukwek-kende zelfbeheersing bezat, of zichzelf nooit vooropstelde, of niets te verwijten viel in haar relaties, of intellectueel onfeilbaar was of altijd consistent in haar strategie. Ik vraag slechts dat de lezer erkent dat haar prestaties en haar waarde als historisch onderzoeksobject kunnen be-staan naast haar fouten en haar gebreken en haar immorele daden – net zoals we de zonden van Grote Mannen laten bestaan naast hun roemvolle verrichtingen.

Dankbetuiging

In mijn eerste semester in Oxford heb ik minstens twee keer willen stoppen. Omdat ik nooit eerder colleges antieke geschiedenis had gevolgd, voelde ik me erg achterliggen op mijn studiegenoten en bovendien miste ik mijn leven in Londen enorm. Mijn mentor, de weergaloze professor Christina Kuhn, zei me dat ik het tot Kerstmis moest volhouden en dat herfstsemester deed ik bij haar een module die 'Tacitus en Tiberius' heette. Ik was verkocht. Het is aan haar en haar lessen te danken dat ik gegrepen ben geraakt door antieke geschiedenis en mijn obsessie voor de Julisch-Claudische dynastie en hun geschiedschrijving heb ontwikkeld.

Tijdens mijn masterstudie ben ik me serieus in de figuur van Messalina gaan verdiepen en ik ben mijn begeleider, professor Katherine Clarke, bijzonder dankbaar dat ze het onderwerp van mijn scriptie serieus nam en me aanmoedigde om de keizerin vanuit nieuwe invalshoeken te benaderen. Haar lessen, vragen en inzichten hebben een enorme invloed gehad op de ontwikkeling van de ideeën die de basis zouden vormen van dit boek.

Er zijn nog veel meer docenten en begeleiders aan wie ik veel te danken heb, onder wie dr. Thomas Mannack, dr. Claudia Wagner, dr. Anna Clark en professor Nicholas Purcell. Juliane Kerkhecker leerde me niet bang te zijn voor Latijn. Aan Irene Brooke, mijn supervisor aan het Courtauld, dank ik het vermogen om echt naar kunst te kijken en een waardering voor het visuele die mijn begrip van geschiedenis heeft veranderd. Ik ben ook mijn promotor, de briljante professor Jo Crawley Quinn, eindeloos dankbaar voor de steun, de aanmoediging en vooral het geduld dat ze tijdens de laatste maanden van de productie van dit boek voor me heeft opgebracht.

Ik sta voor eeuwig in het krijt bij Dan Jones en Antony en Nicolas Cheetham bij Head of Zeus omdat ze het met Messalina erop hebben gewaagd, en bij mijn redacteur Richard Milbank voor zijn heldere oordeel en expertise. Zijn ingrepen en inzichten hebben dit boek niet alleen geschikt gemaakt om door een groter publiek gelezen te worden, maar hebben me ook veel geleerd over de kunst van het schrijven. Dank ook aan Miranda Ward, die voor de sisyfusarbeid stond om de tekst te redigeren van een dyslecticus die het gebruik van komma's nooit echt onder de knie heeft gekregen. En natuurlijk aan mijn vriend Edward Stanley, die, over mijn schouder meekijkend, een keer een typefout ontdekte en me dat nooit heeft laten vergeten.

Mijn dank gaat uit naar alle leden van het team bij Head of Zeus, die met hun harde werk en vakmanschap dit boek tot werkelijkheid hebben gemaakt – in het bijzonder Aphra Le Levier-Bennett, Ellie Jardine, Clémence Jacquinet en Dan Groenewald. Tevens naar mijn publiciteitsagent Kathryn Colwell voor haar enthousiasme en energie, naar Isambard Thomas voor zijn werk aan de prachtige kaarten van Rome en het Keizerrijk en naar Jessie Price voor het ontwerpen van het verbluffende omslag.

Dank ook aan Clare Wallace, mijn agent, die dit project vanaf het begin heeft gesteund en aangemoedigd, en aan Mary Derby, Georgia Fuller, Salma Zarugh en Chloe Davis van Darley Anderson Agency.

Ik heb het geluk gehad om in elke fase van dit proces steun te krijgen van een aantal ongelooflijke historici. De krachtpatsers Dan Jones en Sara Cockerill hebben vanaf het allereerste begin ondersteuning en onmisbare begeleiding geboden – zonder hen was dit project er nooit gekomen. De legendarische Antonia Fraser, al heel lang een inspiratiebron, verleende me een royale beurs voor de voltooiing van mijn onderzoek en was even genereus met haar advies en aanmoediging. Ik ben ook dank verschuldigd aan de geweldige Robin Lane Fox, die zo vriendelijk was om de tijd te nemen om mijn manuscript met zijn deskundige blik door te nemen en een aantal relevante correcties voor te stellen.

Tot slot wil ik mijn dank uitspreken aan mijn familie voor hun onvoorwaardelijke steun en aan de vrienden die me zowel eindeloze aanmoediging als eindeloze afleiding hebben geboden.

Bibliografie

Bronnen bij de Nederlandse vertaling
(*NB: voor zover mogelijk is voor citaten gebruikgemaakt van bestaande Nederlandse vertalingen, behalve waar de vertaling van de auteur te veel afwijkt. In dat geval wordt haar formulering gevolgd.*)

Augustus, *Mijn wapenfeiten*. Vertaling Vincent Hunink: Hilversum/Nijmegen, Verloren/Carptim (2019).

Baudelaire, *Les Fleurs du Mal*. Vertaling Paul Claes: Amsterdam, Athenaeum-Polak & Van Gennep (2016).

Catullus, *Complete gedichten*. Vertaling Ype de Jong: Leiden, Primavera Pers (2018).

Euripides, *Medea*. Vertaling Gerard Koolschijn: Amsterdam, Athenaeum-Polak & Van Gennep (2019).

Flavius Josephus, *De oude geschiedenis van de Joden*. Vertaling F.J.A.M. Meijer en M.A. Wes: Amsterdam/Leuven, Ambo/Kritak (1998).

Juvenalis, *Satiren*. Vertaling M. d'Hane-Scheltema: Amsterdam, Athenaeum-Polak & Van Gennep (2021).

Martialis, *Verzamelde epigrammen*. Vertaling Piet Schrijvers: Amsterdam, Athenaeum-Polak & Van Gennep (2019).

Nepos, Cornelius, *Macht en moraal: Nagelaten werk*. Vertaling Peter Burgersdijk, Diederik Burgersdijk en Richard Haasen: Amsterdam, Athenaeum-Polak & Van Gennep (2020).

Ovidius, *Amores*. Vertaling M. d'Hane-Scheltema: Amsterdam, Athenaeum-Polak & Van Gennep (2015).

Ovidius, *Lessen in de liefde* (*Ars Amandi* en *Remedia amoris*). Vertaling M. d'Hane-Scheltema: Amsterdam, Athenaeum-Polak & Van Gennep (2004).

Ovidius, *Tristia – Ballingschapsgedichten*. Vertaling W.A.M. Peters: Alkmaar, Ambo-Klassiek (1995).

Persius, *Hekeldichten*. Vertaling Piet Schrijvers: Amsterdam, Athenaeum-Polak & Van Gennep (2020).

Plinius de Jongere, *De brieven*. Vertaling Ton Peters: Amsterdam, Ambo (2001).

Plinius de Oudere, *De wereld* (*Naturalis historia*). Vertaling Joost van Gelder, Mark Nieuwenhuis en Ton Peters: Athenaeum-Polak & Van Gennep (2004).

Plutarchus, *Beroemde Grieken*. Vertaling H.W.A. van Rooijen-Dijkman: Athenaeum-Polak & Van Gennep (2009).

Plutarchus, *Beroemde Romeinen*. Vertaling H.W.A. van Rooijen-Dijkman: Athenaeum-Polak & Van Gennep (2009).

Propertius, *Elegieën*. Vertaling W.A.M. Peters: Baarn, Ambo (1991).

Seneca, *Woede & clementie*. Vertaling Piet Schrijvers: Groningen, Historische uitgeverij (2020).

Tacitus, *Annalen*. Vertaling Vincent Hunink: Amsterdam, Athenaeum-Polak & Van Gennep (2021).

Tibullus, *Elegieën en andere gedichten uit het Corpus Tibullianum*. Vertaling John Nagelkerken: Alkmaar, Ambo-Klassiek (1994).

Opmerking over de vertalingen

Alle vertalingen uit het Latijn zijn van de auteur zelf, tenzij anders aangegeven. Alle vertalingen uit het Grieks zijn ontleend aan de uitgaven van de Loeb Classical.

Primaire bronnen

Apollodorus, *Tegen Neaera*.

Aristoteles, *Politica*.

Athenaeus, *Deipnosophistae*.

Augustus, *Mijn wapenfeiten*.

Pseudo-Aurelius Victor, *Epitome de Caesaribus*.

Cassius Dio, *Romeinse geschiedenis*.

Catullus, *Gedichten*.

Cicero, *De staat*.

Cicero, *Over de wetten*.

Cicero, *In verrem*.

Cicero, *Pro Caelio*.

Cornelius Nepos, *Over voortreffelijke veldheren van buitenlandse volkeren*.

Dionysius van Halicarnassus, *Antiquitates Romanae*.

Euripides, *Medea*.

Florus, *Gedichten*.

Galenus, *Over geneeskunde*.

Horatius, *Oden en epoden*.

Horatius, *Satires*.

Josephus, *Oude geschiedenis van de Joden*.

Julianus, *Digesta*.

Juvenalis, *Satiren*.

Livius, *De geschiedenis van Rome*.

Livius, *Periochae*.

Lucanus, *De burgeroorlog (Pharsalia)*.

Lucianus, *Over de dans*.

Macrobius, *Saturnalia*.

Marcellus Empiricus, *De medicamentis*.

Marcus Aurelius, *Persoonlijke notities*.

Martialis, *Epigrammen*.

Ovidius, *Amores*.

Ovidius, *Fasti*.

Ovidius, *Minnekunst*.

Ovidius, *Tristia*.

Ovidius, *Ex Ponto*.

Pseudo-Ovidius, *Consolatio ad Liviam*.

Paulus, *Digesta*.

Persius, *Hekeldichten*.

Petronius, *Satyricon*.

Philo, *Gezantschap naar Caligula*.

Plinius de Oudere, *Naturalis historia*.

Plinius de Jongere, *De brieven*.

Plutarchus, *Parallelle levens*.

Plutarchus, *Over veel spreken*.

Propertius, *Elegieën*.

Sallustius, *Samenzwering van Catilina*.

Seneca, *Troostschrift voor Polybius*.

Seneca, *Troostschrift voor Helvia*.

Seneca, *Natuurlijke vragen*.

Seneca, *De brevitate vitae*.

Pseudo-Seneca, *Apocolocyntosis*.

Pseudo-Seneca, *Octavia*.

Soranus, *Gynaecologie*.

Suetonius, *Romeinse keizers*.

Sulpicia, *Gedichten*.

Tacitus, *Historiae*.

Tacitus, *Annalen*.

Tibullus, *Gedichten*.

Ulpianus, *Fragmenten*.

Valerius Maximus, *Memorabele daden en uitspraken*.

Velleius Paterculus, *Romeinse geschiedenis*.

Vergilius, *Georgica*.

Vitruvius, *De bouwkunst*.

Historia Augusta.

Suda.

*

Anoniem, *Vingt Ans de la vie d'un jeune homme* (onjuist gedateerd 1789, ca. 1830). Parijs, Éditions Séguier (1996).

Baudelaire, C., *Les Fleurs du Mal* (1857). 50 gedichten uit *Les Fleur du Mal*, vertaling Paul Claes: Amsterdam, Atheneum-Polak & Van Gennep (2016).

Boccaccio, G., *Over de lotgevallen van beroemde mensen* (eind jaren 1350).

Brontë, C., *Jane Eyre* (1847). Londen, Penguin Classics (2006).

Cossa, P., *Messalina* (1876). Londen, Forgotten Books (2018).

Croze-Magnan, S-C., *L'Aretin d'Augustin Carrache, ou Recueil de postures érotiques, d'après les gravures à l'eau-forte par vet artiste célèbre, avec le texte explicative des sujets*. Parijs, Pierre Didot (1798).

Dumas, A. fils, *L'Homme-Femme: réponse à M. Henri d'Ildeville* (1872). Vertaling G. Vanderhoff: Philadelphia, New York en Boston (1873).

Dumas, A. fils, *La Femme de Claude* (1873). Vertaling C.A. Byrne: New York, F. Rullman (1905).

Gallois, L. (red.), *Réimpression de l'Ancien Moniteur Vol. 18*. Parijs, Au Bureau Centrale (1841).

Gilkin, I., *Prayer* (1897). Vertaling D.F. Friedman: *An Anthology of Belgian Symbolist Poets*. Bern, Peter Lang Publishing (2003).

Gorani, J., *Mémoires secrets et critiques vol.1*. Parijs, Chez Buisson (1793).

Graves, R., *I, Claudius* en *Claudius the God* (1934). Penguin Modern Classics, Londen, Penguin Random House (2006).

Isidore de Lara (libretto Sylvestre & Morand E.). *Messaline* (1899).

Jarry, A., *Messalina* (1900). Londen, Atlas Press (1985).

Maquet, A. en Lacroix, J., *Valeria*. Parijs (1851).

Nerciat, A., *Les Aphrodites; ou Fragments thali-priapiques pour server à l'histoire du plaisir* (1793).

Pona, F., *Messalina*. Venetië (1627).

Richards, N., *Tragedy of Messallina, Empress of Rome* (1640).

de Sade, D.A.F., *Histoire de Juliette* (1800). New York, Grove Press (1994).

Von-Krafft-Ebing, R., *Psychopathia Sexualis* (1886). New York, Arcade Publishing (2011).

Wilbrandt, A., *Arria und Messalina* (1877). Norderstedt, Hansebooks (2016).

Wilmot, J., *Rochester's Farewell* (1680).

Secundaire bronnen

Aali, H. *French Royal Women during the Restoration and July Monarchy: Redefining Women and Power*. Hampshire, Palgrave Macmillan (2021).

Adams, J. 'Words for Prostitute in Latin', *Rheinisches Museum für Philologie vol. 126, no. 3* (1983), pp. 321-358.

D'Ambra, E., *Roman Women*. Cambridge, Cambridge University Press (2007).

Baldwin, B., 'Executions under Claudius: Seneca's "Ludus de Morte Claudii"'. *Phoenix, vol. 18, no. 1* (1964), pp. 39-48.

Baldwin, B. 'The "Epitome de Caesaribus," from Augustus to Domitian', *Quaderni Urbinati di Cultura Classica, new series, vol. 43, no. 1*, (1993), pp. 81-101.

Barnes, T.D. 'Review: Epitome de Ceasaribus', *The Classical Review, vol. 52, no. 1* (2002), pp. 25-27.

Barrett, A., *Caligula: The Corruption of Power*. Londen, Batsford Ltd. (1989).

Barrett, A., *Agrippina: Sex, Power and Politics in the Early Empire*. New Haven en Londen, Yale University Press (1996).

Barrett, A. 'Tacitus, Livia and the Evil Stepmother', *Rheinisches Museum für Philologie vol. 144, no. 2* (2001), pp. 171-175.

Bauman, R.A., *Women and Politics in Ancient Rome*. Londen, Routledge (1993).

Beard, M., *The Roman Triumph*. Cambridge MA, Harvard University Press (2007).

Beard, M., *Twelve Caesars: Images of Power from the Ancient World to the Modern*. Princeton and Oxford, Princeton University Press (2021).

De la Bedoyère, G., *Domina: The Women who made Imperial Rome*. New Haven & Londen, Yale University Press (2018).

Bodel, J. 'Chronology and Succession 2: Notes on Some Consular Lists on Stone', *Zeitschrift für Papyrologie und Epigraphik, bd. 105* (1995), pp. 279-296.

Bowe, P., *Gardens of the Roman World*. Los Angeles, J. Paul Getty Museum (2004).

Bowman, A., Champlin, E. en Lintott, A. (red.) *The Cambridge Ancient History Vol. 10: The Augustan Empire, 43 BC-AD 69*. Cambridge, Cambridge University Press (1996).

Bradley, M., 'Colour and marble in early imperial Rome', *The Cambridge Classical Journal, vol. 52* (2006), pp. 1-22.

Brunn, C. 'The Name and Possessions of Nero's Freedman Phaon', *ARCTOS vol. 23* (1989), pp. 41-53.

Brunn, C. en Edmondson, J. (red.), *The Oxford Handbook of Roman Epigraphy*. Oxford, Oxford University Press (2014).

Brunt, P.A. 'Evidence given under Torture in the Principate', *Zeitschrift der Savigny-Stiftung für Rechtsgeschichte. Romanistische Abtheilung, vol 97* (1980), pp. 256-265.

Butler, M., *Theatre and Crisis 1632-1642*. Cambridge, Cambridge University Press (1984).

Carlson, D. 'Caligula's Floating Palaces', *Archaeology vol. 55, no. 3* (2002), pp. 26-31.

Carney, E.D. en Müller, S. (red.) *The Routledge Companion to Women and Monarchy in the Ancient Mediterranean World*. Londen, Routledge (2020).

Lo Cascio, E., 'The Population', in Claridge, A. & Holleran, C. (red.) *A Companion to the City of Rome*. Hoboken & Chichester, John Wiley & Sons (2018).

Champlin, E. 'The Testament of Augustus', *Rheinisches Museum für Philologie* (1989), pp. 154-165.

Chausson, F. en Galliano, G. (red.), *Claude: Un Empereur au Destin Singulier.* Lyon, Musée des Beaux-Arts (2018).

Chrystal, P., *Women in Ancient Rome.* Stroud, Amberley Publishing (2013).

Claridge, A. & Holleran, C. (red.) *A Companion to the City of Rome.* Hoboken & Chichester, John Wiley & Sons (2018).

Clarke, J.R., *Art in the Lives of Ordinary Romans.* Oakland, University of California Press (2003).

Clarke, J.R. *Looking at Lovemaking.* Berkeley, Los Angeles en Londen, University of California Press (1998).

Clarke, J.R. en Muntasser N.K. (red.), *Oplontis: Villa A (Of Poppaea) at Torren Annunziata, Italy.* ACLS Humanities (2019).

Coarelli, F., *Rome and Environs: an archeological guide.* Berkeley, Los Angeles en Londen, University of California Press (2009).

Colin, J., 'Les vendanges dionysiaques et la légende de Messaline', *Les Etudes Classiques, vol. 24, no. 1* (1956), pp. 25-39.

Colls, D., Domergue C., Laubenheimer F., Liou B. 'Les lingot d'étains de l'épave Port-Vendres II', *Gallia* (1975), pp. 61-94.

Courtney, E. 'The Interpolations in Juvenal', *Bulletin of the Institute of Classical Studies vol. 22* (1975), pp. 147-162.

Cryle, P.M., *The Telling of the Act: Sexuality as narrator in eighteenth and nineteenth century France.* Delaware, University of Delaware Press (2001).

Cursi, G.M., 'Roman Horti: a topographical view in the Imperial age', in Bartz. J., (red.), *Public | Private.* Berlijn, Winkleman Institute, (2019).

Delia, D., 'Fulvia Reconsidered' in Pomeroy, S.B. (red.) *Women's History and Ancient History*, Chapel Hill, University of North Carolina Press (1991).

Dunning, S. B., 'The transformation of the saeculum and its rhetoric in the construction and rejection of roman imperial power' in Faure, R., Valli, S-P. en Zucker, A. (red.) *Conceptions of Time in Greek and Roman Antiquity.* Berlijn en Boston, De Grutyer (2022).

Dunning, S.B., *Roman Ludi Saeculares from the Republic to Empire.* Thesis, University of Toronto (2016).

Eder, W. 'Augustus and the Power of Tradition' in K. Galinsky (red.) *The Cambridge Companion to the Age of Augustus*, pp. 13-32, Cambridge, Cambridge University Press. (2005).

Edmondson, J. en Keith, A. (red.) *Roman Dress and the Fabrics of Roman Culture.* Toronto, University of Toronto Press (2009).

Edwards, C. *The Politics of Immorality in Ancient Rome.* Cambridge, Cambridge University Press (1993).

Fagan, G., 'Messalina's Folly', *The Classical Quarterly vol. 52, no. 2* (2002), pp. 566-579.

Fant, M. en Lefkowitz, M., *Women's Life in Greece and Rome: A Source Book in Translation.* Londen, Bloomsbury Publishing (2016).

Fantham, E., *Julia Augusti: the Emperor's Daughter.* New York, Routledge (2006).

Farrone, C.A. en McClure, L.K. (red.) *Prostitutes and Courtesans in the Ancient World.* Madison, University of Wisconsin Press (2006).

Ferrill, A., *Caligula, Emperor of Rome.* Londen, Thames and Hudson (1991).

Flory, M. B. 'Sic Exempla Parantur: Livia's Shrine to Concordia and the Porticus Liviae', *Historia: Zeitschrift für Alte Geschichte vol. 33, no. 3* (1984), pp. 309-330.

Flory, M.B., 'Livia and the History of Public Honorific Statues for Women in Rome', *Transactions on the American Philological Association, vol. 123* (1993), pp. 287-308.

Flory, M.B., 'Dynastic Ideology, the Domus, Augusta, and Imperial Women: A Lost Statuary Group in the Circus Flaminius', *Transactions of the American Philological Association, vol. 126* (1996), pp. 287-306.

Flory, M.B., 'The Integration of Women into the Roman Triumph', *Historia: Zeitschrift für Alte Geschichte* (1998), pp. 489-494.

Flower, H., *Ancestor Masks and Aristocratic Power in Roman Culture.* Oxford, Oxford University Press (1996).

Foubert, L.L., 'The Palatine dwelling of the "mater familias". Houses as symbolic space in the Julio-Claudian period', *Klio: Beiträge zur Alten Geschichte, vol. 92, no. 1* (2010), pp. 65-82.

Gallivan, P., 'The Fasti for the Reign of Gaius', *Antichthon vol. 13* (1979), pp. 66-69. Cambridge, University of Cambridge Press.

Gardner, J.F., *The Roman Household: A Sourcebook.* Londen & New York, Routledge (1991).

Ginsburg, J., *Representing Agrippina: Constructions of Female Power in the Early Roman Empire.* Oxford, Oxford University Press (2006).

Gorski, G. en Packer, J., *The Roman Forum: A Reconstruction and Architectural Guide.* Cambridge, Cambridge University Press (2015).

Griffin, M., *Nero: The End of a Dynasty.* Londen, Batsford (1984).

Groneman, C., *Nymphomania, a history.* New York, Norton & Co (2001).

Grubbs, J.E., *Women and the Law in the Roman Empire*. Londen en New York, Routledge (2002).

Grubbs, J.E., 'Making the Private Public: illegitimacy and incest in Roman law' in Ando C. and Rupke J. (red.) *Public and Private in Ancient Mediterranean Law and Religion*. Berlijn, De Gruyter (2015).

Hallett, J.P., *Fathers and Daughters in Roman Society: Women and the Elite Family*. Princeton, Princeton University Press (1984).

Harris, C., *Queenship and Revolution in early modern Europe: Henrietta Maria and Marie Antoinette*. Hampshire, Palgrave Macmillan (2016).

Haselberger, L. et. al. (red.) *Mapping Augustan Rome, Journal of Roman Archaeology, supplementary series 50*. Rhode Island (2002).

Hekster, O. en Rich, J., 'Octavian and the Thunderbolt: The Temple of Apollo Palatinus and Roman Traditions of Temple Building'. *The Classical Quaterly vol. 56* (2006), pp. 149-168.

Heller, W., *Emblems of Eloquence: Opera and Women's Voices in Seventeenth Century Venice*. Berkeley, Los Angeles en Londen, University of California Press (2003).

Hemelrijk, E., *Matrona Docta: Educated Women in the Roman Elite from Cornelia to Julia Domma*. Londen & New York, Routledge (2004).

Hersch, K., *The Roman Wedding: Ritual and Meaning in Antiquity*. Cambridge, Cambridge University Press (2010).

Höbenreich, E. en Rizzelli, G., 'Poisoning in Ancient Rome: The Legal Framework, The Nature of Poisons and Gender Stereotypes' in Wexler P., *History of Toxicology and Environmental Health: Toxicology in Antiquity, Volume II*. Amsterdam, Academic Press (2015).

Holleman, A.W.J., 'The "Wig" of Messalina and the Origin of Rome', *Museum Helveticum, vol. 32, no. 4* (1975), pp. 251-253.

Jakab, E., 'Financial Transactions by Women in Puteoli' in du Pleissis (red.), *New Frontiers: Law and Society in the Roman World*. Edinburgh, Edinburgh University Press (2014).

Joshel, S.R., *Work, Identity and Legal Status at Rome. A Study of the Occupational Inscriptions*. Norman en Londen, University of Oklahoma Press (1992).

Joshel, S.R., 'Female Desire and the Discourse of Empire: Tacitus's Messalina', *Signs vol. 21, no. 1* (1995), pp. 50-82.

Kehoe, D., 'Production in Rome', in Claridge, A. & Holleran, C. (red.) *A Companion to the City of Rome*. Hoboken & Chichester, John Wiley & Sons (2018).

Kerkeslager, A., 'Agrippa and the Mourning Rites for Drusilla in Alexandria', *Journal for the Study of Judaism, vol. 37* (2006), pp. 367-400.

Kokkinos, N., *Antonia Augusta: Portrait of a Great Roman Lady.* Londen en New York, Routledge (1992).

Langlands, R., *Sexual Morality in Ancient Rome.* Cambridge, Cambridge University Press (2006).

Laurence, R., *Roman Pompeii: Space and Society.* Oxford, Routledge (1994).

Leiva, A.D., *Messaline, impératrice et putain: Généalogie d'un mythe sexuel de Pline au pornopéplum.* Nice, Du Murmure (2014).

Levick, B., *Claudius.* New Haven en Londen, Yale University Press (1990).

Levick, B., *The Government of the Roman Empire.* New York, Routledge (2000).

Levin-Richardson, S., *The Brothel of Pompeii: Sex, Class and Gender at the margins of Roman Society.* Cambridge, Cambridge University Press (2019).

Lindsay, H., 'The "Laudatio Murdiae": Its Content and Significance', *Latomus: Revue d'Études Latines vol. 63* (2004), pp. 88-97.

Ling, R., *Roman Painting.* Cambridge, Cambridge University Press (1991).

Machado, C., 'Building the Past: Monuments and Memory in the Forum Romanum', in Bowden, W., Gutteridge, A. en Machado, C. (red.) *Social and Political Life in Late Antiquity, vol. 3.1.* Leiden, Brill (2006).

MacMullen, R., 'Women in Public in the Roman Empire' in *Historia: Zeitschrift für alte Geschichte vol. 29 no. 2* (1980), pp. 208-218.

Marshall, A.J., 'Tacitus and the Govenor's Lady: A Note on Annals III.33-4' in *Greece and Rome, vol. 22, no. 1.* (1975), pp. 11-18.

Marshall, A.J., 'Roman Women and the Provinces', *Ancient Society vol. 6,* (1975), pp. 109-127.

McGinn, A.J., *Prostitution, Sexuality and the Law in Ancient Rome.* Oxford, Oxford University Press (1998).

McGinn, A.J., *The Economy of Prostitution in the Roman World.* Ann Arbor, University of Michigan Press (2004).

McGinn, A.J., 'Zoning Shame in the Roman City', in Faraone C.A. en McClure L.K. (red.) *Prostitutes & Courtesans in the Ancient World.* Madison, University of Wisconsin Press (2006).

MacMullen, R., 'Woman in Public in the Roman Empire', *Historia: Zeitschrift Für Alte Geschichte vol. 29, no. 2.* (1980), pp. 208-218.

Millar, F., 'The Emperor, the Senate and the Provinces', *The Journal of Roman Studies vol. 56* (1966), pp. 156-166.

Millar, F., 'State and Subject: The Impact of Monarchy' in Millar F. en Segal, E. (red.) *Caesar Augsutus. Seven Aspects.* Oxford, Clarendon Press (1984).

Moore, K., ' Octavia Minor and Patronage' in Carney, E.D. en Müller, S. (red.) *The Routledge Companion to Women and Monarchy in the Ancient Mediterranean World.* Londen, Routledge (2020).

Mouritsen, H., *The Freedman in the Roman World.* Cambridge, Cambridge University Press (2011).

Myers, K.S., 'The Poet and the Procuress: The Lena in Latin Love Elegy', *Journal of Roman Studies, vol. 86* (1996), pp. 1-21.

Nappa, C., *Making Men Ridiculous: Juvenal and the Anxieties of the Individual.* Ann Arbor, University of Michigan Press (2018).

O'Neill, J.R., 'Claudius the Censor and the Rhetoric of Re-Foundation', *Classical Journal vol. 116, no. 2* (2020), pp. 216-240.

Olsen, K., 'Matrona and Whore: Clothing and Definition in Roman Antiquity', in Faraone C. A. en McClure L.K. (red.) *Prostitutes & Courtesans in the Ancient World.* Madison, University of Wisconsin Press. (2006).

Osgood, J., *Claudius Caesar: Image and Power in the Early Roman Empire.* Cambridge, Cambridge University Press (2011).

Pagán, V.E., 'Horticulture and the Roman Shaping of Nature', in *Oxford Handbook Topics in Classical Studies.* Oxford, Oxford University Press (2016).

Pappalardo, U., *The Splendor of Roman Wall Painting.* Los Angeles, J. Paul Getty Museum (2009).

Patterson, J., 'Friends in high places: the creation of the court of the Roman emperor', in Spawforth, A.J.S. (red.) *The Court and Court Society in Ancient Monarchies.* Cambridge, Cambridge University Press (2007).

Plescia, J., 'Judicial Accountability and Immunity in Roman Law.' *The American Journal of Legal History, vol. 45, no. 1* (2001), pp. 51-70.

Pomeroy, S.B. (red.), *Women's History and Ancient History.* Chapel Hill, University of North Carolina Press (1991).

Purcell, N., 'Livia and the Womanhood of Rome', *Proceedings of the Cambridge Philological Society, no. 32* (1986), pp. 78-105.

Rich, J. W., 'Drusus and the spolia optima' in *The Classical Quarterly vol. 49, Issue 2* (1999), pp. 544-555.

Richardson, L., 'The Evolution of the Porticus Octaviae', *American Journal of Archaeology vol. 80, no. 1* (1976), pp. 57-64.

Richardson, L., *A New Topographical Dictionary of Ancient Rome*. Baltimore, Johns Hopkins University Press (1992).

Richlin, A., *The Garden of Priapus: Sexuality and Aggression in Roman Humor*. New York en Oxford, Oxford University Press (1992).

Richlin, A., *Arguments with Silence: Writing the History of Roman Women*. Ann Arbor, University of Michigan Press (2014).

Rose, C. B. *Dynastic Commemoration and Imperial Portraiture in the Julio-Claudian Period*. Cambridge, Cambridge University Press (1997).

Rounding, V., *Grandes Horizontales*. Londen. Bloomsbury Publishing (2004).

Salas, L.A. 'Why Lovesickness is Not a Disease: Galen's Diagnosis and Classification of Psychological Distress', *TAPA, vol. 152, no. 2* (2022), pp. 507-539.

Santoro, L'Hoir, F., 'Tacitus and Women's Usurpation of Power', *The Classical World vol. 88, no. 1* (1994), pp. 5-25.

Schaps, D., 'The Woman Least Mentioned: Etiquette and Women's Names', *The Classical Quarterly vol. 27, no. 2* (1977), pp. 323-330.

Shapiro, A-L., 'Love Stories: Female Crimes of Passion in Fin-de-Siècle Paris', *Differences: A Journal of Feminist Cultural Studies, vol. 3. No. 3* (1991), pp. 45-68.

Shapiro, A-L., *Breaking the Codes: Female Criminality in Fin-de-Siècle Paris*. Stanford, Stanford University Press (1996).

Sherk, R.K. (red. en vert.), *The Roman Empire: Augustus to Hadrian: Vol. 6 Translated Documents of Greece and Rome*. Cambridge, Cambridge University Press (1988).

Sijpesteijn, P.J., 'Another οὐσία of D. Valerius Asiaticus in Egypt' for papyrus' relating to Valerius Asiaticus' holdings', *Zeitschrift für Papyrologie und Epigraphik* (1989), pp. 194-196.

Simpson, C.J., 'The Date of Dedication of the Temple of Mars Ultor', *The Journal of Roman Studies vol. 67* (1977), pp. 91-94.

Simpson, C.J., 'The Birth of Claudius and the Date of Dedication of the Altar of "Romae et Augusto" at Lyon', *Latomus: Revue d'Études Latines vol. 46* (1987), pp. 586-592.

Smallwood, E.M., *Documents Illustrating the Principates of Gaius Claudius and Nero*. Cambridge University Press, Cambridge (1967).

Spawforth, A.J.S. (red.) *The Court and Court Society in Ancient Monarchies*. Cambridge, Cambridge University Press (2007).

Von Stackelberg, K.T., 'Performative Space and Garden Transgressions in Tacitus' Death of Messalina' in *The American Journal of Philology vol. 130, no. 4* (2009), pp. 595-624.

Steintrager, J.A., *The Autonomy of Pleasure: Libertines, License and Sexual Revolution.* New York, Columbia University Press (2016).

Stern, G., *Women, Children, and Senators on the Ara Pacis Augustae: a study of Augustus' vision of a New World Order in 13 BC.* Berkeley, University of California (2006).

Strong, A.K., *Labelled Women: Roman Prostitutes and Persistent Stereotypes.* New York, Columbia University Press (2005).

Strong, A.K., *Can You Tell Me How to Get to the Roman Brothel? Public Prominence of Prostitutes in the Roman World.* Social Science Research Network (2010).

Strong, A.K., *Prostitutes and Matrons in the Roman World.* Cambridge, Cambridge University Press (2016).

Swetnam-Burland, M. 'Aegyptus Redacta: The Egyptian Obelisk in the Augustan Campus Martius', *The Art Bulletin vol. 92, no. 3* (2010), pp. 135-153.

Syme, R., 'The Marriage of Rubellius Blandus', *The American Journal of Philology vol. 103, no. 1* (1982), pp. 62-85.

Syme, R., 'Neglected Children on the Ara Pacis', *American Journal of Archeology, vol. 88, no. 4* (1984), pp. 583-589.

Syme, R. *The Augustan Aristocracy.* Oxford, Oxford University Press (1986).

Talvacchia, B. 'Classical Paradigms and Renaissance Antiquarianism in Giulio Romano's "I Modi"', *I Tatti Studies in the Italian Renaissance vol. 7* (1997), pp. 81-118.

Treggiari, S., 'Domestic Staff at Rome in the Julio-Claudian Period, 27 B.C. to A.D. 68', *Histoire sociale/Social history, vol. 6, no. 12* (1973), pp. 241-255.

Treggiari, S., 'Jobs in the household of Livia', *Papers of the British School at Rome vol. 43* (1975), pp. 48-77.

Treggiari, S., *Roman Marriage: Iusti Coniuges From the Time of Cicero to the Time of Ulpian.* Oxford, Clarendon Press (1991).

Turner, J., 'Marcantonio's Lost Modi and their Copies', *Print Quarterly vol. 21, no. 4* (2004), pp. 363-384.

Varner, E.R., 'Portraits, Plots, and Politics: "Damnatio Memoriae" and the images of imperial women', *Memoirs of the American Academy in Rome, vol. 46* (2001), pp. 41-93.

Varner, E.R., *Mutilation and Transformation, damnatio memoriae and Roman imperial portraiture.* Leiden, Brill (2004).

Wallace-Hadrill, A., *Houses and Society in Pompeii and Herculaneum.* Princeton, Princeton University Press (1994).

Wallace-Hadrill, A., 'Public honour and private shame: the urban texture of Pompeii', in Cornell T.J., en Lomas K. (red.) *Urban Society in Roman Italy.* Londen, Routledge (1995).

Wallace-Hadrill, A., *Rome's Cultural Revolution.* Cambridge, Cambridge University Press (2008).

Wardle, J. 'Valerius Maximus on the Domus Augusta, Augustus and Tiberius', *The Classical Quarterly vol. 50, no. 2* (2000), pp. 479-493.

Watson, L. en Watson P. (red.) *Juvenal Satire 6. Text and Commentary.* Cambridge, Cambridge University Press (2014).

Weaver, P.R.C., 'Slave and Freedman "Cursus" in the Imperial Administration', *Proceedings of the Cambridge Philological Society* (1964), pp. 74-92.

Weaver, P. R. C., *Familia Caesaris: A Social Study of the Emperor's Freedmen and Slaves.* Cambridge, Cambridge University Press (1972).

Winterling, A., *Politics and Society in Imperial Rome.* Chichester, Wiley-Blackwell (2009).

Wiseman, T.P., *The Death of Caligula: Josephus Ant. Iud. XIX 1-273, translation and commentary.* Liverpool, Liverpool University Press (2013).

Wood, S., 'Diva Drusilla Panthea and the Sisters of Caligula', *American Journal of Archaeology vol. 99, no. 3* (1995), pp. 457-482.

Wood, S., 'Messalina, wife of Claudius: propaganda successes and failures of his reign', *Journal of Roman Archaeology 5* (2015), pp. 219-234.

Woodhull, M., 'Engendering space: Octavia's Portico in Rome', in *Aurora: The Journal of the History of Art, vol. 4* (2003), pp. 13-33.

Woodhull, M.L., *Building Power: Women as Architectural Patrons During the Early Roman Empire, 30 BC-54 CE.* Austin, University of Texas Press (1999).

Woods, D., 'The Role of Lucius Vitellius in the Death of Messalina', *Mnemosyne, vol. 70* (2017), pp. 996-1007.

Wyke, M., *The Roman mistress: ancient and modern representations.* Oxford, Oxford University Press (2002).

Zanker, P., *The Power of Images in the Age of Augustus.* Ann Arbor, Michigan University Press (1988).

Noten

Afkortingen
CIL – *Corpus Inscriptionum Latinarum*
ILS – *Inscriptiones Latinae Selectae*
PLonden – *Griekse papyrusrollen in het British Museum*
RIC – *Roman Imperial Coinage* (een Britse catalogus met de munten die in het Romeinse Rijk zijn uitgegeven)
RPC – *Roman Provincial Coinage* (de munten die door plaatselijke autoriteiten in het Romeinse Rijk werden uitgegeven)

Inleiding
1   Over de *I Modi* zie Talvacchia, *Taking Positions: On the Erotic in Renaissance Culture*. Over het bewaard gebleven materiaal voor Marcantonio Raimondi's oorspronkelijke afdrukken zie Turner, 'Marcantonio's Lost Modi and their Copies'.
2   Juvenalis, *Satiren*, 6.114-132.
3   Didot, *L'Arétin d'Augustin Carrache, ou recueil de postures érotiques*, 53-56.
4   Gorani, *Mémoires secrets et critiques*, dl. 1, p. 98.
5   Voor Medea's verzuchting zie Euripides, *Medea*, 214-267. De regels 230-231 worden hier geciteerd: vertaling Gerard Koolschijn, *Medea* (Amsterdam, Athenaeum – Polak & Van Gennep, 2019). Voor Boudicca's oproep zie Tacitus, *Annalen*, 14.35.
6   Het beste voorbeeld van het zwartmaken van een vrouw door haar naam te noemen is misschien wel Apollodorus' toespraak 'Tegen Neaera' (opgenomen in het Corpus Demosthenicum, toespraak 59). Zie ook Schaps, 'The Woman Least Mentioned: Etiquette and Women's Names'.

7 *Laudatio Murdiae*, regels 20-29: CIL VI 10230 = ILS 8394. Voor een bespreking van deze inscriptie zie Lindsay, 'The "Laudatio Murdiae": Its Content and Significance'.

Prelude: Messalina's antieke geschiedschrijvers
1 Tacitus, *Annalen*, 1.1.
2 Tacitus, *Annalen*, 11.27.

1. Een bruiloft en een begrafenis
1 Tacitus' relaas van deze gebeurtenissen is te vinden in Tacitus, *Annalen*, 11.26-11.38. Zie ook Dio's veel kortere verslag in 60.31 en Suetonius, *Leven van Claudius*, 26.2, 29.3, 36.
2 Tacitus, *Annalen*, 11.27.

2. Een marmeren podium
1 Voor een overzicht van de architectuur, het ontwerp, de decoratie en het gebruik van het forum zie Richardson, *A New Topographical Dictionary of Ancient Rome*, 160-162. Voor een visuele reconstructie van hoe het project zich ontwikkelde zie Gorski & Packer, *The Roman Forum*.
2 Over deze eed zie Suetonius, *Leven van Augustus*, 29.2, en Ovidius, *Fasti*, 5.569-578. Het forum werd pas ingewijd in 2 v.Chr.: Cassius Dio, 55.10.1-8; Velleius Paterculus, 2.100.2; zie ook Simpson, 'The Date of Dedication of the Temple of Mars Ultor'.
3 Voor een volledig overzicht van de archeologie van het Forum Romanum zie Coarelli, *Rome and Environs: An Archaeological Guide*, 74-161. Zie ook Richardson, *A New Topographical Dictionary of Ancient Rome*, 170-174.
4 Voor Augustus' standbeeld op de rostra zie Velleius Paterculus, 2.61.3.
5 Over de inwijding van de tempel zie Cassius Dio, 51.22.
6 Voor het Forum Romanum als een locatie om de gemeenschappelijke herinnering levend te houden zie Machado, 'Building the Past: Monuments and Memory in the Forum Romanum'. Voor een voorbeeld van het inzetten van het met historie doordrenkte landschap van Rome als retorisch stijlmiddel zie Livius' beschrijving van de toespraak van Camillus: *De geschiedenis van Rome*, 5.51.

7   Over de connotaties van veelkleurig marmer met de keizerlijke macht zie Bradley, 'Colour and marble in early imperial Rome'. Voor een samenvatting van de materialen die zijn gebruikt in het Forum van Augustus zie Gorski & Packer, *The Roman Forum*, 15-16.

8   Lo Cascio, 'The Population', 139-153; zie ook Kehoe, 'Production in Rome', 443-444.

9   Plinius, *Naturalis historia*, 36.24.

10 Over de drempels van Marcus Lepidus zie Plinius, *Naturalis historia*, 36.8. Over de zuilen van Scaurus (die werden hergebruikt voor een opmerkelijk extravagant theater dat hij in dezelfde tijd had laten bouwen) zie Plinius, *Naturalis historia*, 36.2.

11 Plinius, *Naturalis historia*, 36.7.

12 Polybius, *Wereldgeschiedenis*, 38.21.

13 Over de definitie en ontwikkeling van dit ambt zie Badian & Lintott, 'pro consule, pro praetore' in *The Oxford Classical Dictionary*.

14 Over de bevoegdheden en de juridische immuniteit van de pro-magistraat zie Plescia, 'Judicial Accountability and Immunity in Roman Law' m.n. pp. 51-56, in *American Journal of Legal History*, vol. 45, no. 1. Voor een beroemd voorbeeld van een pro-magistraat die ter verantwoording werd geroepen na zijn terugkeer uit de provincie zie Cicero's *In Verrem*.

15 Augustus, *Mijn wapenfeiten*, 1.

16 Cassius Dio, 51.20.4.

17 Suetonius, *Leven van Augustus*, 22; Augustus, *Mijn wapenfeiten*, 13.

18 Augustus, *Mijn wapenfeiten*, 12.

19 Over de obelisk zie Swetnam-Burland, 'Aegyptus Redacta: The Egyptian Obelisk in the Augustan Campus Martius'; voor een overzicht van de Ara Pacis zie Richardson, *A New Topographical Dictionary of Ancient Rome*, 287-289.

20 De identificatie van individuele figuren op de Ara Pacis is berucht lastig: zie bijvoorbeeld Syme, 'Neglected Children on the Ara Pacis', en Stern, *Women, Children, and Senators on the Ara Pacis Augustae* voor alternatieve uitkomsten die in beide gevallen talrijke leden van Messalina's nauwe verwanten opnemen.

21 Augustus, *Mijn wapenfeiten*, 34; Cassius Dio, 53.2-11.

22 Cassius Dio, 53.12. Zie ook Millar, 'The Emperor, the Senate and the Provinces'.

23 Voor een samenvatting van de regelingen van 27 en 23 v.Chr. zie
    Crook, 'Political history 30 BC to AD 14' in het bijzonder pp. 78-80
    (27 v.Chr.) en 85-87 (23 v.Chr.), in *The Cambridge Ancient History Vol.
    10*.
24 Suetonius, *Leven van Augustus*, 99.

3. Een scholing

1   Voor zijn rol in de omwenteling zie Livius, *De geschiedenis van Rome*,
    1.58; voor zijn consulaat zie Livius, *De geschiedenis van Rome*, 2.2.
2   Syme, *The Augustan Aristocracy*, 147, 164-166.
3   Over de *imagines* van families zie Flower, 'Ancestor Masks and
    Aristocratic Power in Roman Culture'.
4   Syme, *The Augustan Aristocracy*, 147, 164.
5   Over het consulaat van Faustus Sulla Felix zie Syme, *The Augustan
    Aristocracy*, 164; er was een dispensatie van vijf jaar toegekend aan
    de eerdere echtgenoot van Claudia Antonia; zie Cassius Dio, 60.5.8.
6   Syme, *The Augustan Aristocracy*, 178-179.
7   Syme plaatst Lepida's eerste huwelijk met Messalina's vader in het
    jaar 15 en haar geboorte zo'n 12 jaar daarvoor: Syme, *The Augustan
    Aristocracy*, 165-166.
8   Cassius Dio, 60.30.6; Suetonius, *Leven van Claudius*, 27.2.
9   Tacitus, *Annalen*, 11.37.
10 *Ibid.*, 12.64.
11 *Ibid.*, 12.64; Suetonius geeft een iets ander beeld in zijn *Leven van
    Nero*, 6.3.
12 Voor gegevens over Domitia Lepida's bezittingen bij Fundi zie
    Brunn, 'The Name and Possessions of Nero's Freedman Phaon'.
    Over de kwaliteit van de wijn die bij Fundi werd verbouwd zie
    Athenaeus, *Deipnosophistae*, 27a, en Plinius, *Naturalis historia*, 14.8.
13 Tacitus, *Annalen*, 12.65.
14 Over Domitia Lepida's bezittingen bij Puteoli zie Jakab E., 'Finan-
    cial Transactions by Women in Puteoli', 123-150.
15 Vitruvius, *de architectura*, 6.5.
16 Cassius Dio, 61.17.1-2; Suetonius, *Leven van Nero*, 34.5.
17 Voor een voorbeeld van deze luxueuze villa's aan de baai zie Clarke
    en Muntasser, *Oplontis: Villa A ('Of Poppaea') at Torre Annunziata,
    Italy*.

18 Martialis, *Epigrammen*, 1.62.

19 Zie bijvoorbeeld het misschien anachronistische verhaal over Verginia: Livius, *De geschiedenis van Rome*, 3.44.4, en Dionysus van Halicarnassus, *Antiquitates Romanae*, 11.28.3.

20 Zie Hemelrijk, *Matrona Docta: Educated Women in the Roman Élite from Cornelia to Julia Domna*, voor een studie naar de opvoeding van meisjes uit de elite.

21 Plutarchus, *Leven van Pompeius*, 55.

22 *Ibid.*

4. Tiberius afluisteren

1   Plinius, *De brieven*, 5.16.

2   Suetonius, *Leven van Tiberius*, 7.

3   *Ibid.*, 11.4.

4   Voor het overlijden van Gaius en Lucius zie Cassius Dio, 55.10, en Suetonius, *Leven van Augustus*, 64-65.

5   Suetonius, *Leven van Tiberius*, 27.

6   Tacitus, *Annalen*, 4.6.2-4. Zie ook Suetonius, *Leven van Tiberius*, 30-32.

7   Tacitus, *Annalen*, 3.60-63.

8   *Ibid.*, 3.65.3.

9   Voor een relaas over Germanicus' dood en de vermeend verdachte omstandigheden daaromtrent zie Tacitus, *Annalen*, 2.69-2.73.

10 Tacitus, *Annalen*, 3.2-3.6.

11 *Ibid.*, 4.8.

12 Tacitus, *Annalen*. 4.67. Suetonius benadrukt in *Leven van Tiberius*, 40 ook de aantrekkingskracht van Capri's afgezonderdheid.

13 Over Tiberius' reis naar Capri en het voorwendsel dat hij vertrok om de tempels in te wijden, zie Suetonius, *Leven van Tiberius*, 39-41.

14 Tacitus, *Annalen*, 4.74.

15 *Ibid.*, 4.74; Cassius Dio 58.5.

16 Cassius Dio 58.5.

17 Tacitus, *Annalen*, 4.68-70. Over de zaak Sabinus zie ook Cassius Dio 58.1.

18 Tacitus, *Annalen*, 5.3-5,6.23, 6.25; Suetonius, *Life of Tiberius*, 53-54.

19 Tacitus, *Annalen*, 4.18-19.

20 *Ibid.*, 4.18-20.

21 Suetonius, *Leven van Tiberius*, 65.

22 Josephus, *Oude geschiedenis van de Joden*, 18.181-182.

23 Voor het complete verhaal van Sejanus' ondergang en dood zie Cassius Dio, 58.3-12; Suetonius, *Leven van Tiberius*, 65.

24 Voor de datering van Faustus Sulla's consulaat zie Bodel, 'Chronology and Succession 2: Notes on Some Consular Lists on Stone', 296; zie ook Syme, *The Augustan Aristocracy*, 267. Bodel geeft Sulla twee collega's in het consulaat: Sextus Tedius Catullus (die diende van mei tot juli) en Lucius Fulcinius Trio (die diende van juli tot oktober).

25 Over haar verloving zie Tacitus, *Annalen*, 3.29; Cassius Dio, 58.11.5. Over haar dood zie Cassius Dio, 58.11.5-6.

26 Tacitus, *Annalen*, 4.3.

27 Tacitus, *Annalen*, 4.3, 7-11

28 Tacitus, *Annalen*, 4.3.

29 Cassius Dio, 58.11.7.

30 Tacitus, *Annalen*, 4.2.

31 Suetonius, *Leven van Tiberius*, 67.

32 Tacitus, *Annalen*, 4.57.3.

33 Voor een verzameling van deze geruchten zie Suetonius, *Leven van Tiberius*, 43-44. Voor de beschuldiging van seks met adellijke jongens zie Tacitus, *Annalen* 6.1.

34 Tacitus, *Annalen*, 6.1.

5. Een slecht jaar voor een bruiloft

1 Cassius Dio, 59.9.

2 Lucanus is degene die met de term 'torenkroon' verwijst naar het kapsel van de Romeinse bruid: Lucanus, *De burgeroorlog (Pharsalia)*, 2.358.

3 Herschl, *The Roman Wedding*, 65-68.

4 Catullus, 61.75-81.

5 Suetonius, *Leven van Claudius*, 5.

6 Voor een grondige bespreking van alle aanwijzingen omtrent de Romeinse bruidskleding en huwelijksrituelen zie Hersch, *The Roman Wedding*.

7 Suetonius, *Leven van Claudius*, 1. Het epigram is oorspronkelijk in het Grieks.

8   Simpson, 'The Birth of Claudius and the Date of the Dedication of the Altar of "Romae et Augusto" at Lyon', 586-592.

9   Cassius Dio, 55.1.

10   Livius, *Periochae*, 142

11   Voor een overzicht en bespreking van deze fragmenten zie Kokkinos, *Antonia Augusta: Portrait of a Great Roman Lady*, 68-86.

12   *Ibid.*

13   Plinius, *Naturalis historia*, 9.81.

14   Voor deze verandering van kledij en de daarmee gepaard gaande ceremonies zie Edmondson en Keith (red.), *Roman Dress and the Fabrics of Roman Culture*, 48-59.

15   Suetonius, *Leven van Claudius*, 2.2.

16   *Ibid.*, 2.1.

17   Over Claudius' verschillende lichamelijke gebreken zie Suetonius, *Leven van Claudius*, 30; Pseudo-Seneca, *Apocolocyntosis*, 1, 5; Cassius Dio, 60.2.

18   Suetonius, *Leven van Claudius*, 3.2.

19   *Ibid.*, 3.4.

20   *Ibid.*, 3.5.

21   *Ibid.*, 2.2.

22   Tacitus, *Annalen*, 13.3.

23   Suetonius, *Leven van Claudius*, 31.

24   *Ibid.*, 38.3.

25   *Ibid.*, 4.5, 5.1, 33, 40.1; Tacitus, *Annalen*, 12.49.

26   Suetonius, *Leven van Claudius*, 26.

27   Tacitus, *Annalen*, 4.22.

28   Suetonius, *Leven van Claudius*, 27.

29   *Ibid.*, 27.

30   Voor Claudius' huwelijk met en scheiding van Aelia Paetina zie Suetonius, *Leven van Claudius*, 26. Voor het voorstel om te hertrouwen, dat werd geopperd door Narcissus, zie Tacitus, *Annalen*, 12.1.

31   Juvenalis, *Satiren*, 10.331-333.

32   Over het recht van een meisje met de status *sui iuris* om haar eigen huwelijk te sluiten, zie bijvoorbeeld Paulus, *Digesta*, 23.2.20, cf. Grubbs, *Women and the Law in the Roman Empire*, 23-24. Over de eis dat alle partijen voor elk huwelijk toestemming moeten geven, zie Paulus, *Digesta*, 23.2.2; Julianus, *Digesta*, 23.1.11.

33 Suetonius, *Leven van Claudius*, 30.

34 Voor een introductie over dit verschijnsel in de Romeinse visuele cultuur zie Clarke, *Looking at Lovemaking*.

6. De brug over de baai

1 Vertaling Simone Mooij-Valk, *Persoonlijke notities* (Amsterdam, Ambo, 1994).

2 Suetonius, *Leven van Caligula*, 13.

3 *Ibid.*, 14.1.

4 Tacitus, *Annalen,* 1.41, 1.69; Suetonius, *Leven van Caligula*, 9.1; Cassius Dio, 57.5.6.

5 Suetonius, *Leven van Caligula*, 15; Cassius Dio, 59.3.5.

6 Suetonius, *Leven van Caligula*, 15.2; Cassius Dio, 59.6.5. Meer bewijs voor deze interpretaties is afkomstig van opschriften: zie Gallivan, 'The Fasti for the Reign of Gaius', 66.

7 Cassius Dio, 59.7.1.

8 Voor het gedrag van de keizer als iemand uit het publiek zie Suetonius, *Leven van Caligula*, 54, en Cassius Dio, 59.5

9 Suetonius, *Leven van Caligula*, 17.2.

10 Over de ereblijken die Caligula's zussen ontvingen, zie Ferrill, *Caligula: Emperor of Rome*, 97. Voor hun opname in de senatoriale eedformules zie Suetonius, *Leven van Caligula*, 15.3.

11 Het British Museum heeft een aantal exemplaren van dit type munt, zie bijvoorbeeld R.6432.

12 Suetonius, *Leven van Caligula*, 24.1. Voor Aemilius Lepidus' rol in Caligula's plannen zie Barrett, *Caligula*, 115-116 en Winterling, *Caligula*, 63.

13 Suetonius, *Leven van Caligula*, 24.1.

14 Suetonius, *Leven van Caligula,* 23.2; Cassius Dio, 59.3.6.

15 Over incest in het Romeinse recht en de cultuur zie Grubbs, 'Making the Private Public: illegitimacy and incest in Roman law'.

16 Philo, *Gezantschap naar Caligula*, 31.

17 *Ibid.*, 58.

18 Suetonius, *Leven van Caligula*, 23.3.

19 Drusilla's dood is opgetekend in een gegraveerde kalender die in Ostia is gevonden: Fasti Ostiensis, Smallwood, no. 31, regels 29-30, p. 28.

20 Over de publieke rouw na Drusilla's dood zie Cassius Dio, 59.11; Suetonius, *Leven van Caligula*, 24.2.

21 Over de eerbewijzen die Drusilla na haar dood ten deel vielen, zie Cassius Dio, 59.11, en Wood, 'Diva Drusilla Panthea and the Sisters of Caligula'.

22 Kerkeslager, 'Agrippa and the Mourning Rites for Drusilla in Alexandria'.

23 Suetonius, *Leven van Caligula*, 24.2. Seneca keurt Caligula's rouw af als een Romein onwaardig: *Troostschrift voor Polybius*, 17.

24 Suetonius, *Leven van Caligula*, 21.

25 *Ibid.*, 37.1.

26 Seneca, *Troostschrift voor Helvia*, 10.

27 Plinius, *Naturalis historia*, 9.58.

28 Suetonius, *Leven van Caligula*, 52.1; Philo, *Gezantschap naar Caligula*, 79; Cassius Dio, 59.26.6-8.

29 Suetonius, *Leven van Caligula*, 37; Cassius Dio, 59.2.6.

30 Voor Augustus' legaat zie Suetonius, die het bedrag beoordeelt als een vernederend affront: *Leven van Claudius*, 4.7; zie ook Champlin, 'The Testament of Augustus', 162. Voor Tiberius' legaat zie Suetonius, *Leven van Claudius*, 6.

31 Over Claudius' bankroet zie Suetonius, *Leven van Claudius*, 9. Cassius Dio 59.28.5 geeft als entreegeld 10 miljoen sestertiën.

32 Over het recht van getrouwde vrouwen om hun eigen bezittingen te behouden en beheren wanneer hun vader overleed zie Ulpianus, *Digesta*, 23.3.9.3; en Grubbs, *Women and the Law in the Roman Empire*, 101-102. Over trouwen *sine manu* zie Grubbs, *Women and the Law in the Roman Empire*, 21-22. Over *Tutela Mulierum* en de beperkingen daaraan zie Grubbs, *Women and the Law in the Roman Empire*, 25-34. Over de bruidsschat en de norm dat de echtgenoot daar niet aan diende te komen zie Grubbs, *Women and the Law in the Roman Empire*, 91-98.

33 Suetonius, *Leven van Caligula*, 32.3.

34 *Ibid.*, *Leven van Claudius*, 8.

35 Deze affaires worden alle drie genoemd door Suetonius, *Leven van Caligula*, 36.1. Over Caligula's vermeende affaire met Aemilius Lepidus zie ook Cassius Dio, 59.11.1; 59.22.6. Suetonius beweert dat Caligula gewoon was Mnester in het openbaar te kussen: *Leven van Caligula*, 55.1.

36 Cassius Dio 59.3.6, 59.11.1, 59.22.6; Josephus, *Oude geschiedenis van de Joden*, 19.204. De *Suda*, een Byzantijnse historische encyclopedie uit de tiende eeuw, doet zelfs de onaannemelijke bewering (in het lemma over 'Gaius') dat Caligula bij een van zijn zussen een kind kreeg.

37 Suetonius, *Leven van Caligula*, 33.

38 *Ibid.*, 36.

39 *Ibid.*, 25.1.

40 *Ibid.*, 25.2.

41 Bij Cassius Dio is ze acht maanden zwanger ten tijde van hun trouwen: 59.23.7. Suetonius beweert dat het kind al geboren was en op de dag van de bruiloft werd erkend: *Leven van Caligula*, 25.3.

42 Suetonius, *Leven van Caligula*, 25.3.

43 *Ibid.*, 37.2.

44 Over de archeologie van deze boten zie Carlson, 'Caligula's Floating Palaces'.

45 Verslagen over Caligula's brug zijn te vinden bij: Suetonius, *Leven van Caligula*, 19, 32.1; Cassius Dio, 59.17; Josephus, *Oude geschiedenis van de Joden*, 19.5-7; Seneca, *De brevitate vitae*, 17.5-6.

46 Suetonius, *Leven van Caligula*, 19.3.

7. De koning is dood, lang leve de koning

1 Cassius Dio, 59.20.

2 Cassius Dio, 59.21.2; Suetonius, *Leven van Caligula*, 43.

3 Voor verslagen over de vermeende samenzwering en de ontdekking ervan zie Cassius Dio, 59.21-23; Suetonius, *Leven van Caligula*, 24.3.

4 Deze mededeling, gedateerd 27 oktober 39, is afkomstig uit een inscriptie die de handelingen boekstaaft van de Arval-broederschap, een antieke priesterorde die nieuw leven was ingeblazen door Augustus en zich wijdde aan de verering van een inheemse Italische vruchtbaarheidsgodin: *Acta Fratrum Arvalium*, Gaius. fr. 9.19-21, Smallwood, p. 14.

5 Tacitus, *Annalen*, 6.30.

6 Suetonius, *Leven van Caligula*, 24.3; Cassius Dio, 59.22.7-8.

7 Suetonius, *Leven van Caligula*, 25.4; Josephus, *Oude geschiedenis van de Joden*, 19.11.

8 Suetonius, *Leven van Nero*, 6.2.

9 Cassius Dio, 59.23.

10 De navolgende bijzonderheden over de zorg die barende Romeinse vrouwen uit de elite kregen, zijn ontleend aan de voortreffelijke verhandeling *Gynaecologie* van de vooraanstaande tweede-eeuwse arts Soranus.

11 Juvenalis, *Satiren*, 6.594.

12 Suetonius, *Leven van Claudius*, 9.

13 *Ibid.*, 9.1.

14 Cassius Dio, 59.22.9.

15 Hilaria's grafschrift is bewaard gebleven: CIL VI.8943.

16 Voor de zorg van Domitia Lepida voor Nero zie Suetonius, *Leven van Nero*, 6.3; Tacitus, *Annalen*, 12.64.

17 Voor verslagen over Caligula's vreemde gedrag aan het front zie Suetonius, *Leven van Caligula*, 44-48, en Cassius Dio, 59.21, 22, 25.

18 Suetonius, *Leven van Caligula*, 49.

19 Philo, *Gezantschap naar Caligula*, 181.

20 Philo, *Gezantschap naar Caligula*, 185; Suetonius, *Leven van Caligula*, 49.

21 Voor geruchten dat de hoofdstad zou worden verplaatst zie Suetonius, *Leven van Caligula*, 49.2, zie ook 8.5. Voor Caligula's dodenlijsten zie Suetonius, *Leven van Caligula*, 49.3; Cassius Dio, 59.26.1, 60.3.2.

22 Suetonius, *Leven van Caligula*, 40; Cassius Dio, 59.28.8, 59.28.11.

23 Voor de protesten tegen de ingevoerde belastingen en Caligula's reactie zie Cassius Dio, 59.28.11; Josephus, *Oude geschiedenis van de Joden*, 19.24-19.26. Voor het verhaal over de luifels zie Suetonius, *Leven van Caligula*, 26.5.

24 Suetonius, *Leven van Caligula*, 49.2.

25 Josephus, *Oude geschiedenis van de Joden*, 19.86; Suetonius, *Leven van Caligula*, 26.

26 Voor Caligula's geloof in zijn eigen goddelijkheid zie Cassius Dio, 26-27; Suetonius, *Leven van Caligula*, 22; Philo, *Gezantschap naar Caligula*, 74-80, 93-97; Josephus, *Oude geschiedenis van de Joden*, 18.306, 19.4-6.

27 Cassius Dio, 59.27.6.

28 Seneca, *Woede*, 3.18.

29 Voor een bespreking van deze executiegolf onder senatoren zie Barrett, *Caligula*, 249-251.

30 Cassius Dio, 59.16.

31 *Ibid.*, 59.26.

32 Josephus, *Oude geschiedenis van de Joden*, 19.12-13; zie ook Suetonius, *Leven van Claudius*, 9.2.

33 Suetonius, *Leven van Caligula*, 57.3; Cassius Dio, 59.29.3.

34 Cassius Dio, 59.29; Josephus, *Oude geschiedenis van de Joden*, 19.17-69.

35 Suetonius, *Leven van Caligula*, 56.2; Cassius Dio, 59.29.2; Josephus, *Oude geschiedenis van de Joden*, 19.29.

36 Over deze wijdverbreide steun voor de samenzwering zie Josephus, *Oude geschiedenis van de Joden*, 19.62-63 en Cassius Dio, 59.29.1.

37 Suetonius, *Leven van Caligula*, 57.

38 Voor verslagen over de dag van de moordaanslag zie Josephus, *Oude geschiedenis van de Joden*, 19.103-111; Suetonius, *Leven van Caligula*, 57-58; Cassius Dio, 59.29.

39 Voor het debat over de kwesties zie Josephus, *Oude geschiedenis van de Joden*, 19.190-194.

40 Josephus, *Oude geschiedenis van de Joden*, 19.193.

41 *Ibid.*, 19.199.

42 Voor de dood van Caesonia en Drusilla zie Josephus, *Oude geschiedenis van de Joden*, 19.196-200; Suetonius, *Leven van Caligula*, 59; Cassius Dio, 59.29.

43 Voor een volledig verslag over Claudius' troonsbestijging zie Suetonius, *Leven van Claudius*, 10; Cassius Dio, 60.1; Josephus, *Oude geschiedenis van de Joden*, 19.158-273.

44 *Ibid.*; Suetonius, *Leven van Claudius*, 10.2.

45 Josephus, *Oude geschiedenis van de Joden*, 19.159; zie ook Tacitus, *Annalen*, 11.1.

46 Suetonius, *Leven van Claudius*, 10.3.

8. Domina

1 Voor dit grafschrift zie: CIL VI.15346.

2 Voor dit grafschrift zie: CIL VI.11602. Cursivering van de auteur.

3 Voor een algemene bespreking van Fulvia zie Delia, 'Fulvia Reconsidered', in het bijzonder pp. 203-206 voor haar rol in de oorlog te Perusia en de latere mythevorming daaromheen.

4 Cassius Dio, 49.38.1.

5 Voor een bespreking van de opkomst van het concept van de 'Domus

Augusta' als een publieke entiteit zie Wardle, 'Valerius Maximus on the Domus Augusta, Augustus, and Tiberius', 479-483.

6   Suetonius, *Leven van Augustus*, 58. Cursivering van de auteur.

7   Deze beeldengroep werd opgericht in het *Circus Flaminius*. Zie Flory, 'Dynastic Ideology, the Domus Augusta, and Imperial Women: A Lost Statuary Group in the Circus Flaminius', 287-306.

8   Over Octavia's bijdrage aan de beeldvorming van Augustus' bewind zie Moore, 'Octavia Minor Patronage'.

9   Over de Porticus van Octavia en de betekenis ervan zie Richardson, 'The Evolution of the Porticus Octaviae'; Woodhull, 'Engendering Space: Octavia's Portico in Rome'.

10   Suetonius, *Leven van Caligula*, 23.2.

11   Over Livia's huishouden in het algemeen zie Treggiari, 'Jobs in the Household of Livia', 48-77. Voor de parelzetter zie *ibid.*, 54-55.

12   Marcellus Empiricus, *De medicamentis*, 15.6, 35.6-9.

13   Zie Flory, 'Sic Exempla Parantur: Livia's Shrine to Concordia and the Porticus Liviae'.

14   Over het herbouwen van het heiligdom van Bona Dea door Livia zie Ovidius, *Fasti*, 5.157-158. Over het door haar in ere herstellen van de cultus van Vrouwe Fortuna zie Valerius Maximus, *Memorabele daden en uitspraken*, 1.8.4, een passage die wordt bevestigd door een inscriptie: CIL VI.883. Over haar mogelijke betrokkenheid bij het herbouwen van schrijnen voor Kuisheid zie Flory, 'Sic Exempla Parantur: Livia's Shrine to Concordia and the Porticus Liviae', 318-319.

15   Ovidius, *Fasti*, 1.649-650.

16   Ovidius, *Ex Ponto*, 3.1.115-118.

17   Tacitus, *Annalen*, 5.1.

18   Voor deze inscriptie, uit Anticaria in de provincie Hispania Baetica, zie CIL 2.2038.

19   Over hoe Livia vernieuwing en traditie combineerde om zich een machtsbasis te verschaffen zie Purcell, 'Livia and the Womanhood of Rome'.

20   Tacitus, *Annalen*, 5.1.

21   Seneca, *Clementie*, 1.9.

22   Pseudo-Ovidius, *Consolatio ad Liviam*, 349-356.

23   Ovidius, *Ex Ponto*, 3.1114-144.

24　Voor een bespreking van het gebruik, de ontwikkeling en de gevoelswaarde van deze term zie Balsdon en Griffin, 'princeps' in *The Oxford Classical Dictionary*.

25　Voor een samenvatting van de bepalingen van Augustus' testament zie Barrett, *Livia*, 74-75.

26　Over de betekenis van Livia's adoptie zie Barrett, *Livia*, 147-155.

27　Cassius Dio, 56.46.

28　Cassius Dio, 57.12.

29　Tacitus, *Annalen*, 1.4.

30　*Ibid.*, 1.5.

31　Voor het verhaal over Tanaquils rol bij de troonsbestijging van Servius Tullius zie Livius, *De geschiedenis van Rome*, 1.41; Cassius Dio, 2. fr. 9-10.

9. Madonna Messalina

1　Suetonius, *Leven van Claudius*, 27.2.

2　Valerius Maximus, *Memorabele daden en uitspraken*, 4.4.

3　Juvenalis, *Satiren*, 6.594-597.

4　Tacitus, *Annalen*, 2.43.

5　Macrobius, *Saturnalia*, 2.5.3-4. Cursivering van de auteur.

6　Cassius Dio, 60.12.5.

7　*Ibid.*

8　Deze spelen werden gehouden op Antonia's geboortedag, 31 januari: Cassius Dio, 60.5.1. Voor een uitvoerige bespreking van de aan Antonia toegekende eerbewijzen zie Kokkinos, *Antonia Augusta: Portrait of a Great Roman Lady*. Dit werk bevat ook een inventarisatie van een aantal inscripties en munten uit het hele rijk die naar Antonia verwijzen met de titel 'Augusta', wat niet alleen bewijs vormt voor de toekenning zelf, maar ook aantoont dat daar wijde ruchtbaarheid aan werd gegeven.

9　Suetonius, *Leven van Claudius*, 11.2; Cassius Dio, 60.5.2. Livia's vergoddelijking wordt ook verheerlijkt op Claudius' munten, bijv. RIC I2 Claudius 101.

10　Een kopie van deze brief van Claudius aan de stad Alexandrië is bewaard gebleven op een fragment papyrus dat zich nu in de British Library bevindt: PLondon, 1912.

11　Over de identificatie van dit type portretten van Messalina zie

Wood, 'Messalina, wife of Claudius: propaganda successes and failures of his reign', 222-225; 227-234.

12 Over deze goddelijke iconografie zie Wood, 'Messalina, wife of Claudius: propaganda successes and failures of his reign', 225-226.

13 Over de staat van het portret en de waarschijnlijke oorzaak van de beschadiging ervan zie Wood, 'Messalina, wife of Claudius: propaganda successes and failures of his reign', 219-222, 226.

14 Tacitus, *Annalen*, 13.45.

15 Voor een bespreking van deze iconografie zie Wood, 'Messalina, wife of Claudius: propaganda successes and failures of his reign'.

10. Het hof van Messalina

1 De volledigste beschrijving van Augustus' huis is afkomstig van Suetonius, *Leven van Augustus*, 72-73. Hij benadrukt de bescheiden omvang en inrichting van het huis. Voor een samenvatting van de archeologische resten van het huis zie Varinlioğlu's lemma 'Domus: Augustus' in *Mapping Augustan Rome*, 104-106.

2 Suetonius, *Leven van Augustus*, 72.1.

3 Geen van de bronnen vermeldt expliciet dat Tiberius een nieuwe residentie op de Palatijn heeft laten bouwen, maar het hoofdgebouw van de keizerlijke residentie wordt consequent aangeduid als het '*Domus Tiberiana*', wat suggereert dat het werd aangelegd door Tiberius en van uitbreidingen voorzien door latere keizers. Voor een samenvatting van de archeologie ervan zie Richardson, *A New Topographical Dictionary of Ancient Rome*, 136-137.

4 Over deze kamers in het zogeheten 'Huis van Livia' op de Palatijn en hun artistieke context zie Ling, *Roman Painting*, 37-38. Voor een uitgebreidere beschrijving en levendige illustraties zie Pappalardo, *The Splendor of Roman Wall Painting*, 100-103.

5 Zie bijvoorbeeld Philo, *Gezantschap naar Caligula*, 363-365 en Plinius, *Naturalis historia*, 36.24.

6 Door Caligula ingerichte kamers zullen zijn afgewerkt in de toen populaire Vierde Stijl.

7 Augustus, *Mijn wapenfeiten*, 21; Cassius Dio, 49.15.5. Over de symbolische betekenis van dit project en hoe het is gerelateerd aan het paleis zie Hekster en Rich, 'Octavian and the Thunderbolt:

The Temple of Apollo Palatinus and Roman Traditions of Temple Building'.

8   Cassius Dio, 59.28.5.

9   Seneca, *Woede*, 2.33.2. Zie ook Osgood, *Claudius Caesar*, 39.

10 Levick, *Claudius*, 53. Over de aard van het Julisch-Claudische hof zie Paterson, 'Friends in high places: the creation of the court of the Roman emperor'.

11 Cassius Dio, 60.3.2.

12 Josephus, *Oude geschiedenis van de Joden*, 19.272.

13 Suetonius, *Leven van Claudius*, 11.1; Cassius Dio, 60.3. Voor Sabinus' positie en zelfmoord zie Josephus, *Oude geschiedenis van de Joden*, 19.273. Voor Claudius' bescherming van de consul Quintus Pompo- nius zie Josephus, *Oude geschiedenis van de Joden*, 19.263.

14 Suetonius, *Leven van Caligula*, 49.

15 Voor Claudius' houding tegenover de senaat zie Suetonius, *Leven van Claudius*, 12.

16 Zie het exemplaar in het British Museum: R1874,0715.4.

17 Suetonius, *Leven van Claudius*, 27.

18 *Ibid.*, 12.

19 *Ibid.*, 35-37.

20 *Ibid.*, 35.

21 Voor het huwelijk van Claudia Antonia en de verloving van Claudia Octavia zie Cassius Dio, 60.5.7-9. Voor het huwelijk van Domitia Lepida zie Cassius Dio, 60.14.2-3.

22 Voor Pompeius Magnus' afstamming zie Syme, *The Augustan Aristo- cracy*, 277.

23 Voor een bespreking van deze rollen en hun onderlinge hiërarchie zie Weaver, 'Slave and Freedman "Cursus" in the Imperial Admi- nistration'; voor een veelomvattendere studie zie Weaver, *Familia Caesaris. A Social Study of the Emperor's Freedmen and Slaves*.

24 Suetonius, *Leven van Claudius*, 28.

25 Plinius, *Brieven*, 7.29. Zie ook Suetonius, *Leven van Claudius*, 28 over de beloningen en eerbewijzen die aan de vrijgelatenen werden toe- gekend.

26 Plinius, *Brieven*, 7.29.

27 Plinius de Oudere, *Naturalis historia*, 36.12.

28 Voor Valeria Cleopatra zie CIL VI.4468. Voor Amoenus zie CIL

VI.8952. Over de rol van de *ab ornamentibus* zie Treggiari, 'Jobs in the Household of Livia', 53; 'Domestic Staff at Rome in the Julio-Claudian Period, 27 bc to ad 68', 244-245.

29 Voor Valeria Hilaria zie CIL VI.8943. Voor Philocrates zie CIL VI.4459.

30 Voor Iudaeus zie CIL VI.44. Lucius Valerius was waarschijnlijk een vrijgelatene uit Messalina's gevolg, van wie is opgetekend dat hij later zou werken als archivaris verbonden aan het financiële kantoor van een provinciale procurator. Colls, Domergue, Laubenheimer, Liou, 'Les Lingots D'Etain De L'Épave Port-Vendres II', 70-74.

31 Voor Sabbio zie CIL VI 8840. Over de rol van de *dispensator* zie Treggiari, 'Jobs in the Household of Livia',

32 Voor een omvattende reconstructie van Livia's huishouden op basis van bewaard gebleven grafschriften zie Treggiari, 'Jobs in the Household of Livia', 48-77.

33 Macrobius, *Saturnalia*, 2.5.6.

34 Cassius Dio, 60.2.7.

35 Seneca, *Natuurlijke vragen*, voorwoord van *Boek IV: De Nijl*, 15.

36 Suetonius, *Leven van Claudius*, 33.2.

37 *Ibid.*, 28-29.

38 Tacitus, *Annalen*, 11.3.

39 *Ibid.*, 13.43.

40 Suetonius, *Leven van Vitellius*, 2.5.

41 Cassius Dio, 60.12.4-5.

42 Cassius Dio, 60.8.5.

43 Verslagen over Julia Livilla's val, verbanning en dood zijn te vinden bij Cassius Dio, 60.8.4-5 en Suetonius, *Leven van Claudius*, 29.1.

44 Tacitus, *Annalen*, 13.42; Cassius Dio, 61.10.1; Pseudo-Seneca, *Apocolocyntosis*, 10.

45 Tacitus, *Annalen*, 13.42.

46 Seneca, *Troostschrift voor Polybius*, 13.

47 Seneca, *Natuurlijke vragen*, voorwoord bij *Boek 4: De Nijl*, 15.

48 Cassius Dio, 61.10.

49 Tacitus, *Annalen*, 6.15; Cassius Dio, 60.27.4.

50 Zie ook Levick, *Claudius*, 56, 61.

51 Pseudo-Seneca, *Apocolocyntosis*, 14; Suetonius, *Leven van Claudius*, 29. Zie ook Baldwin, 'Executions under Claudius: Seneca's "Ludus de Morte Claudii"'.

11. De triomf van Messalina

1 Over de opstand en de angst die deze Claudius inboezemde, zie Suetonius, *Leven van Claudius*, 35-36; Cassius Dio, 60.15-16.

2 De voornaamste bronnen over de invasie van Brittannië zijn Cassius Dio, 60.19-23 en Suetonius, *Leven van Claudius*, 17. Zie ook Levick, *Claudius*, 137-148, voor een overtuigende samenvatting en reconstructie van de gebeurtenissen.

3 *Historia Augusta*, Hadrianus, 16.

4 Cassius Dio, 60.21.5.

5 *Ibid.*, 60.21.2.

6 Over de mogelijke aanwezigheid van het keizerlijk gezelschap bij de inwijding van dit monument zie Levick, *Claudius*, 168. Over de feestelijkheden bij de monding van de Po zie Plinius, *Naturalis historia*, 3.16.

7 Cassius Dio, 60.22.1-3.

8 *Ibid.*, 60.22.2.

9 *Ibid.*, 60.22.1. Suetonius, *Leven van Claudius*, 17.1 voert aan dat het verlangen naar een triomftocht de voornaamste reden voor Claudius was om een invasie van Brittannië op touw te zetten.

10 Zie bijvoorbeeld de beschrijving van Pompeius' beroemde drievoudige triomftocht in 61 v.Chr., te vinden in Plutarchus, *Het leven van Pompeius*, 45.

11 Voor verslagen van Claudius' triomftocht zie Cassius Dio, 60.23.1; Suetonius, *Leven van Claudius*, 17.2-3.

12 Persius, *Hekeldichten*, 6.43-47.

13 Plinius de Oudere, *Naturalis historia*, 15.39-40.

14 Over de rol van vrouwen in de Romeinse triomftocht zie Flory, 'The Integration of Women into the Roman Triumph'.

12. Intriges en angsten

1 Tacitus, *Annalen*, 11.26.

2 Augustus, *Mijn wapenfeiten*, 34.

3 Suetonius, *Leven van Claudius*, 29.

4 Cassius Dio, 60.2.

5 Verslagen over Silanus' ondergang zijn te vinden bij Cassius Dio, 60.14; Suetonius, *Leven van Claudius*, 37.2. Aan Narcissus' aandeel in de affaire wordt ook gerefereerd in Tacitus, *Annalen*, 11.29.

6   Cassius Dio, 60.15.1.

7   Suetonius, *Leven van Claudius*, 37.

8   Cassius Dio, 60.14.3.

9   Over zijn consulaat zie Syme, *The Augustan Aristocracy*, 164. Over de aanklacht wegens *maiestas* zie Tacitus, *Annalen*, 6.9.

10   Voor zijn relaas over Messalina en de acties van de vrijgelatenen na de rebellie zie Cassius Dio, 60.15-16.

11   Over de vriendschap tussen Arria en Messalina zie Cassius Dio, 60.16.6. Voor verslagen over Arria's toewijding en moed na de veroordeling van haar echtgenoot, en voor haar dood, zie Plinius, *Brieven*, 3.16 en Cassius Dio 60.16.6.

12   Plinius, *Brieven*, 3.16.

13   Deze uitspraak wordt door zowel Plinius als Cassius Dio aangehaald: Plinius, *Brieven*, 3.16 en Cassius Dio, 60.16.

14   Cassius Dio, 60.16.7; Levick, *Claudius*, 60.

15   Tacitus, *Annalen*, 1.29.

16   Voor de val van Catonius zie Cassius Dio, 60.18.3.

17   Cassius Dio, 60.18.3.

18   Pseudo-Seneca, *Apocolocyntosis*, 13.

19   Over Pollio's benoeming zie Josephus, *Oude geschiedenis van de Joden*, 19.267-268; Wiseman betoogt dat Catonius Justus waarschijnlijk omstreeks dezelfde tijd werd benoemd: *The Death of Caligula*, 97.

20   Voor de ondergang van Julia zie Cassius Dio, 60.18.4; Suetonius, *Leven van Claudius*, 29.1; Tacitus, *Annalen*, 13.32, 13.43.

21   Voor dit eerste huwelijk zie Tacitus, *Annalen*, 3.29.

22   Voor Julia's tweede huwelijk zie *ibid.*, 6.27.

23   Syme, 'The Marriage of Rubellius Blandus', 75.

24   Deze slaven legden hun verklaringen onder foltering af. Alleen bij gevallen van verraad gold dezelfde maas in de wet. Zie Brunt, 'Evidence given under Torture in the Principate'.

25   Voor Suillius' aandeel in de affaire zie Tacitus, *Annalen*, 13.43.

26   Voor Pomponia's protest zie Tacitus, *Annalen*, 13.32.

27   Voor het huwelijk zie Barrett, *Agrippina,* 84-85.

28   Barrett, *Agrippina*, 222, inscriptie nr. 22.

13. Politieke perversies

1   Tacitus, *Annalen*, 11.35-11.36.

2 Tacitus, *Annalen*, 11.36; een andere verwijzing naar de affaire van Plautius Lateranus met Messalina is te vinden in Tacitus, *Annalen*, 13.11.

3 Plinius, *Naturalis historia*, 10.171.

4 Voor een inleiding in Augustus' overspelwetgeving en de politieke betekenis ervan, zie Edwards, *The Politics*.

5 Paulus, *Sententiae*, 2.26.14.

6 Ulpianus, *Fragmenten*, 48.5.13.

7 Zie Olsen, 'Matrona and whore: clothing and definition'.

8 Ulpianus, *Fragmenten*, 48.5.30.

9 Suetonius, *Leven van Augustus*, 65.

10 De brief is niet bewaard gebleven, maar was goed bekend in de oudheid; zie bijvoorbeeld Plinius' vermelding ervan: *Naturalis historia*, 21.6.

11 Seneca, *De Beneficiis*, 6.32. Zie ook Tacitus, *Annalen*, 1.53.3 voor minder sensationele beweringen over alledaagsere buitenechtelijke verhoudingen.

12 Suetonius, *Leven van Augustus*, 65; zie ook Tacitus' vermelding van de affaire: *Annalen*, 3.24.

13 Over Polybius' rol in Claudius' huishouden zie Suetonius, *Leven van Claudius*, 28. Over Polybius' eigen intellectuele bezigheden, met inbegrip van zijn vertaling van Homerus in het Latijn en Vergilius in het Grieks, zie Seneca, *Troostschrift voor Polybius*, 7-8.

14 Voor Polybius' invloed en hoe hij tussen de consuls in wandelde zie Suetonius, *Leven van Claudius*, 28. Voor het incident in het theater zie Cassius Dio, 60.29.

15 Seneca, *Troostschrift voor Polybius*.

16 Cassius Dio, 60.31.2.

14. Overspelige vrouwen hebben meer plezier

1 Ovidius, *Amores*, 1.4.

2 *Ibid.*, 2.19.

3 Over Claudius' schouwspelen zie Suetonius, *Leven van Claudius*, 21 en Cassius Dio, 60.6-7, 13, 23, 27.

4 Suetonius, *Leven van Claudius*, 21; Cassius Dio, 60.7.

5 Ovidius, *Ars Amandi*, 1.89-228.

6 Suetonius, *Leven van Claudius*, 32.

7 Suetonius, *Leven van Claudius*, 5, 40.1. Suetonius citeert een brief waarin Augustus zijn afkeuring uitspreekt over de vrienden met wie Claudius zich omringde: Suetonius, *Leven van Claudius*, 4.5.

8 Claudius zette zijn oude gewoonten voort tot aan het eind van zijn leven, zie Cassius Dio, 60.34.2.

9 Cassius Dio, 60.18.

10 Ovidius, *Ars Amandi*, 1.281-341.

11 Catullus, 2.

12 *Ibid.*, 68a.

13 Tibullus, 1.2 en 1.6.

14 Sulpicia, 6 (bewaard gebleven in het corpus van Tibullus).

15 Sulpicia, 13 (bewaard gebleven in het corpus van Tibullus).

16 Over Messalina's korte verhouding met Traulus zie Tacitus, *Annalen*, 11.36.

17 Ovidius, *Amores*, 3.4.

18 Ovidius, *Tristia*, 2.207.

19 Voor Ovidius' klacht over de gebrekkige vrouwelijke lichaamsverzorging aan de Zwarte Zee zie *Ars Amandi*, 3.193-196.

20 Juvenalis, *Satiren*, 6.60-113.

21 Cassius Dio, 60.18.

22 Tacitus, *Annalen*, 1.77.

23 Over de antieke pantomime en haar uitvoerenden zie de verhandeling *Over de dans* van de tweede-eeuwse schrijver Lucianus van Samosata.

24 Galenus, *Over prognose*, 6. Voor een vertaling van deze passage en een bespreking van het geval in zijn context zie Salas, 'Why Lovesickness is Not a Disease: Galen's Diagnosis and Classification of Psychological Distress'.

25 Lucianus, *Over de dans*, 3, vertaling H.W. Fowler en R.G. Fowler, *The Works of Lucian of Samosata, vol. 2* (Oxford, 1905).

26 Suetonius, *Leven van Caligula*, 55.

27 Cassius Dio, 60.28.5.

28 Voor verslagen over de affaire van Messalina en Mnester zie Cassius Dio, 60.22, 60.28 en Tacitus, *Annalen*, 11.35.

29 Tacitus, *Annalen*, 13.45.

30 Cassius Dio, 60.22.3-5.

31 Tacitus, *Annalen*, 11.36.

32 Cassius Dio, 60.22.3-4.

33 *Ibid.*, 60.28.

34 *Ibid.*, 60.28.5.

15. Een tuin om een moord voor te doen

1 Over de symboliek die verbonden is aan Claudius' aanvaarding van deze rol zie O'Neill, 'Claudius the Censor and the Rhetoric of Re-Foundation'.

2 Suetonius, *Leven van Claudius*, 16.

3 *Ibid.*, 29.2.

4 Cassius Dio, 60.29.6.

5 Pseudo-Seneca, *Apocolocyntosis*, 11.

6 Er is een papyrus uit 50-51 bewaard gebleven die betrekking heeft op land in de omgeving van Philadelphia en Euhemeria dat voorheen toebehoorde aan Valerius Asiaticus: Ann Arbor University of Michigan Library P.Mich.876v. Geciteerd door Cogitore, in *Claude: un empereur au destin singulier*, 126-127. Zie ook Sijpesteijn, 'Another οὐσία of D. Valerius Asiaticus in Egypt' voor een papyrus met betrekking tot het grondbezit van Valerius Asiaticus.

7 Voor een samenvatting van Asiaticus' carrière en successen zie Tacitus, *Annalen*, 11.1. Seneca verwijst naar Asiaticus als 'ferocem virum', wat vertaald zou kunnen worden als 'dapper', 'trots', 'arrogant' of zelfs 'woest'; *On Constancy*, 18.2. Claudius zelf betitelde Asiaticus als een atletisch 'wonder', overigens in een toespraak waarin hij hem hekelt en die bewaard is gebleven in een in Gallië gevonden inscriptie: ILS 212, col. 2.14-17, Smallwood, no. 369, 98.

8 Seneca, *Over de gelijkmoedigheid*, 18.2.

9 Over Asiaticus' aanwezigheid in Brittannië zie Tacitus, *Annalen*, 11.3. Over zijn tweede consulaat zie Cassius Dio, 60.27.1.

10 Tacitus, *Annalen*, 11.1.

11 *Ibid.*, 11.1.

12 Cursi, 'Roman Horti: a topographical view in the Imperial era', 125, fig. 1.

13 Bowe, *Gardens of the Roman World*, 7.

14 Voor een poëtische beschrijving van een ideale Romeinse tuin zie Vergilius, *Georgia*, 4.130-146.

15 Pagán, *Horticulture and the Roman Shaping of Nature*. Voor saffraan

zie Vergilius, *Georgia*, 4.109. Voor verbena zie *ibid.*, 4.130-146.

16 Plinius, *Naturalis Historia*, 15.30.

17 Tacitus, *Annalen*, 11.1.

18 Plutarchus, *Leven van Lucullus*, 39.2.

19 Cassius Dio, 60.31.

20 Tacitus, *Annalen*, 11.1.

21 Over de politieke symboliek van de Seculiere Spelen zie Dunning, 'The transformation of the saeculum and its rhetoric in the construction and rejection of roman imperial power'. Voor de associatie van de Seculiere Spelen met de gens Valeria zie Dunning, *Roman Ludi Saeculares from the Republic to Empire*, vooral 26-36, 46-47.

22 Tacitus, *Annalen*, 11.11; Suetonius, *Leven van Nero*, 7.

23 Suetonius, *Leven van Nero*, 6; zie ook Tacitus, *Annalen*, 11.11.

24 Verslagen van de val van Asiaticus zijn te vinden bij Tacitus, *Annalen*, 11.1-3 en Cassius Dio, 60,29.4-5.

25 Tacitus, *Annalen*, 11.1.

26 *Ibid.*, 11.2.

27 Voor deze episode zie Cassius Dio, 60.29.5-6.

28 Voor de val van Poppaea de Oudere zie Tacitus, *Annalen*, 11.2.

29 *Ibid.*, 11.4.

30 Cassius Dio, 60.27.4.

31 Woods, 'The Role of Lucius Vitellius in the Death of Messalina'.

16. Herinterpretatie van een einde

1 Zie Candy, 'lex Cincia on gifts' in *Oxford Research Encyclopaedia of Classics.*

2 Tacitus, *Annalen*, 11.5.

3 Voor een verslag van dit debat zie Tacitus, *Annalen*, 11.5-7.

4 *Ibid.*, 11.6.

5 Over Gaius Silius' knappe uiterlijk zie Tacitus, *Annalen*, 11.12; Juvenalis, *Satiren*, 10.331-332.

6 Het volledigste verslag van Messalina's affaire met Gaius Silius is te vinden bij Tacitus, *Annalen*, 11.12, 11.26. Ook Juvenalis benadrukt Messalina's verlangen naar Silius, *Satiren*, 10.329-333.

7 Tacitus, *Annalen*, 11.12.

8 *Ibid.*, 11.12.

9 *Ibid.*, 11.12.

10 Voor Junia Silana's vriendschap met Agrippina zie Tacitus, *Annalen*, 13.19.

11 *Ibid.*, 11.12.

12 *Ibid.*, 11.12.

13 Cassius Dio, 60.31.

14 Voor Gaius Silius' voorstel en Messalina's reactie daarop zie Tacitus, *Annalen*, 11.26.

15 Tacitus, *Annalen*, 11.26.

16 *Ibid.*, 11.26.

17 *Ibid.*, 11.26.

18 *Ibid.*, 11.26.

19 De verslagen van Messalina's bigamische huwelijk en haar val zijn te vinden bij Tacitus, *Annalen*, 11.26-38; Cassius Dio, 61; Suetonius, *Leven van Claudius*, 26.2, 36.

20 Tacitus, *Annalen*, 11.27.

21 *Ibid.*, 11.28.

22 *Ibid.*, 11.27.

23 Suetonius, *Leven van Claudius*, 29.3. Het verhaal wordt door Robert Graves opgepakt in *Claudius the God and His Wife Messalina*.

24 Colin, 'Les vendanges dionysiaques et la légende de Messaline'.

25 Tacitus, *Annalen*, 11.30. Suetonius benadrukt ook dat het Claudius' angst voor een staatsgreep en niet zozeer boosheid op zijn vrouw was waardoor hij reageerde zoals hij deed: *Leven van Claudius*, 36.

26 Tacitus, *Annalen*, 11.32.

27 *Ibid.*, 11.34.

28 *Ibid.*, 11.37.

29 *Ibid.*, 11.37.

30 *Ibid.*, 11.37.

17. De keizerin-hoer

1 Tacitus, *Annalen*, 11.38.

2 *Ibid.*, 11.38.

3 Het eerste officiële senatoriale decreet was ook gericht geweest tegen een vrouw, Livilla. Het vernietigen van beelden kwam ook informeel voor, zonder een decreet van de senaat, bijvoorbeeld in het geval van Caligula en Caesonia. Varner, 'Portraits, Plots, and Politics: "Damnatio memoriae" and the Images of Imperial Women', 41-42.

4 Over het verwijderde beeld in Lepcis Magna zie Varner, 'Portraits, Plots, and Politics: *Damnatio Memoriae* and the images of imperial women', 64-65.

5 Over de hergebruikte beelden in Velleia en Napels zie *ibid.*, 65-67.

6 CIL 4474.

7 Varner, *Mutilation and Transformation*, 95-96. Een dergelijk exemplaar is te zien in het Ashmolean: RPC 2654.

8 Juvenalis, *Satiren*, 6.114-132.

9 Over de archeologie van het lupanar zie Levin-Richardson, *The Brothel of Pompeii*.

10 Juvenalis, *Satiren*, 6.15-16.

11 Over het gebruik van 'toneelnamen' zie Levin-Richardson, *The Brothel of Pompeii*, 118-119.

12 Over Latijnse termen voor prostitutie zie J. Adams, 'Words for Prostitute in Latin'.

13 Voor Dio's verhaal over Messalina zie 60.31.1. Voor een verdacht overeenkomstig verhaal dat over Caligula wordt verteld, zie Cassius Dio, 59.28.8-9; Suetonius, *Caligula*, 41.

14 Pseudo-Aurelius Victor, *Epitome de Caesaribus*, 4.5. Over deze tekst zie Baldwin, 'The "Epitome de Caesaribus", from Augustus to Domitian'; zie ook Barnes, 'Review: Epitome de Ceasaribus', in het bijzonder pp. 26-27.

15 Propertius, *Elegieën*, 3.11.39.

16 Suetonius, *Leven van Claudius*, 26.2.

17 Over de betekenis van de toekenning van deze titel zie Barrett, *Agrippina*, 108-109.

18 Tacitus, *Annalen*, 12.1-2.

19 Narcissus kreeg slechts de quaestor-eretekens toegekend: Tacitus, *Annalen*, 11.38; zie ook Levick, *Claudius*, 69.

20 Tacitus, *Annalen*, 12.22; Cassius Dio, 60.32.4.

21 Voor de geruchten over incest zie Tacitus, *Annalen*, 12.3-4; Pseudo-Seneca, *Apocolocyntosis*, 8. Voor Silanus' zelfmoord zie Tacitus, *Annalen*, 12.8; Cassius Dio, 60.31.8; Pseudo-Seneca, *Apocolocyntosis*, 10-11.

22 Tacitus, *Annalen*, 4.53; Plinius, *Naturalis historia*, 7.8.

23 Over het pretoriaanse wachtwoord zie Tacitus, *Annalen*, 13.2. Voor deze munten zie een voorbeeld in het British Museum: R6509.

Voor Agrippina's verschijning in een veldheersmantel zie Tacitus, *Annalen*, 12.56; Cassius Dio, 60.33. Voor Agrippina's poging om buitenlandse afgezanten te ontvangen zie Tacitus, *Annalen*, 13.5.

24 Tacitus, *Annalen*, 12.7.

25 Plinius, *Naturalis historia*, 10.83.10.

18. De tragedie van Claudia Octavia en Britannicus

1 Verslagen van de moord op Claudius en de opvolging door Nero zijn te vinden bij Tacitus, *Annalen*, 12.66-69; Cassius Dio 60.34-61.1; Suetonius, *Leven van Claudius*, 43-46; *Leven van Nero*, 8.

2 Verslagen van Britannicus' dood zijn te vinden bij Tacitus, *Annalen*, 13.15-17; Cassius Dio, 61.7.4-5; Suetonius, *Leven van Nero*, 33; *Leven van Titus*, 2.

3 Tacitus, *Annalen*, 13.17.

4 Barrett, *Agrippina*, 170-172.

5 Voor Lucius Silanus' rol in de Britse campagne zie Cassius Dio 60.21.5. Voor zijn versierselen bij de triomftocht zie Cassius Dio, 60.23.2, 60.31.7. Voor zijn pretorschap en gladiatorenspelen zie Cassius Dio, 60.31.7.

6 Tacitus, *Annalen*, 12.3-4, 12.8; Pseudo-Seneca, *Apocolocyntosis*, 8, 10-11. Cassius Dio, 60.31.8.

7 Over Junia Calvina's schoonheid en karakter zie Tacitus, *Annalen*, 12.4; Pseudo-Seneca, *Apocolocyntosis*, 8.

8 Suetonius, *Leven van Nero*, 7.

9 Tacitus, *Annalen*, 13.16.

10 *Ibid.*, 13.12.

11 *Ibid.*, 13.12.

12 Over Acte zie Tacitus, *Annalen*, 13.12. Over de eigenschappen van Poppaea de Jongere zie Tacitus, *Annalen*, 13.46.

13 Suetonius, *Leven van Nero*, 35.

14 Tacitus, *Annalen*, 13.18-19.

15 Verslagen van de val van Agrippina zijn te vinden bij Tacitus, *Annalen*, 14.3-9; Cassius Dio, 61.12-14; Suetonius, *Leven van Nero*, 35.

16 Tacitus, *Annalen*, 14.59.

17 Suetonius, *Leven van Nero*, 35.2.

18 Verslagen van Octavia's scheiding en dood zijn te vinden bij Tacitus, *Annalen*, 14.60-64; Cassius Dio 62.13; Suetonius, *Leven van Nero*, 35.

19 Tacitus, *Annalen*, 14.63.

20 *Ibid.*, 14.64.

21 *Ibid.*, 12.53.

22 Tacitus, *Annalen*, 12.57; Cassius Dio, 60.33.

23 Tacitus, *Annalen*, 12.65.

24 *Ibid.*, 13.1; Cassius Dio, 60.34.

25 Voor de val van Domitia Lepida zie Tacitus, *Annalen*, 12.64-65.

26 Voor Vitellius' publieke begrafenis en het standbeeld zie Suetonius, *Leven van Vitellius*, 3.

27 Voor de val van Publius Suillius zie Tacitus, *Annalen*, 13.42-43.

28 *Ibid.*, 13.42.

29 *Ibid.*, 13.43. Cursivering van de auteur.

19. Epiloog: de Messalina's

1 Voor de eerste recensie zie *The New York Times*, donderdag 23 januari 1902, 8. De recensent ging nog een tweede keer en zijn verslag daarvan verscheen op zaterdag 8 februari 1902, 8.

2 Honorius van Autun, geciteerd in Leiva, *Messaline, impératrice et putain*, 42.

3 Anoniem, *Vingt Ans de la vie d'un jeune homme*, 61.

4 Nerciat, *Les Aphrodites*; citaat gevonden op p. 94 in de editie van 1864.

5 Restif, L'Anti-Justine, 1798, 374; geciteerd in Cryle, *The Telling of the Act*, 283. De Sade, Juliette, 9.44; geciteerd in Cryle, *The Telling of the Act*, 283.

6 Wilmot, *Rochester's Farewell*, 144-145.

7 Een Franse tekst uit 1790 verwijst naar prostituees als 'allemaal Messalina's die genietingen schenken': *Ordonnance de police sur les filles de joie*, 1790, 6:400, geciteerd in Cryle, *The Telling of the Act*, 285-286. In Groot-Brittannië prijzen advertenties voor de memoires van de Dublinse courtisane 'Kitty Cut-A-Dash' in de jaren tachtig van de zeventiende eeuw haar aan als 'the Hibernian Messalina' (de Ierse Messalina), bijvoorbeeld de advertentie die is afgedrukt in *The World*, Londen, donderdag 11 oktober 1787.

8 Zie bijvoorbeeld het in 1771 gedrukte 'The Stable-Yard Messalina; The Hostile Scribe' in de Lewis Walpole Library van Yale: 771.01.01.06.

9   *An epistle from L-y W-y to S-r R-d W-y, Bart*, gepubliceerd door P. Wright, 1782, 2. *The answer of S-r R-d W-y, Bart. to the epistle of L-y W-y*, gepubliceerd door T. Lewis, 1782, 1.

10 *The London Courant*, dinsdag 23 oktober 1781.

11 De eerste brief verscheen op maandag 19 juli 1779 in *The Morning Post*, de tweede brief verscheen op maandag 26 juli 1779 in dezelfde krant.

12 Charlotte Brontë, *Jane Eyre*, dl. 3, hoofdstuk 1.

13 Voor een veelomvattend overzicht van Messalina's receptie na de oudheid zie Leiva, *Messaline, impératrice et putain: Généalogie d'un mythe sexuel de Pline au pornopéplum*.

14 Pseudo-Seneca, *Octavia*, 10-20.

15 *Ibid.*, 270-272.

16 Boccaccio, *Over de lotgevallen van beroemde mensen*, 7.3.

17 Getty: Ms. 63 (96.MR.17), fol. 218v.

18 Bibliothèque de l'Arsenal, Paris: Ms 5193.

19 Dit schilderij bevindt zich nu in het Statens Museum for Kunst, Kopenhagen.

20 *Reynolds Newspaper*, zondag 16 maart 1851, 9.

21 Nathanael Richards, *The Tragedy of Messallina*, act 5, scene 2.

22 *Ibid.*, bedrijf 2, scène 1.

23 *Ibid.*, bedrijf 4, scène 3.

24 *Ibid.*, bedrijf 1, scène 2.

25 *Ibid.*, bedrijf 1, scène 2.

26 *Ibid.*, bedrijf 2, scène 2.

27 *Ibid.*, scène 2.

28 *Ibid.*, bedrijf 2, scène 2.

29 Leonard Gallois (red.), *Réimpression de L'Ancien Moniteur*, Volume 18 (Paris: Au Bureau Centrale, 1841), 122: geciteerd in Harris, *Queenship and Revolution in early modern Europe*, 39.

30 Over Maria Carolina van Napels zie Gorani, *Mémoires secrets et critiques*, vol. 1, 98, Over Adélaïde van Orléans zie Aali, *French Royal Women during the Restoration and July Monarchy*, 185-191. Voor de prent van James Gillray met betrekking tot keizerin Josephine: BM 1851,0901.1162.

31 Dit schilderij bevindt zich nu in het Rijksmuseum, Amsterdam: SK-A-4779.

32   Dit beeld bevindt zich nu in het Musée des Beaux-Arts, Rennes.

33   Dit beeld bevindt zich nu in het Musée d'Orsay, Paris: RF A16.

34   Geciteerd in Rounding, *Grandes Horizontales*, 107.

35   Pona, *La Messaline*, in het Frans vertaald door Lattarico, 53.

36   *Ibid.*, 54.

37   *Ibid.*, 57.

38   *Ibid.*, 71.

39   *Ibid.*, 55.

40   Voor een verslag van de 'Affair Du Bourg' zie Gildea, *Children of the Revolution*, hoofdstuk 13.

41   Shapiro, 'Love Stories: Female Crimes of Passion in Fin-de-siècle Paris', 60-61.

42   Dumas, *L'Homme-Femme*, 187, geredigeerd en vertaald door G. Vandenhoff (New York, 1873).

43   *Ibid.*

44   *Ibid.*

45   Dumas, *La Femme de Claude*, eerste bedrijf, vertaling C.A. Byrne (New York, 1905).

46   *Ibid.*

47   *Ibid.*, bedrijf 2.

48   *Ibid.*, bedrijf 1 en 2.

49   *Ibid.*, bedrijf 1.

50   Krafft-Ebing, *Psychopathia Sexualis*, 4.i, vertaling F. Klaf (New York, 1965).

51   Wyke, *The Roman Mistress: Ancient and Modern Representations*, 328-330.

52   Baudelaire, *Les Fleurs du Mal*. Vertaling Paul Claes (Amsterdam, Atheneum-Polak & Van Gennep, 2016).

53   Geciteerd in Leiva, *Messaline, impératrice et putain*, 202.

54   Vertaling Friedman, *An Anthology of Belgian Symbolist Poets* (New York, 2003).

55   Graves, *I, Claudius*, 378.

Illustratieverantwoording

1. The Picture Art Collection / Alamy Stock Photo
2. Miguel Hermoso Cuesta, Wikimedia Commons
3. DEA / G. DAGLI ORTI / Contributor / Getty Images
4. Marie-Lan Nguyen / Wikimedia Commons
5. Marie-Lan Nguyen (2011), Wikimedia Commons
6. Art Collection 3 / Alamy Stock Photo
7. The Picture Art Collection / Alamy Stock Photo
8. DEA / G. DAGLI ORTI / Contributor / Getty Images
9. © Staatliche Kunstsammlungen Dresden / Elke Estel / Hans-Peter Klut
10. Robert Kawka / Alamy Stock Photo
11. Artefact / Alamy Stock Photo
12. The Picture Art Collection / Alamy Stock Photo
13. incamerastock / Alamy Stock Photo
14. Alessandra Benedetti-Corbis / Contributor / Getty Images
15. Universal History Archive / Contributor / Getty Images
16. Historische beeldverzameling van Bildagentur-online / Alamy Stock Photo
17. Heritage Images / Contributor / Getty Images
18. © Isabella Stewart Gardner Museum / Bridgeman Images
19. User: Bibi Saint-Pol, own work, 2007-02-10 / Wikimedia Commons
20. DEA / A. DAGLI ORTI / Contributor / Getty Images
21. Giorgio Cosulich de Pecine / Contributor / Getty Images
22. Photo Josse/Leemage / Contributor / Getty Images
23. Sepia Times / Contributor / Getty Images
24. Sepia Times / Contributor / Getty Images
25. Hansrad Collection / Alamy Stock Photo

Register

Paginanummers gevolgd door een 'n' verwijzen naar een voetnoot.

Abildgaard, Nicolai 329
acta diurna / senatus 50
acteurs 56, 72, 124n, 132, 179, 181
Aelia Paetina 27, 110, 193, 204, 237, 255, 300, 316
Aemilia Lepida 108
Aemilius Lepidus 28, 66, 117, 125, 132-134
Aeneas 35, 49, 63, 151, 161
Aeschylus 38
Agamemnon 252
Agrippa Postumus 87n
Agrippina de Jongere 24, 30, 50, 116, 125, 132-137, 164, 170, 194-196, 221, 226-227, 229, 233n, 262-263, 273, 280, 291, 300-304, 307-313, 315-317, 326, 330, 354
Agrippina de Oudere 27-28, 88, 91, 96
Ahenobarbus, G. Domitius 15, 137n
Ahenobarbus, L. Domitius 15, 72n, 226, 317
Alexander de Grote 128, 140, 174
Alexander Helios 104
Alexandrië 53, 138-139, 173-174
Allobroges 256

Amalfikust 79
ambtenaren 187
Anicetus 315
Antigone 41
Antiochus IV van Commagene 103, 291
Antonia de Jongere 15, 17, 19, 26-27, 30, 92, 95, 100, 117, 226, 237
Antoninus Piusm, keizer 49n
Antonius, Marcus 15, 23, 63, 65, 68-69, 100-101, 103, 153, 155
Apicata 94-95
Apocolocyntosis (Seneca de Jongere) 198n, 230n, 256
Apollo 121, 182, 294
Apollonia 68
Ara Pacis Augustae 69-70, 154, 170
Argyll, Margaret, hertogin van 324
Arria 31, 189, 218-219
Artemisia 41
Asiaticus, Decimus Valerius 30, 32, 148, 150, 192, 221, 256-268, 270, 274-275, 280-281, 284, 313, 339, 369
auctoritas 160, 164
Augusta, eretitel 171, 193-194, 206, 227, 229, 252, 300
augusteïsche regeling 72, 306
Augustus, keizer 23, 27-28, 38, 43,

46-47, 62-64, 67-73, 85-89, 97, 100-109, 114-116, 120, 122, 134, 139-141, 145, 148, 151, 153-155, 158-163, 165, 168-169, 171, 179-182, 187, 195, 197, 206-208, 211, 220, 222, 224, 232-235, 240, 247, 249, 256, 261-262, 310-311

aula 183

autocratie 43, 46, 76, 86-87, 97, 149

bacchanten 56

Bacchus 35, 56, 283

Baiae 79-80, 104, 128, 140, 263

banketten 66, 84, 104, 116, 120, 123-124, 182, 194, 207, 209, 242-243, 258, 286

Bathyllus 248

Baudelaire, Charles 343-344, 347n

Beardsley, Aubrey 346

belasting 139

Blandus, Rubellius 21, 222-223

Boccaccio, Giovanni 327-328

Bona Dea, heiligdom 157

bordelen 139, 334 *zie ook* prostitutie

Bosporus 129

Boter 110

Boudicca 41

brieven 38, 82, 90, 92, 133, 162, 195, 224, 236, 241

Britannicus (Tiberius Claudius Caesar) 15, 24-26, 29, 54, 57, 132, 168-172, 176-177, 183, 188, 193, 198, 204, 206, 208, 223, 227, 256, 263-264, 276, 280, 285, 287, 300, 302, 308-311, 313, 315, 317, 322, 326

Brittannië 24, 52, 138, 201-203, 205-207, 212, 225, 227, 238, 242, 255, 257, 296, 311, 323

bruidsschatten 122-123, 152, 157, 233

Brunet, Eugène Cyrille 335-337

Brutus, Marcus Junius 63, 69

Caecuba-wijn 77

Caesennia 248

Caesoninus, Suillius 230, 287

Callistus 29, 53-54, 144, 188, 281, 300

Calpurnia 29, 32, 54-55, 59, 229-230, 238, 281, 284

Calpurnianus, Decrius 32, 89, 229-230, 238

Camillus, Marcus Furius 109

Campus Martius 69, 207, 310

Caligula, keizer *passim*

Canale, Gerolamo 328

Capri 89-90, 93, 95-98, 114, 149, 165

carpentum 209, 286, 296

Carthago 67

Cassius 63, 68-69, 132

Cassius Dio *zie* Dio, Cassius

Cassius Longinus 144

Catonius Justus 24, 29, 220-221, 223, 267

Catullus 39, 98-99, 125, 240,-241, 245

Carmina 98

Caesar, Julius 14, 48, 63-65, 68, 89, 120n, 144, 146, 161, 201

Catullus, Valerius 125

Catuvellauni 202

censors 107, 254-255, 318

Cento Camerelle 104

Chaerea, Cassius 29, 144-146, 149, 184

Cicero 38, 68, 79, 111, 140, 161

Cinna 159

Circus Maximus 242, 312

Claudia Acte 33, 312-313

Claudia Antonia 15, 17, 24, 26-27, 30, 75-76, 110, 186, 204, 226, 237, 255-256

Claudia Octavia 15, 17, 23, 25-27, 30, 33, 57, 74, 132n, 135, 137, 168, 182, 186, 204, 207-208, 256, 285, 287, 300-301, 308-309, 311-317, 326
Claudius, keizer *passim*
Claudius Drusus 27, 93, 110
Cleopatra, maîtresse 29, 54-55, 281, 284
Cleopatra Selene 104
Cleopatra VII van Egypte 23, 41, 63, 69, 101, 103, 155, 174, 189, 281, 284, 299, 323
Clésinger, Auguste 336
Cloatilla 218
Clytaemnestra 252
Coiny, Jacques-Joseph 35n
Concordia 157, 160
Cornelia, moeder 169-170
Cornelia Metella 82
Cornelia Sulla 79
Cotta 32, 229-230n
Crassus 187n
crimes passionnels 340
criminele antropologie 342
Crispinus, Rufrius 221, 285
Crispus, Passienus 30, 226, 262
cultus(beelden) 64, 120, 122, 134, 141, 157, 162, 170
cursus honorum 316
cursus publicus 38
Cybele 209

Dalmatië 31, 200
damnatio memoriae 37, 95, 175, 203, 290
dansers 30, 125, 231, 248, 127, 243, 249
Darius de Grote 129
de Lara, Isidore 319, 325

decadentie 320, 339, 344-347
Demetrius and the Gladiators (Daves) 338
Demosthenes 38
Didot, Pierre 35-36, 320
Dio, Cassius 45, 48-50, 90, 93, 95, 101, 117, 122n, 128-129, 132n, 141, 143, 145-146, 153, 157, 162, 172, 182, 190, 193-194, 196-197, 200-202, 204, 212-215, 217-220, 225, 238, 248, 250-251, 260, 275, 298, 305-306, 310, 350
Domitia Lepida de Jongere 73-74
Domitia Lepida de Oudere 15, 19, 26, 30, 60, 69, 74-77, 79, 84, 99, 111-112, 137, 186, 213, 216, 288, 317, 329
Domitianus, keizer 46, 48
Drusii 58
Drusilla 28, 116-120, 132-134, 147, 149, 164, 168, 184, 199-200
Drusus Caesar 91
Drusus de Jongere 21, 28, 30, 88, 91, 222
Drusus de Oudere 17, 21, 26, 100-103, 106, 170, 168
Dubourg, Arthur & Denise 339-340
Dumas, Alexandre 340-341, 343
Duval, Jeanne 343

Eerste Triumviraat 187n
Egypte 53, 64, 66, 69-70, 103, 118, 120, 173, 248, 257
Eirene & Ploutos (Cephisodotus) 177
Elbe, rivier 101-102
Epitome de Caesaribus (?) 298
Eppia 247, 292
erotiek 35, 96, 113, 295, 329, 336, 339
Etrusken 107
Eucaerus 314

Euripides 41
Evodus 289, 329

Fabius 32, 229-230
fabula praetexta 326n
fasces 92n, 131
Faustus Cornelius Sulla 15, 19, 26, 76-79, 84, 93, 216n
Faustus Sulla Felix 15, 19, 26, 75-76, 112, 256
Fellini, Federico 338
festiviteiten 104, 114, 116, 119, 145, 155, 187, 242-243, 263, 283, 312
flammeum 99
Florus 203
Forum Romanum 63-64, 235
Forum van Augustus 63-64
Fouquier, Antoine Quentin 333
fresco's 66, 180, 294-295
Fulvia 153
Fundi 77
furor uterinus 343

Gaetulicus, Gnaeus Cornelius Lentulus 23, 28, 132-133, 136
Galenus 250
Gallië 32, 70, 101-102, 136, 138, 201-202, 206-207, 257, 261, 264
Gallone, Carmine 338n
'Gebed' (Gilkin) 346
geboortedata 37, 75, 132n
Gemellus, Tiberius 118
Gemonische trappen 93, 218
geletterdheid 38
gens Julia 161-162
gens Valeria 72-74, 263
Germanicus 27-28, 88, 91, 102, 106-107, 114, 132, 170
Geta, Lusius 29, 221, 281, 284-285

Gibbon, Edward 345n
Gilkin, Iwan 346-347
Gillray, James 333n
Golf van Napels 77, 79-80, 89, 104, 119, 121, 127, 129, 242, 263-264, 293
graan(voorraad) 53, 77, 281-282, 284, 291
Gracchus, gebroeders 169n
grafschriften 152, 189
Graves, Robert 348-351
  Claudius the God and His Wife Messalina 349-350
  I, Claudius 348-349
groepsportretten 170n, 290-291
Grote Joodse Opstand 129n
Griekse kunst 66, 79, 156, 180, 241, 259
Guazzoni, Enrico 338n

Hadrianus, keizer 48-50, 179, 203
Héglon, Meyrianne 319
Helena van Troje 41
Hellespont 129
Helvius 229-230n
Henriëtta Maria, koningin 332
Hercules 35, 99, 121, 302, 327
Herodes Agrippa van Judea 103
Hispania Tarraconensis 186, 215
Homerus 38, 81, 220
  Ilias 220
Honorius van Autun 321-322
Horatius 39
Hortensius 180
horti 67n, 258 zie ook lustgronden
Hymen 52, 100

I Modi (De standjes) 35
I, Claudius (BBC) 348-349

immoraliteit 37, 124n, 192, 277-278, 318, 324, 330, 337, 354
imperator 148, 161n
imperium maius 71
incest 27, 31, 109, 117-118, 120, 125, 161, 195, 244, 301, 312
infames (infamia) 124, 233, 249-250, 253
Issa, eiland 201

Jane Eyre (Brontë) 325
Joséphine, keizerin 333n
Josephus 128-129n, 144-147, 184
Julia de Oudere 27, 85, 162, 171, 190, 230, 234-236
Julia (Livia) 30-31, 220, 222-227, 236, 255, 267, 280, 315
Julia Livilla 24, 30-31, 116, 132-134, 136, 150, 164, 194-198, 213, 216, 218, 222-223, 227, 233n, 236, 267, 280, 318
Julia de Jongere 27, 108-109, 235, 247
Juliette (de Sade) 323
Julio-Claudianen 182, 213
Junia Calvina 31, 301, 312
Junia Silana 31, 273
Junilla 93, 96, 110
Jupiter 62, 89, 141, 146, 157
Juvenalis 22, 36, 39, 73, 111, 135-136, 170, 247, 254, 292-293, 295-299, 305-306, 334, 339, 341, 343, 345-346
Satiren 22, 73, 254, 346
Tiende satire 339
Zesde satire 36, 135, 170, 296, 334

kapsels 99, 175, 348
katholicisme 35, 39, 332, 354
keizerlijke vrijgelatenen 54, 183, 268, 275

kinderen baren 76, 170, 172
Knüpfer, Nicolaas 334-335
Korinthe 67
Krafft-Ebing, Richard von 342
kuisheid 42, 80, 95, 152, 157, 171, 176-178, 285-286, 300, 331

L'Homme-Femme (Dumas) 340-341
La Bretonne, Restif de 323
La Femme de Claude (Dumas) 340-341
La Messalina (Pona) 319, 336
Lacroix, Jules 330
Lateranus, Plautius 32, 230, 238, 287
Latijn 38-39, 42, 45, 78-79, 81, 101, 107, 183, 294
Latium 79
laurierkransen 208
Lepcis Magna 290n
Lepidus, Marcus 65-66
lex cincia 270, 318
Lex Iulia de Adulteriis Coercendis 232
lex maiestas 89
lictoren 162
liefdespoëzie 241
literatuur 38-39, 82-83, 237, 303, 322
Livia 21, 27, 41, 85n, 100, 105-106, 109, 120, 145, 151, 154-164, 168, 171-172, 178, 189-190, 206, 208, 256, 303, 355
Livia Medullina Camilla 109
Livia Orestilla 28, 126, 164
Livilla 21, 27-28, 30, 91, 93-96, 102
Livius 107
Lodewijk XVI, koning van Frankrijk 334
Lollia Paulina 28, 121-122, 126, 164, 170, 300-301
Lucianus van Samosata 250
Lucretia 41, 73, 152
ludi Palatini 145

Lugdunum (Lyon) 12, 101, 135, 137,
    203, 205
lupa 297
lupanar 294-297
Lupercal 179
lustgronden 258
lustrum 254
luxe 53, 64-65, 71, 78-80, 113n, 123,
    130, 181, 189, 234, 241, 244, 258,
    295, 344, 354

Machaon 98
Macro 93, 96, 119
Macrobius 171, 190
    Saturnalia 171
magistraturen 155
Mamurra 66
Mancini, Hortense 323
mannelijkheid 105, 203, 233, 249,
    304-305, 354
Maquet, Auguste 330
Maria Carolina, koningin van Napels
    36, 333n
Marcus Aurelius 49, 114, 179, 229
    Persoonlijke notities 114, 179, 229
Marie Antoinette, koningin van
    Frankrijk 36, 333-334
marmer 62-64, 66, 77, 117, 127, 175,
    181, 348
Mars 63, 121-122, 133, 136, 247
Martialis 80
Mausoleum van Augustus 102, 115
Medea 41
Medici, Catherine de' 333
Meer van Fucine 316
meretrix 293, 297, 299
Messalina (Valeria Messalina) *passim*
'Messalina, de' 35
Messalina or The Fall of an Empress

    (Guazzoni) 338n
Messalina-complex 343
Messalina, Messalina! (Corbucci) 37,
    338
Messaline (Brunet) 335-336
Messaline (de Lara) 319-320
Messaline (Gallone) 338n
Messalla Appianus 15, 19, 75
Messalla Barbatus 15, 1, 26, 69, 73-76
militarisering 153
Milonia Caesonia 23, 28, 126, 137
misogynie 43, 80, 170, 212, 292
Mnester 30, 32, 59, 112, 125, 229-231,
    248, 250-252, 254-255, 258, 272-
    273, 287, 313, 339
Montesquieu 345n
Moreau, Gustave 347-348
moreel verval 136, 277
munten 132, 169, 173-174
Murdia 42

Narcissus 29-30, 53-60, 188, 191-192,
    196, 213-217, 221, 251, 268, 274-275,
    278, 280-289, 300-302, 316-317, 329
Nepos, Cornelius 124n
Nerciat, Andréa de 323
Nero, keizer 18, 21, 25-26, 30-31, 33,
    46, 77, 79
Nero Caesar 21, 91, 222
Nero, Tiberius Claudius 21, 100
Nerones 58
Nerva, keizer 46, 49n
nymfomanie 36, 215, 253, 261, 322,
    325, 333, 342-343
Nymphomaniac (Von Trier) 322

Oberon, Merle 348
Oceanus 141, 208
Octavia de Jongere 73-74n, 100, 103,

132n, 135, 154-155, 157, 164, 169, 189, 291
Octavia, tragedie 326
Octavianus 27, 64-65, 68-70, 153, 179-180, 182
olifanten 203
opvoeding 80-81, 83, 85, 102, 246
Orestes 252
Orléans, Adélaïde van 333n
Ostia 53, 56-57, 59, 185, 202, 259, 277-278, 281-286, 317, 335
otium 78
Ovidius 39, 62, 157, 160, 199, 240-244, 247, 277
Amores 240, 247
Ars Amandi 62, 242, 247
Fasti 157
Tristia 199

Paetus, Caecina 31, 189, 218-220
Palatijnheuvel 36, 52, 60, 104, 143, 145, 149-150, 179-181, 183, 189-190, 192-194, 196-198, 210, 217, 223, 225, 229, 231, 238, 243-244, 255, 275, 281, 285-286, 288, 299-301, 303, 308-309, 311
Pallas 53-54, 188, 281, 300, 316
pamfletcultuur 36, 333-334, 340
Pandateria 196, 234, 315
pantomime 230, 248-249, 250
pathologie 342-343
pater patriae 71, 86, 155
Penthesilea 41
Persius 39, 207
Perusia 153n
Philo 118, 121, 189
Phryne 322
Pincische heuvel 56, 67, 259, 285-286
Plautia Urgulanilla 17, 27, 93, 109-110

Plautius, generaal 225
plezierboten 80, 127
Plinius de Jongere 38, 47-48, 84, 188
Plinius de Oudere 121, 188, 205, 230-231, 298, 302, 306
Naturalis historia 188, 230
Plutarchus 82, 211
Pollio 221
Polybius 24, 32, 230, 237-238, 274-275, 280-281
pomerium 89, 207-208
Pompeius de Grote 82, 187, 255
Pompeius Magnus, Gnaeus 17, 24, 30, 186-187, 205, 226, 255-256
Pompeius Urbicus 32, 59, 229
Pompeji 39, 77, 81, 293-296
Pomponia Graecina 31, 225
Pona, Francesco 319, 336-339
pontifex maximus 71
Poppaea Sabina de Jongere 33, 177, 312-316
Poppaea Sabina de Oudere 30, 236, 251, 255, 258, 260, 264-267, 272, 312
Porticus van Livia 157
Porticus van Octavia 156
postdienst 38, 90, 144, 188, 199, 226
potentia 211
potestas 153, 160, 211
pretoriaanse garde 24, 28, 128, 144, 149, 220, 226, 242
pretoriaanse kamp 58, 148, 150, 185, 204, 284, 287, 300
princeps senatus 139-140, 161
principaat 71, 85, 87, 91, 107-108, 149-150, 153, 167-168, 197-198, 216, 229, 254, 262, 309
principes 161
privésfeer 51, 141, 156, 234, 332
Proculus, Titus 32, 59, 229

Propertius 113n, 241, 290, 299
prostitutie 35, 37, 40, 42, 96, 124-125,
    224, 230-231, 233, 249, 295-299,
    305-306, 323, 331, 337, 340-343,
    352-353
Protogenes 143
Pseudo-Seneca 308
pseudoniemen 297, 324-325, 333
Psychopathia Sexualis (Krafft-Ebing)
    342
Ptolemaeën 118
Ptolemaeus Philadelphus 103
Ptolemaeus van Mauritanië 103
publieke sfeer 152, 156
Publius Suillius Rufus 31-32, 192, 238,
    264-265, 268, 270-272, 274-275,
    288, 318
Puteoli 77, 128
Pylades 250

quaestors 316

Rachel, Mademoiselle 330
Regulus, Memmius 93
Richards, Nathanael 330-332, 339
Rijn, rivier 62, 101-102, 131, 133, 136,
    138, 195, 207
Rochester, John Wilmot, graaf van 323
Roma (Fellini) 338
Roma, godin 69
Romulus & Remus 62-64, 179-180,
    206, 247, 302, 347
rostra 63-64, 183, 185, 234-235, 328
Rufus, Sulpicius 32, 59, 192, 229-231

Sabatier, Apollonie 336
Sabijnse vrouwen 152
Sabinus, Cornelius 29, 91, 144, 146,
    184

Sade, Markies de 323
sadomasochisme 342
Samius 270
Sappho 36, 41, 333
satire 39, 111, 198n, 247, 296, 298
Saturnalia 106, 144, 171
Scaurus, Marcus Aemilius 66
Scipio 266
Scipio Aemilianus 67
Scipio Africanus 169n
scortum 297
Scribonianus, Camillus 24, 31, 189,
    200-201, 204-205, 217, 219-220
Seculiere Spelen 262
Sed non satiata (Baudelaire) 343-344
Sejanus, Lucius Aelius 27-28, 90-96,
    102, 110, 133, 168, 215, 222
sekssymbolen 249, 354-355
seksualiteit 37, 40, 118, 177-178, 272,
    297, 299, 307, 322, 327-328, 336-
    339, 341-342, 353-355
senaatshuis 63-64, 116, 120, 143, 179,
    184, 204
seni crines 99
Seneca 24, 30-31, 129, 141-142, 159,
    183, 191, 195-196, 198, 213, 235-238,
    267, 301, 318, 326n
    Natuurlijke vragen 196
sensualiteit 242, 244, 261, 292, 304,
    348, 351
Servius Tullius 163
Sicilië 121
Silanus, Appius Junius 15-16, 24, 30,
    76, 186, 213, 215, 288, 339
Silanus, Decimus Junius 109
Silanus, Lucius 15, 30-31, 76, 186, 204,
    226, 246, 301, 311-312
Silius, Gaius 24, 31-32, 52, 54, 91, 211,
    229-230, 238, 270, 352

Silvanus, Plautius 109
Slag bij Actium (31 v.Chr.) 63
Slag bij Alexandrië (30 v.Chr.) 69, 100
Slag bij Philippi (42 v.Chr.) 63, 69
slangen 263
slavernij 29, 53, 59, 77, 87, 90, 98-99,
  110, 119, 123, 125, 129, 135, 143-144,
  152, 156, 162, 165, 180-181, 187-189,
  212, 214-215, 217, 224, 228, 235,
  237, 243, 249-251, 273, 289, 296,
  309, 317, 338
Solimena, Francesco 328
Sosia Galla 91
Sosibus 29, 264
Spel van Troje 263
spelen *zie* festiviteiten
Spolia Opima 101n
Stanhope, Caroline 323
stola 156, 176-177
strupum 232n
Suetonius 45, 4750, 85, 91, 105, 108,
  110, 112, 117, 119, 121-122, 125-127,
  129, 131-132, 136, 141, 146, 148, 180,
  184, 186, 191, 193, 198n, 200, 214,
  225, 279, 313, 350
  Keizers van Rome 45, 48
  Leven van Domitianus 131
suffectus-consulaat 92-93
Sulla, Lucius Cornelius 76
Sulpicia 41, 241, 245-246

Tacitus, Publius Cornelius *passim*
  Annalen 45-47, 52, 84, 87, 132, 151,
    166, 201n, 223n, 225, 270
  Historiae 46
Tanaquil 163
Tarquinius, prins 152
Tempel van Apollo 182
Tempel van Castor en Pollux 182

Tempel van de Vergoddelijkte Augustus 115
Tempel van Divus Julius 64
Tempel van Janus 69
Tempel van Jeruzalem 141
Tempel van Jupiter Optimus Maximus 98, 208
Tempel van Mars Ultor 63, 133
Tempel van Roma 290n
Tempel van Venus Genetrix 120
The Tragedy of Messallina (Richards)
  330, 339
theater 72, 115, 124, 128, 139-140,
  145n, 147, 194, 206, 214, 237, 250,
  252, 255, 257, 349
Thule 202
thyrsus 283
Tiberius, keizer 21, 23, 27-28, 36, 46-
  47, 58, 62, 72, 84, 85-98, 100-102,
  106, 108-110, 114-115, 118-119, 122,
  129, 133, 140-142, 157, 162-163, 165,
  168, 171, 180, 185, 197, 199, 220, 222,
  234, 249, 267, 303, 306, 311, 327
Tibullus 241, 245
Tiende satire (Juvenalis) 339
Tigellinus 314
Tigranes V van Armenië 103
tirannie 45-46, 48-49, 68-69, 84, 88,
  118, 129, 149, 183, 277, 304, 326
Titus, keizer 45, 59, 129, 229
toga picta 208
toga praetexta 104
toga virilis 104, 113, 308-310
toga's 69, 120, 156, 190, 243, 338
Toulouse-Lautrec, Henri de 320
Trajanus, keizer 48-50
Traulus Montanus 32, 59, 112, 229,
  246, 248, 252
Tremirus, eiland 109

tribunicia potestas 71
Trier, Lars von 322
triomftochten 127, 206-208, 212, 229, 238, 242, 286, 296, 311
triumviraat 65n, 68, 187n, 310
Trogus, Saufeius 32, 229
Trump, Donald 40
Tuinen van Farnese 180
Tuinen van Lucullus 56, 59, 67, 258-260, 285, 288, 328, 345
Tullia 111n
tunica recta 99
Turranius 281, 284
tutela mulierum 103
Tweede Triumviraat 65n, 68

Ulysses 156
umbilicus Romae 64

Valens, Vettius 32, 56, 59, 229-230, 278
Valéria (Maquet & Lacroix) 330
Valerius Maximus 103n
Valerius Poplicola 73
Velleia 170n, 291n
Velleius Paterculus 197
Venus Genetrix 120, 170
verering 86, 122n, 141n
vergiftiging 28, 30, 40, 117, 262, 267-268, 308, 311, 332, 343
Vergilianus, Juncus 59, 229-230
Vergilius 38, 81, 161
    Aeneis 38, 161
vergoddelijking 120, 162, 173, 198n
Vespasianus, keizer 45, 129
vestaalse maagden 116, 157, 206, 331
Vesuvius 39
Via Appia 102, 128
Via Ostiensis 53, 57, 286, 288

Vibidia 57-58, 285, 287
Vienne 256, 261
vigilles 238
'Vijf Goede Keizers' 49
Vinicianus 218
Vinicius, Marcus 30, 150, 197-198, 218, 267
Vipsania Agrippina 21, 85
Vitellius, Lucius 31, 141, 192-193, 204, 265-268, 274-275, 281-282, 284, 317-318
Vitruvius 78
volwassenwording 104, 113
Vondel, Joost van den 335n
vrouwelijkheid 154, 159, 234, 292, 300, 325, 351

wagenmenners 115, 124
weduwschap 76, 82, 88, 91, 94, 103, 132, 134, 171, 232, 262, 267, 302
Worsley, Lady Seymour Fleming 323

Xerxes, koning van Perzië 129, 259

zelfmoord 30-32, 58, 60-61, 101, 109, 118-119, 131, 152, 184, 201, 218-219, 222, 225, 256, 258, 266, 288, 301, 311-313, 316-317, 325, 339
Zesde satire (Juvenalis) 36, 135, 170, 296, 334